ro
ro
ro

rororo

Maiken Nielsen wurde 1965 in Hamburg geboren. Einen Teil ihrer Jugend verbrachte sie auf Frachtschiffen. Nach dem Abitur studierte sie in Aix-en-Provence in Frankreich. Heute arbeitet sie als freie Dozentin und als Redakteurin beim NDR. «Das siebte Werk» ist Maiken Nielsens fünfter Roman. Bei rororo erschien zuletzt «Die Freimaurerin» (rororo 24285).

MAIKEN NIELSEN

Das siebte Werk

HISTORISCHER
KRIMINALROMAN

ROWOHLT TASCHENBUCH VERLAG

Originalausgabe
Veröffentlicht im Rowohlt Taschenbuch Verlag,
Reinbek bei Hamburg, September 2009

Redaktion Werner Irro
Umschlaggestaltung any.way, Cathrin Günther
(Foto: akg-images, E.O. Hoppé / Corbis)
Satz aus der Adobe Garamond (InDesign)
bei hanseatenSatz-bremen, Bremen
Druck und Bindung CPI – Clausen & Bosse, Leck
Printed in Germany
ISBN 978 3 499 24943 3

«Eat, drink and be merry,
for tomorrow we die.»

ENGLISCHES SPRICHWORT

PROLOG

Das Leben zog in riesigen, farbschillernden Bildern an ihr vorbei. Die Mutter im Handstand, auf einen Stab gestützt. Sie sah die Röcke, die raschelnd über ihren Kopf fielen, der blaue zuerst, dann der grüne, der gelbe und schließlich die weißen, so blühte es um ihre schlanken Beine herum auf. Ali, ihr erstes Krokodil in einer langen Reihe von verbotenen Reptilien und Raubtieren aller Art. Die Menschenmenge auf dem Spielbudenplatz, wenn sie durch den Vorhang nach außen auf ihr Publikum spähte. Es waren nicht die Jahre, in denen sie gehungert hatte oder krank gewesen war, nicht die Zeit des Ekels vor sich und der Welt, es war das Bunte und Schöne, das sie in sich aufsteigen sah. Die Freundschaft zu den anderen Mädchen. Die nächtlichen Feste, wenn die Männer gegangen waren, die Musik und der Tanz. Sie sah Magdalena vor sich, die so herrlich tanzen konnte, dass sie alles andere vergaß, wenn sie ihr zusah, Magdalena, die sie liebte und hasste, weil sie die Männer mit ihrem schlangengleichen Körper dazu trieb, eine von ihnen zu kaufen, Magdalena, die ihr die roten Haare in Kringel legte oder zu Zöpfen flocht. Sie sah den Schein von Gaslaternen in den Pfützen, abends nach einem regenlangen Tag. Einen Ausflug in der Kutsche mit Magdalena und den anderen Mädchen hinaus aufs Land. Wie die Illusionen in einer Laterna magica blitzte all das in ihrer Erinnerung auf. Aber je mehr sie in sich hineinleuchtete, umso dunkler wurde es um sie herum. Schon fühlte sie das Pflaster nicht mehr, auf dem sie lag. Nahm die

Geräusche nicht mehr wahr, die von den umliegenden Gassen zu ihr herüberwehten, singende Stimmen, ein Schrei. Jemand, sie wusste nicht wer, hob sie hoch und trug sie fort. Dankbarkeit stieg in ihr auf für das Leben, das so kurz gewesen war und in manchen Stunden gut. So war es ja immer gewesen, wenn sie Abschied nahm, so war es ihre Art: keine Vorwürfe, nur Bedauern, dass etwas unumkehrbar zu Ende war, die Freundschaft, die Liebe, eine Zeitspanne. Wie aus einem Nebel heraus dachte sie daran, dass es noch etwas gab, das sie hätte erledigen müssen. Etwas, das wichtig war. Für die Dauer eines Flügelschlags stieg Angst in ihr auf, doch auch dieses Gefühl flatterte davon.

Dann versanken auch ihre Gedanken in Dunkelheit. Und das war das Ende.

1. KAPITEL

Lili Winterberg klammerte sich bleich an die Armlehnen ihres Sitzes und wagte kaum Luft zu holen. Seit Calais hatte die Dampflok dermaßen an Fahrt aufgenommen, dass sich die Landschaft draußen aufzulösen schien. Alles an Lili vibrierte, und das Rattern der Räder betäubte ihre Sinne. Es war erst das zweite Mal in ihrem Leben, dass sie eine Fahrt auf den Schienen unternahm – von der neuerdings oft gepriesenen Harmlosigkeit einer Eisenbahnreise war sie jedoch alles andere als überzeugt. Sie spürte, wie ihr Herz klopfte, schloss die Augen und zählte die Schläge leise mit.

Als sie bei tausendfünfhundertdreiundvierzig angekommen war, wurde die Geschwindigkeit wieder erträglich: Sie fuhren in einen Bahnhof ein. Dünkirchen. Lili beugte sich vor und atmete auf. Ihr Waggon war vor einem Geschäft neben dem Bahnhofsgebäude zu stehen gekommen, an dem das Schild eines Beerdigungsunternehmens hing. Für diejenigen, die – wie Lili – einer Fahrt mit der Eisenbahn misstrauten, sicherlich nicht gerade ein vertrauensförderndes Zeichen, aber gleichzeitig war jetzt auch ihre Neugier geweckt. Als Tochter eines Bestatters interessierte sie sich für alles, was mit dem Gewerbe zusammenhing.

Das Beerdigungsinstitut stand so dicht ans Gleis gebaut, dass sie dessen Auslage gut erkennen konnte. Sie bemerkte, dass hinter dem Schaufenster ein großer, reichverzierter Sarg stand. Daran war eine Karte gelehnt, auf die jemand geschrieben hatte:

Je reviens tout de suite – Bin gleich wieder da.

Lilis Gesicht verzog sich zu einem Lächeln. Die Kombination beider Dinge bedeutete entweder, dass der Geschäftsführer an eine zeitnahe Wiederauferstehung glaubte, oder, dass er mit den Orten, an denen er seine Notizen hinterlegte, wenig wählerisch war.

Lili musste an ihren eigenen Vater denken. Sie sah ihn vor sich, wie er hingebungsvoll an einem seiner Särge schnitzte. Lichtstrahlen fielen schräg durch die Fenster seiner Werkstatt, Holzstaubwolken tanzten darin. Mehr denn je hatte sie Sehnsucht nach zu Hause. Sie wünschte sich, endlich sicher angekommen zu sein.

Gern hätte sie gewusst, wie lang die Teufelsfahrt noch dauern würde und ob irgendwo eine Bahnhofsuhr hing. Doch das Bestattungsgeschäft schien ans Ende des irdischen Lebens zu mahnen, ohne dass die Reisenden sehen durften, wie spät es schon war.

Ein weiteres Mal verspürte Lili einen schmerzlichen Stich, als sie an die silberne Taschenuhr dachte, die ihr der Vater geschenkt hatte und die ihr in England gestohlen worden war. Es war im Gemenge eines Trauergottesdienstes in der St. Paul's Cathedral geschehen, eine rasche, wie beiläufige Berührung von Menschen, die an ihr vorüberzogen. Nur Sekunden später hatte sie den Diebstahl entdeckt. Monatelang hatte sie Pfandleiher und Märkte abgeklappert, um das herrlich gearbeitete Stück wiederzufinden, so sehr hatte sie der Uhr hinterhergetrauert, vergeblich.

Die Tür zu ihrem Abteil wurde geöffnet, und ein etwa acht Jahre alter Junge stolperte herein. Ihm folgte eine ältere, ausladende Dame in Tweed. Kaum setzte sich die Dampflok wieder in Bewegung, kramte der Junge sein Schreibgerät hervor.

«Wirst du das wohl unterlassen?», fuhr die Dame ihn auf

Englisch an. «Bei dem Gerüttel wird dir nur das Tintenfass herunterfallen. Und was hast du dann davon?»

Der Junge blickte auf, direkt in Lilis Augen, und zwinkerte ihr zu.

Lili lächelte zurück.

«Können Sie rechnen?», fragte der Junge, wobei er Lili sein Heft zuschob. «Miss Douglas kann nur Deutsch und Französisch. Rechnen kann sie nicht!»

«Also wirklich, nun lass doch die Miss in Ruhe!», schnaubte die Dame, die offensichtlich seine Gouvernante war.

«Nein, es ist schon in Ordnung», schmunzelte Lili. «Ich habe in den vergangenen Monaten bei meinem Bruder die Buchhaltung gemacht. Zahlen sind ein bisschen mein Geschäft.»

«Sie kommen wohl nicht aus England?» Die Gouvernante presste die Lippen zusammen.

«Ich weiß, mein Akzent ist grauenhaft», lachte Lili. «Ich habe ein halbes Jahr bei meinem Bruder in London verbracht und stamme eigentlich aus Hamburg. Und Sie?»

Die alte Dame öffnete den Mund, um zu einer Antwort anzusetzen, doch der Junge kam ihr zuvor. «Gucken Sie mal hier!»

Lili beugte sich vor. Doch sie sah nichts als eine Zahlenreihe.

«Was sollst du denn damit machen?», fragte sie.

Der Junge steckte seine Schreibfeder in den Mund und kaute darauf herum. Bedauerlicherweise hatte er das Gerät umgedreht, sodass die in Tinte getunkte Feder mit der geschlitzten Spitze auf seinen Mund abfärbte. «Die Quersumme ziehen», verkündete er, wobei seine schwarzgefärbte Zunge gegen die Vorderzähne stieß.

«So etwas Kompliziertes musst du schon tun?» Über den Kopf des Jungen hinweg lächelte sie seine Begleiterin an.

«Ja. Wie rechne ich das?»

«Nun, du musst alle Zahlen zusammenziehen, bis sie nur noch eine Ziffer ergeben.» Lili überlegte kurz. «Die Quersumme ist sieben.»

Der Junge strahlte. Schwarze Spuckebläschen schäumten in seinen Mundwinkeln auf. Mit Blick auf seine Gouvernante raunte Lili ihm zu: «Du hast ein bisschen Tinte im Mund.»

«Vielen Dank», flüsterte der Junge und zog sogleich ein spitzengesäumtes Taschentuch hervor.

Längst hatten sie Dünkirchen wieder verlassen, nun ging es in der immergleichen rasanten Fahrt auf den nächsten Bahnhof zu. Obwohl das Tempo, mit dem die Eisenbahn durch die Küstenlandschaft dampfte, sie noch immer erschreckte, beruhigte sie die Gesellschaft des Jungen und der alten Dame.

Vor ihrem inneren Auge ließ sie die Stationen der vergangenen Monate vorüberziehen. Nach dem Tod von Margaret, Wilhelms Frau, war sie für ein halbes Jahr zu ihm nach London gezogen, um ihm mit seinen Kindern zu helfen. Zugleich hatte sie im Geschäft mit angepackt. Wilhelm hatte sich zu einem äußerst erfolgreichen Bestatter entwickelt, seine trauernde Kundschaft blieb immer nahezu gleich groß. Und was für einen Unternehmer besonders wichtig war, sie war äußerst zahlungskräftig.

Aber Wilhelm, oder Will, wie Margaret ihn immer genannt hatte, machte es den Menschen, die zu ihm kamen, auch leicht. Er bot alle Dienstleistungen an, die bei einem Todesfall vonnöten waren, so, wie er es beim Vater gelernt hatte. Das Konzept war so einfach wie erfolgreich: Alles aus einer, nämlich aus seiner Hand. Er tischlerte die Särge, übernahm den Schriftverkehr mit Friedhof und Kirche, hatte sogar Totenbekleidung und Bahrtuch im Sortiment und fand stets die richtigen Trostworte.

Lili hatte während ihres Aufenthalts Hunderte von interessanten und einflussreichen Persönlichkeiten kennengelernt.

Wäre sie nicht die Schwester eines Undertakers gewesen, der naturgemäß außerhalb der Gesellschaft stand, sie hätte zahlreiche Bälle und andere unterhaltsame Zusammenkünfte erleben können. Zumindest hätten Wilhelms Einkünfte das erlaubt. Von Kindheit an war sie freilich daran gewöhnt, nicht dazuzugehören. Doch erst in London hatte sie das zu stören begonnen. London war so prächtig, so voller Geschichten und Geheimnisse, widersprüchlich und weit. In vielen Straßen, die Lili sich am Wochenende erwanderte, roch die Stadt erbärmlich, dann wieder verlockend nach Parfüm, Gold und Pelzen. Sie erlebte versoffene, torkelnde Männer, die ihren letzten Penny bei Hahnenkämpfen verwetteten; fromme Mägde und Kaufherren bei den Gottesdiensten in der anglikanischen Kirche, die sie mit Wilhelm und den Kleinen besuchte; edelgewandete Angehörige des englischen Adels und dunkelhäutige Menschen aus den Kolonien. Es gab Nächte, in denen Lili in ihrer Stube über der Sargtischlerei wach lag und über das Leben in London nachdachte. Und dabei gab es Momente, in denen sie fand, dass London ein bisschen wie sie selbst war, ein Organismus, der noch wachsen, neue Formen annehmen wollte, den es aber zugleich zerriss vor lauter Gegensätzen. Der gern gewusst hätte, wer er eigentlich war.

Die Gesichter, die sie bis vor wenigen Stunden umgeben hatten, verschwammen bereits zu Schemen, verwoben sich ineinander, obwohl die Stimmen noch in ihrem Kopf nachhallten. Erstaunlich, wie weit sie schon fort waren. Lili horchte in sich hinein. Ihr schwindelte, und auf einmal wusste sie nicht mehr, ob das wirklich an der rasenden Schienenfahrt lag. Das Leben erstreckte sich vor ihr mit all seinen ungeahnten Möglichkeiten, verstörend war das, aber gleichzeitig schön. Wenn sie doch nur wüsste, wer sie eigentlich war und was sie wollte! Manchmal war sie so ängstlich, wie jetzt, hier in der Eisenbahn. Und dann wieder gab es viele Augenblicke, da fühlte sie sich groß und stark.

Wieder einmal befiel sie das widersinnige Gefühl, in ihrem Inneren ohne Grenzen zu sein. Grenzenlos wie eine Zahlenreihe vielleicht. 2, 3, 5, 7, 11, 13, 17, 19, 23 … ratterten die Räder auf den Schienen die Reihe von Primzahlen entlang, und die Melodie dieser Chiffren lullte Lili in tiefen Schlaf.

Als sie erwachte, war der Zug in einem Bahnhof zu stehen gekommen. Der Junge und seine Gouvernante waren fort. Lili blickte durch die Scheibe ihres Abteilfensters. Die Halle draußen war mit so dichtem Dampf gefüllt, dass ihr die Gestalten auf dem Bahnsteig wie Geister im Nebel erschienen.

«Venloer Bahnhof in der Freien und Hansestadt Hamburg, Endstation!» Die Stimme des Bahnhofsvorstehers echote im Rundgewölbe.

Lili schoss in die Höhe, griff nach ihrem Lederkoffer und zerrte ihn aus dem Abteil den Gang entlang. An der Waggontür setzte sie einen Fuß auf das metallene Gitter, das auf den Bahnsteig führte, und blickte umher. Es war, als hätte mit einem Mal der Dampf die Gestalten fortgeweht. Die gewölbte Halle war leer.

Wo waren die Eltern?

«Kann ich Ihnen helfen, junge Dame?» Ein Mann war hinter ihr aufgetaucht.

«Nein, ich …» Sie sah sich verwirrt um und blickte auf einen Hut, den sich der Mann tief ins Gesicht geschoben hatte. «Ich werde abgeholt.»

«Dann wird es mir ein Vergnügen sein, in der Zwischenzeit Ihren Koffer zu tragen. Sie gestatten.»

Lili raffte ihren knöchellangen Mantel und stieg auf den Bahnsteig hinab. Nichts und niemand war zu sehen, der Bahnhof war seltsam leer.

Auf einmal war ihr unheimlich zumute. Sie mochte diesen Mann nicht, der sein Gesicht nicht zeigte. Und sie fürchtete sich davor, mit ihm allein zu sein. Wo um Himmels willen steckten ihre Eltern? Sie verdrehte sich den Hals auf der Suche nach Tobias, dem alten Gesellen ihres Vaters. Doch auch von ihm keine Spur.

«Vermutlich wartet meine Familie draußen», versuchte sie sich zu beruhigen und bemerkte selbst, wie gepresst ihre Stimme klang.

Sie musterte den Unbekannten, während sie ihm folgte. Lange graue Haare wallten unter seinem Hut hervor. Sein Gang war der eines alten Mannes, und mit ihrem schweren Koffer in der Hand kam er nur langsam voran.

Abendkälte umfing sie, als sie durch das Portal auf den Vorplatz traten. Der Mond breitete sein blasses Licht über das Pflaster, auf dem eine einzelne Kutsche stand. In stummer Übereinstimmung schritten Lili und der Fremde darauf zu.

Der Kutscher war auf seinem Bock eingeschlafen. «Guten Abend», begann Lili. «Ich möchte bitte in den Cremon gefahren werden. Zum Bestattungsunternehmen Winterberg.»

Der Kutscher schob sich den Hut ins Gesicht. «Über den Ericusgraben in die Altstadt?», murrte er. «Zu dieser Stunde, das Fräulein? Allein?»

«Das erscheint mir deutlich angenehmer, als hier zu übernachten.» Lili bemühte sich, selbstbewusster zu klingen, als sie sich fühlte.

Sie wollte sich dem Fremden zuwenden, um ihm zu sagen, er könne den Koffer nun stehen lassen, doch zu ihrer großen Überraschung war der Mann nicht mehr da. Ihr Koffer stand verlassen auf dem Pflaster hinter ihr, im Mondschatten des Bahnhofs.

«Wissen Sie, wo mein Begleiter hingegangen ist?», fragte sie den Kutscher verblüfft.

«Welcher Begleiter?», knarzte der Kutscher.

«Na, der Mann, der meinen Koffer getragen hat!»

Der Kutscher kniff die Augen zusammen und schüttelte den Kopf. «Sie haben Ihren Koffer selbst getragen, junge Frau.»

Christian Buchner schlug das Herz bis zum Hals. Die Tote, die bei Winterbergs aufgebahrt lag, war ganz offensichtlich die Tochter seiner Nachbarn, die junge Frau, die er schon seit vielen Jahren heimlich angebetet hatte. Er erkannte ihre langen, roten Haare, die sich über das Totenbett bis zum Boden ringelten, die herzförmige Oberlippe und die Augen, die wie die Flügel eines Schmetterlings aussahen: eine Form, die nach außen hin ein bisschen größer und runder wurde, mit langen, dunklen Wimpern daran. Wenn er mit Lili gesprochen hatte, was selten genug der Fall gewesen war, hatten ihre Wimpern immer ein bisschen geflattert, genauso wie ihre Hände und ihre geflochtenen Haare, wenn sie als Mädchen in die Schule gerannt war. Überhaupt hatte die Bestatterstochter ein ungewöhnlich lebhaftes Wesen gehabt, das ihn fasziniert hatte, solange er denken konnte. Nun war sie tot.

Er erhob sich und blickte in die fassungslosen Gesichter des alten Winterberg und seiner Frau. Die kleinen Zwillinge hatte der Vater in den Nebenraum geschickt. Es war besser, wenn sie bei der Untersuchung der Toten, die ganz offensichtlich ermordet worden war, nicht anwesend waren.

Sein Blick wanderte zurück zu der Toten. Wie viele Jahre hatte er davon geträumt, sie berühren zu dürfen. Jetzt schreckte er davor zurück. Vorsichtig, fast zärtlich nahm er ihre linke Hand in seine und legte seinen Zeige- und Mittelfinger auf ihren Puls. Er schloss die Augen, um dem verloschenen Leben nachzuhorchen, und es war, wie er es erwartet hatte: nichts. Auf ihrer Brust war das Blut getrocknet, dort, wo der spitze Gegenstand in sie eingedrungen war. Es widerstrebte ihm, ihr Mieder zu öffnen und sich die Wunde anzusehen. Niemals hätte er es gewagt, sie auszukleiden, aber nun, da sie so vollkommen wehrlos war, schien es ihm ein Ding der Unmöglichkeit. Er fühlte, wie sich ihm die Kehle zusammenzog. Er beugte sich zum Arztkoffer hinunter, damit die Winterbergs seine Tränen nicht sahen, holte einen kleinen Spiegel daraus hervor und hielt ihn der Toten vor die Nase. Die Scheibe beschlug nicht.

Immer noch unendlich sachte berührte er ihr linkes Augenlid und schob es hoch. Das Dunkelbraun ihrer Augen schimmerte im Licht. Er führte eine der Kerzen dichter an ihr Auge, aber die Pupille verengte sich nicht.

«Ist sie wirklich tot?» Die Stimme des alten Bestatters war kaum zu hören.

Christian wollte antworten, doch er bekam keinen Ton heraus.

«Junger Mann.» Der Bestatter legte ihm eine Hand auf die Schulter. «Wenn meine Tochter tot ist, müssen Sie feststellen, woran sie gestorben ist. Ich weiß, dass es Ihnen schwerfällt. Weil Sie sie doch gekannt haben, meine ich.»

Christian nickte. «Ich werde ihr das Mieder öffnen müssen», sagte er, und er wunderte sich selbst darüber, wie rostig und alt seine Stimme klang.

«Ich werde das tun», sagte die Mutter und trat an die Bahre.

Die Zeit dehnte sich zu Stunden, schien es Christian, während die Frau des Bestatters die Knöpfe am Mieder der Toten öffnete, auch sie sehr vorsichtig, wie um ihrer Tochter nicht wehzutun. Das Wachs der Kerzen tropfte derweil auf den Boden, ein rhythmisches und seltsam verstörendes Geräusch. Zum ersten Mal in seinem vierundzwanzig Jahre währenden Leben wünschte sich Christian, kein Physikus zu sein. Dabei hatte er Ärzte bewundert, seit er ein kleiner Junge war und sein Vater gestorben war.

Er hörte das Ratschen von reißendem Stoff, hörte, wie Elisabeth Winterberg zu weinen begann. Dann trat sie beiseite. Und gab den Blick auf das Ungeheuerliche frei.

Die Stadt war merkwürdig still. Nur das Klappern der Hufe auf dem Kopfsteinpflaster erfüllte die Abendluft. Lili lehnte sich in das Polster der Kutsche zurück und versuchte Luft zu holen. Das Mieder schnürte ihre Brust ein. Ich habe mir nicht eingebildet, dass ein Mann meinen Koffer getragen hat, sagte sie sich zum wiederholten Male. Der Kutscher hat geschlafen, darum hat er den Fremden an meiner Seite nicht bemerkt. Noch einmal wiederholte sie diese Sätze und noch einmal. Wie in einer Litanei. Sie versuchte, Ruhe in ihren gemurmelten Worten zu finden, Sicherheit. Aber ob es an den einsamen Straßen oder an den ungewohnten Nachtgeräuschen lag – irgendetwas an der Geschichte kam ihr unwirklich vor.

Sie hatten den Ericusgraben, einen Nebenarm der Elbe, überquert und bogen nun in die Niedernstraße ein. Schmale, hochgiebelige Häuser säumten das Pflaster, wie schutzsuchend aneinandergelehnt. Es roch nach Unrat und Fäulnis in der engen Straße, nach Putz, auf den es zu lange geregnet hatte, und nach feuchter Wäsche. Eine Straßenlaterne warf ihren Schein auf Fensterläden, die schief in ihren Angeln hingen. Vom Kirchturm der Nikolaikirche schlug es zehn.

Auf einmal stieg Freude in ihr auf, auf ihr Zuhause, auf die kleinen Geschwister Carl und Caroline, auf den Vater mit seinem fröhlichen Gesicht, die Mutter mit ihrer fülligen Zärtlichkeit.

Die Kutsche ratterte über eine hölzerne Brücke. Lili beugte sich aus dem Fenster und sah das Nikolaifleet mit seinen Schuten im Mondlicht glitzern. Es musste Ebbe sein, denn ein schmaler Streifen Sand und Kiesel war zu beiden Seiten des Fleets aus dem Wasser getreten. Der strenge Geruch war hier so stark, dass Lili unwillkürlich die Luft anhielt. Das Leben im Gängeviertel und ein halbes Jahr in London hatten ihren Geruchssinn zwar abgehärtet, doch die Zugfahrt durch ländliche Gegenden hatte ihrer Nase wohlgetan, und so empfand sie die

Ausdünstungen der Fleete besonders stark. Ohne sie zu sehen, wusste sie, dass es hier Schweine gab. Nutztiere hatte es hier gegeben, solange sie denken konnte, ihr Unrat war ein selbstverständlicher Teil der Stadt.

Sie blickte die Fassaden empor. Die Fachwerkhäuser im südlichen Teil des Cremon, die vom Großen Brand verschont geblieben waren, sahen noch ebenso vertraut wie baufällig aus. Die Wäscheleinen waren unverändert von einer Straßenseite zur anderen gespannt.

Als die Kutsche vor dem Eingang ihres Geburtshauses zu stehen kam, erkannte sie im Schein der Straßenlaterne das altvertraute Schild:

WINTERBERG – BESTATTUNGEN SEIT 1872

Allein ein kleines Emailleschild darunter war neu:

FEUERBESTATTUNG
DEMNÄCHST EBENFALLS IM ANGEBOT

Auf einmal sah Lili, dass die Fenster mit schwarzen Tüchern verhüllt waren. Und da begriff sie, dass noch etwas anders war als sonst.

Ein Klopfen an der Haustür durchbrach das Schluchzen, und Basilius Winterberg hob unwillkürlich den Kopf. Sein Blick schweifte von Elisabeths verweintem Gesicht über das der beiden Kleinen, die zu ihnen herübergekommen waren, nachdem der Doktor seine Totenbeschau abgeschlossen hatte und gegangen war. Dann sah er wieder zu seiner Tochter. Schon so viele hatten vor ihr auf dieser Bahre gelegen. Auch Robert, sein zweitältester Sohn. Damals vor neunzehn Jahren hätte er nicht geglaubt, dass ihn in seinem Leben je wieder etwas so sehr treffen würde, doch er hatte sich geirrt. Das hier war schlimmer. Unermesslich traurig und verstörend qualvoll.

Das Klopfen hatte sich zu wütenden Schlägen gesteigert. Die kleine Caroline reagierte als Erste auf den Rhythmus. «Ich mache auf, Vater.»

Basilius öffnete den Mund, um sie zurückzuhalten, doch Caroline war schon zur Tür gelaufen. «Ja, bitte?», hörte er ihre glockenhelle Stimme.

«Ich bin es – Lili!», drang es von draußen herein.

Und plötzlich erstarben alle Geräusche. Selbst das Wachs der heißen Kerzen schien zu erstarren.

Caroline kehrte verstört in den Raum zurück. «Ich glaube», sagte sie leise, «da ist ein Geist.»

Carl stieß einen tiefen Ton hervor. Er schlug die Hände vor das Gesicht und drehte sich hin und her.

Basilius spürte, wie sein Herz schneller schlug, wie alles in ihm in Bewegung geriet. Er öffnete die Tür, und eine rothaarige Frau stand vor ihm. «Vater», flüsterte sie und flog ihm um den Hals.

Lili sah verändert aus. Basilius konnte allerdings kaum sagen, in welcher Weise, da er noch immer alles verschwommen sah. Die Tränen wollten nicht aufhören zu fließen, bei ihm nicht und nicht bei Elisabeth. Sie hielten ihre Tochter in den Armen, abwechselnd zuerst und bald zusammen. Sie hielten sie, als sähen sie sie zum ersten Mal. Und dann war Caroline bei ihnen und zupfte Lili am Arm. «Lili?», fragte sie. «Bist du es wirklich?»

«Aber natürlich bin ich es», lächelte Lili.

«Dann ist es gut», sagte Caroline. «Hast du mir aus England eigentlich was mitgebracht?»

Lili lächelte. Basilius erkannte die kleine Lücke zwischen ihren Schneidezähnen wieder, die Art, wie sie beim Lachen die Nase krauste. Ihre Stimme, die so hell und vertraut klang. Aber natürlich war das hier Lili, seine geliebte, bildschöne Tochter. Wie hatte er nur glauben können, die Tote dort auf der Bahre sei sie?

Lili kniete sich vor Caroline hin und nahm sie in den Arm. «Ja, das habe ich», sagte sie. «Warte mal!» Sie drückte der kleinen Schwester einen Kuss auf die Wange, dann ging sie zu ihrem Koffer hinüber, öffnete die großen ledernen Schnallen und zog ein Paket daraus hervor. Caroline riss das Papier auf, und ein Freudenschrei entrang sich ihrer Brust. Sie hielt ein Buch in ihren Händen, auf dessen Umschlag eine prachtvolle Blüte gezeichnet war.

«Für meine geschickte, kleine Kranzflechterin», lächelte Lili. «Damit kannst du die Namen der wichtigsten Blumen lernen, auf Lateinisch, Englisch und Deutsch. Und hier», sie kramte erneut in ihrem Koffer, «zwei Pfund Tee aus den englischen Kolonien!»

Die fröhliche Stimmung versiegte so plötzlich, wie sie gekommen war. Nur zwei Schritte von ihnen entfernt lag noch immer der Leichnam aufgebahrt. Stille kehrte wieder ein.

Lili knöpfte ihren Mantel auf. Basilius beeilte sich, um ihn ihr abzunehmen, aber sie war schneller als er. Sie warf den Mantel über einen freien Stuhl, streifte sich die Handschuhe ab und setzte den Hut ab. Im Schein der Kerzen leuchteten ihre Locken feuerrot. Mit zwei Schritten war sie bei Carl und drückte seinen Kopf an ihren Bauch. «Dich habe ich noch nicht begrüßt», flüsterte sie, und Basilius sah, wie Carl sich an seine große Schwester schmiegte. Schließlich wandte sich Lili der Toten auf der Bahre zu. «Meine Güte», entfuhr es ihr, «sie sieht ja wirklich genauso aus wie ich!»

Basilius blickte zwischen den beiden hin und her. Bei der Frau auf der Bahre hatte in der Zwischenzeit die Blutsenkung eingesetzt. Auf der Unterseite ihrer Arme leuchteten dunkle Flecken. Aber es war unübersehbar: Sie hatte die gleichen

Haare wie seine Tochter und ein identisch geformtes Gesicht. Sogar das dunkle Braun der Augen war beiden eigen, was bei Rothaarigen eher ungewöhnlich war.

«Wo habt ihr sie denn gefunden?» Lili wandte sich von der Leiche ab und nahm Caroline an die Hand.

«Sie lag vor unserer Haustür», erklärte Elisabeth. «Und sie trug dein hübsches Ührchen.»

«Sie hatte ... meine Uhr?» Lili zog die Brauen zusammen.

Basilius sah, wie es in ihr arbeitete.

«Ja», sagte er. «Mach dir nicht so viele Gedanken darüber. Du bist am Leben, und du bist hier. Das ist alles, was jetzt zählt.»

Er stand auf, nahm eine alte Büchse vom Regal und goss Spiritus hinein. Dann stellte er die Dose auf einem Ziegelstein in der Mitte des Raumes ab, entzündete ein Streichholz und setzte den Spiritus damit in Brand. Der süßliche Geruch, den die Leiche verströmte, würde bald verschwinden.

«Nicht», sagte Elisabeth, die sah, wie ihr Mann einen Spritzer Spiritus auch in eine Wasserflasche gab. «Du willst sie doch nicht waschen, Basilius!»

«Nur die blauen Flecken wegmachen.»

«Aber Liebchen, die muss sich doch, glaube ich, die Polizei ansehen!»

Lili trat erneut zu der Toten. Ihr Blick fiel auf das getrocknete Blut. «Wer kann denn nur so etwas tun?», flüsterte sie und streckte eine Hand nach der Toten aus, um ihr über die Wange zu streichen. Basilius bemerkte, wie ihre Augen sich mit Tränen füllten.

«Wir sollten für sie beten, Liebchen.» Elisabeth nahm Lilis Hand und drehte sich zu Basilius um, der unmerklich nickte und die Flasche wegstellte. Dann trat er an die Bahre.

«Lieber Gott», sagte er leise. «Wir bitten darum, gib dieser jungen Frau ein neues Zuhause in deinem herrlichen Reich.»

Schweigen erfüllte minutenlang den Raum. Dann räusperte er sich. «Wir sollten der Polizei einen Boten schicken. Die müssen schließlich wissen, dass die Tote nun doch nicht unsere Tochter ist. Schließlich hatten wir ja alles schon …» Die Stimme versagte ihm.

«… gemeldet, Liebchen», ergänzte seine Frau. «Tobias soll die Frau auf der Bahre mit der Leichenkutsche zum Stadthaus fahren. Es gibt keinen Grund, dass wir sie in unserem Haus behalten sollen.»

«Es sei denn, die Criminal-Polizei beauftragt uns als Bestatter», hielt Basilius dagegen. «Wir könnten den Auftrag gut gebrauchen.» Es war Mai, und wie immer, wenn die Bäume und Sträucher draußen in Blüte standen, herrschte Flaute im Geschäft.

«Gut, Liebchen.» Elisabeth nickte. «Bevor die Behneckes ihn uns wieder abnehmen, du hast recht.»

Lili blickte verständnislos. «Gibt es Konkurrenz?»

Basilius blies die Wangen auf. «Und was für eine! Haben sich vor drei Monaten im Gängeviertel niedergelassen. Werben auf ihren verdammten Emailletafeln in jeder Straße für einen besseren Tod. Die Zeiten sind vorbei, in denen jeder seine Anzeigen nur neben die Haustür stellen durfte. Die nehmen uns alle Kunden weg!»

Elisabeth schüttelte den Kopf. «Wie man nur so wie die Behneckes sein kann, ich versteh das nicht.»

Basilius ballte die Fäuste. «Tun so, als wären sie etwas Besseres! Sie haben diese Tochter in deinem Alter, Chlodwig.»

Lili lächelte, weil sie der Name Chlodwig an das englische *clod whig* erinnerte, was Perücke eines Tölpels hieß.

«Chlodwig hat einen Grabsteinmetz mit Geld geheiratet, und der fährt ein Automobil – du weißt schon, diese Geisterdinger, für die man keine Pferde braucht.»

«Egal.» Elisabeth stand nicht der Sinn nach einer wiederholten Debatte über die Vor- und Nachteile von Kutschen, die sich von selbst bewegten. «Hauptsache, du bist jetzt da, Herzchen, Lililein.» Sie streichelte ihrer Tochter über die Wange. «Nun kannst auch du heiraten, und wir zeigen den Behneckes, was eine richtig tüchtige Familie von Bestattern ist!»

«Selbstverständlich.» Lili zögerte. «Ich werde euch helfen, und gemeinsam bringen wir das Geschäft nach vorn. Aber …»

«Ja?» Basilius kniff die Augen zusammen. Er mochte das Wörtchen *aber* nicht besonders gern. Schon gar nicht, wenn es von seiner Frau oder seinen Kindern kam.

Lili holte tief Luft und schloss die Augen. «Ich werde wohl nicht so schnell heiraten», bemerkte sie leise. «Also werde ich auch erst einmal keine Familie gründen, die das Geschäft einmal übernehmen kann.»

«Was meinst du damit, Herzchen, du willst jetzt keine Familie gründen?», fragte Elisabeth beunruhigt. «Willst du etwa in ein Kloster gehen?»

Lili lachte so schallend, dass der Luftzug in die Kerzenflammen fuhr. Es tat gut, zu lachen. Endlich löste sich die schreckliche Anspannung.

Leider nur ihre eigene. Als sie zwischen ihren Eltern hin und her blickte, entdeckte sie Verwirrung und ein bisschen Furcht. Nein, sie wollte noch nicht heiraten. Sie wollte lieber tausend andere Dinge tun. Am liebsten würde sie ausgehen, Menschen kennenlernen, mit ihnen feiern, tanzen und fröhlich sein. Vergessen, dass sie nicht dazugehörte. Dass sie mit dem, was sie tat und was die Eltern taten, unsichtbar blieb.

«Lili, Kindchen?», durchbrach der Vater ihre Gedanken. «Du siehst sehr blass aus. Es ist wohl besser, du gehst jetzt ins Bett.»

Lili nickte langsam. Sie konnte den Eltern ja ohnehin nicht sagen, was ihr durch den Kopf ging. Also antwortete sie einfach: «Ja.»

2. KAPITEL

Und Sie sind ganz sicher, dass Sie die Frau hier nicht kennen?» Der Criminal-Sergeant stand neben der Totenbahre und starrte Basilius Winterberg so durchdringend an, als stünde er dem Hauptschuldigen gegenüber. Lili musterte den Mann. In der Abteilung 2a der Hamburger Polizeibehörde, zuständig für allgemeine Verbrechen, war er der Zuständige. Ihrer Empfindung nach sah dieser Sergeant jedoch nicht so aus, als ob er eine Seele besäße, und wenn doch, so musste sie unter argen Quetschungen leiden. Die Körpermassen des Mordfahnders waren so gewaltig, dass jegliche feine Regung darunter erstickt zu sein schien.

«Mein Herr!» Lili sah, wie der Vater um Fassung rang. «Das sagte ich Ihnen doch bereits!»

Der Sergeant blickte unverwandt auf den Vater. «Seit wann leben Sie in Hamburg?»

«Ich bin hier geboren!» Basilius Winterberg war empört über die Unterstellung, Quiddje zu sein.

«Das wer'n wir wo' ma' nachprüfen müssen.» Der Sergeant musterte aufmerksam die leergekokelte Dose Spiritus, die noch immer in der Mitte des Zimmers auf dem Boden stand. Ohne die Dose aus den Augen zu lassen, kramte er in seiner Hosentasche, förderte einen Notizblock zutage und griff mit einer weitausholenden Geste hinter sein rechtes Ohr, wo ein Bleistiftstummel festgeklemmt war. Nachdem er etwa drei Seiten seines Notizbuchs gefüllt hatte, richtete er erneut seinen giftigen Blick auf den Vater. «Sie behaupten also, Sie hätten beruflich mit Toten zu tun, Herr Winterberg?»

«Ich bestatte sie», erklärte der Vater mit einigem Stolz. Bevor der Sergeant seinen Stift wieder ansetzen konnte, fuhr er fort: «War übrigens einer der Ersten in Hamburg, der Sargschreinerei, Präparierung von Toten, Leichenfahrdienst und seelsorgerische Bemühungen in einem Unternehmen zusammengefasst hat. Zwanzig Jahre bevor die Behneckes auf die Idee gekommen sind!»

«Recht so. Ich meine, äh, Behnecke – wer issen das?», fragte der Sergeant, der für einen Moment aus dem Takt gebracht worden zu sein schien.

«Ein anderes Bestattungsunternehmen», bemerkte Lili schnell, bevor der Vater im Zorn auf den Konkurrenten womöglich noch zu fluchen begann.

«Aha.» Der Sergeant wandte sich ihr mit einem Tempo zu, das sie ihm nicht zugetraut hätte. «Und Sie sind –?»

«Die Tochter», antwortete Lili. «Lili Winterberg.»

«Die Tochter», er wandte sich wieder Basilius Winterberg zu, «die wo Sie nicht von ’ner Toten unterscheiden konnten, die vor Ihrer Haustür lag?»

«Nun ja, ich …»

«Ich war sechs Monate lang in England», half Lili ihrem Vater erneut. «In meinem Alter verändert man sich noch.»

Der Sergeant beugte sich über seinen Block, sodass die schweren Wangen auf seinen Kragen hingen. «So so. Und welches Alter wäre das?»

«Einundzwanzig.»

Der Sergeant ließ seinen Blick über die beiden großen Wölbungen in Lilis Oberbekleidung wandern. «Warum ham Sie Ihre Tochter weggeschickt?», fragte er dann, an den Vater gewandt.

«Hören Sie, soll das ein Verhör werden?», fragte der zurück.

Der Sergeant setzte wieder den Stift an. «Es ist bereits eines. Beantworten Sie einfach nur meine Fragen. Warum haben Sie Ihre Tochter nach England geschickt?»

Der Vater reckte das Kinn. Zum ersten Mal erwiderte er den herausfordernden Blick des Sergeanten. «Weil wir es uns leisten konnten, sie sechs Monate zu entbehren», antwortete er.

Lili sah ihren Vater an, und Wärme durchflutete ihr Herz. Sie erinnerte sich wieder an die Zeit, als sie klein gewesen war. Sie hatte ihn angefleht, sie von der Schule zu nehmen, weil sie die Hänseleien der anderen nicht mehr ertrug. Totenmädchen, Totenmädchen. Wenn sie die Augen schloss, hallte der Ruf noch jetzt in ihrem Kopf nach. Wie oft hatte sie versucht, die Wörter mit Zahlen zu verdecken, mit Aufgaben, die berechenbar waren, mit Klängen aus ihrer geliebten mathematischen Welt. Töchter von Schustern, Schmieden, Steinmetzen und Hafenarbeitern hatten das Klassenzimmer bevölkert, Mädchen in Röcken mit abgerissenen Saumnähten, mit Löchern in der Bluse, Mädchen, die stanken, Mädchen mit verfaulten Zähnen im Mund – sie alle hatten auf sie herabgesehen, weil sie die Tochter eines Bestatters war. Damals hatte Robert noch gelebt, ihr großer Bruder, der das Geschäft einmal übernehmen sollte, also wäre es egal gewesen, ob sie gebildet war oder nicht. Der Vater hatte eingewilligt, dass sie von der Schule ging, aber nicht, dass sie nichts mehr lernte. Er schickte sie auf eine Schule für höhere Töchter, weil das Geschäft damals glänzend ging. Was ihre Herkunft nicht hergab, konnten sie mit Geld ausgleichen. So hatte sie auch Unterricht in Mathematik und Physik nehmen können. Sie war in die Gedankengebäude von Isaac Newton und Gottfried Leibniz eingetaucht, und sie hatte sich mit Mathematik und Buchhaltung vertraut gemacht. In ihrer Zeit in England hatte sie sogar zu lesen begonnen, am liebsten die Detektivgeschichten eines amüsanten jungen Autors namens Arthur Conan Doyle. Der Stolz ihres Vaters, sein Wille, den Kindern etwas zu bieten, hatten ihr viel gegeben. Vorsichtig berührte sie seine Hand.

«Hatte die Tote irgendwelche Gegenstände bei sich? Wie Sie ja sicher wissen, sind Sie verpflichtet, alles herauszurücken, was Sie bei der Leiche gefunden haben, Herr Winterberg!»

Basilius dachte flüchtig an die merkwürdige Metallscheibe, die der Arzt im Strumpfhalter der Toten gefunden hatte. Er hatte gebeten, die Scheibe mitnehmen zu dürfen, und Basilius hatte es ihm erlaubt.

Doch bevor er etwas dazu sagen konnte, durchbrach Elisabeths Stimme die Stille. «Hören Sie, Liebchen», wandte sie sich an den Sergeant. «Wir sind alle müde, es war ein langer und schrecklicher Tag. Gestatten Sie uns, unsere Kundin hier», sie deutete auf die aufgebahrte Leiche, «ins Leichenhaus zu überführen und dann morgen alles für die Bestattung vorzubereiten. Ihre Fräglein können Sie uns ja auch dann noch stellen.»

«Recht so. Wer hadden die Totenbeschau durchgeführt?» Der Sergeant tat; als hätte er nicht zugehört.

«Doktor Christian Buchner, ein Mediziner, der im Haus gegenüber wohnt.»

Lili hob den Kopf. Der Name löste Erinnerungen in ihr aus. Erinnerungen, die sie lange verdrängt hatte, die aber eigentlich schön waren.

«Zeigen Sie mir ma' den Totenschein!», nuschelte der Sergeant.

Elisabeth reichte ihm das Physikatsgutachten, das der Beamte mit gerunzelter Stirn studierte. «Pfundweises Austreten arteriellen und venösen Blutes», murmelte er. Lili bemerkte, dass er Mühe hatte beim Lesen der lateinischen Worte. «Legalsektion konstatierte Spuren von Tätlichkeiten, diese hauptsächlich in scharfgeränderten Stichwunden. Diverse bräunlich gefärbte Hautstellen, unterhalb derer sich ins Zellengewebe extraversiertes Blut befand. Scheintod ausgeschlossen. Ha!» Er schnaubte. «Dat is ja wohl bei einem Mordfall meistens so!»

«Der Totenbeschauer hat die Pflicht, das zu schreiben, Herr.»

«Erzählen Sie mir nix, was ich schon weiß!», fuhr der Sergeant ihn an. «Tode sind mein tächlich Brot!»

«Ist das so?», fragte der Vater scharf zurück. «Nun, dann haben wir ja doch eine Gemeinsamkeit!»

Der Sergeant schob das Blatt in sein Notizheft. «Ich muss eine erneute Totenbeschau veranlassen», erklärte er in überraschend klarem Hochdeutsch. «Und Sie haben uns die Arbeit durch das Waschen und Anziehen der Toten bereits erheblich erschwert. Mäßigen Sie sich also in Ihrem Ton!»

Lili spürte, wie es in der Hand ihres Vaters zuckte. Sie konnte seine Reaktion gut nachvollziehen. So ruhig sie konnte, sagte sie: «Mein Vater hat geglaubt, dass ich die Tote bin. Es ist seine Aufgabe als nächster Angehöriger und als Bestatter allemal, derlei Aufgaben durchzuführen, bevor die Leichenstarre einsetzt. Ich bitte Sie, ihm seine Sorgfalt nachzusehen.»

Ironie war eine Waffe, die der Criminal-Sergeant weder im Dienst noch in den Stunden seiner Freizeit kannte. Beschwichtigt lächelte er Lili an: «Wenn Sie mich so nett darum bitten, junge Frau!»

«Da wäre noch etwas.» Lili strich sich die Locken aus der Stirn. «Etwas, das uns wirklich helfen könnte! Wir brauchen jemanden, der sich auf Daktyloskopie versteht.»

«Bidde was?» Der Sergeant mochte es offensichtlich gar nicht, wenn er etwas nicht verstand.

«Oh, verzeihen Sie», sagte Lili. «Das können Sie vielleicht nicht wissen. In England experimentiert gerade Scotland Yard mit solchen Methoden herum.» In Wahrheit war sie nicht ganz sicher, ob der Polizeiservice am Victoria Embankment die Daktyloskopie, mit der man Fingerabdrücke nachweisen konnte, schon zu seinen selbstverständlichen kriminalistischen Methoden zählte. Sie hatte lediglich in einer Sherlock-Holmes-Geschichte darüber gelesen; aber was dieser Meisterdetektiv konnte, schaffte doch sicherlich auch irgendwann die Polizei.

«Man stäubt die freiliegende Haut des Toten mit Ruß- und Graphitpartikeln ein und erhält so einen Hinweis auf den Täter. In Argentinien», fuhr sie fort, während sie aufgeregt in die Runde blickte, «konnte auf diese Weise vor ein paar Wochen ein Doppelmord aufgeklärt werden.»

Der Sergeant beäugte sie misstrauisch. «Sie wissen erstaunlich viel über Verbrechen, dafür, dass Sie und Ihr Vater angeblich unschuldig sind!»

«Ich bitte Sie», schnaubte Lili empört. «Wollen Sie damit etwa sagen –?»

«Recht so, ich denk mir nur mein' Teil.» Der Sergeant verengte seine Augen. «Und jetzt ab mit der Toten ins Leichenhaus. Wir beide», er sah den Vater an, «schnacken ja wohl morgen nochma'!»

Erschöpft wankte Lili eine Stunde später in ihr altes Zimmer unter dem Dach. Das Licht der Petroleumlampe in ihrer Hand malte schaukelnde Schatten auf die Tapete. Hier war alles Vergangenheit: die schrägen Wände, an denen sie sich als Kind so oft den Kopf gestoßen hatte, wenn sie in Gedanken wieder einmal ganz woanders war, der handgeschnitzte Stuhl an dem kleinen Schreibtisch und ihr geliebtes knarrendes Bett mit den vom Alter geschwärzten Pfosten. Sie blies die Flamme in der Lampe aus und entkleidete sich in der Dunkelheit.

Als sie die Bänder ihres Korsetts löste, zuckte sie zusammen. Von der Straße unten drangen Geräusche herauf, langsame Schritte und Pferdehufe auf Kopfsteinpflaster, Rumpeln und ein leiser Fluch. Vorsichtig schob sie die Vorhänge beiseite. Sie erkannte Tobias, den Totengräber, der zusammen mit dem

Vater den Sarg der Unbekannten in die Kutsche schob. Es war ein imposanter Wagen, des Vaters ganzer Stolz. Der Kutschbock war mit zwei schwarzen Fackelhaltern geschmückt, in denen jeweils eine Flamme loderte, und die zwei schwarzen Rappen trugen frischgefettetes und poliertes Geschirr. Der Mond goss sein Licht über das glänzende Dach des Himmelswagens und die makellosen schwarzen Räder. Sie sah, wie Tobias sich auf den Kutschbock schwang, mit der Peitsche die Flanken der Pferde berührte und langsam zuckelnd um die Ecke bog.

Nachdenklich ließ sie ihren Blick über den Cremon wandern, der nun wieder leer und fast still dalag. Türangeln ragten aus ihren verzogenen Rahmen, Schindeln waren vom Dach gerutscht und gaben den Blick auf dunkle Böden frei. Über der Tischlerei Müller hing ein hölzerner Balkon schief herab, was entweder gegen Müllers Bereitschaft, seinen Nachbarn zu helfen, oder aber gegen sein Können als Tischler sprach. Die Häuser hier am Nikolaifleet waren vom Alter gebeugt. Mauervorsprünge ruhten auf morschen Pfeilerkrücken, gichtene Außenwände krümmten sich. Lilis Blick fiel in das Fenster gegenüber. Hinter den geschlossenen Vorhängen flackerte ein gelbes Licht. Ein Schatten wanderte in dem Zimmer herum, die Silhouette eines Mannes, der seinen Raum wie ein eingesperrtes Tier durchmaß. Christian Buchner.

Christian erwachte, als der Morgen noch in blaues Licht gehüllt war. Aus dem geöffneten Fenster hörte er das Krähen der Hähne im Nebenhaus. Vom südlichen Ende der Straße, wo die Elbe floss, hörte er lautes Möwenkreischen. Die Verzweiflung über Lilis Tod war nicht kleiner geworden, aber der Schlaf hatte ihn ein wenig erfrischt.

Nach den Geräuschen im Salon zu schließen, schien auch sein Bruder Mathis schon wach zu sein. Christian hörte Stimmen, und dann, wie sich die Wohnungstür schloss. Schließlich siegte seine Neugier. Er erhob sich, wusch sich Gesicht und Hände mit dem Wasser aus der Emailleschüssel und kleidete sich an. Mit der Brille in der Hand trat er in den Salon ein. Und erschrak.

Nein, da war kein Zweifel möglich. Mit den Gläsern auf der Nase sah er es mehr als deutlich. Im Lehnstuhl saß ein Mann in khakifarbenem Anzug, mit Tropenhut und mit einem Schmetterlingsnetz in der Hand. Er war offensichtlich tot. Ihm gegenüber hantierte Mathis mit einem schwarzen Tuch und seinem Photographie-Apparat.

«Was tust du da?», fragte Christian.

«Ich photographiere.» Mathis' Stimme klang sehr konzentriert.

«Ich nehme an, ein *bitte lächeln* ist hier nicht mehr angebracht.»

Mathis blieb ungerührt mit dem Kopf unter dem schwarzen Tuch stecken, das er über die Kamera und das Holzstativ gebreitet hatte. Christian bemerkte, dass er an dem Rohr herumschraubte, an dem die Linse befestigt war. «Leichenphotographie», kam es nuschelnd unter dem Tuch hervor, «ist in Hamburg der neueste Schrei.»

«Und bei dieser Mode musst du gleich mitmachen? Meine Güte, als ob wir nicht schon genug mit Toten zu tun hätten!»

«Wieso wir?», fragte Mathis dumpf. «Bislang warst du als Mediziner der Einzige, der sich mit dem Leben und dessen diversen Enden beschäftigt hat. Ich hingegen sehe immer nur Menschen, die quicklebendig sind. So lebendig, dass sie regelmäßig vor Ablauf der Belichtungszeit zu zucken beginnen. So!» Ein lautes Klicken ertönte, und Mathis schälte sich aus dem Tuch heraus. Seine blonden Haare waren verstrubbelt, und die Wangen leuchteten dunkelrot.

«Aber wenn ich mit diesem netten alten Herrn hier fertig bin», er deutete in Richtung des Toten, «wird auch er wieder vor Gesundheit strahlen. Ein bisschen Glanz in die Augen, Farbe ins Gesicht – und fertig ist das Andenken für die Ewigkeit, der Retuschierkunst sei Dank!» Er ließ sich neben Christian auf die Polster fallen.

«Weiß Mama, was du hier tust?» Christian nahm seine Brille ab, um die Gläser zu reinigen.

«Nein, und sie braucht es auch nicht zu wissen. Sie kann sich freuen über die nette kleine Summe, mit der mich der ehrenwerte Angehörige zu entlohnen verpflichtet hat. Ein Glück, dass er ihn mir so früh am Tage bringen konnte! Da schläft Mama ja immer noch.»

Christian ging hinüber zum Fenster und riss es auf. «Du solltest die Leiche schnell wieder fortschaffen lassen. Sonst riecht sie sie noch.» Sein Blick fiel auf das gegenüberliegende Haus. Die Erinnerung an das, was er am Vorabend erlebt hatte, war sofort wieder da. Er drehte sich zu Mathis und öffnete den Mund, um es ihm zu erzählen. Aber plötzlich fehlten ihm die Worte dafür.

«Schlimmes erlebt, gestern?», fragte der Bruder mitfühlend.

Christian nickte.

«Was ist passiert?»

«Im Haus gegenüber. Winterbergs.»

«Um Himmels willen – jemand aus der Familie?»

«Ja.» Christian schluckte. Wieder zog sich ihm die Kehle zusammen. «Lili. Ich weiß nicht, ob du dich noch an sie erinnern kannst.»

«Natürlich. Dieser wirbelige Rotschopf, der sich im Geschäft um die Buchhaltung kümmert, seit der Älteste in London ist. Hältst du mich für senil oder vergesslich? Das Mädchen ist doch erst ein halbes Jahr weg. Es ist … he, Christian! Weinst du?»

Christian wischte sich über die Augen. «Sie ist tot. Ermordet worden. Ich …» Auf einmal konnte er nicht mehr sprechen.

Mathis legte eine Hand auf seine. «Es tut mir leid», sagte er leise. «Ich weiß, du hast sie sehr gemocht.»

Christian schob sich die Brille auf die Nase und blickte seinen Bruder an. «Weißt du, worüber ich manchmal nachdenke?», fragte er mit zitternder Stimme. «Lili und ihre Geschwister haben es nicht leicht mit uns Nachbarn gehabt. Wir durften ja nicht einmal mit ihnen spielen.»

Mathis nickte. «Erzähl mir, was passiert ist gestern.»

«Sie sollte gestern Abend aus London zurückkommen», hob Christian leise an. «Die Familie will eben die Kutsche aus dem Schuppen holen, da entdeckt der Vater, dass Lili auf der Straße liegt.»

«Tot», flüsterte Mathis.

«Ja, tot. Aber sie ist nicht hier gestorben. Sie wurde als Tote in den Cremon gelegt. Und dann habe ich sie untersucht. Sie hatte eine Stichwunde in der Lunge, die ihr durch einen spitzen Gegenstand zugefügt wurde. An der Stelle, an der sie lag, war aber kein Blut zu sehen. Dafür habe ich das hier gefunden.» Er hielt eine kreisrunde Scheibe empor, in die eine kleinere eingepasst war. Mathis nahm sie vorsichtig in die Hand. In das Metall der Scheiben waren Zahlen und Buchstaben eingraviert.

«Eine Chiffrierscheibe», bemerkte Mathis staunend. «Willst du damit diese Geheimschrift entschlüsseln, für die du dich so interessierst?»

Christian funkelte seinen Bruder wütend an. «Die Geheimschrift ist so ziemlich das Letzte, woran ich gerade denke!»

Mathis schwieg verblüfft.

«Entschuldige», sagte Christian und holte tief Luft. «Du kannst ja nichts dafür.» Sein Blick glitt über den toten Tropenhutbesitzer.

«Besser, du kümmerst dich jetzt um diesen da.»

Basilius Winterberg konnte man ein paar Schwächen nachsagen, doch Trägheit zählte sicher nicht dazu. Als lautes Türklopfen kurz nach dem siebten Schlag von St. Nikolai einen neuen Kunden ankündigte, warf sich Basilius hastig in seinen schwarzen Arbeitsanzug, bereit zu tun, was auch immer dieser Tag ihm zu erledigen gab. «Der frühe Vogel fängt den Wurm» war seine Devise, eine Weisheit, deren Wahrheitsgehalt er auf dem Ohlsdorfer Friedhof schon mehrfach hatte überprüfen können.

Eine Kutsche hatte vor seinem Haus haltgemacht. Vor der Tür stand ein verzweifelt wirkender Mann. Nun hatte Basilius Winterberg selten mit anderen Gefühlen als Trauer und Verzweiflung seitens seiner Kundschaft zu tun, und so schickte er sich an, dem Mann Trost zuzusprechen. Doch der Unbekannte hob brüsk die Hand. «Können wir uns im Haus unterhalten?», fragte er.

«Selbstverständlich», entgegnete Basilius. «Erlauben Sie mir, Ihre Kutsche in unsere Stallung zu bringen. Wir wollen ja nicht die Straße versperren, nicht wahr?»

Er bat den neuen Kunden ins Kontor. Elisabeth war bereits in der Küche zugange. Basilius konnte hören, wie sie mit dem Kupferkessel hantierte. Auf seine Frau war blind Verlass.

«Was kann ich für Sie tun?», fragte Basilius freundlich, als sie sich bei einer dampfenden Tasse aus Lilis indischem Teevorrat gegenübersaßen. Fichte oder Tanne, schoss es ihm durch den Kopf, als er seinen Kunden musterte. Oder aber ein Sarg aus duftendem Zedernholz? In Gedanken ging er verschiedene Ornamentvariationen durch, die zu dem Kunden passen würden. Ja, edles Holz, entschied er, als er den Anzug des Mannes in Augenschein nahm. Aber eher schlichte Schnitzerei.

Doch der Kunde war nicht mit seinem eigenen Tod, sondern mit dem seines Onkels beschäftigt. «Er hat ein schwieriges Testament hinterlassen», erklärte er. «Und ich muss es umsetzen. Er hat … hatte … niemanden außer mir. Verwandte, Menschen, meine ich.»

«Darf ich dem entnehmen, dass Ihr Onkel andere … Lebewesen hinterlassen hat?»

Der Kunde schluckte und nickte. «Eine Schmetterlingssammlung, mit der er gern bestattet werden möchte. Ist es möglich, so etwas zu tun?»

Basilius schob seinem Kunden den Topf mit dem Zucker zu. «Sicher ist das möglich. Ich habe schon von ungewöhnlicheren Wünschen gehört.»

«Ich war dabei, als mein Onkel heute Nacht starb», fuhr der Kunde fort. «Er ist unter höchst tragischen Umständen verschieden. Wir kamen aus dem Theater und sind anschließend noch etwas trinken gegangen. Eine dieser modernen Kutschen, Sie wissen schon, die ohne Pferde fahren …»

«Automobile?», fragte Basilius.

«Genau. Eines dieser Automobile hat ihn überrollt. Er starb an Ort und Stelle. Das Testament hatte er zu Hause auf seinem Nachttisch liegen. Mir als einzigem Verwandten obliegt es nun, seine Vorstellungen in die Tat umzusetzen.»

Basilius betrachtete sein Gegenüber aufmerksam. Ja, der Mann war aus einem edlen Holz geschnitzt. «Was sind das denn für Vorstellungen?», fragte er.

Der Kunde knetete seine Finger. Seinen Tee hatte er noch immer nicht angerührt. «Ja, damit komme ich jetzt zu meinem Problem», sagte er. «Mein Onkel hat sich gewünscht, einen Grabstein mit eingelassener photographischer Aufnahme zu bekommen. Eine Aufnahme, die ihn als Afrikaforscher zeigt.»

«Wenn es nichts weiter als das ist», lächelte Basilius. «Ich kenne einen ganz ausgezeichneten Grabsteinmetz, der sich auf derlei Arbeiten versteht. Haben Sie sich schon für eine Aufnahme entschieden?»

«Das ist es ja gerade.» Sein Gegenüber wirkte verlegen. «Es gibt keine Aufnahme von meinem Onkel als Afrikaforscher. Um ehrlich zu sein, ich weiß nicht einmal, ob mein Onkel jemals wirklich in Afrika war.»

«Verstehe», sagte Basilius.

«Nein, Sie verstehen nicht! Ich musste diese Aufnahme im Nachhinein arrangieren! Also habe ich meinen Onkel heute in aller Früh zu diesem Photographen gebracht, der sein Atelier bei Ihnen gegenüber hat.»

«Mathis Buchner», nickte Basilius. «Ich kenne ihn.»

«Ich habe ihn bei diesem Herrn Buchner in einen Stuhl gesetzt und ihm das Weitere überlassen.»

«Aber er hat seine Aufgabe doch sicherlich gut gemacht!» Basilius Winterberg runzelte die Stirn. Ihm war kürzlich ein Werbeblatt des jungen Herrn Buchner in die Finger geraten. Die Abbildungen darauf hatten auf ihn überaus professionell gewirkt.

«Ja, das heißt … ich weiß es nicht», brachte sein Gegenüber zögernd hervor. «Er hat die Aufnahme noch nicht entwickelt. Die Sache ist nun die: Ich bin soeben dem Arzt begegnet, der bei meinem Onkel den Tod festgestellt hat. Und er hat mir Vorwürfe gemacht!»

«Warum das denn?», fragte Basilius.

«Ich hätte meinen Onkel nicht so schnell zum Photographen bringen dürfen. Mittlerweile hat doch die Leichenstarre eingesetzt! Der Photograph hat ihn hingesetzt, um ihn photographieren zu können, und jetzt …» Auf dem Gesicht des Mannes breitete sich Verzweiflung aus. «Jetzt sitzt mein Onkel wahrscheinlich immer noch.»

«Wo sitzt er denn in diesem Moment?» Basilius konnte ein Schmunzeln nicht unterdrücken. Er hatte mit einem sehr viel gravierenderen Problem gerechnet.

«In der städtischen Leichenhalle. Ich habe den Photographen gebeten, ihn nach den Aufnahmen dort hinzubringen.» Er starrte nachdenklich vor sich hin.

«Wie bekommen wir ihn denn nun in seinen Sarg?»

«Das ist kein Problem.» Basilius würde dem Toten die Knochen brechen müssen. So etwas musste er des Öfteren tun. Die wenigsten Menschen erwiesen ihm nämlich den Gefallen, in der Position zu sterben, die für eine korrekte Aufbahrung im Sarg vonnöten war. Aber das sagte er seinem Kunden nicht.

Jemand klopfte an der Haustür. Er wollte aufstehen, um öffnen zu gehen, doch Lili steckte lächelnd ihren Kopf zur Zimmertür herein. «Guten Morgen. Ich gehe schon öffnen, Vater.»

Stolz erfüllte Basilius Winterberg. Wie hübsch und charmant seine Älteste geworden war. Er verrührte lächelnd einen weiteren Löffel Zucker in seinem Tee. Der tägliche Umgang mit dem Tod hatte in ihm die Bereitschaft gesteigert, im Leben vor allem die schönen und kostbaren Seiten zu sehen. Und mit Lili vor Augen fiel ihm das leicht.

Er wandte sich seinem neuen Kunden zu, um ihn zu fragen, welches Holz er für den Sarg seines Onkels bevorzugte, doch der junge Mann hatte die Augen geschlossen und atmete tief. Basilius nickte verständnisvoll. Schlaf konnte ein großer Tröster sein.

Der Mann stand wortlos auf der Vortreppe und presste sich eine Hand auf die Brust.

«Sie haben geklingelt?», fragte Lili.

Der Mann schien immer noch sichtlich um Fassung zu ringen. «Sind Sie ...», brachte er schließlich hervor, «Liliane Winterberg?»

Lili bejahte diese Frage.

«Verzeihen Sie bitte. Sie haben mich gerade zu Tode erschreckt.»

«Lassen Sie mich Ihnen versichern», erwiderte Lili, «ganz

gleich, was man über unsere Zunft sagt, wir bringen kein Unglück. Kann ich etwas für Sie tun?»

Christian spürte, wie sein Herz noch immer raste. «Ja.»

Lili hob eine Augenbraue. «Ihr Name ist –?»

«Christian Buchner. Ihr Nachbar von gegenüber. Das heißt, früher. Ich habe die letzten Jahre woanders gelebt. Kennen Sie mich denn gar nicht mehr? Ich habe gestern Abend …»

«Meinen Tod festgestellt?» Lili lächelte müde. «Das war ein Missverständnis.»

«Ein Missverständnis? Aber ich habe doch eindeutig …»

«Die Tote war eine andere.» Lili nahm den Nachbarn in Augenschein. Sie wusste, dass Christian Buchner die vergangenen Jahre in Göttingen verbracht hatte, um einem Studium der Medizin nachzugehen. Sie wusste auch, dass er auf geheimnisvolle Weise vor etwa einem Jahr zu Geld gekommen war. Aus dem einst schmächtigen Jungen war ein Mann geworden, und ein interessant aussehender dazu. Sein Profil mit dem hervorspringenden Kinn und den vollen Lippen war interessant geworden. Er war von aufrechter Statur, seine Haltung war stolz.

Ihr Gegenüber betrachtete sie ebenfalls. Ein erleichtertes Lächeln erhellte seine Züge. «Sie leben also.»

«Ja», erwiderte Lili. «Sieht ganz so aus.»

Einen Moment lang sahen sie sich schweigend an. Christian lächelte immer noch. «Aus dem Entlein ist ein Schwan geworden», sagte er schließlich.

«Und aus dem Küken ein Gockel.» Lili musterte Christians elegantes Brillengestell, den knielangen Gehrock aus gewebtem Tuch, die makellose helle Hose und die gewienerten Stiefel. «Oder sollte ich sagen: aus dem Vöglein ein Pfau? Aber lassen wir doch diese Vergleiche aus dem Bereich der Fauna. Wenn Sie mit meinem Vater sprechen möchten, er hat gerade Kundschaft. Sie müssten sich gedulden – wenn Sie können.»

Einem seltsamen Impuls gehorchend, griff Christian nach

ihrer Hand. «Lassen wir dieses gestelzte Gerede, Lili. Wir sind zusammen aufgewachsen, haben gemeinsam gespielt – sag nicht mehr Sie zu mir!»

Lili ließ ihre Hand in der seinen. Von der Stelle, an der er sie berührte, strömte es warm ihren Arm empor. «Wir haben nicht gemeinsam gespielt ... Doktor Buchner.»

Der Vater trat ihnen im Windfang entgegen, einen Kunden im Schlepptau, der verwirrt und ein bisschen verquollen aussah. «Gut, dass Sie da sind, Doktor Buchner!», begrüßte er den Nachbarn mit einem Lächeln im Gesicht. «Meine Tochter ist wiederauferstanden – haben Sie gesehen?»

«Wie Phönix aus der Asche», meinte Lili Christian murmeln zu hören. Der junge Arzt wirkte noch immer verwirrt.

«Damit hat sich mein Kommen auch erledigt», sagte er laut. «Ich wollte Ihnen und Ihrer Frau noch einmal mein Beileid ausgesprochen haben. Während meiner Untersuchung gestern standen wir wohl alle unter Schock. Außerdem wollte ich Ihnen das hier zurückgeben.» Er reichte dem Vater die runde metallene Scheibe, auf der Lili eine Reihe von Zahlen erkennen konnte. Sie wollte gerade die Hand danach ausstrecken, da kam die Mutter aus der Küche gestürzt. «Carolinchen und Carl sind fort!»

«Schon wieder?» Der Vater sah verärgert aus.

«Ich werde sie suchen gehen», stieß die Mutter hervor. «Sie haben irgendein Geheimnis, sonst würden sie sich wohl nicht einfach aus dem Fenster davonstehlen, und Gottchen, jetzt finde ich es heraus!»

«Du kannst nicht gehen», wandte der Vater ein und machte eine flüchtige Kopfbewegung in Richtung seines immer noch verwirrt wirkenden Kunden. «Wir haben einen besonderen Fall, bei dem du mir helfen musst.»

«Ich werde gehen», erklärte Lili energisch. «Irgendeine Ahnung, in welche Richtung die Kleinen entschwunden sind?»

«Ich glaube, dass sie den Hopfenmarkt besuchen. Die alte Frau Schröder hat mir erzählt, sie hätte sie neulich morgens dort gesehen.»

Lili griff nach der Kiepe aus geflochtenen Weidenzweigen, die im Windfang über der Achse eines Kutschenrades hing. «Brauchen wir noch irgendwelche Einkäufe von dort – ich meine zusätzlich zu Brot und Milch?»

«Bring Zitronen mit», meinte die Mutter. «Wegen ...» Sie deutete mit dem Kopf auf den jungen Mann, der hinter dem Vater stand.

«Ich werde Sie begleiten», rief Christian Buchner hinter Lili her. Aber da war sie schon auf den Stufen der Vortreppe, die von der Haustür auf die Straße führten, und sie tat, als höre sie ihn nicht.

Ihre Schritte hallten auf dem Kopfsteinpflaster. Die Straße war um diese Morgenstunde gespenstisch leer. Als sie vom Cremon aus an die Holzbrücke gelangte, bemerkte sie zwei Männer, die sich auf einem Ewer ihren Weg durch das Fleet stakten, ohne Zweifel waren auch sie auf dem Weg zum Hopfenmarkt. Was hatten Carl und Caroline nur vorgehabt, als sie am frühen Morgen geflüchtet waren? Lili dachte darüber nach, wie wenig sie über die beiden wusste. Als Zwillinge mit relativ großem Altersabstand zu Lili und den Brüdern hatten sie schon immer ein bisschen in ihrer eigenen Welt gelebt. Was sie besonders traurig machte, war der Umstand, dass Carl nach einer langen Krankheit sprachlich zurückgeblieben war. Sie wusste, dass der Junge fast täglich unter Kopfschmerzen litt. Er beherrschte weder Buchstaben noch Zahlen, aber er hatte Caroline, die ihm half, die Welt zu verstehen.

Als sie nach rechts abbog, bemerkte sie zwei Silhouetten, die vor ihr über die Straße liefen: ein Mädchen mit langen Zöpfen und heller Kittelschürze und einen Jungen im dunklen Anzug.

Lili konnte aus dieser Entfernung nicht erkennen, ob die beiden Carl und Caroline waren, aber sie überlegte nicht lang und setzte ihnen nach. Die Straße wurde enger und mündete in einen Durchgang. Mit ihren eiligen Schritten scheuchte sie ein paar Hühner auf, die über den Weg spazierten. Eine Frau in einem verschlissenen, langen Kleid kam ihr entgegen, die einen Wäschekorb auf Rädern schob. In dem Korb hockten drei Kinder, ob Mädchen oder Jungen, konnte Lili nicht ausmachen, denn ihre Häupter waren kahl geschoren. Lili musste sich an die Hauswand drücken, um die Frau mit ihrem rollenden Korb vorbeizulassen. Dabei prallte sie gegen einen Jungen, der sich in diesem Augenblick aus einem Kellerloch empordrückte und dessen Kopf ebenfalls ganz haarlos war. Läuse, dachte Lili, dieser Straßenzug ist voller Läuse. Sie sah sich um, doch von den beiden kleinen Gestalten war nun nichts mehr zu sehen. Lili hastete die Straße hinunter und gelangte an den Durchgang, dessen Pforte offen stand. Als sie hindurchschlüpfte, versanken ihre Schuhe in feuchter, körniger Erde, und ein Gestank stieg ihr in die Nase, der ihr die Tränen in die Augen trieb. Während sie noch versuchte, in dem Zwielicht, das sie hier umfing, etwas zu erkennen, fühlte sie, wie etwas Großes, Pelziges an ihrem Knöchel vorüberhuschte. Gleichzeitig flog ein gefiedertes Wesen über ihren Kopf hinweg. Sie duckte sich. Langsam, ganz langsam gewöhnten sich ihre Augen an das Dunkel im Hof, und sie konnte eine Handvoll hingewürfelter Fachwerkhäuser ausmachen, deren Dächer sich bedenklich einander zuneigten. Vor einem der Eingänge liefen Hühner und Gänse umher, und unter einem Vordach erkannte sie ein paar Schweine und eine Kuh.

«Carl! Caroline!», rief sie und drehte sich um. Dabei stieß sie gegen einen Wasserträger, der seine vollbeladenen Eimer an einer Stange balancierte, die er sich über die Schultern gelegt hatte. Ein kalter Schwall Wasser nässte sie.

«Nu pass ma op, Deern!», knurrte der Mann sie an.

Auf einmal hatte sie das Gefühl, nicht mehr atmen zu können. Der beklemmende Geruch, die Enge und das Dämmerlicht klumpten sich in ihr zu Angst zusammen. Von Carl und Caroline keine Spur. Schnell blickte sie sich um. Sie konnte nirgendwo einen anderen Weg vom Hof finden als den, durch den sie gekommen war. Hastig schob sie sich durch zwei Häuser zur anderen Seite hindurch, die ebenfalls von kahlköpfigen Kindern bevölkert war. Ihre Schuhe konnten wieder auf dem vertrauten Kopfsteinpflaster aufsetzen, und sie rannte einfach los. In der Ferne hörte sie die Rufe der Marktschreier.

Sie hatte fast den Hopfenmarkt erreicht. Noch eine Straße nach rechts, und über den Giebeln mit der aufgespannten Wäsche ragte die Nikolaikirche auf, eine Pferdekutsche kam ihr entgegen, dichtbeladen mit Körben voller Waren. Die Straße öffnete sich auf einen großen Platz und gab den Blick auf Hunderte von Menschen frei. Eine Bäuerin in Vierländer Tracht mit flachem Strohhut, darunter eine schwarze Nesselhaube, verhandelte mit einem Käufer, der eine mit Obst und Holz gefüllte Kiepe auf dem Rücken trug. Fleischer priesen frischgehäutete Rinder an, deren Hinterbeine an einem Tragbaum hingen. Ein Junge bot Enten und Gänse in einem Käfig feil. Auf einmal trat ihr ein Brautpaar entgegen, gefolgt von einer nicht enden wollenden Hochzeitsprozession. Sie lächelte den beiden Glücklichen zu, denn der Bräutigam war der Sohn der alten Frau Schröder, mit der sie sich den Hinterhof teilten, doch sowohl Braut als auch Bräutigam taten, als sähen sie sie nicht. Hinter ihnen folgten fast vollzählig die Bewohner ihrer Straße. Sie blickten alle starr an ihr vorbei. Lili zuckte mit den Schultern. Sie wusste, dass ihre Nachbarn nicht eigentlich unfreundlich sein wollten. Aber an Tagen wie Hochzeiten oder Taufen meinten viele, es brächte Unglück, einen Bestatter zu sehen.

Von den Zwillingen hatte sie immer noch keine Spur gefunden. Lili wandte sich von der Prozession ab und tauchte in die Rempeleien und das Geschrei zwischen den Marktbuden ein. Auf einmal hatte sie das Gefühl, dass jemand sie verfolgte, und für den Bruchteil eines Augenblicks meinte sie, einen kleinwüchsigen Mann hinter sich zu sehen. Doch der Moment verstrich, und die Gestalten, die ihr folgten, waren bloß Gaukler mit bunter Maske vor dem Gesicht. Sie begann zu laufen und erreichte endlich wieder die Holzbrücke. Hier bog sie in den Cremon ein. Etwas Aufsehenerregendes musste dort geschehen sein, denn eine Polizeikutsche machte mitten auf der Straße halt. Auf einmal erkannte Lili ihren Vater, der sich nicht wehrte, als er abgeführt wurde, der sich aufrecht hielt und würdevoll. Aus den Fenstern der umliegenden Häuser hatten sich die Köpfe der Neugierigen geschoben, eine Frau weinte, und mit einem plötzlichen Schrecken merkte Lili, dass es die Stimme ihrer Mutter war.

«Nein!», schrie Lili und stürzte auf die Polizisten und den Vater zu. Plötzlich stand Tobias vor ihr, der alte Totengräber, und nahm tröstend ihren Arm. «Lass mich los», herrschte Lili ihn an und versuchte, sich freizumachen. «Lass mich zu meinem Vater gehen!»

Wie aus dem Nichts tauchte Christian Buchner auf. Er schien zu zögern, ob er auf die Mutter oder auf Lili zugehen sollte, und nahm, als er sah, wie Lili sich aus Tobias' Griff winden wollte, ihren anderen Arm. «Lili», sagte er hilflos. Weiter nichts.

«Was passiert mit meinem Vater?» Lili fühlte, wie ihr die Tränen in die Augen schossen. «Warum tun sie das?»

«Sie haben die Mordwaffe gefunden», erklärte Christian zögernd. «Es sieht so aus, als ob sie ihm gehört.»

3. KAPITEL

Wenn Thorolf Behnecke lächelte, sah er wie ein völlig anderer Mensch aus. Aus einiger Entfernung betrachtet, würde er in diesem Moment fast als freundlich durchgehen. «Verhaftet, sagst du?», fragte er seine Tochter Chlodwig, die die Hände über dem gewölbten Bauch gefaltet hatte. «In die Fronerei gesteckt? Woher weißt du das?»

Chlodwig reckte das Kinn, wodurch ihr Gesicht noch spitzer wirkte. «Man hat es gehört, als man über den Platz geschlendert ist, auf dem heute das neue Rathaus Richtfest feiert.» Sie lächelte und streichelte die fette, rothaarige Katze, die ihr um die Waden strich. «Basilius Winterberg wurde verhaftet, weil er jemanden mit seinem Lochbeitel erstochen hat.»

«Hatte wohl nicht mehr genug Kundschaft, was? Musste sich seine Kunden selber schnitzen! Du weißt doch, was ein Beitel ist, Chlodwig?»

«Ein Werkzeug, das Schreiner verwenden, um Vertiefungen im Holz anzubringen.»

«Verfluchte Klugheit!» Thorolf Behnecke zog die Nase hoch. «Meine Tochter ist schlau! Und woher kommt die Schläue?»

«Von ihrem Vater», antwortete Chlodwig und gab der Katze einen Schubs.

Es klingelte an der Tür. Thorolf Behnecke unterbrach seine Arbeit an Frau Müllers Frisur. Die gute Frau war im Alter von achtundsiebzig Jahren mit einer von allen bewunderten Haarpracht gestorben, deren Geheimnis in einer sehr echt wirkenden Perücke lag. Um diese Perücke der Dahingegangenen so anzupassen, dass sie sich nicht ebenfalls verabschiedete, gab es nur eines: Er musste sie ihr mit Nägeln am Schädel befestigen. Dann stand noch das Schminken an, denn er wollte den gelblichen Ton ihrer Haut den Hinterbliebenen beim letzten Blick in den Sarg nicht zumuten; dies war nicht etwa einer jener Augenblicke, in denen Behneckes verschüttetes Zartgefühl die Oberhand gewann, dies war ganz einfach seine Pflicht.

«Wird der Werbeschildmaler sein. Geh öffnen, Kind!»

«Vater, man soll sich nicht so viel bewegen.»

«Wenn ich sag, geh öffnen, dann gehst du öffnen!» Die berüchtigte Ader schwoll auf Behneckes Stirn an, und Chlodwig konnte das Pochen darin sehen. Seufzend erhob sie sich und lief zur Tür.

Der Mann, der ihr gegenüberstand, hob den Zylinder zum Gruß und verbeugte sich. «Ist der verehrte Herr Vater zu sprechen?», fragte er.

«Nun kommen Sie schon rein», brüllte Behnecke und schwang seinen Hammer. «Warte schließlich schon seit einer halben Stunde auf Sie!»

Der Mann öffnete den Mund, um zu protestieren, überlegte es sich jedoch wieder anders. In Wahrheit betrug seine Verspätung kaum mehr als zwei Minuten, doch dies zu erwähnen würde unweigerlich einen Streit nach sich ziehen, wenn nicht gar Schlimmeres. Der Bestatter in der Düsternstraße war einer der größten Kunden des Werbeschildmalers, ihn zu verlieren wäre nicht gut für das Geschäft.

«Nun zeigen Sie schon, was Sie diesmal gekritzelt haben!», brüllte ihm Behnecke entgegen, der trotz einer Reihe von Nägeln im Mundwinkel erstaunlich gut zu verstehen war.

Der Maler schnappte nach Luft. Nicht zum ersten Mal wunderte er sich darüber, dass der Bestattungsunternehmer ein solch florierendes Geschäft betrieb. Thorolf Behnecke war wirklich nicht der Mann, der einem zuerst einfiel, wenn es dem Ende zuging. Und dass bei jedem Gespräch mit dem cholerischen Mann ein Leichnam Zeuge war, daran würde er sich auch nicht gewöhnen können. Schwer seufzend legte er die Mappe mit seinen Entwürfen auf den einzigen Tisch im Raum, auf dem sich keine Utensilien befanden, doch Behnecke herrschte ihn sogleich an: «Wer hat Ihnen erlaubt, Ihr Zeug hier abzuladen?»

Der Werbeschildmaler wusste, dass dies eine rhetorische Frage war, und verzichtete auf eine Antwort. Vorsichtig stellte er die Mappe auf den Boden und zog dann den Entwurf hervor, den er für den besten hielt: ein reichverzierter Sarg, auf dem ein Leuchter mit brennenden Kerzen stand. Darunter war in verschnörkelten Buchstaben geschrieben: «Großes Angebot in Metall-, Eichen-, Tannen- und Versandsärgen von protestantischem Bestatter.» Das Wort *protestantisch* war riesig und fett geschrieben.

Thorolf Behnecke kniff die Brauen zusammen und schüttelte den Kopf. «Das Wort *protestantisch* sieht viel zu klein aus!»

«Aber», nun wagte der Werbeschildmaler doch zu protestieren. «Es springt einem doch förmlich ins Auge bei diesem Entwurf!»

«Hören Sie!» Behnecke packte den Werbeschildmaler am Kragen. «Wenn ich sage, es ist zu klein, dann ist es zu klein, verstehen Sie mich? Ich muss mich von meinem Konkurrenten absetzen, der Feuerbestattungen im Angebot hat und der Kirche somit ein Dorn im Auge ist!» Sein Blick flog zu Chlodwig, die möglichst unbeteiligt aus dem Fenster sah. «Nein, warten Sie, ich habe noch eine bessere Idee. Schreiben Sie: von protestantischem und unbescholtenem Bestatter!»

«Ich soll dann also *unbescholten* fett malen, meinen Sie?» Der Werbeschildmaler sah skeptisch aus.

«Sie sollen beides fett malen, Sie Möchtegernkünstler! Oder

halten Sie die Eigenschaft unbescholten für wichtiger, als protestantisch zu sein?»

Der Werbeschildmaler überlegte. Beide Eigenschaften schienen ihm gleichermaßen vorteilhaft, insbesondere bei potenziellen Auftraggebern. Leider traf weder das eine noch das andere auf Thorolf Behnecke zu. «Nein», erklärte er mit, wie er hoffte, diplomatischem Geschick.

«Na also», sagte Behnecke und ließ seinen Kragen wieder los. «Geht doch alles. Bringen Sie mir morgen einen neuen Entwurf mit, in dem das Wort *unbescholten* steht. Um dieselbe Zeit, und dieses Mal pünktlich, wenn es geht!»

«Aber», der Werbeschildmaler wagte einen erneuten Protest. «Auch den Sarg und alles soll ich neu zeichnen? Ich meine, reicht es denn nicht ...»

«Nein, es reicht nicht!», bellte Behnecke und schob den Mann wieder zur Tür hinaus. «Werber!», brummte er und schüttelte den Kopf. «Und was macht eigentlich dein Verlierer von Ehegespons? Warum habe ich ihn heute noch nicht gesehen?»

Chlodwig und ihr Mann Fiete wohnten ein Stockwerk über der elterlichen Wohnung und dem Bestattungsgeschäft.

«Er ist heute sehr früh zur Arbeit gegangen», erklärte sie.

«Arbeit, ja?», knurrte Thorolf. Steine zurechtklopfen war seiner Ansicht nach keine anspruchsvolle Tätigkeit. Er hatte nie verstanden, was Chlodwig an dem Grabsteinmetz fand. Ein Kaufmann hätte es eigentlich sein sollen. So einen hatte er sich für seine Tochter gewünscht, mindestens.

«Ja, Arbeit», bestätigte Chlodwig. «Und zwar nicht irgendeine, Vater! Denk an das Sprichwort: Holz verfault, doch Stein bleibt Stein – drum muss der Steinmetz der Erste sein.»

«Der Erste, dass ich nicht lache! Das hätte Fiete wohl gern!»

Frida Behnecke steckte ihren Kopf zur Tür herein. «Das Mittagessen ist fertig», flüsterte sie.

«Ja, aber ich noch nicht!», knurrte Behnecke mürrisch zurück und zog die Nase hoch. «Oder denkst du, dass das hier so bleiben kann?» Er deutete auf Frau Müller, deren Haut von Minute zu Minute gelber schien. Behnecke würde von dem teuren violettfarbenen Puder auftragen müssen, wenn das so weiterging.

«Nein», antwortete seine Frau leise, «aber ich dachte, du könntest bald mal Pause machen. Schließlich ist es jetzt Mittagszeit.»

«Ich habe dich nicht geheiratet, damit du denkst», brüllte Behnecke mit pochender Ader an der Stirn. «Das Denken überlass verdammt nochmal mir!»

Nach dem ersten Schock war Lili so aufgebracht, dass sie von einer Seite in der Schreinerwerkstatt zur anderen rannte, immer hin und her. Mit dem Saum ihres knöchellangen Rocks wirbelte sie Wolken von Sägespänen in die Luft. Sie hatte die Fäuste geballt und fluchte leise vor sich hin. Solange sie denken konnte, hatte der Vater ihr das Fluchen zwar verboten, weil er nicht wollte, dass seine Kinder sich vulgär gebärdeten, aber zwanzig Jahre im südlichen Teil der Hamburger Neustadt, am Rand des Gängeviertels, hatten im Sprachgebrauch Spuren hinterlassen. Die Mutter war auf einem Stuhl in der Nähecke zusammengesunken und hielt die Hände vor das Gesicht gepresst. Ihre Schultern bebten. Ein halbfertig gesäumtes schwarzes Bahrtuch lag über dem Tisch. Die Sonne malte ein Licht-und-Schatten-Spiel durch das Fensterkreuz darauf. Christian Buchner stand unschlüssig im Raum herum. Das Unglück dieser Menschen ging ihm ans Herz. Seit seinem Medizinstudium sah er den Tod und alle, die mit ihm zu tun hatten, in einem völlig anderen Licht. Es stimmte, dass seine Mutter ihm und Mathis beigebracht hatte, auf die Bestatterfamilie herabzusehen, aber das tat er schon lange nicht mehr.

Lili fegte an ihm vorbei, und Christian blickte auf. Der Knoten in ihrem Nacken hatte sich gelöst, und ihre langen roten Haare ringelten sich über den Rücken bis zur Taille hinab. «Es muss doch richtige Beweise geben!», stieß sie hervor. «Dass man Vaters Lochbeitel am Ende der Straße blutbefleckt gefunden hat, muss doch nicht heißen, dass er ein Mörder ist!»

«Natürlich muss es das nicht.» Christian bemühte sich, seinen Blick etwas höher auf Lilis Gesicht zu richten. «Und das werden wir den Herren vom Stadthaus auch klarmachen.»

«Irgendeine Idee, wie wir das bewerkstelligen können?», stieß Lili hervor und hielt plötzlich inne. «Entschuldigen Sie, Herr Buchner, Doktor Buchner ...» Sie stockte. «Sie sind hier und helfen uns, und ich bin so unfreundlich zu Ihnen!» Sie quälte sich ein Lächeln ab. «Bitte schieben Sie doch diesen Sarg beiseite, dann können Sie sich hier auf die Bahre setzen!» Sie sah, wie Christian ein wenig zusammenzuckte, und lächelte erneut. «Keine Sorge. Wir haben sie natürlich bereits gereinigt und desinfiziert. Möchten Sie etwas zu trinken haben? Einen Tee vielleicht? Ich habe ihn aus London mitgebracht, er ist vor einer Woche aus Ceylon eingetroffen.»

Sie ging auf ihre Mutter zu und umschlang sie fest. «Wir bekommen das schon wieder hin», sagte sie, und Christian bemerkte, wie weich ihre Stimme wurde. Eine Familie, in der sich alle lieben, dachte er mit einem plötzlichen Anflug von Neid. Lili liebt ihre Eltern, und die beiden Winterbergs lieben ihre Kinder auch, sogar das behinderte, den kleinen Jungen. Er hatte Frau Winterberg dabei beobachtet, wie sie Carl wiegte und streichelte, als er wieder einmal unter seinen Schmerzen litt. An Sonntagen saß die Familie in der Stube zusammen, und der Vater las den beiden Kleinen vor. Er wandte den Kopf ab. All das hatte er von seinem Fenster aus gesehen, von klein auf an. Seine Mutter hatte ihm in seinem ganzen Leben noch nicht einmal über den Kopf gestrichen, Berührungen waren ihr gänzlich fremd. Und an den Vater hatte er, abgesehen von dessen Rohrstock, überhaupt keine Erinnerungen mehr.

Elisabeth Winterberg wischte sich die Tränen von den Wangen und nahm die Näharbeit zur Hand. Mit ihrer Nadel stach sie in die weiße Bordüre ein. «Da steckt doch dieser Thorolf Behnecke hinter», rief sie aus.

«Wie meinst du das?», fragte Lili verblüfft.

«Er hat doch nur auf eine Gelegenheit gewartet, um uns in Verruf zu bringen! Damit er sich das Bestattergeschäft in der Neustadt gänzlich unter den Nagel reißen kann.»

«Ja, aber so weit zu gehen, uns eine Leiche unterzuschieben ...», bemerkte Lili und zögerte. «Ich meine ... einen Mord!»

«Oh, diesem Behnecke ist alles zuzutrauen», sagte ihre Mutter, während sie entschlossen an der Bordüre nähte. «Was meinen Sie denn, Doktor Buchner? Sie kennen ihn doch auch!»

Christian nickte. «Oh ja, in der Tat.»

«Was ist das für ein Mensch?» Lili drehte sich zu ihm um.

«Ihre Mutter hat ganz recht», entgegnete Christian. «Alle hier im Gängeviertel fürchten ihn, aber keiner kommt mehr an ihm vorbei. Er war ursprünglich Sargschreiner wie Ihr Vater, und als er gesehen hat, wie Ihr Vater gewinnbringend das Unternehmen in ein Bestattungsinstitut mit diversen Dienstleistungen umgewandelt hat, hat er ihm nachgeeifert. Leider, muss man sagen, mit Erfolg. Mittlerweile beschäftigt er so viele Menschen wie ein Hamburger Großkaufmann, und das in so kurzer Zeit.»

«Er hat sich beim Väterchen wirklich alles abgeguckt. Die Sargberatung, die Zusammenstellung der Innenausstattung für den Sarg, die Planung für die Zeremonie. Nur, dass er mittlerweile auch noch andere Methoden hat», fügte die Mutter düster an. «Sein Kundenstamm wächst beständig, während unserer abnimmt. Wenn das so weitergeht, können wir das Geschäft bald dichtmachen.»

«Aber angenommen, er wäre tatsächlich so weit gegangen, Vater das Verbrechen anzuhängen: Wie hätte er das anstellen können?» Lili nahm ihren Gang durch die Werkstatt wieder auf. «Überlegt doch mal: Er hätte sich Vaters Werkzeug schnappen müssen. Und dann? Hätte er diese Frau eiskalt ermordet?»

Elisabeth Winterberg sank wieder auf ihren Stuhl zurück. «Ach, Liebchen. Ich weiß nicht, wie und ob er es getan hat. Aber ich weiß, dass diesem Mann alles zuzutrauen ist.»

«Gnädige Frau.» Der alte Tobias war in die Stube getreten. Er knetete seinen Hut in den Händen. «Wenn es irgendetwas gibt, was ich für Sie tun kann.»

Es erstaunte Christian, dass der Totengräber und Werkstattgehilfe die Frau des Bestatters und somit eine Vertreterin eines niederen Gewerbes mit «gnädige Frau» ansprach. Innerhalb der Branche herrschten wohl andere Hierarchien.

«Setz dich zu uns, Tobias», forderte Lili ihn auf. «Je mehr Köpfe wir hier versammeln, umso schneller finden wir vielleicht auch eine Lösung für unser Problem.»

Tobias wirkte erstaunt und auch ein wenig unbehaglich. Zögernd, als probiere er das Nagelbett eines Fakirs aus, ließ er sich auf der Außenkante eines Stuhles nieder, der am anderen Ende des Nähtischchens stand.

«Und Sie auch, Doktor Buchner», bestimmte Lili. «Setzen Sie sich doch auch mal endlich hin! Ich hole Ihnen einen Stuhl. Das heißt, wenn es Ihnen nicht allzu unangenehm ist, mit dem Verstorbenen im Nebenraum.»

«Er sitzt übrigens immer noch, mein Lieber», bemerkte Elisabeth, an Tobias gewandt.

Tobias nickte. «Ich werde das gleich richten, wenn Sie wollen.»

Christian wollte Lili sagen, dass er sich im Laufe seines Medizinstudiums mit Verstorbenen aller Formen und Größen auseinandergesetzt habe und dass ihn deren Gegenwart nicht störe, aber sie war schon in der Küche verschwunden, um einen Kessel Wasser für den Tee auf das Feuer zu stellen.

Als sie wiederkam, schien ihre Wut nicht im Mindesten verraucht zu sein. Eine seltsame Energie ging von ihr aus. Ihre dunklen Augen blitzten, als sie die Tassen auf einen Sarg knallte, der noch unlackiert war.

«Fassen wir also zusammen.» Lili zündete ein Streichholz für das Stövchen an. Ein Funke sprang auf Christians gewebten Gehrock über, und Lili wischte ihn mit einer ärgerlichen Handbewegung fort. Dabei berührte sie Christians Schulter. Christian fühlte eine Hitze von dem Punkt ausgehen, deren Ursprung nicht in der Flamme des Streichholzes lag. «Gestern wurde eine Frau ermordet, die mir ähnlich sah. Um wie viel Uhr war das, Doktor Buchner?»

Christian versuchte, sich zu konzentrieren. «Gegen sechs Uhr abends vermutlich. Als ich sie untersuchte, war sie seit ungefähr drei Stunden tot.»

«War Vater um sechs Uhr zu Hause?», wandte sich Lili an die Mutter. «Hast du ihn gesehen?»

Elisabeth Winterberg schüttelte den Kopf. «Er war zu einer Kundin unterwegs, deren Mann gestorben war.»

«Ich habe ihn gefahren», schaltete sich der Totengräber schüchtern ein.

Lili schenkte ihm ein strahlendes Lächeln. «Das ist doch schon mal viel wert! Tobias war mit Vater in der Zeit zusammen, in der der Mord geschah! Du musst deine Aussage unbedingt diesem Sergeanten zu Protokoll geben, dann kann er Vater doch gar nicht mehr festhalten!»

Sie eilte in die Küche. «Die Sache ist jedoch noch viel komplizierter.» Lili stellte die Kanne auf das Stövchen, wanderte zur Kommode hinüber, öffnete eine Schublade und nahm ein Kästchen daraus hervor. «Die Tote hat meine Uhr getragen. Dieselbe Uhr, die mir kurz nach meiner Ankunft in England gestohlen wurde. Diese hier!» Lili stellte das Kästchen auf den Sarg neben dem Stövchen, öffnete es und entnahm ihm eine kleine silberne Uhr an einer Kette.

«Darf ich?», fragte Christian, während er versuchte, den baumelnden Gegenstand ins Auge zu fassen, und streckte die Hand aus. Lili reichte ihm die Uhr. Es war eine wundervolle Arbeit. Die Uhr war von einem verschnörkelten Türchen verdeckt, in das die Initialen L. W. eingraviert waren. Rechts und links davon waren kleine, silberne Flügel angebracht.

«Müsste die nicht eigentlich bei der Polizei sein?» Christian runzelte die Stirn. «Die wollen sie doch bestimmt untersuchen!»

Lili musterte ihn scharf. «Ich nehme an, genauso wie die metallene Scheibe, die mein Vater bei der Toten gefunden hat und die Sie unerlaubterweise an sich nahmen.»

Christian nickte. «In Ordnung, wir haben beide etwas Unrechtes getan.»

«Wenn Sie uns nicht verraten», Lili warf ihm einen Blick zu, «dann revanchiere ich mich auch.»

Ihm fielen sofort ein paar angenehme Möglichkeiten ein, wie dieses Revanchieren aussehen könnte. Aber er wusste natürlich, dass Lili lediglich versichert hatte, gegenüber dem Sergeanten zu schweigen, was seine Untersuchung der Chiffrierscheibe betraf.

Erneut riss Christian sich zusammen. Er war dabei, sich in ein Gefühl hineinzusteigern, das hier vollkommen fehl am Platze war. «Dass die Tote Ihre Uhr getragen hat, rückt das Verbrechen eigentlich in ein ganz anderes Licht», fuhr er betont geschäftsmäßig fort. «Wir sollten überlegen. Woher hatte sie die wohl?»

«Wie sollen wir das denn jemals herausfinden, lieber Nachbar, Doktorchen?» Elisabeth Winterberg legte ihre Arbeit beiseite, nahm das kleine Baumwolltuch, in dem die Teeblätter eingewickelt waren, aus der Kanne und begann, den anderen einzuschenken. Ihre Augen waren noch immer rot geweint. «Wir wissen doch nicht einmal, wer diese Tote ist!»

«Das wäre das Nächste, was es herauszufinden gilt.» Lili nahm einen kräftigen Schluck.

«Und wie werden wir das herausfinden?», fragte Christian.

Lili betrachtete die eingravierten Motive im Deckel der Uhr. «Ich hätte da schon eine Idee.»

Caroline und Carl wanderten Hand in Hand durch die Gassen, die sich zunehmend mit Menschen füllten. «Heute ist ein großes Fest in der Stadt», erklärte Caroline ihrem Bruder. «Ein wichtiges Haus wird eingeweiht, und alle Menschen gehen hin, um es sich anzugucken. Wollen wir da auch hingehen?»

Carl nickte. An diesem Morgen hatte er keine Schmerzen. Er murmelte etwas, das nur Caroline verstand.

«Sicher», sagte Caroline. «Erst einmal müssen wir unsere Arbeit tun.» In der freien Hand trug sie einen kleinen Strauß. Die Blumen konnte Caroline dank des Buches, das Lili ihr geschenkt hatte, schon benennen. Es waren himbeerrote Spornblumen, Akeleien und Maiglöckchen, die sie auf dem Hopfenmarkt vom Boden aufgelesen hatten. Leider neigten sie schon bedenklich ihre Köpfe, aber Caroline und Carl fanden, dass sie besser waren als nichts.

«Drei», rief Carl aus.

«Ich weiß», entgegnete Caroline. «Ich habe auch schon drei Tiere gesehen, aber sie waren so klein!»

Carl blieb stehen und starrte seine Schwester aus großen, bittenden Augen an.

«Na, gut, du hast ja recht. Lass uns umdrehen. Wir sollten es tun.»

Sie fanden die tote Ratte, wo sie sie zuletzt gesehen hatten: vor dem Eingang von Schümanns Bäckerei. Sie lag auf dem Rücken und hatte alle viere von sich gestreckt. Caroline packte sie am Schwanz und ließ sie in ihrer Kittelschürze verschwinden. Carl suchte unterdessen die Ritzen in der Treppe zur Bäckerei nach dem toten Marienkäfer ab.

«Wo ist nur der Spatz?», fragte Caroline und schaute sich suchend nach allen Seiten um. Die Ladentür öffnete sich, und die alte Frau Schümann kam mit einem struppigen Besen in der Hand heraus. «Wollt ihr euch wohl fortscheren, Kinder», rief sie. «Ich kann es nicht leiden, wenn ihr vor meiner Tür nach Süßem sucht!»

«Wir suchen gar nicht nach Süßem», beteuerte Caroline. «Mein Bruder hat einen Marienkäfer gesehen und ich …»

«Erzählt eure Märchen jemand anderem», zischte die Schümann. «Los, verzieht euch von hier!»

«Hab ihn!», jubelte Carl und hielt Caroline seine offene Handfläche hin.

Die alte Schümann schlug mit dem Besen darauf. «Und jetzt hab ich ihn!», keifte sie. «Das wird dich lehren, meine Kekse zu klauen.»

Carl verzog den Mund. Seine Mundwinkel bogen sich erst nach außen, dann nach unten. Tränen schossen ihm in die Augen, und Caroline beeilte sich, ihn an die Hand zu nehmen. «Mein Käfer», weinte Carl.

Caroline bückte sich, um den heruntergefallenen Marienkäfer wieder aufzunehmen. «Hier ist er», tröstete sie ihren Bruder. «Siehst du ihn?» Sie legte ihn in die Kittelschürze, auf dass er der Ratte darin Gesellschaft leiste, und ohne die Schümann eines weiteres Blickes zu würdigen, liefen beide davon.

Carl flüsterte etwas, und Caroline nickte. «Ich glaube schon», sagte sie. «Der Marienkäfer und das Pelztier werden gute Freunde sein. Darum buddeln wir ihnen auch ein gemeinsames Grab, was hältst du davon?»

Carl hörte auf zu weinen und lächelte.

Immer tiefer drangen die beiden Kinder in die Gänge und Gassen vor. Von den Menschen, die ihnen begegneten, sahen sie zumeist nur deren Hosen und Röcke, und das war auch gut so, denn Caroline hatte die Erfahrung gemacht, dass die Gesichter hier nicht sehr freundlich waren. Endlich gelangten sie an einen Hof, auf dem ihnen ein schlammgesprenkeltes Schwein entgegengrunzte. Sie kletterten über einen morschen Zaun und fühlten sogar etwas Gras unter sich. Carl fing sofort an, ein Loch auszuheben. Vorsichtig legte Caroline die Ratte und den gepunkteten Kompagnon auf die Erde und half mit. Nach einer Weile war das Loch so tief, dass sie die Tiere hineinlegen konnten. Vor dem geöffneten Grab falteten die Kinder die Hände, und Caroline sprach das Gebet:

«Ewige Ruhe schenke ihnen, Herr, und das ewige Licht leuchte ihnen; das Andenken des Gerechten währet ewig, ihrer wird nimmer vergessen. Amen.»

Die Geschwister hielten sich an den Händen und betrachteten ihr Werk. Ganz friedlich sahen die beiden Tiere aus, wie sie so nebeneinanderlagen. «Sie sollen einen schönen Tod haben», sagte Caroline, und Carl nickte dazu.

«Asche zu Asche», brachte Carl heiser hervor und begann, das Grab wieder zuzuschaufeln.

«Erde zu Erde», ergänzte Caroline. «Und Staub zum Staube.» Sie wischte sich die Hände an ihrer Schürze ab, die von der Erde ganz schwarz geworden waren, und wollte sich umdrehen, prallte aber mit einer Frau zusammen. Caroline musterte sie erstaunt. Trüge Lili so ein Kleid, dachte sie, Mutter würde sie sofort wieder auf ihr Zimmer schicken.

«Was macht ihr hier?», fragte die Frau. Es klang nicht unfreundlich, lediglich interessiert.

«Wir haben», Caroline zögerte, «jemandem einen Gefallen getan.»

«Zwei», erklärte Carl hilflos.

«Wie bitte?», fragte die Frau.

«Zwei, sagt mein Bruder», wiederholte Caroline. «Wir haben zweien einen Gefallen getan.»

Die Frau sah für einen Moment etwas verständnislos drein, beschloss dann aber offenbar, die Sache auf sich beruhen zu lassen. Caroline fand, dass sie sehr hübsch war. Sie hatte große, braune Augen mit viel Schwarz drum herum und einen glänzenden roten Mund. «Ihr wohnt nicht in dieser Gegend, hab ich recht?», fragte die Frau.

Caroline schüttelte den Kopf. «Komm», sagte sie zu Carl. «Wir gehen weiter.» Die Mutter hatte ihr eingeschärft, niemals mit fremden Leuten zu sprechen, und seien sie noch so gut aussehend. Sie entdeckte einen Spalt zwischen zwei Häusern im rückwärtigen Teil des Hofs und beschloss, mit Carl dort hindurchzuschlüpfen. Wenn sie ihr Ortssinn nicht täuschte, lag in dieser Richtung die Alster und damit auch der Platz, auf dem an diesem Tag das große schöne Haus eingeweiht werden sollte.

«Nicht in diese Richtung», rief die hübsche Frau ihnen hinterher. Caroline tat, als hätte sie die Frau nicht gehört, und stapfte einfach weiter.

«Kinder», rief die Frau, «seid ihr taub?»

Die beste Art, auf diese Frage zu antworten, war wohl, sich nicht umzudrehen. Caroline zog Carl in Richtung der beiden Häuser, als lautes Schreien aus einem der Fenster drang. Eine Frau lehnte sich heraus und fuchtelte mit den Armen. Sie musste vergessen haben, sich etwas überzuziehen, obwohl es doch bestimmt schon nach Mittag war. Hinter ihr tauchte ein Mann in einem schmierigen Unterhemd auf, packte sie an den Armen und zog sie vom Fenster wieder weg. Die Schreie gingen in leises Wimmern über. Caroline blickte erschrocken auf. Die hübsche Frau hielt sie an der Schulter fest.

«Nicht in diese Richtung, habe ich gesagt», wiederholte sie

leiser und führte Caroline und Carl wieder zurück in Richtung des morschen Lattenzauns. Alle drei kletterten darüber, wobei die Frau ihre Röcke raffen musste. Caroline bemerkte, dass sie spitzenverzierte Strümpfe unter ihrem Rock trug, die sie mit gelben Bändern an etwas befestigt hatte, das sie vermutlich um den Bauch herum trug. Caroline konnte nicht aufhören, darauf zu starren. Andere Stimmen drangen jetzt aus dem Hof. Es war die Stimme eines Mannes, der sehr wütend klang. Ein lautes Klatschen war zu hören, dann war es plötzlich ruhig im Hof.

«Schnell», flüsterte die Frau. «Hier entlang.»

Caroline und Carl liefen der Frau durch einen Gang hinterher, in dem sich die Anbauten der Häuser ausladend nach vorne wölbten. Kein Lichtstrahl fiel in diesen Gang. Die Fensterscheiben wirkten blind. Rissig und verzogen hingen sie in ihren Angeln, und die Geräusche aus den Behausungen dahinter erfüllten die Luft. Hämmern und Fluchen, Raspeln und Sägen, ein Kind weinte, ein anderes sang. Ein Mann führte seinen Gaul, eine halbverhungerte dreckverklebte Mähre, durch die Gasse, und Caroline, Carl und die Frau drückten sich an die Wand, um die beiden vorbeizulassen. Caroline bemerkte jede Menge tote Tiere am Boden liegen, und sie wusste auch, dass Carl sie sah, aber arbeiten könnten sie wohl auch später noch. Allmählich wurde es lichter und die Gänge wurden breiter, ein vertrauter Kanal tauchte vor ihnen auf. «Wir drei», sagte die Frau, «werden uns mal unterhalten müssen, glaube ich.»

Während sie auf den Werbeschildmaler warteten, der ein Phantombild von der Toten anfertigen sollte, ging die Mutter mit Tobias in den Nebenraum, um sich des Leichnams anzunehmen.

Lili beschloss, die Suche nach Carl und Caroline wiederaufzunehmen. Sie hatte ein ungutes Gefühl, wenn sie an die Zwillinge dachte. Sie begleitete den Arzt in die Diele, um sich von ihm zu verabschieden. Christian Buchner blickte ihr in die Augen und nahm ihre Hand. Doch bevor er etwas sagen konnte, läutete es an der Tür. Lili war froh, den angespannten Moment unterbrechen zu können.

Der Werbeschildmaler war da.

Es gelang ihnen, die unbekannte Frau relativ genau zu beschreiben, schließlich war sie noch nicht lange tot gewesen, als sie sie gefunden hatten. Lili empfand die Reaktionen des Werbeschildmalers auf ihren Bericht als fahrig und unkonzentriert. Sie musste ihre Eindrücke mehrmals wiederholen, bis er sie endlich gezeichnet hatte. Schließlich entschuldigte er sich damit, in letzter Zeit für seinen Geschmack ein bisschen viel mit Toten zu tun gehabt zu haben, obendrein drücke ihn der schwierige Auftrag eines anspruchsvollen Kunden.

Elisabeth ging in die Küche, um dem verstörten Mann einen Tee zu kochen, und Lili ließ sich vor ihm auf einem Stuhl nieder. «Sehen Sie mich an!», forderte sie den Mann auf. Er folgte ihrer Aufforderung, schien dadurch aber nur noch nervöser zu werden.

«Die Tote sah mir ähnlich», erklärte Lili. «Und sie trug ihre Haare offen, etwa so.» Sie öffnete den Knoten, den sie sich zwischenzeitlich wieder festgesteckt hatte, und drapierte sich ein paar Strähnen über die Brust, was den Werbeschildmaler dazu veranlasste, sich mit seinem Zeichenblock Luft zuzufächeln.

«Es ist schrecklich heiß heute», erklärte er. «Würde es Sie sehr inkommodieren, wenn ich meinen Gehrock öffne?»

«Aber nein», lächelte Lili. «Es ist wirklich ungewöhnlich warm für Anfang Mai. Das erinnert mich übrigens daran, dass auch die Tote ein recht tief ausgeschnittenes Kleid ohne Brusttuch trug.» Lili öffnete nun ihrerseits verschämt die obersten Knöpfe an ihrem Kleid. «So müssten Sie sie zeichnen», ordnete sie an. «Wobei zu sagen wäre, dass sie ein bisschen fülliger war als ich.»

Der Werbeschildmaler beugte sich schwitzend über sein Skizzenbuch. Auf einmal flog sein Stift über das Papier.

Die Mutter betrat den Raum mit einer frischen Kanne Tee.

«So in etwa?», fragte der Mann und hielt seine Zeichnung hoch.

«Die Lippen waren vielleicht ein bisschen schmaler als bei meiner Lili», meinte die Mutter. «Aber ansonsten haben Sie das sehr schön gezeichnet, mein Lieber. Bitte sehr, das haben Sie sich nun verdient.» Sie reichte dem Mann eine Tasse sowie eine Schale mit Gebäck.

An der Haustür zog jemand das Klingelseil. Dann war Carolines helle Stimme zu hören: «Mutti, wir sind es, mach bitte auf!»

«Dem Herrn sei es gedankt, sie sind wieder da! Wenigstens ein kleiner Trost an diesem Unglückstag.» Die Mutter presste sich eine Hand auf ihr Herz und eilte zu öffnen.

Carl und Caroline waren nicht allein. Eine junge Frau mit dramatisch geschminkten Augen stand hinter ihnen und lächelte.

Die Mutter schloss die beiden Kleinen in ihre Arme. «Haben sie etwas ausgefressen?», fragte sie.

«Ganz und gar nicht», entgegnete die Frau mit seltsam rauer Stimme. «Sie haben sich bloß verirrt. Ich wollte sicher sein, dass sie gut nach Hause kommen.»

«Das ist sehr, sehr freundlich von Ihnen! Bitte, kommen Sie herein! Das heißt, wenn es Sie nicht stört, ein Bestattungsinstitut zu betreten. Mein Name ist Elisabeth Winterberg.»

Aus ihrer Ecke in der Stube sah Lili, dass die Frau gequält lächelte. «Magdalena. Und ich habe schon sehr viel Schlimmeres gesehen.»

«Wo habt ihr euch denn wieder herumgetrieben, ihr Schlingelein?», schimpfte Elisabeth die Kleinen aus, während sie die Fremde dorthin führte, wo Lili mit dem Werbeschildmaler saß.

«Caroline, Carl, geht euch schnell die Hände waschen! Ich will gar nicht wissen, was ihr alles angefasst habt.» Dann wandte sie sich wieder der Besucherin zu, die vor dem Werbeschildmaler knickste, wobei der Ansatz ihrer hochgeschnürten Brüste zitterte. «Danke, meine Liebe, ich weiß gar nicht, wie ich Ihnen danken soll. Eine Tasse indischer Tee würde Sie vielleicht erfreuen und ein wenig Zimtgebäck?»

Die Fremde antwortete nicht. Ihr Blick blieb an der Zeichnung hängen, die der Werbeschildmaler auf den Tisch gelegt hatte.

«Was ist das?», fragte sie leise.

«Eine Zeichnung, die wir zu vervielfältigen gedenken und überall in der Stadt aufhängen wollen», erklärte Lili. «Uns wurde gestern eine Tote vor die Tür gelegt. Leider kennen wir ihren Namen nicht.»

Magdalena richtete einen erschreckten Blick auf sie. Sie hatte Lili wohl gar nicht gesehen. Einen Moment lang glaubte Lili, die Frau würde umfallen, denn sie schwankte hin und her. Schnell sprang sie auf und nahm ihren Arm. «Was ist?», fragte sie. «Ist Ihnen nicht wohl?»

Ihr Gegenüber schüttelte den Kopf.

«Kennen Sie diese Frau?», fragte Lili aufgeregt.

Wieder blickte Magdalena sie an. Sie ließ ihren Blick über Lilis offene Haare und ihr Gesicht gleiten bis hin zu ihrem halbgeöffneten Oberteil. «Kätzchen ...», flüsterte sie.

«Mein Name ist Liliane», erklärte Lili. «Liliane Winterberg.»

Die Frau vor ihr schüttelte den Kopf. «Das ist nicht möglich. Du bist mein Kätzchen. Und ich habe dich überall gesucht!»

«Hören Sie.» Lili packte die Besucherin am Arm und zwang sie neben sich auf das Canapé. «Sie verwechseln mich. Sehen Sie mich an!»

«Ja, Kätzchen», wisperte die Fremde und streckte eine Hand nach ihr aus. «Ich sehe dich.»

«Sie sehen mich nicht richtig. Hier», sie deutete auf ihre rechte Wange, auf der die Tote das schwarze Mal gehabt hatte. «Das habe ich nicht! Und ich spreche sicherlich nicht wie Ihre Freundin. Habe ich recht?»

Magdalena zwinkerte. «Da hast du … ja, da haben Sie recht.»

Lili erwiderte Magdalenas Händedruck. «Diese Frau, die Sie in mir gesehen haben, das war Ihre Freundin, richtig? Woher kannten Sie sie?»

«Sie war mehr als eine Freundin.» Die Fremde schluckte. «Ich habe mit ihr zusammen gelebt und gearbeitet», sagte sie und blickte Lili wieder an. «Sibylle hieß sie. Und sie sah wirklich genauso aus wie Sie.»

4. KAPITEL

Aber wie kann das sein?», fragte Lili. «Ich meine, ich weiß inzwischen, dass sie mir wohl sehr ähnlich sah ...»

«Sie sah genauso aus wie Sie!» Die Frau wiederholte ihre Worte und sah Lili weiterhin fassungslos an. «Sie hatte die gleiche Statur, das gleiche Gesicht ... Wüsste ich nicht, dass Sie beide sich nicht kannten, ich hätte schwören können, dass Sie Schwestern sind!»

Lilis Blick wanderte zu Carl und Caroline, die in diesem Moment wieder den Raum betraten. Die Zwillinge hatten sich im Waschstein die Hände geschrubbt. Carl schob sich einen Daumen in den Mund. «Ich habe nur eine Schwester», erklärte sie. «Und das ist die Kleine hier!»

«Ja, Entschuldigung, ich wollte nicht sagen ...» Die Fremde ließ sich auf einen der Stühle fallen.

«Mutter», wandte Lili sich an Elisabeth. «Wir müssen sofort ins Stadthaus zur Criminal-Polizei. Und Sie kommen am besten mit!»

Die Frau sprang in die Höhe, wie von einer Biene gestochen. «Das tue ich mit Sicherheit nicht!»

«Aber Sie müssen sagen, dass Sie die Tote kennen!», rief Lili. «Sie müssen Ihren Namen und Ihre Adresse nennen!»

Die Fremde starrte sie entgeistert an.

«Lili.» Da war die sanfte Stimme der Mutter. «Ich fürchte, das wird unsere Besucherin nicht tun.»

«Aber warum?», fragte Lili und fuhr herum. Ihr Blick fiel auf den Schildermaler, der wieder angefangen hatte, sich Luft zuzufächeln. Erst jetzt bemerkte sie, dass die obersten Knöpfe ihres Mieders noch immer geöffnet waren, ebenso wie das Dekolleté ihres Gastes ausgesprochen einladend war. Plötzlich verstand sie. Die kajalgefärbten Lider von Magdalena, ihr erdbeerroter Mund ... Nein, sie würde nichts mit der Criminal-Polizei zu tun haben wollen. Frauen ihres Gewerbes vermieden das wohl besser. Aber sie musste! Ihre Aussage würde dem Vater helfen. Und sie musste ihm helfen!

Magdalena stand für einen langen Moment wie erstarrt. Dann kehrte das Leben mit einer Wucht in sie zurück, dass Lili erschrak. «Ich gehe jetzt!», rief sie, und ihre Stimme klang noch rauer dabei. «Ich habe die Kleinen zurückgebracht, ich habe Ihnen geholfen, eine Tote zu bestimmen, ich habe alles getan, was ich überhaupt nur tun konnte. Und jetzt», sie drehte sich auf dem Absatz um, und ihr aufgetürmtes dunkles Haar schwankte dabei bedenklich, «gehe ich wieder weg!»

Sie durchquerte den Raum, klapperte über die Fliesen der Diele und war mit einem Knall zur Tür hinaus.

Auch Lili war aufgesprungen. «Jetzt sind wir genauso schlau wie vorher», brach es empört aus ihr heraus.

«Nein, Liebling.» Elisabeth stand vorsichtig auf, wobei sie ihr Kreuz stützte. «Ein bisschen schlauer sind wir jetzt schon. Auf jeden Fall muss Tobias zur Polizei, er soll sagen, wo er gestern mit Vater um sechs Uhr abends war, und dann erzählt er auch noch das andere, das wir über die Tote erfahren haben. Am besten, du begleitest ihn und machst ihm unterwegs ein bisschen Mut!»

In Lili tobte ein Sturm. Unzählige Fragen schossen ihr durch den Kopf. Dann lief sie zur Tür hinaus, dieser merkwürdigen Frau hinterher. Aber sie hatte zu lange gewartet. Als sie die Tür aufriss und dabei nach rechts und links blickte, war niemand mehr zu sehen.

«Das glaubst du nie!» Christian ließ die Gazette sinken und blickte zu seinem Bruder hinüber.

Mathis, der damit beschäftigt war, das Objektiv an seinem Photoapparat herauszunehmen, lächelte. «Ich müsste zunächst einmal wissen, worum es geht.»

«Der tote Afrikaforscher, den du abgelichtet hast!»

«Ich hoffe, er wird mit Glanz und Gloria beerdigt. Ich mochte ihn irgendwie.»

«Die Beerdigung hat er sich für später aufgehoben. Er ist nämlich wieder aufgewacht! Hier, sieh mal. Sie haben sogar deine Photographie genommen!» Christian deutete auf die erste Seite. Das Bild eines Mannes mit geschlossenen Augen und Tropenhut zierte das obere Drittel des Blattes. Daneben prunkte die Schlagzeile: «Scheintoter Hamburger vor qualvollem Tod in Sarg bewahrt. Ein Bericht von Rurik Robertson».

Mathis war in einem Satz bei ihm. «Das gibt es ja nicht!»

«Müsste dir die Zeitung nicht eigentlich etwas für die Photographie bezahlen? Schließlich wäre die Geschichte ohne das Bild nicht halb so amüsant!»

Mathis überflog den Artikel. «Ich fasse es nicht! Da dachte ich die ganze Zeit, ich photographiere meinen ersten Toten – und dabei lebte er! Hier: ‹Der offenbar sehr besorgte Neffe von Afrikaforscher Eckart ist in die Leichenhalle gefahren, um nach seinem Onkel zu sehen. Da er ihn zuvor zu Leichenphotograph Mathis Buchner gebracht hatte …›» Er drehte sich zu Christian. «Immerhin! Sie haben meinen Namen genannt. Obwohl, meine Berufsbezeichnung lässt ein wenig zu wünschen übrig. Wenn Mama liest, dass ich ein Leichenphotograph bin, fällt sie tot um. Also, da er ihn zu mir gebracht hat und ich ihn im Sitzen abgelichtet habe, hat er wohl befürchtet, die Leichenstarre hätte dabei eingesetzt und er müsste nun im Sitzen begraben werden! Unfassbar, worum die Menschen sich sorgen. Obwohl – was tut man eigentlich in so einem Fall?»

«Der Bestatter ist gezwungen, ihm die Knochen zu brechen», erklärte Christian. «Klingt gemein, tut aber niemandem weh.»

«Oh, und sieh nur, der scheinbar Tote ist bei unseren Nachbarn wieder aufgewacht!», entfuhr es Mathis. «Gerade, als sein Neffe darauf bestand, noch einmal nach ihm zu sehen.»

«Unglaublich, oder nicht?», lächelte Christian. «Dieser Neffe scheint seinen Onkel wirklich geliebt zu haben. Hier steht, er habe als Kind die bunten Geschichten von fremden Ländern genossen, die sein Onkel ihm erzählt haben soll. Aber das ist doch kein Grund, um jemanden später so dermaßen zu umsorgen, was meinst du? Du zum Beispiel erzählst mir auch immer schöne Geschichten von den Leuten, bei denen du photographiert hast. Und ich würde trotzdem nicht in der Leichenhalle nach dir sehen!»

Mathis faltete die Gazette zusammen und schlug sie Christian an den Kopf. «Schurke von Bruder», rief er mit gespielter Empörung. «Ich wusste es doch – auf dich ist kein Verlass!»

Einen Moment lang fühlte Christian sich um Jahre zurückversetzt. Er wollte gerade aufspringen, um seinem Bruder hinterherzulaufen, als er den schweren Tritt seiner Mutter im Treppenhaus hörte. Und da wusste er, dass es besser war, ein bisschen erwachsen auszusehen.

Mit der Bestattungskutsche durch die Stadt zu fahren war stets ein aufsehenerregendes Spektakel. Passanten, an denen sie vorüberrollten, zogen ihre Hüte und pressten sie sich pietätvoll an die Brust. Frauen knicksten tief. Lili, die auf dem Kutschbock neben Tobias saß, schüttelte den Kopf. Weder hatten sie Melchior und Kaspar, den beiden Rappen, ihre schwarzen Trauertücher umgehängt, noch trug die Kutsche selbst Trauerflor. Sie hätte es vorgezogen, die Befreiung ihres Vaters aus dem Zuchthaus ein wenig diskreter anzugehen, aber es nützte ja nichts, sie hatten nun einmal nur dieses eine Gefährt. Tobias umfuhr das Gängeviertel mit seinen verschlammten Twieten und Gassen und den unvorhersehbaren Engpässen so weiträumig wie möglich und bog nach rechts in die Katharinenstraße ein. Hier ratterten sie über die Brücke, die das Nikolaifleet in Richtung Neue Burg überspannte, und waren endlich vor dem Stadthaus angelangt. Lili sah, wie Tobias zögerte. «Es wird schon alles gutgehen», versicherte sie mit einer Überzeugung, die sie in diesem Augenblick nicht wirklich empfand.

Der kleine Mann wandte sich ihr zu. Die Falten in seinem wettergegerbten Gesicht wirkten noch tiefer als sonst. «Ich weiß nich, Deern. So einem wie mir glauben die vielleicht nich.»

Lili strich tröstend über den Arm des alten Totengräbers. «Aber warum denn nicht? Du bist ein Mann, der sich nie etwas hat zuschulden kommen lassen. Du hast dein Leben lang schwer gearbeitet. So einen mögen die.»

«Dein Wort in Gottes Ohr.» Tobias seufzte tief, ein Seufzer, der vom Grund seiner mit Trauer vertrauten Seele zu kommen schien, öffnete den Schlag und sprang auf die Straße hinab. «Ich hoffe, das geht schnell.»

«Warte, ich komme mit», rief Lili ihm hinterher. Sie sah Tobias auf einmal vor sich, wie er stumm vor Ehrfurcht und Verlegenheit seinen Hut in den Händen knetete und vor den Beamten kein Wort herauszubringen in der Lage war.

«Nee, nee», machte Tobias. «Bleib du mal bei den Gäulen, Deern.»

Doch Lili machte keine Anstalten, ihm zu gehorchen. Sie stieg, so rasch es ihre Kleider erlaubten, die Stufen des Kutschbocks hinab.

«Oh, Deern», seufzte Tobias, der noch einmal einen Blick über seine Schulter warf.

In wenigen Schritten war Lili neben ihm. «Was denn?»,

empörte sich Lili. «Wenn ich sage, dass ich mitkomme, dann komme ich auch mit!»

Tobias schüttelte sanft den Kopf. «Deine Mutter hat bestimmt, dass du nicht mit zur Polizei gehst. Das ist kein Ort für junge Frauen.»

Das weiße Gebäude, in dem die Criminal-Polizei untergebracht war, sah oberflächlich betrachtet recht harmlos aus. Doch Tobias ließ sich von dem Anblick nicht täuschen. Seit er vor neun Jahren diesen Ort zum ersten Mal betreten hatte, wusste er, dass das Haus nichts als Gefahren barg. Damals war er in Ketten abgeführt worden, und zwar ebendiesen Gang im Erdgeschoss entlang. Er sah sich selbst wieder, wie er vor Entsetzen kein Wort hatte hervorbringen können, obwohl er doch vollkommen unschuldig gewesen war. Der Polizist, der ihn eines Morgens auf dem Friedhof festgenommen hatte, während er gerade ein frisches Grab ausschaufelte, hatte ihn beschuldigt, eine Gruft geplündert zu haben. Zum Glück hatte Herr Winterberg ausgesagt, dass Tobias zur Tatzeit ein Grab ausgehoben hatte, in dem ein Kunde von ihm bestattet werden sollte, was auch stimmte. Diesen Einsatz für seine Person hatte Tobias dem Bestatter niemals vergessen, und er würde es niemals tun.

Vor einer Tür angekommen, die Tobias aufgrund ihrer Größe und der Verzierungen am Rahmen für die richtige hielt, hing ein Schild. Da er nicht lesen konnte, klopfte er einfach an. Eine barsche Stimme rief von innen, dass schon geschlossen sei.

«Wo kann ich denn eine Aussage machen?», fragte er durch die Tür. «Es geht um einen», er zögerte, «Todesfall.»

«Abteilung 2a», rief die Stimme zurück. Zum Glück kannte Tobias Zahlen. Er machte sich also von neuem auf den Weg.

Am Ende des Ganges fand er es, ein Schild mit einer Zwei

und einem Buchstaben dahinter. Vorsichtig klopfte er an. «Herein», grantelte eine andere Stimme, und Tobias betrat in gebückter Haltung den Raum. «Ich möchte eine Aussage machen», begann er und nahm seinen Hut ab.

«Lauter, bitte», knurrte der Sergeant, der hinter einem mit Papierstößen vollgepackten Schreibtisch saß. Tobias erkannte ihn augenblicklich wieder. Es war derselbe, der Herrn Winterberg festgenommen und abgeführt hatte. Er spürte, wie er wütend wurde. Gleichzeitig kam er sich hilflos vor und klein. Er sah sich im Raum um, in dem noch ein zweiter Schreibtisch stand. Jemand hatte eine Maschine darauf abgestellt, wie Tobias noch nie eine gesehen hatte. Sie sah riesig und furchteinflößend aus. Der Stuhl dahinter war leer. Ob die Maschine dazu diente, den Menschen, die hier vorsprechen mussten, die Zunge ein wenig zu lösen? Tobias spürte, wie es ihn trotz der Wärme des Tages fröstelte.

«Es geht um den Herrn Bestatter Basilius Winterberg», erklärte er mit, wie er hoffte, fester Stimme.

«Recht so. Und wer sind Sie?»

«Ich bin sein Gehilfe.»

«Name?»

«Tobias Buhrmann.»

«Papiere?»

«Bitte sehr.» Tobias trat zögernd vor.

Der Sergeant warf einen Blick auf den Stoß von Zetteln, die Tobias vor ihm ausgebreitet hatte, und runzelte die Stirn. «Seit wann arbeiten Sie für den Bestatter?»

Das war eine Frage, auf die Tobias stets, ohne zu zögern, antworten konnte. «Seit neun Jahren, mein Herr.»

«Recht so, mhm.» Der Sergeant fischte mit betont herablassender Miene einen besonders dunkel aussehenden Zettel hervor. «Ich nehme an, das ist Ihre Geburtsurkunde?»

Tobias nickte und knetete seinen Hut.

«Sohn einer Leichenwäscherin, Vater unbekannt, so so. Wo haben Sie vor der Anstellung bei Herrn Winterberg gearbeitet?»

«Auf … auf'm Friedhof», stammelte Tobias. «Ich war Totengräber. Das heißt, ich grabe immer noch, wenn ma' Not am Mann is'. Aber jetzt lenk ich auch die Kutsche für Herrn Winterberg und säg das Holz für die Särge und … und so …»

«Totengräber also.» Der Sergeant schnaubte. «Keine Bürgerrechte. Ein unehrlicher Beruf. Unter diesen Umständen muss ich auf Ihre Aussage verzichten. Auf Wiedersehen!»

Lili blies nervös die Wangen auf und kletterte in die Kutsche zurück. Es machte sie ganz unruhig, dass sie so vollständig zu Untätigkeit verdammt war. Um sich die Zeit zu vertreiben, begann sie die vorbeifahrenden Kutschen zu zählen und blickte dabei auf ihre Uhr. Dabei machte sie die für die Verkehrswissenschaft – falls es so etwas gab – vermutlich nicht gerade bahnbrechende Beobachtung, dass in nur fünf Minuten acht Kutschen durch den Neuen Wall fuhren, was auf die Stunde hochgerechnet sechsundneunzig Kutschen ergab. Dann wurde ihr das Herumrechnen langweilig, und sie dachte an das Auftauchen von Magdalena zurück. Wenn sie nur wüsste, wo sie das Mädchen wiederfinden konnte! Sie würde jemanden fragen müssen, der die Freudenhäuser der Stadt kannte. Nur – wer aus ihrem Bekanntenkreis konnte das sein? Und wie sollte sie die Frage nach solchen Besuchen formulieren? Allein der Gedanke an derlei Fragen trieb ihr die Schamesröte ins Gesicht.

Ein Klopfen an der Kutschentür unterbrach ihre Überlegungen. Sie öffnete das Fenster und sah einen feingekleideten Mann mit einem höflichen Lächeln im Gesicht.

«Verzeihen Sie, Fräulein, wenn ich Sie störe», lächelte er. «Mein Name ist Rurik Robertson, Nachrufschreiber und Journalist.»

Ungeduldig und extrem lustlos, gerade jetzt mit einem Fremden reden zu müssen, der vermutlich wissen wollte, was eine Bestattungskutsche vor der Criminal-Behörde tat, hätte sie den Mann am liebsten aufgefordert, sich zum Teufel zu scheren. Gerade noch rechtzeitig konnte sie sich beherrschen. Der Mann schien ihr den Widerwillen in den Augen anzusehen, denn er lächelte erneut. Er hatte schöne Zähne, bemerkte Lili. Überhaupt sah er ungewöhnlich anziehend aus. Ein schmaler, dunkler Backenbart betonte seine Züge, und seine Augen waren ungewöhnlich hell und grün. «Wie kann ich Ihnen helfen?», fragte Lili.

«Ich recherchiere im Fall eines Mordes», sagte der Mann achselzuckend, wie um anzudeuten, dass ihm das selbst ein bisschen suspekt erschien. «Gerade komme ich von der Polizei da drinnen. Aber die Herren sind verschwiegen wie immer. Da habe ich gehofft …»

«Dass das lose Mundwerk einer Frau Ihnen weiterhilft?», lächelte Lili. «Ich wüsste nicht, wie ausgerechnet ich Ihnen bei Ihren Recherchen helfen könnte.»

Der Mann lachte. «Da Sie auf dem Bock einer Bestattungskutsche sitzen, nehme ich an, dass Sie nicht zum Personal der Trauergäste gehören.»

«Richtig angenommen.» Lili schob sich eine Locke aus dem Gesicht.

«Das berechtigt mich natürlich nicht dazu, Sie einfach so anzusprechen. Verzeihen Sie bitte. Vermutlich bin ich ein wenig verwirrt.»

«Warum?», fragte Lili ehrlich interessiert. «Was ist passiert?»

Der Mann musterte sie lange. «Das fragen Sie noch?»

Lili spürte, wie ihr die Hitze in die Wangen stieg. So wie sich das Gespräch auf einmal entwickelte, ging es eindeutig zu weit. Doch bevor sie es nun zu einem höflichen Ende bringen konnte, fragte der Mann leise: «Fräulein Winterberg, habe ich recht?»

«Woher kennen Sie meinen Namen?»

Der Mann deutete auf die Tür. «Steht auf Ihrer Kutsche.» Und nach einer kurzen Pause, in der er sie wieder mit einem Blick aus seinen hellgrünen Augen bedachte: «Verraten Sie mir Ihren Vornamen.»

«Ich bin nicht sicher, dass ich ...» In diesem Moment sah sie Tobias aus dem Gebäude heraustreten. Er wirkte noch kleiner als sonst, und der Hut, den er zwischen seinen Händen trug, war arg zerknautscht. «Oh, Deern!», rief Tobias.

«Was ist passiert?» Lili öffnete den Schlag und rutschte von ihrem Sitz herab.

Tobias trat dicht an sie heran, wobei er den Nachrufschreiber ein wenig zur Seite schob. «Sie wollen nich mit mir reden», sagte er.

«Was?», fuhr Lili auf.

«Nee.» Tobias schlug die Augen nieder. «Meine Aussage gilt nix. Wegen mei 'm unehrlichen Gewerbe. Weil ich doch Totengräber bin.»

«Komm.» Lili riss Tobias am Arm. «Jetzt gehen wir zusammen da rein, und ich werde mich für deinen guten Ruf verbürgen! Die müssen dich anhören, Tobias, sie müssen das einfach tun!»

Tobias stemmte seine Hacken in den Boden wie ein scheuendes Pferd. «Nee. Du kannst da auch nix machen, Deern. Nur Leute, die gut beleumundet sind. Dazu gehören wir nich.»

«Bei allen Heiligen, wir haben doch nichts verbrochen!» Lili wusste nicht, was frustrierender war, Tobias' Weigerung, sich vom Fleck zu rühren, oder die Haltung der Polizei in dieser Angelegenheit.

«Entschuldigen Sie bitte.» Nun schaltete sich der Fremde ein. «Leider habe ich Ihr Gespräch mit angehört. Wenn Sie gestatten», er verbeugte sich vor Lili, «werde ich mich für Sie und Ihren Angestellten dort drinnen verwenden. Mir scheint hier eine Ungerechtigkeit vorzuliegen. Könnten Sie mir vielleicht erklären, worum es geht?»

Lili betrachtete ihn aufmerksam. Eigentlich hatte sie nichts dagegen, ihm alles zu erzählen. Sie hatten weiß Gott Hilfe nötig, und dieser Mann wirkte auf sie nicht nur freundlich, sondern auch gewandt. Sicherlich wusste er, wie man sich bei der Polizei Gehör verschaffte, vielleicht kannte er sogar die für sie wichtigen Beamten. Doch auf der anderen Seite konnte sie nicht auf seine Verschwiegenheit zählen. Für diese Tugend waren Journalisten in der Regel nicht bekannt. Sie seufzte tief. «Na, gut.»

Er hörte ihr aufmerksam zu, als sie berichtete, stellte an den passenden Stellen die richtigen Fragen und versicherte ihr danach Unterstützung in allen Belangen gegenüber der Polizei.

«Hat die Tote irgendwelche Gegenstände bei sich gehabt, die Ihnen aufgefallen sind?», fragte er.

Lili dachte kurz nach. Eigentlich sprach nichts dagegen, ihre Uhr und diese merkwürdige metallene Scheibe zu erwähnen, aber vermutlich wollte die Polizei dann wissen, warum sie nicht schon am Vorabend davon gesprochen hatte. Also verzichtete sie lieber darauf.

«Nicht, dass ich wüsste, nein.»

Tobias stellte sich schweigend daneben, während das Gespräch zwischen ihr und dem Journalisten vonstattenging, und runzelte dabei ausdrucksstark die Stirn. Während sie zusahen, wie Robertson die Stufen ins Polizeigebäude hinaufstieg, flüsterte er Lili zu: «Meine Herren, ist das ein eitler Pfau!»

Lili musste lachen. «Solange der Mann uns hilft, kann er meinetwegen auch ein Flamingo sein!» Die Schau mit den exotischen Tieren auf dem Spielbudenplatz fiel ihr ein. Sobald das hier vorüber war, würde sie mit den Zwillingen hinfahren. Weder Carl noch Caroline hatten in ihrem siebenjährigen Leben andere Tiere als Haus- oder Nutzvieh gesehen.

Es dauerte nicht sehr lange, da kam ein junger Beamter in schwarzer Uniform heraus. «Sie können reinkommen, Sie beide!», rief er ihnen zu. «Aber die Kutsche kann hier nicht stehen bleiben. Die parken Sie bitte an einem gesetzlich ausgewiesenen Platz!»

Tobias kletterte knurrend auf den Kutschbock und schnalzte mit der Zunge. Melchior und Kaspar setzten sich in Bewegung, und Lili sah, wie das schwarze Gefährt um die Ecke bog. Sie folgte dem Beamten weiter ins Innere des Gebäudes. Erstaunlich dunkel war es hier. Sie gingen einen muffig riechenden, gekachelten Gang entlang, und der Mann führte sie in eine kleine Amtsstube hinein. An einem der Schreibtische saß der Criminal-Sergeant vom vorigen Abend, und vor ihm – mit einem Lächeln im Gesicht – Rurik Robertson. An einem Tisch, der im rechten Winkel zum Tisch des Sergeanten stand, kauerte ein anderer Mann, vor sich ein Ungetüm von Apparat.

«Wo issen der Totengräber?», fragte der Sergeant unwirsch.

«Er musste die Kutsche wegfahren», erklärte Lili so geduldig wie möglich. «Das haben Sie doch soeben von ihm verlangt.»

«Recht so. Schreiber!» Er wandte sich an den Mann mit dem seltsamen Apparat. «Schreiben Sie: Die Tochter des Angeklagten ... wie heißen Sie noch einmal?»

«Lili ... Liliane Winterberg.»

«Liliane Winterberg ist eingetroffen, allerdings ohne den Zeugen, der ihren Vater entlasten kann.»

«Aber er kommt sofort nach», protestierte Lili. «Er parkt doch nur die Kutsche um!» Sie bemerkte den lächelnden Blick des Journalisten, der auf ihr ruhte. Jetzt kenne ich deinen Vornamen, schienen seine Augen zu sagen. Lili blickte verwirrt zwischen ihm und dem Sergeanten hin und her. Sie wollte etwas fragen, als ein Geräusch wie Trommelfeuer die Stille des

Raums durchbrach. Lili fuhr erschrocken in die Höhe. Durch die heftige Bewegung lösten sich ein paar Strähnen ihrer hochgesteckten Frisur. «Was ist das?», fragte sie.

«Unsere Hammonia», sagte der Sergeant und deutete auf den Schreiber neben sich, der mit seinen Fingern auf die Tasten des wuchtigen Apparats einschlug. «Eine Erfindung der Hamburger Nähmaschinenfabrik Guhl & Harbeck. Haben Sie sich die Maschine schon aus der Nähe angesehen, Herr Robertson? Was mein Schreiber schreibt, kommt oben auf dem Papier als gedrucktes Dokument heraus!»

«Ich habe bereits damit gearbeitet», gab der Journalist zurück.

«Das Ding klingt wie ein Revolver», entfuhr es Lili.

«Passenderweise, ja», antwortete Robertson. «Denn mit Worten lässt sich scharf schießen, und diese Maschine – die in Amerika übrigens vom Waffenhersteller Remington produziert wird – ist bloß das Hilfsmittel, das die Causa mortis in den Kopf befördert.»

«Dann hoffe ich also», warf Lili schlagfertig zurück, «dass Ihr Schreiber das, was unser alter Angestellter gleich erzählen wird, möglichst treffend wiedergibt.» Sie hatte keine Ahnung, was eine Causa mortis war, aber das herauszufinden war sie auch nicht da.

Wie auf ein Stichwort hin klopfte es an der Tür, und auf den knappen Ausruf des Sergeanten schlüpfte Tobias in den Raum. Der Beamte schien es nicht für nötig zu erachten, Tobias einen Stuhl zu weisen, und so blieb der alte Totengräber unterwürfig stehen.

«Wo waren Sie gestern Abend zwischen fünf und sieben Uhr?», schnauzte ihn der Sergeant an.

Tobias antwortete mit geducktem Kopf, auf eine Weise, die fast schuldbewusst wirkte. Lili krauste die Stirn. «Mit Verlaub, Herr Criminal-Sergeant», begann Tobias leise.

Das Hämmern auf dem Schreibapparat erfüllte plötzlich den Raum. Tobias fuhr entsetzt herum.

«Einfach ma'n büschen lauter schnacken!», forderte der Sergeant ihn auf. «Sonst versteh'n wir uns ja nich! Also, ich höre: Wo waren Sie?»

«Ich habe meinen Dienstherrn, Herrn Basilius Winterberg, zu einer Kundin gefahren.»

«Recht so. Wie heißt die Kundin?», versuchte der Sergeant seinen Schreiber bei der Arbeit zu übertönen.

Tobias überlegte und kratzte sich den Kopf. Lili, die wusste, dass Tobias nicht das klarste Gedächtnis besaß, betete innerlich. Doch Tobias musste nicht lange nachdenken. «Alles hier aufgeschrieben!», lächelte er und entblößte dabei seine Zahnlücken. «Das hier ist nämlich Herrn Winterbergs Auftragsbuch!»

«Her damit!», befahl der Polizist.

Tobias trat einen Schritt vor und reichte ihm einen in Leder gebundenen Folianten. Der Sergeant legte das Buch vor sich auf den Tisch und schlug es auf. Schweiß bildete sich auf seiner Stirn, während er sich über die Seiten beugte und sie durchblätterte. In einer Mischung aus Abscheu und Faszination beobachtete Lili, wie sich der Schweiß zu einer einzigen, riesigen Perle zusammenzog. Bitte nicht auf Vaters Buch tropfen, flehte sie innerlich. Diese Papiere waren sein Allerheiligstes, niemand durfte sie je berühren, ohne sich vorher die Hände gewaschen zu haben. Nicht einmal Wasser durfte in die Nähe seines Auftragsbuchs gelangen, schließlich verwischte die Tinte dann. Jetzt. Die Perle formte sich zu einem Tropfen, der von Sekunde zu Sekunde wuchs. Was sollte sie tun? Sich den Unmut des Polizisten zuziehen, indem sie aufsprang und ihm das Gesicht abwischte? Wohl kaum. Sie blickte zu Tobias hinüber, der seinen Hut so heftig knetete, dass dieser auf die Größe eines kleinen Balls geschrumpft war.

Eine Bewegung Rurik Robertsons rettete sie. Der Journalist

zückte sein Taschentuch und beugte sich vor. «Sie erlauben», sagte er und drückte es seinem Gegenüber in die Hand.

«Zu freundlich von Ihnen», murmelte der Sergeant. «Diese Hitze heute … man hält es kaum noch aus …»

«Es soll ein heißer Sommer werden», erklärte Rurik Robertson.

Der Sergeant blickte interessiert auf. «Ist das so?», fragte er, nun schon weniger harsch im Ton. «Woher wissen Sie das?»

«Wir beschäftigen einen Wetterkundler für unsere Zeitung, der mit der synoptischen Methode arbeitet», erklärte der Journalist freundlich.

Lili bemerkte, wie der Sergeant nach einem Moment der verblüfften Stille kräftig nickte. «Aha, recht so, sehr schön», brummte er. Er sah kein Jota schlauer aus als zuvor. Zumindest war der Schweiß von seiner Stirn verschwunden, als er sich von neuem über das Heft des Vaters beugte. «Schreiber», rief er, «schreiben Sie: Dem Auftragsbuch des Angeklagten ist zu entnehmen, dass er am 6. Mai 1892 um halb sechs Uhr auf dem Weg zur Witwe Kuhlmann war, wohnhaft Springeltwiete vier.» Er verzog sein Gesicht und blickte Lili angewidert an. «Ne klöterige Gegend!»

«Auch dort haben Menschen ein Recht darauf, in Würde bestattet zu werden», entfuhr es Lili.

Der Sergeant ignorierte sie. «Schreiben Sie, Schreiber! Es ist fürderhin nicht bewiesen, dass der Angeklagte tatsächlich dort war.»

«Aber», Lili sprang abermals in die Höhe, während das Geklapper einsetzte, «es steht doch dort!»

«Das ist kein Beweis, Fräulein», erklärte der Sergeant. «Nur weil jemand geschrieben hat, dass er irgendwo war, muss er es ja längst nicht gewesen sein!»

«Aber unser Totengräber kann es beweisen», fuhr Lili erregt fort. «Er war dabei!»

Tobias hielt den Kopf gesenkt. Seinen Hut hatte er mittlerweile auf die Größe eines dieser kleinen Kinderbälle aus geflochtenem Korb geknetet. «So ist es doch, Tobias, oder?», rief Lili ihm zu.

Tobias nickte.

«Dat wär allens», erklärte der Sergeant. «Sie können gehen.»

«Ja, aber mein Vater!», wandte Lili hitzig ein. «Wann kommt er denn nun wieder frei?»

«Bleibt vorläufig in Gewahrsam.» Der Sergeant tupfte sich erneut die Stirn und wrang das Taschentuch sodann über den Steinfliesen aus. In der Stille klang das Geräusch unangenehm laut.

«Können Sie mir erklären, warum Herr Winterberg in die Fronerei am Berg gebracht wurde?» Rurik Robertson zückte nun seinerseits das Schreibwerkzeug. «Dorthin bringen Sie Ihre Delinquenten doch normalerweise nur, wenn das Urteil gesprochen ist oder die Vollstreckung unmittelbar bevorsteht? Wir wollen», er lächelte den Sergeanten freundlich an, «unseren Lesern alles genau erklären, was mit dieser tollen Geschichte zusammenhängt!»

Der Sergeant wischte sich erneut über seine Stirn. «Dat is nu eben so», erklärte er. Um dieser vagen Antwort in einer erneuten Anwandlung von Autorität hinzufügen: «Und dat bleibt auch so!»

«Es sei denn, die Witwe Kuhlmann sagt bei Ihnen aus, nicht wahr?» Rurik Robertson schrieb etwas in sein Heft.

«'türlich», erwiderte der Polizist mit einem Schulterzucken. «Wenn se dat will.»

«Sie will und sie wird», versicherte Lili. «Wir müssen jetzt ohnehin zu ihr fahren und uns um ihren verstorbenen Mann kümmern, der bei ihr zu Hause aufgebahrt liegt. Ich spreche sie gleich.»

Rurik Robertson begleitete sie und Tobias wieder vor die Tür. An der Kutsche angekommen, hielt er ihr den Schlag auf. Dabei kam er ihr so nahe, dass ihr sein Duft in die Nase stieg. Ein eigentümliches Gefühl überkam sie plötzlich. Es breitete sich in ihrem Inneren aus und erwärmte sie. Sie wollte sich bei ihm bedanken, aber bekam kein Wort heraus. Ihrem Gegenüber schien es ähnlich zu gehen. Er fixierte sie mit einem langanhaltenden, hellgrünen Blick. «Sie sind wunderschön», flüsterte er so leise, dass Tobias es nicht hören konnte.

Lili spürte, wie ihr die Röte in die Wangen schoss.

«Hier ist meine Karte», sagte er. «Sollten Sie Hilfe benötigen, Fräulein Winterberg. Dieser Polizist da drinnen ist nicht sehr angenehm.»

Lili schüttelte den Kopf. Noch immer schienen die Worte irgendwo in ihrer Kehle festzustecken. «Danke sehr», brachte sie endlich heiser hervor.

Während der Fahrt in die Springeltwiete zur Witwe Kuhlmann nahm Lili nichts von dem Treiben um sie herum wahr. Sie sah nicht die immer enger werdenden Gassen zwischen den hochaufragenden, schmalgiebeligen Häusern. Sie sah nicht die wie von Geisterhand bewegte Kutsche der Behneckes, die ohne Pferdeantrieb in eine kleine Straße einbog. Sie nahm nicht einmal den Gestank in den engen Gängen wahr. In ihrem Kopf kreiste pausenlos der Satz «Sie sind wunderschön», und sie sah zwei leuchtend grüne Augen dazu.

In den ersten Stunden nach seiner Verhaftung hatte Basilius Winterberg noch an ein großes Missverständnis geglaubt. Mit Irrtümern kannte sich der Bestattungsunternehmer aus; ein Seitensprung und drei Scheintode hatten ihn gelehrt, dass der Mensch sowohl im Leben als sogar auch im Sterben fehlbar war. Doch inzwischen konnte er durch das vergitterte Fenster die Strahlen der Nachmittagssonne erkennen, und noch immer war kein Büttel gekommen, um ihn von der Fessel zu befreien, mit der seine rechte Hand an den schweren eichenen Tisch gekettet war. Nicht dass Basilius eine Entschuldigung erwartete. Büttel und Sergeanten besaßen seiner Erfahrung nach selten redliche Manieren, außerdem ging sein Wunschdenken gar nicht so weit. Er wollte nur freigelassen werden und nach Hause marschieren. Gerade gestern hatte er die Arbeit an einem Tannensarg begonnen, und wenn er die Augen schloss, konnte er sich noch an den würzigen Duft entsinnen, den das Holz verströmte. Es brauchte freilich einiges an Phantasie, um die Erinnerung an alle möglichen Wohlgerüche zu aktivieren, denn das Stroh, mit dem die Fronerei ausgelegt war, diente nur bedingt dazu, den Gefangenen die sitzende Haltung angenehmer zu machen. Es wimmelte hier von Ratten und Ungeziefer. Als Kaufmann und Unternehmer hatte Basilius darauf bestanden, wenigstens nach dem Gefängnis der Bürgerlichen am Meßberg gebracht zu werden, doch der Criminal-Sergeant hatte bloß etwas von «Aasgeier» und «unehrlichem Gewerbe» gebrummt, was gemeinhin die Sammelbezeichnung für all jene war, die ein Gewerbe ausübten, das mit dem Tod zusammenhing.

Basilius spürte, wie er von seinem Nachbarn angestarrt wurde. Das heißt, ganz sicher war er nicht, da der Unglückliche in zwei verschiedene Richtungen schielte.

«Morgen heißt es ratsch», bemerkte der Nachbar, während er sich mit seiner freien Hand über die Kehle fuhr, die Zunge herausstreckte und dabei noch stärker schielte.

Basilius horchte auf. Mit Guillotine-Opfern hatte er noch nie zu tun gehabt, da diese gemeinhin außerhalb der Stadtmauern in irgendeinem Loch verscharrt wurden. «Das tut mir leid», sagte er und meinte es auch so. Hinter den Brettern, die die männlichen Delinquenten von den weiblichen trennten, kam auf einmal lautes Gekicher hervor.

«Geschieht dir recht, Läuse-Jeck!», krächzte es von drüben. «Wer Tod bringt, verdient selbst den Tod!»

Der mit Läuse-Jeck Angeredete spuckte kräftig ins Stroh. «Das verfluchte Weib hat's nich anders verdient.»

«Was ist passiert?» Basilius bemühte sich, dem Gespräch zu folgen. Von draußen erklang lautes Geschrei. Durch das Fenster, das den Blick auf den Vorplatz freigab, erblickte er den ersehnten Büttel in Begleitung eines Fronknechtes. Die beiden waren in diesem Moment allerdings weniger mit seiner Freilassung beschäftigt als vielmehr damit, einen struppigen, bärtigen Mann an den Pranger zu binden.

«Hab meine Alte umgebracht», erklärte der Schieler lakonisch.

Basilius wusste, dass der Zufall zu groß gewesen wäre, hier an Ort und Stelle den Mord zu klären, dessen man ihn beschuldigt hatte, und doch konnte er es sich nicht verkneifen zu fragen, ob das Opfer vielleicht rothaarig gewesen sei.

«Das Opfer», kicherte der Schieler irr und konnte sich minutenlang nicht mehr beruhigen.

«Jawohl, das Opfer», kreischte die Sirene von jenseits des Bretterverschlags. «Du hast sie schließlich abgemurkst!»

Das gab dem Schieler kurz zu denken. «Nu ja», bemerkte er abschließend. «Das hab ich wohl getan. Übrigens war se blond. Sah übel aus.»

Die Tür wurde aufgerissen, und ein schwarz Uniformierter mit Pickelhaube auf dem Kopf trat ein. «Noch jemand hier, der an den Pranger will?», fragte er in die Runde.

Basilius, der diese Frage als eine rein rhetorische abhakte, schwieg, während sein Nachbar sie tatsächlich beantwortete. «Ich muss nich, Herr Polizist», rief er. «Bei mir macht es morgen ja sowieso schon ratsch!» Und er wiederholte denselben mimischen und gestischen Ausdruck wie einige Augenblicke zuvor.

Ein stechender Schmerz im Fuß ließ Basilius erschreckt aufschreien. Eine Ratte hatte ihn in seine nackten Zehen gebissen.

Der Uniformierte machte einen Schritt auf ihn zu. «Dann steht unser nächster Kandidat wohl fest», sagte er.

Christian Buchner hatte Herzklopfen. Mitten auf dem intarsienverzierten Teetischchen seiner Mutter lag das Paket, das er beim Buchhändler geordert hatte. Eingeschnürt in noch recht frisches Zeitungspapier. Hastig entfernte er die Bänder und riss das Papier auf. Seine Aufregung verstärkte sich. Da waren sie, die Druckwaren, die er geordert hatte. Zunächst einmal die Landkarte von Bedford County, Virginia, im Maßstab von 1:100.000. Hastig faltete er sie auseinander. Er spürte, wie er zu zittern begann. Hier irgendwo lag der sagenhafte Schatz des Jahrhunderts vergraben: fast dreitausend Pfund Gold und fünftausend Pfund Silber, ferner Juwelen, die zum Zeitpunkt ihres Kaufes etwa 13 000 amerikanische Dollar wert gewesen waren.

Christian fuhr mit dem Finger auf den eingezeichneten Straßen zwischen den Ortschaften herum. Der Karte nach zu urteilen, war das Gebiet gebirgig. Er schloss die Augen und konnte die Szenerie plötzlich vor sich sehen. Zerklüftete Felsen, Seen, endlose Prärien. Thomas Beale und seine Männer, die auf ihren mit Gold und Silber beladenen Pferden ritten, über notdürftig zurechtgezimmerte Hängebrücken, schwindelerregende Schluchten unter sich. Thomas Beales eigener Beschreibung zufolge hatten sie den Schatz in einer Aushöhlung sechs Meter unter der Erdoberfläche vergraben. Den genauen Fundort hatte Beale in seiner ersten verschlüsselten Schrift vermerkt.

Die Beale-Chiffren, mit denen Christian sich seit dem vergangenen Jahr beschäftigte, bestanden aus einer Aneinanderreihung von Zahlen. Jede Zahl stand dabei für einen Buchstaben. Wenn es Christian gelänge, den Schlüssel zu finden, der die Zahlen in Buchstaben übersetzen konnte, so hätte er das Geheimnis des Schatzes geknackt. Leider war er bei weitem nicht der Einzige, der sich mit der Dechiffrierung beschäftigte. Seit gut einem halben Jahrhundert zerbrachen sich Mathematiker, Kryptographen und Schatzsucher auf der ganzen Welt mit der Entschlüsselung der Beale-Papiere den Kopf. Und damit kam Christian zum zweiten Buch im Paket. Der englischsprachigen Bibel von 1817. Wenn es eine Ausgabe gegeben hatte, die Thomas Beale auf seinem Weg in den Wilden Westen mitgenommen hatte, dann diese hier. Das hatte ihm ein Patient versichert, der gerade erst aus dem amerikanischen St. Louis zurückgekehrt war und über die Geschichte dieser Gegend gut Bescheid wusste. Die Chance, dass Thomas Beale die Ortsbeschreibung seines Schatzes mit Hilfe eines Bibeltextes verschlüsselt hatte, war Christians Meinung nach extrem hoch. Schließlich hatte er seine Beschreibung mit dem Text der amerikanischen Unabhängigkeitserklärung verschlüsselt, bei dem man davon ausgehen konnte, dass er seinen Landsleuten ebenfalls heilig war.

Und dann, ganz plötzlich, war es wieder da. Christian fühlte sich wie im Fieber. Die Erregung durchzog ihn von Kopf bis Fuß. So ähnlich hatte es in ihm während seiner schlimmsten Zeit in Göttingen getobt. Das waren die Jahre gewesen, in denen er abends losgezogen war, um heimlich Roulette zu spielen. Zu seinem großen Bedauern hatte die preußische Regierung die Casinos in sämtlichen deutschen Städten geschlossen, sodass all jene, die dem Glücksspiel frönten, gezwungen waren, in die dunkelsten Spelunken zu gehen. Innerhalb eines halben Jahres hatte Christian alles verzockt, was er an väterlichem Erbe noch besessen hatte, und um ein Haar hätte er sein Studium damit zu einem vorzeitigen Ende gebracht. Doch dann war der 4. März 1891 gekommen, der Geburtstag seines kleinen Bruders, und Christian hatte ihm etwas kaufen wollen. So hatte er sich von Peter, einem ebenfalls aus Hamburg stammenden Kommilitonen, Geld geliehen. An dem Abend war er wieder Roulette spielen gegangen. Und hatte endlich den ganz großen Gewinn gemacht. Die Summe war so gewaltig gewesen, dass er Mathis die Ausbildung zum Photographen ermöglichen konnte. Er selbst hatte von dem Geld sein Studium beenden können, war nach Hamburg gekommen – und lebte immer noch davon.

Peter hatte ihm das Versprechen abgenommen, nie wieder ein Glücksspiel anzurühren, und hatte ihn stattdessen mit den Verlockungen einer Schatzsuche bekanntgemacht. Aus der Innentasche seiner Weste zog Christian das Heft hervor, das Peter ihm damals gegeben hatte. Liebevoll strich er über das leicht verschlissene Deckblatt. *The Beale Papers* stand darauf. *Containing authentic statements regarding the treasure buried in 1819 and 1821 near Bufords, in Bedford County, Virginia.* So oft hatte er die Seite mit der ersten Beale-Chiffre aufgeschlagen, dass sie sich wie von alleine öffnete. Christian konnte die erste Zeile mit geschlossenen Augen hersagen: 71, 194, 38, 1701, 89, 76, 11, 83, 1629, 48, 94, 63, 132, 16, 111.

Er wollte gerade beginnen, die Wörter des ersten Buches Mose durchzunummerieren, um deren Anfangsbuchstaben in der Reihenfolge der Beale-Chiffren anzuordnen, als sein Bruder den Kopf zur Tür hereinsteckte.

«Schon zu Hause?», fragte er. «Das ist gut. Gerade hat ein Bote einen Brief für dich gebracht. Wenn du mit irgendwelchem Liebreiz korrespondierst, sag mir Bescheid. Vielleicht gibt es dort, wo sich die Schöne verbirgt, noch mehr von ihrer Sorte.»

Christian runzelte die Stirn. Bei dem Wort *Liebreiz* ging ihm wieder die Tochter des Bestatters durch den Sinn. Er fühlte, wie sich ein warmes Kribbeln in ihm ausbreitete. Ob sie wohl ebenso an ihn dachte? Er schüttelte den Kopf.

«Von wem ist die Nachricht?»

«Keine Ahnung.» Mathis kam in seinem Photographenkittel herübergeschlendert, in der Hand ein schlichtes graues Kuvert. «Steht kein Absender darauf.»

Christian besah sich das Kuvert von allen Seiten und riss es endlich auf. Ein hauchdünnes Stück Papier flog heraus und segelte zu Boden. Er bückte sich danach, entfaltete es und stieß einen Ausruf der Überraschung aus.

«Was ist?» Mathis musste sich zusammenreißen, um nicht seinem Bruder über die Schulter zu schauen.

«Es ist schon wieder diese seltsame Zahlenreihe. Hier.» Er hielt das Papier in die Höhe. «9, 1, 16, 11, 7, 7, 19» stand darauf.

«Jemand weiß in Hamburg, dass du dich in der Kunst der Entschlüsselung versuchst.» Mathis hob das Kuvert in die Höhe. «Der Brief ist in unserer Stadt abgestempelt worden. Vielleicht ist derjenige, der dir diese Zahlenreihen schickt, jemand, der dich kennt.»

Christian fühlte, wie ein Schauer über seine Haut lief. Die Vorstellung, dass er vielleicht in seiner engeren Umgebung von jemandem verfolgt wurde, der ihm anonyme Briefe schrieb, gefiel ihm nicht. «Es sind nicht irgendwelche Zahlenreihen», korrigierte er leise. «Es ist eine einzige. Immer dieselbe. 9, 1, 16, 11, 7, 7, 19 lautet sie.»

«Was kann das nur bedeuten?», fragte Mathis.

Christian schloss die Augen und überlegte. Er konnte kein logisches Muster hinter den Zahlen entdecken. Und selbst wenn er es fände – was finge er damit an? Der unbekannte Absender jedenfalls schien nicht darauf erpicht, die Lösung preiszugeben. Dabei war es offensichtlich, dass der Sender der Zahlenbotschaft wollte, dass Christian eine bestimmte Information erhielt. Aber was für eine Information sollte das sein? Und warum sollte sie vor den Blicken anderer verborgen bleiben?

Als er die Augen wieder öffnete, lächelte er. Er hatte nicht das Mysterium der Zahlenreihe gelüftet, dafür aber eine andere Lösung gefunden. Und die hatte mit der hübschen Nachbarin zu tun.

5. KAPITEL

Aber mein Mann hat doch verfügt, verbrannt zu werden!» Die Witwe Kuhlmann fuhr sich mit den Händen über ihr säuberlich hochgestecktes, eisgraues Haar. «Es war sein einziger und letzter Wunsch!»

Lili nickte anteilnehmend. «Ich weiß, Frau Kuhlmann. Und es tut mir auch von Herzen leid! Nur sind Feuerbestattungen in Hamburg noch immer nicht gestattet.»

«Aber das Krematorium steht doch schon», rief die Witwe unwirsch aus. «Mein Horst hat daran mitgewirkt!»

Lili schluckte und nahm Frau Kuhlmanns Hand. «Ich verstehe auch nicht viel von diesen Dingen, Witwe. Mein Vater meint, dass Senat und Bürgerschaft sich nicht einig werden, was die Nutzung anbelangt.»

«‹Was die Nutzung anbelangt›, also wirklich!» Witwe Kuhlmann warf enttäuscht die Hände in die Luft. «Das kann ich den Herren da oben aber fix vertellen! Sarg rein, Ofen an, aus die Maus!»

Lili konnte ein Schmunzeln nicht unterdrücken. Die Witwe schien das Ableben ihrer besseren Hälfte eher sachlich zu sehen. Ihre beiden Enkeltöchter, die in der Ecke der kleinen Stube mit einer Lumpenpuppe spielten, wirkten gleichfalls unbeeindruckt. Sie waren sauberer als viele andere Kinder, die sie in den Häusern des Gängeviertels kennengelernt hatte, ihre Kleider waren ordentlich geflickt. Lili wusste, dass das Ehepaar Kuhlmann sich ihre Zweizimmerwohnung mit dem jüngeren

Sohn, dessen Frau und deren drei Kindern teilte beziehungsweise geteilt hatte, nun war der alte Kuhlmann ja nicht mehr da.

«Es geht darum, ob auch Nicht-Hamburger das Krematorium nutzen dürfen», versuchte sich Lili an die Erklärungen ihres Vaters zum Streit in Sachen Feuerbestattung zu erinnern. «Der Senat meint, wenn nur Hamburger Tote darin verbrannt werden dürfen, könnte er die Gesetze, die die Feuerbestattung regulieren, leichter ändern. Aber der Bürgerschaft gefällt es nicht, die Sache auf Hamburger Einwohner zu beschränken, weil das Krematorium dann nicht so rentabel arbeitet.»

Insgeheim dachte sie, dass sie der Bürgerschaft hier ausnahmsweise einmal zustimmte. Das Krematorium war dazu verdammt, gewinnbringend zu arbeiten, ansonsten hatten sie nämlich ein Problem. Der Vater als Mitbegründer des Hamburger Feuerbestattungsvereins hatte nicht nur viel Zeit und Energie für dieses Projekt aufgewandt, sondern auch viel Geld hineingesteckt. Lili kannte die Zahlen ebenso gut wie ihr Vater. Schließlich hatte sie in den vergangenen drei Jahren – mit Ausnahme ihrer Zeit in England – die Buchhaltung im Hause Winterberg geführt.

«Die reden und reden da oben», nahm Frau Kuhlmann den Faden wieder auf, wobei sie den Leichnam ihres Mannes musterte, der im offenen Sarg neben ihnen an der gedeckten Kaffeetafel lag. «Und dann kommt da doch nix bei rum!»

Lili war klar, dass die Witwe nicht auf Engel oder andere potenzielle neue Gesprächspartner ihres verstorbenen Mannes anspielte, und stimmte ihr zu. Sie erhob sich und betrachtete das Werk, das ihr Vater an dem verstorbenen Schmied vollbracht hatte. Er hatte ihm die Augen geschlossen und das Kinn hochgebunden, und zwar auf eine besondere Weise, die nur ihr Vater beherrschte. Der Zwirn war so gelegt, dass er nur einem geübten Betrachter auffiel. Auch die Frisur sah gut aus. Der Schmied hatte dicke, silbrige Haare gehabt, die der Vater ihm mit Pomade zurückgekämmt hatte, was dem Verstorbenen etwas Elegantes verlieh. Dazu waren die Koteletten sauber rasiert. Nur geschminkt hatte er ihn nicht. Aber das verlangten die Angehörigen von einfachen Handwerkern ohnehin nur selten. Und in diesem Fall war es schlichtweg nicht angebracht.

«Er sieht gut aus», sagte Lili aufmunternd.

«Ja, fast besser als gestern», erwiderte die Witwe.

«Gestern?» Lili überlegte. «Was ist da passiert?»

«Da isser gestorben.» Frau Kuhlmann zog bedauernd die Unterlippe vor. «Ging ihm man nich so gut. Na, nu hat er es besser. Hoffe ich.»

«Bestimmt. Haben Sie einen Keller, Frau Kuhlmann, wo unser Tobias ihn hintragen kann?»

«In den Keller? Zu den Einmachgläsern der blöden Astrid soll ich ihn legen?» Frau Kuhlmann runzelte misstrauisch die Stirn.

«Er muss es kühl haben, Ihr Mann», versuchte Lili zu erklären. «Der Geruch, verstehen Sie ...»

«Oh ja, natürlich.»

Lili räusperte sich. «Wer ist die blöde Astrid? Eine Nachbarin?»

«Ja, leider. Aber die wirst du wohl noch kennenlernen.» Frau Kuhlmann wandte sich ihr zu. «Tasse Kaffee, Lili, während wir die Einzelheiten der Beerdigung durchsprechen? Ich find das ja doll, dass ihr das alles macht, was bei so einem Tod anfällt. Als meine Schwiegermudder gestorben ist, da hat es 'ne Totenfrau gegeben für die Toten, 'ne Leichenwäscherin, einen Tischler, der den Sarg gebaut hat, 'ne Näherin für die Leichenklamotten, dann noch jemand, der den Sarg auf den Friedhof kutschiert ... und ihr macht das alles selbst! Aber mir will das ja noch immer nicht in' Kopp, dass mein guter Horst nicht verbrannt werden kann. Wo er doch so für das Krematorium gebrannt hat! Als Schmied hat er ja für den Injenöör gearbeitet, der den Ofen gebaut hat, diesen Injenöör aus Dresden.»

«Daher auch sicher seine Begeisterung für die Feuerbestattung», meinte Lili und ließ sich auf einem Stuhl in der engen Küche nieder. Sie sah zu, wie die Kuhlmann zur Kochnische hinüberging und ein paar Eisenringe aus dem Herd nahm, um einen Kessel Wasser aufzusetzen.

«Und sonst?», fragte die Witwe über die Schulter an Lili gewandt. «Wie läuft das Geschäft? Dein Vadder ist verhindert heute, hab ich gehört. Gibt also viel zu tun?»

Lili wand sich. Bestimmt war es besser, wenn sie jetzt so schnell wie möglich mit der Wahrheit und der damit verbundenen Bitte herausrückte. Wie sie die Nachbarschaft im Gängeviertel einschätzte, war die Geschichte von der Verhaftung ihres Vaters ohnehin bald herum. «Das Geschäft läuft so, wie immer im Mai. Gestorben wird eigentlich das ganze Jahr über, nur eben jetzt nicht so viel.»

«Verstehe.» Die Witwe lächelte, dass sich ihr ganzes runzliges Gesicht in Falten legte, während sie an den Tisch zurückkehrte. «Die Sonne scheint, die Blümlein blüh'n, die Herzlein fliegen einander zu. Wer will da schon im Sarg liegen? Abgesehen von meinem Horst vielleicht. Aber mein Horst war schon immer so einer ... der is immer gegen den Strom geschwommen.» Auf einmal rannen ihr doch die Tränen über das Gesicht.

Lili stand auf und legte einfühlsam den Arm um sie. Sie fand es überhaupt nicht erstaunlich, dass die Witwe erst jetzt weinte. Der Schock über den Tod eines Angehörigen setzte oft erst Tage später und dann ganz unvermittelt ein. «Ich hab mich so oft über den ollen Knaatschbüdel geärgert», schluchzte die Witwe. «Aber seit er nich mehr is, vermiss ich ihn so doll!»

«Man weiß oft erst, was man an einem Menschen hat, wenn er nicht mehr ist», tröstete Lili und dachte dabei an ihren Bruder Robert, der vor neunzehn Jahren während der Cholera-Epidemie gestorben war. Sie selbst konnte sich nicht mehr an ihn erinnern, aber ihre Eltern hatten oft von ihm erzählt. Der Satz: Ach, wenn Robert doch noch wär, hatte sie ihre gesamte Kindheit hindurch begleitet.

«So ist das eben. Und bestimmt haben Sie Ihrem Horst zu Lebzeiten auch gesagt, wie lieb Sie ihn haben, stimmt's?»

«Nee», schluchzte die Witwe. «Das hab ich eben nich!»

«Wie lang waren Sie beide denn verheiratet?», fragte Lili.

«Zweiundvierzig Jahre», schluchzte die Witwe.

«In dieser langen Zeit wird er aber bestimmt gewusst haben, was er an Ihnen hat.» Lili nahm den pfeifenden Kessel von der Feuerstelle. «Schließlich kannten Sie beide sich ja bestimmt sehr gut.»

«Ja, dat is mööchlich ...», schniefte die Witwe.

Lili goss das Wasser über die Kanne, die Frau Kuhlmann für den Kaffee vorbereitet hatte. «Na, sehen Sie», sagte sie. «Ich bin sicher, Ihr Horst guckt gerade auf Sie runter, wie Sie hier mit mir sitzen und traurig darüber sind, dass er fortgegangen ist. In diesem Moment spürt er ganz deutlich, was Sie für ihn empfinden, und er wird glücklich darüber sein.»

«Woher weißt du das?» Jetzt war das misstrauische Stirnrunzeln wieder da.

Lili zuckte mit den Achseln. «Bin aufgewachsen mit dem Tod.»

Einen Moment herrschte Stille, wie die beiden Frauen am Küchentisch saßen und einträchtig auf die Kaffeekanne in der Mitte starrten. Endlich fasste Lili sich ein Herz.

«Frau Kuhlmann», sagte sie. «Bevor Sie es von jemand anderem erfahren ... Mein Vater ist verhaftet worden. Es handelt sich um ein Versehen der Polizei, und er kommt bestimmt bald wieder frei. Glauben Sie bitte niemandem, der Ihnen etwas anderes erzählt.»

«Um Gottes willen!» Frau Kuhlmann presste sich eine Hand

auf die Brust. Fast sah es aus, als wäre sie froh darüber, von dem Unglück eines anderen zu erfahren. «Wie konnte das denn nur passieren?»

«Uns ist eine Leiche vor die Tür gelegt worden. Niemand, der von Vater bestattet werden sollte. Zumindest nehmen wir das so an. Die Frau ist ermordet worden. Ich denke, dass uns jemand übelwill. Die Frau hatte Vaters Beitel im Herz stecken.»

Frau Kuhlmann schenkte den Kaffee in die Emaillebecher, deren Farbe gesprungen und abgeblättert war. «Nich möööchlich!», sagte sie. «Kann man da was tun?»

Lili schluckte. «Sie könnten in der Tat etwas tun», sagte sie. «Die Frau, Sibylle heißt sie, wir konnten sie identifizieren ...» Lili stockte. Nun hörte sie sich schon wie der dicke Sergeant an. «Sie wurde gestern gegen sechs Uhr abends ermordet. Das hat der Arzt festgestellt.»

«Aber gestern um sechs war dein Vater doch bei mir, Kind!», rief die Kuhlmann aus, die ein wenig zu ihrem alten Temperament zurückgefunden hatte.

«Genau.»

«Also kann er da doch keinen ermordet haben!» Ein Klopfen von oben war zu hören, dann eine dumpfe Stimme, die durch die Decke sprach. «Geht es auch ein bisschen leiser da unten? Ich bring gerade Hans und Käthe zu Bett!»

Frau Kuhlmann rollte die Augen. «Das ist die blöde Astrid. Kommt damit überhaupt nich zurecht, wenn man ma was sacht.»

Lili warf einen Blick auf ihre Taschenuhr, die sie nun ja wiederhatte. Es war in der Tat schon Abend. Zeit für sie, bald zu gehen. «Können Sie das bezeugen?», fragte sie leise.

«Natürlich kann ich das bezeugen!», rief die Kuhlmann in unverminderter Lautstärke aus. «Bin ja schließlich nich schusselig oder taub oder blind!»

«Ich meine, vor der Polizei.» Unter dem Tisch presste Lili

die Hände verzweifelt zusammen. Sie wusste, dass die wenigsten Bewohner des Gängeviertels sich freiwillig auf einen Besuch bei der Polizei einließen.

Doch die Kuhlmanns waren anständige Leute. Früher hatten sie sogar etwas vornehmer in Richtung Alster gewohnt. Aber dann hatte der alte Kuhlmann einen Unfall gehabt, und danach hatte er nie wieder so viel arbeiten können. Als sein Sohn wegen eines Augenleidens seinen Beruf als Drucker aufgeben musste, hatten sie umziehen müssen, in die düstere, enge Springeltwiete.

«Natürlich vor der Polizei, Deern», sagte Frau Kuhlmann. «Vor wem denn sonst?»

Als die beiden Frauen endlich alles besprochen hatten, ging die Sonne unter. Orangerote Schatten füllten die Stube, aber nur für einen kurzen Augenblick, dann war alles dunkel. Das winzige Fenster in der Wohnung gab den Blick auf die gegenüberliegende Fassade frei. Witwe Kuhlmann entzündete eine kleine Petroleumlampe, deren Schein gerade den Küchentisch beleuchtete und das Gesicht der Witwe von unten erhellte, sodass sie fast etwas Gespenstisches erhielt. Lili erhob sich rasch. «Ich muss sofort aufbrechen, Witwe», sagte sie. «Ich habe unserem Kutscher Bescheid gegeben, dass er nicht auf mich zu warten braucht, aber nun ist es doch viel später geworden, als ich dachte.»

Die Witwe stand ebenfalls auf. «Danke für alles, was du getan hast, Deern», sagte sie. «Ich geh so schnell wie möglich zur Polizei, versprech ich dir.» Sie drückte einen Kuss in die Fläche ihrer Hand und streckte sie Lili zum Abschied hin. «Ehrenwort.»

Es musste während ihres Besuchs geregnet haben, denn die Löcher im Pflaster waren mit Wasser gefüllt. Lili atmete so tief, wie es ihr Mieder zuließ. Es war gut, nach all der Zeit im Haus mit dem verstorbenen Kuhlmann wieder draußen an der Luft zu sein. Es war ein warmer Vorsommertag gewesen, für einen Leichnam viel zu mild. Einen Moment lang überlegte sie, welchen Weg sie nach Hause nehmen sollte. Die eine Möglichkeit bestand darin, über den Meßberg zur Elbe zu wandern, um dann vom Fluss in den Cremon einzubiegen. Aber um diese Zeit waren auch Menschen mit schlechten Absichten in der Hafengegend unterwegs. Sie beschloss daher, den Weg über den Fischmarkt, an St. Nikolai vorbei und über den Hopfenmarkt einzuschlagen. Sie hob ihre Röcke an, auf dass der Saum des guten Stoffs nicht durch die Pfützen schleifte, und machte sich auf den Weg.

Kaum war sie die enge Twiete ein paar Meter hinabgegangen, vorbei an einer Spelunke, durch deren Fenster die Funzeln gelbe Rechtecke auf das Pflaster malten, da bemerkte sie die Geräusche. In das Krakeelen der Männer in der Spelunke mischte sich ein Raunen, Wispern und Weinen, das von überall her zugleich zu kommen schien. Sie beschleunigte ihre Schritte und bog um eine Ecke.

Obwohl die beleuchtete Spelunke nun hinter ihr lag, hörte sie wieder diese Geräusche, die zu dieser Zeit besonders laut klangen: Stimmen, Hämmern, das Rattern von Kutschenrädern. Und dann meinte Lili, hinter sich jemanden zu hören. Von ferne schlug St. Petri zehn Uhr. Die Glocken von St. Jacobi fielen ein, dann St. Katharinen und St. Nikolai. Eine Stimme, Lili hätte nicht sagen können, ob Kind oder Frau, sang ein Lied, aber die Töne wirkten schief, und die Melodie brach mittendrin ab. Eine Männerstimme brüllte etwas. Dann waren die Schritte wieder da. Lauter noch als zuvor. Dicht hinter ihr.

Lili kannte das Gängeviertel wie das Innere ihrer Schürzentasche, daran hatten auch sechs Monate London nichts geändert. Noch immer wusste sie, von welcher Gasse, von welchem Gang und welcher Twiete Verbindungen abzweigten. Sie kannte die Durchschlüpfe, Toreinfahrten und Höfe. Aber sie war sich auch der Gefahren bewusst, die an all diesen Ecken lauerten.

Auf einmal bereute sie, Tobias schon nach Hause geschickt zu haben. Sie dachte an die Tote, die vor ihrer Haustür gelegen hatte. Es war unheimlich zu wissen, dass ein Mörder in der Stadt frei herumlief, der sie vielleicht kannte. Der das Haus der Winterbergs kannte. Und der jemanden umgebracht hatte, der ihr so sehr ähnelte.

Sie bog rechts um die Ecke in die Niedernstraße ein, als sie vor sich, etwas außerhalb des Laternenscheins, eine kleine Gestalt bemerkte, die auf etwas zu warten schien. Im nächsten Augenblick wurden die Schritte hinter ihr lauter und schneller. Sie meinte, jemanden ihren Namen rufen zu hören, aber sicher war sie sich nicht, denn der Ruf wurde von lautem Gekeife übertönt, das aus dem geöffneten Fenster an der Ecke über ihr drang. Und dann geschah alles ganz schnell. Die Gestalt, die in der Dunkelheit gewartet hatte, stürzte auf sie zu. Im Bruchteil eines Augenblicks erkannte sie, dass es ein Mann war, sie sah seinen Backenbart. In seiner Rechten hielt er einen Gegenstand, der im Schein der Straßenlaterne aufblitzte, und dann erhielt Lili von hinten einen Stoß. Eine Gestalt preschte an ihr vorbei, so dicht, dass es sie zu Boden warf. Sie stürzte nach vorn, stolperte dabei über einen herausstehenden Pflasterstein. Ein Schuss dröhnte, Menschen warfen eilig ihre Fensterläden zu, und ein paar hämmernde Herzschläge lang schien die Welt stillzustehen. Die Männer in der Spelunke hinter ihr hörten auf zu lärmen, und sogar die Glocken waren still. Lili verharrte reglos auf dem Pflaster, dort, wo sie hingefallen war. Sie sah, wie der Bärtige fortlief. Lili wollte sich aufrichten, da spürte sie, wie eine Hand nach ihr griff, und in einem blinden Reflex hieb sie ihre Zähne in das Fleisch. Die Hand zuckte zurück, und ein kräftiger Fluch wurde ausgestoßen. Diesmal war sie sicher, dass der Mann ihren Namen aussprach. Als sie zu ihm aufsah, erkannte sie Christian Buchner.

«Und jetzt müssen Sie mir erklären, wie es dazu kam, dass Sie zur rechten Zeit an Ort und Stelle waren», sagte Lili.

«Ganz einfach», erwiderte Christian, «lebensrettende Maßnahmen sind mein Geschäft.»

Sie saßen im Salon der Buchners und waren allein. Die Dame des Hauses hatte sich bereits vor ihrem Eintreffen zurückgezogen, und Mathis, der photographierende Bruder, war unterwegs. Christian hatte Lili ein Glas Rum eingeschenkt und gemeint, dass sie auf den Schrecken einen Schluck trinken sollte. Lili war an alkoholische Getränke nicht gewöhnt, aber ihr Retter hatte aus medizinischen Gründen darauf bestanden, und wer war sie, dass sie ärztlichen Empfehlungen widersprach? Sie betrachtete ihn, wie er Rock und Weste öffnete, den schmalen, schwarzen Schlips lockerte und den Kragen seines Hemdes aufknöpfte. Ein eigentümliches Gefühl überkam sie, das sie nicht einordnen konnte.

«Was, glauben Sie, hatte dieser Unbekannte vor?»

Christian musterte sie aus dunklen Augen. Der Blick war für Lilis Empfinden sehr lang. Länger jedenfalls, als es üblich und wohl auch schicklich war. «Ich bin mir nicht sicher», sagte er. «Nichts Gutes jedenfalls.»

«Sie glauben nicht, dass es ...» Lili zögerte. Der Gedanke, den sie auf einmal hatte, war äußerst beunruhigend.

«Sprechen Sie es ruhig aus», sagte Christian. «Ich habe auch schon daran gedacht.»

«Woran?», fragte Lili verwirrt.

«Daran, dass ein Mörder in der Stadt ist, der vielleicht rothaarige Frauen mag.»

«Finden Sie nicht, dass das Wort *mögen* an dieser Stelle deplatziert ist?» Lili hatte freilich genau den gleichen Gedanken gehabt. «Ich meine, wenn man jemanden mag, bringt man ihn doch nicht um!»

«Nein», sagte Christian und musterte sie erneut. «Auf keinen Fall. Ich will Ihnen jetzt mal etwas sagen, Lili. Dass wir Sie zueinander sagen, missfällt mir zutiefst!»

«Aber um mir das zu sagen, sind Sie mir ja wohl nicht in die Springeltwiete gefolgt?» Lili sah ihn ganz direkt an. Der Rum brannte angenehm in ihrer Kehle, und in ihrem Bauch breitete sich allmählich Wärme aus.

Zu ihrer Überraschung warf Christian den Kopf in den Nacken und lachte laut auf. «Nein, ich habe dort eine Lungenentzündung besucht.»

«Benennen Sie die Patienten immer nach ihren Krankheiten?», fragte Lili.

«Nur, wenn sie nicht so hübsch sind wie Sie.»

Lili hob eine Augenbraue. «Verschwenden Sie unsere Zeit nicht mit Lügen und Schmeicheleien. Sie waren also bei einem Patienten mit einer sehr ernsten Krankheit. Und dann?»

«Und dann», Christian lehnte sich ein wenig vor, «habe ich eine Frau gesehen, die so leichtsinnig ist, dass sie zur Abendstunde unbegleitet durch die Neustadt läuft. Ich sehe sie um eine Ecke biegen. Und den Rest kennen Sie.» Er öffnete seinen Arztkoffer und entnahm ihm ein Stück Verband, das er mit dem Rum aus der Flasche tränkte. Dann wickelte er sich den Stoff um den Arm, den noch immer ein roter Zahnabdruck zierte.

Lili zuckte zusammen, als sie die Spuren ihres Bisses sah. «Es tut mir ehrlich leid», flüsterte sie.

«Nicht der Rede wert.» Christian hob gleichgültig die Schultern. «Morgen ist es wieder weg. Es ist das zweite Mal innerhalb von zwei Tagen», nahm er nach einer Pause den Gesprächsfaden wieder auf, «dass eine Frau mit roten Haaren von einem Mann mit Beitel angegriffen wird.»

Lili erschrak. «Sind Sie sicher, dass es das war, was er in der Hand hielt? Den Beitel – haben Sie ihn erkannt?»

Christian zögerte. «Ganz sicher kann man natürlich niemals sein. Im Studium habe ich gelernt, dass es mit der menschlichen Wahrnehmung so eine Sache ist. Vielleicht war es auch einfach nur ein Messer. Ich weiß es nicht.»

«Ich ...» Lili zögerte kurz. «Ich bin sehr froh, dass Sie mit mir so spät am Abend noch zur Polizei gegangen sind. Ich hoffe, dass sie den Übeltäter jetzt finden! Habe ich mich bei Ihnen eigentlich richtig bedankt?»

Wieder war da dieses strahlende Lächeln in seinem Gesicht. «Ja, das haben Sie.»

«Und danke auch, dass Sie meiner Mutter Ihren Boten geschickt haben, um ihr Bescheid zu geben, dass ich noch aufgehalten worden bin. Sie sollte mich nicht so sehen.» Lili machte eine Handbewegung, die ihren zerrissenen Rock und ihr aufgelöstes Haar umfasste.

Die Wanduhr tickte laut vor sich hin. «Da passiert etwas, das mir Angst macht», flüsterte Lili schließlich.

«Hier sind Sie jedenfalls sicher», lächelte Christian. Er hob sein Glas und prostete ihr zu. «Christian», sagte er.

Lili zögerte nur einen kurzen Moment. «Und ich heiße Lili. Aber das weißt du ja längst.»

Das Du kam ihr leichter von den Lippen, als sie geglaubt hatte. Eigentlich war das kein Wunder. Sie kannte Christian schließlich seit ihrer Kinderzeit.

Auf einmal fiel die Spannung von ihr ab. Sie schloss die Augen und lehnte sich aufatmend zurück. Als sie sie wieder öffnete, bemerkte sie, dass Christians Blick noch immer auf ihr ruhte. Wieder überfiel sie dieses eigenartige Gefühl. «Wieso trägst du eigentlich eine Pistole bei dir?», fragte sie.

«Ich bin vor zwei Monaten niedergeschlagen und ausgeraubt worden», erklärte Christian. «Nachts bei einem Hausbesuch. Seitdem habe ich entschieden, mich zu verteidigen.»

«Als du dich vorhin mit der Witwe Kuhlmann unterhalten hast, hatte ich das Gefühl, ihr würdet euch kennen», bemerkte Lili zusammenhanglos. Das schummerige Gefühl in ihrem Kopf verstärkte sich. Wahrscheinlich stand sie noch immer unter Schock. Ob sie noch einen großen Schluck Rum trinken sollte?

«Ich habe vorgestern den Tod ihres Mannes festgestellt», erklärte Christian.

«Ach, du warst das», sagte Lili überrascht. «Wusstest du eigentlich, dass er in einer Urne bestattet werden wollte? Er war so Feuer und Flamme für das Krematorium!»

Christian zwinkerte. «Seine Leidenschaft muss ebenso heiß gewesen sein – bei all den Hindernissen, die ihm im Kampf um die Feuerbestattung in den Weg gelegt worden sind. Ich selbst habe übrigens noch nicht entschieden, was ich von der Leichenverbrennung halten soll. Einiges spricht dagegen, vieles aber auch dafür.»

Lili blickte ihn erstaunt an. Wollte er mit ihr etwa darüber diskutieren? Unzählige Male hatte sie dabeigesessen, wenn ihr Vater mit anderen Männern über das Feuerbestattungswesen gesprochen hatte. An den Ansichten einer Frau war dabei niemand interessiert gewesen.

«Nun, es ist so», begann sie zögernd.

«Ja?» Christian schenkte ihr das Glas erneut voll.

Lili hob es vor ihr Gesicht, blinzelte hinein und trank es in einem Anflug von kühner Entschlossenheit in einem Zug leer. «Gut, gut», nickte sie. «Ich habe die Ehre, Ihnen ein Loblied auf die Feuerbestattung zu singen! Sie ist die älteste, natürlichste und sauberste Bestattungsart. Das haben schon die Bronzezeitmenschen gewusst. Der römische Schreiber Tacitus», sie erhob sich schwankend, «hat darüber geschrieben. Bei den Griechen in der homerischen Zeit und bei den Römern bis in die Kaiserzeit hinein galt die Verbrennung sogar als eine Bestattungsart, die besonders vornehme Menschen auszeichnet.»

«Wenn das so ist», Christian blickte lächelnd zu ihr auf, «steigt die Feuerbestattung natürlich in meinem Ansehen. Ich hab die Antike sehr gern.»

Lili überlegte kurz und strich sich die Locken aus dem Gesicht. «Die antiken Bestatter hättest du aber nicht gern gehabt. Das waren nämlich die, die auch Kreuzigungen, Vierteilungen und das Anlegen von Daumenschrauben im Angebot hatten. Wir heutigen Bestatter haben eine Sortimentsreduzierung vorgenommen, die du als potenzieller Kunde nicht bedauern wirst.»

Christian lachte, woraufhin Lili ihre Arme auf dem Tisch abstützte und ihn eingehend betrachtete. «Du siehst übrigens sehr gut aus, wenn du keine Brille trägst, weißt du das eigentlich?»

Christian lachte noch mehr. «Ich könnte jetzt uncharmant antworten, dass du aus meiner Sicht auch sehr gut aussiehst, wenn ich keine Brille trage, aber uncharmant zu sein liegt nicht in meiner Art.»

Ein Klopfen drang aus dem Nebenzimmer. «Meine Mutter», flüsterte Christian. «Ab jetzt müssen wir unseren Charme ein bisschen leiser versprühen!»

«Ist das wahr?» Lili runzelte die Stirn. «Dann gib mir noch ein bisschen was zu trinken. Obwohl … Alkohol ist auch keine Lösung.»

«Nein», entgegnete Christian grinsend. «Alkohol ist ein Destillat!»

Lili kicherte und schnippte mit den Fingern. «Zu diesen chemischen Stoffen hätte ich noch eine Frage, Herr Professor. Oh! Jetzt weiß ich sie nicht mehr.»

Christian beugte sich besorgt vor. «Kann es sein, dass du etwas betrunken bist?»

«Bestimmt nicht.» Lili tippte sich gegen die Stirn. «Ich kann nämlich immer noch total logisch ...», ein Schluckauf unterbrach ihre Worte. «Moment mal! Total logisch über all die anderen reden!» Mit ihrem rechten Zeigefinger beschrieb sie mehrere Kreise.

«Welche anderen?», fragte Christian verwundert.

Lili zählte stockend die fünf Finger ihrer linken Hand ab. «Assyrer, Babylonier, Phönizier, Karthager und Juden.»

«Ehrlich? Was ist mit denen?»

«Bei denen lässt sich die Sitte der Feuerbestattung ebenfalls nachweisen, obwohl die Holzarmut ihrer Länder sie manchmal dazu zwang, Erdbestattungen und Beisetzungen in Höhlen vorzunehmen. Christian, warum dreht sich deine Wohnstube so?»

Christian hob die Schultern und breitete die Hände aus. «Wir leben in einer immer schneller werdenden Zeit.»

Lili blickte sich um. «Ja, das ist mir auch schon aufgefallen. Also. Die Wikinger vereinigten Feuer- und Wassergrab, indem sie die Leichen brennenden Schiffen anvertrauten. Eine außerordentliche Verbreitung gewann die Feuerbestattung in Mittel- und Ostasien durch den Buddhismus, allein hier», sie deutete mit einer Armbewegung Tischgruppe, Standuhr und das Bild des verblichenen Herrn Buchner an, «gilt das Erdbegräbnis als ausschließliche christliche Bestattungsform, allerdings erst einige Jahrhunderte nach Entstehen des Christentums. Im Lauf des Mittelalters verschwand die Feuerbestattung in den christlichen Ländern daher allmählich. Im Jahre 785, auf dem Reichstag von Paderborn, hat Karl der Große verfügt, dass die Feuerbestattung mit dem Tode bedroht werden soll. Das Verbrennen wurde während der nun folgenden Zeiten nur noch an Ketzern ausgeführt. Danke fürs Zuhören. Auf Wiedersehen.»

Sie griff nach ihrer Tasche. Durch den Schleier, durch den

sie das Wohnzimmer der Buchners wahrnahm, bemerkte sie, wie Christian sie ungläubig anstarrte.

«Du kennst sogar die Jahreszahl des Reichstags?»

Lili winkte ab. «Zahlen sind mein täglich Brot.»

Sie sah, wie Christian den Mund öffnete und wieder schloss. Er zögerte kurz. «Meines auch», sagte er.

«Ach?» Ein erneuter Schluckauf schüttelte Lili. «Ich dachte, du wärst Arzt?»

«Ja. Und … egal. Was weißt du über Zahlen? Inwiefern beschäftigst du dich damit?»

«Na, inwiefern schon? Ich mache die Buchhaltung bei uns.»

«Und sonst?»

«Nichts sonst. Ich mag Zahlen, weil sie ehrlich und wahrhaftig sind. Ich hab», sie ließ sich wieder auf ihren Platz fallen, lehnte sich zurück und machte die Augen zu. «Ich hab … ein Gedächtnis … dafür. Ich weiß, wie viel wir jeden Monat einnehmen und ausgeben. Ich weiß, bei wie viel Grad eine Leiche verbrennt. Und ich weiß, was übrig bleibt. Wenn ich jetzt stürbe und verbrannt werden sollte», sie öffnete ihre Augen wieder, «blieben 88 Prozent phosphorsaurer Kalk zurück, 2 Prozent kohlensaurer Kalk, 2 Prozent kohlensaure Alkalien, 6 Prozent unverbrannte Kohle und knapp ein Prozent Magnesium. Es ist nicht so, dass der Mensch verschwindet, wenn er gestorben ist. Es bleiben immer Zahlen zurück.»

Christians Gesicht hellte sich auf. «Das ist es, woran du glaubst? Zahlen?»

«Das ist nicht das, woran ich glaube. Zahlen sind das, was ich weiß.»

«Das kann ich gut verstehen», sagte Christian. «Auch für mich sind Zahlen …» Er zögerte.

«Ja?», fragte Lili und sah ihn an. Auf einmal meinte sie, einen Duft zu spüren, der ihr bis dahin unbekannt war und den sie mochte. Christian war es, der so roch.

«Ich erzähle dir nicht heute Abend davon. Es ist ein bisschen kompliziert. Vielleicht hast du ja morgen Zeit? Wir könnten …»

«Tu mir einen Gefallen.» Lili beugte sich in einer plötzlichen Bewegung nach vorne und umfasste seine Hände mit ihren. «Guck dir einmal Carl an. Er hat immer Kopfschmerzen. Und er … er lebt in seiner eigenen Welt. Ich weiß nicht, ob jemand wie du … ob ein Physikus da etwas ausrichten kann. Aber …»

Christian lächelte. «Das geht in Ordnung. Das mache ich.»

Lili schloss erneut die Augen. Christian in seinem Sessel fuhr vor ihr Karussell. «Danke», sagte sie und ließ seine Hände wieder los. «Das wäre sehr, sehr nett.»

«Mein Vater sagt», ergriff Lili in die Stille hinein erneut das Wort, «dass es noch in diesem Jahr einen Beschluss geben wird. Die Kirche wird ihre ablehnende Haltung gegenüber Feuerbestattungen aufgeben. Der Senat wird seine Zustimmung erteilen. Schließlich ist das Krematorium schon fertig gebaut.»

Christian schüttelte ungläubig den Kopf. «Die Kirche wird niemals erlauben, dass sich eine Gruppe von Zahlenfreunden gegen etwas auflehnt, das seit Jahrhunderten christliches Gesetz und Sitte ist. Nun, wo die Kirche nicht mehr die Aufsicht über die Schulen hat und die Zivilehe Voraussetzung für die kirchliche Trauung ist, kämpft der Klerus um jede Bastion. Eines der kirchlichen Hauptbetätigungsfelder neben Erziehung und Ehe ist die Bestattungskultur.»

Lili stützte ihr Kinn in die Hände und starrte ihn an. «Hätten wir also die Einstellung unserer Pastoren zur Feuerbestattung geklärt. Aber was sagt der Mediziner dazu?»

Christian lächelte erneut. «Der Mediziner bemängelt, dass die Winde die Abgase aus dem Schornstein des Krematoriums über die Stadt treiben.»

«Aber das sind keine schädlichen …»

«Und noch etwas. Ein weiterer Punkt, der gegen Feuerbestattung spricht, ist der, dass damit forensische Evidenz vernichtet wird.»

«Du meinst», Lili blinzelte, «dass Todesursachen, besonders in Mordfällen, nicht mehr geklärt werden können.»

«So ist es.»

«So wie bei der Frau, die uns vor die Tür gelegt wurde.» Lili runzelte die Stirn.

«Genau.» Er fuhr zusammen. Lili hatte ihre Hand auf die Tischplatte geknallt.

«Es macht mich wahnsinnig», rief sie, «dass der Kerl, der das getan hat, noch immer nicht gefasst worden ist! Du magst recht haben, Christian. Da läuft einer herum, der rothaarige Frauen mordet. Und an seiner Stelle sitzt Papa in dieser Zelle, und meine Mutter ist halbtot vor Sorge und die Zwillinge ziehen sich noch mehr in ihre seltsame Welt zurück.»

Christian ignorierte das erneute Klopfen seiner Mutter. «Tun sie das?», fragte er sanft.

Lili wischte sich mit einer wütenden Geste über die Augen. «Mein Bruder Carl ist schwer erkrankt, als er zwei Jahre alt war. Er hat sich nie davon erholt.»

«Ich werde das untersuchen», sagte Christian. «Wer weiß, ob ich die Folgen dieser Krankheit vielleicht mildern kann.»

«Es hat, glaube ich, keinen Zweck mehr», sagte Lili. Sie fühlte, dass sie kurz davor stand, in Tränen auszubrechen, und schluckte schwer. «Er hat bis heute nicht einmal richtig sprechen gelernt. Caroline, meine kleine Schwester – sein Zwilling –, ist die Einzige, die ihn versteht. An Ostern sind die beiden eingeschult worden. Wir wissen aber alle, dass Carl niemals schreiben und rechnen wird.»

Für einen langen Moment saßen sie sich schweigend gegenüber und sahen sich an. Lili musterte den Schnitt seiner Augen, seiner Nase und seiner Lippen, und der kleine Nachbarsjunge von der anderen Straßenseite fiel ihr wieder ein. Sie sah ihn in seinem Matrosenanzug mit den kurzen Hosenbeinen und der weißen Mütze mit dem blauen Bommel, sie sah ihn glücklich lachend beim Reifentrudeln mit den anderen Jungen. Und auf einmal sah sie deutlich, wie anders seine Welt immer gewesen war, wie geordnet, respektiert, wie normal. Sie erhob sich. «Ich muss gehen, Christian. Ich danke dir für alles. Auch für diesen Abend. Es war sehr nett mit dir.»

«Ich werde Carl schon morgen untersuchen. Und dann …»

«Ja?»

«Ich habe vorhin angedeutet, dass ich etwas mit dir besprechen wollte», erklärte Christian leise. «Dass ich dich hierhergebracht habe, war also nicht ganz uneigennützig von mir.»

«Womit kann ich denn dienen?», fragte sie und ahmte ironisch ihren Tonfall aus dem Geschäft nach.

«Du sprichst gut Englisch, richtig?»

Lili nickte.

Christian fuhr sich durch sein Haar. Sein Blick wanderte zum Schreibtisch hinüber, blieb an der untersten Schublade hängen, wo die Beale-Papiere lagen, und verharrte dort. «Und jetzt weiß ich, dass du auch noch einen Sinn für Zahlen hast.»

«Mhm.» Lili bemühte sich, die Ungeduld aus ihrer Stimme zu halten. Sie musste jetzt wirklich dringend nach Hause. Sie dachte an Carl und Caroline, und eine Mischung aus Zärtlichkeit und Hilflosigkeit flutete ihr Herz.

«Ich werde dich demnächst um einen Gefallen bitten», sagte Christian. «Darf ich?»

«Natürlich», sagte Lili. «Du hast mir heute das Leben gerettet, das werde ich sowieso niemals wiedergutmachen können.» Sie tastete prüfend mit den Händen über ihr Kleid und glättete ihren Rock. Dann ergriff sie ihre kleine Tasche, um ihre Schlüssel zu suchen. Plötzlich umschloss ihre Rechte ein unvertrautes, rechteckiges Stück Karton. Der Name darauf war in geschwungenen, goldenen Lettern gedruckt, die vor ihren Augen schwammen und flirrten, aber als es ihr endlich gelang, sie zu entziffern, spürte sie, wie ihr Herz schneller klopfte. Das sanfte Gefühl für die Geschwister wich einem Blitz, der sie förmlich durchzuckte. Rurik Robertson stand da.

6. KAPITEL

Es war so heiß, dass die Arbeiterinnen in Hamburgs 29 Bienenstöcken an diesem Tag beschlossen, daheim zu bleiben. In den Hinterhöfen der Altstadt traten 2171 Hühner in den Eierstreik, während die 73 Ziegen und 25 Kühe so durstig waren, dass nicht Milch, sondern Käse aus ihren Eutern quoll. Der Esel vom Alten Steinweg 5, einziges Exemplar der Stadt und Zankapfel, weil er seine notvolle Brunft auch zu nachtschlafender Zeit kundtat, lag stumm in einer Ecke und sehnte sich nach gar nichts mehr. Ähnlich erging es den anderen Tieren, die ihre Bedürfnisse in den Äther über Hamburg zu morsen pflegten, den siebzehn Schweinen, sieben Schafen, sechs Gänsen und dem Truthahn, auch er ein von Einsamkeit Gezeichneter in der Hansestadt. Sie alle wirkten wie die Operationspatienten des Carl Ludwig Schleich, Erfinder der örtlichen Betäubung oder, wie er selbst es ausdrückte, der Infiltrationsanästhesie. Sie lagen ermattet auf ihren Federn respektive Haaren und rührten sich nicht.

Carl und Caroline wanderten Hand in Hand durch eine verlorene, schweißtropfende, dürstende Stadt. Sie sahen Wasserträger, die ihre Ware selbst tranken, Marktmädchen, deren Früchte unter der Sommerhitze gärten und zu Brei zerronnen, eine Armada von schillernden Fliegen, die das schwärende Fleisch bei den Metzgern umsirrten, und viel mehr tote Ratten als sonst. Diejenigen mit dem weichsten Fell und den größten schwarzen Knopfaugen packte Caroline in ihre Schürze, wo sie

sie sammelte für ein Massengrab. Sie fanden ein schönes Loch an der Baustelle in der Nähe der Binnenalster, wo das große Haus für den Bürgermeister und die anderen Herren der Stadt entstand. Caroline ließ Carl die Ratten in das Fundament werfen und flüsterte ihr Gebet in den hitzeflirrenden Nachmittag.

Derweil ging Lili im Erdgeschoss eines Kontorhauses in der Deichstraße ihrem Vater zur Hand. Nachdem die Witwe Kuhlmann bestätigt hatte, dass Basilius Winterberg zum Zeitpunkt des Mordes den Leichnam ihres Gatten versorgt hatte, war er aus dem Gefängnis entlassen worden. Über seinen Aufenthalt in der Fronerei verlor er kein Wort, aber von ihrer Mutter wusste sie, dass ihm jemand sein rechtes Knie verletzt hatte. Er humpelte seither. Außerdem schien es, als habe der Criminal-Sergeant weiterhin ein wachsames Auge auf ihn. Nicht eine Woche verging, ohne dass ihnen der misstrauische Polizist einen Besuch abstattete.

Noch immer dachte Lili oft an die Tote, die ihr so ähnlich gesehen hatte, und es ließ ihr keine Ruhe, dass der Mörder noch immer nicht gefunden worden war. Außerdem hätte sie gern Magdalena wiedergesehen, um mehr über die Tote zu erfahren. Sie war überzeugt davon, dass ihr mehr Kenntnisse über das Leben der Ermordeten Hinweise auf deren Ableben liefern konnten. Aber Magdalena hatte sie nach ihrem Davonlaufen an jenem Tag im Mai nicht mehr gesehen. Ein oder zwei Mal hatte Lili eine brünette Frau mit rotgeschminkten Lippen und großzügig geschnittenem Dekolleté auf der Straße getroffen, die Magdalena ähnlich sah, aber jedes Mal, wenn Lili sich ihr näherte, bemerkte sie, dass sie sich getäuscht hatte.

Der einzige Lichtblick in ihrem Leben bestand darin, dass sie jetzt Rurik regelmäßig sah. Der Vater und er hatten sich ihrer gegenseitigen Unterstützung versichert; Basilius Winterberg benachrichtigte den Journalisten und Nachrufschreiber so rechtzeitig über einen Todesfall, dass dieser seinen Nachruf als Erster in den Tagesblättern veröffentlichen konnte, und versorgte ihn zudem mit nützlichen Informationen, die nur er als Bestatter kannte. Der Nachrufschreiber hingegen warb bei den großen Hamburger Familien für das Unternehmen Winterberg und teilte Basilius die ersten Anzeichen eines bevorstehenden Ablebens mit. Weniger hanseatisch geprägte Seelen hätte die kaufmännische Ertüchtigung dieser zwei vom Tode anderer Lebenden sicherlich schockiert, für Lili hingegen gehörte das Verkaufen von Leistungen zum täglichen Geschäft.

Leider waren Ruriks Unterstützungsversuche nicht von großem Erfolg gekrönt. Das Bestattungsgewerbe gehörte zu jenen wenigen, in denen es schwierig war, Stammkundschaft aufzubauen. Hinterbliebene Gatten oder Gattinnen beeilten sich zwar überraschend häufig, dem Gespons zu folgen, aber danach war in der Familie oft für viele Jahre, Jahrzehnte gar, mit Sterben Schluss. Was Lili zunächst als den für den Wonnemonat Mai typischen Einbruch angesehen hatte, verlängerte sich bis in den August hinein. Sie wusste, dass Behnecke aggressive Werbung für sein Geschäft betrieb, und sie ahnte, dass auch des Vaters kurzzeitige Verhaftung Grund für die Geschäftseinbußen war. Noch konnten sie überleben, aber wie lange? Das Beste wäre, sie würden selbst mehr Werbung betreiben. Sie konnten sich die zusätzlichen Ausgaben momentan zwar überhaupt nicht leisten, aber die Investition würde sich bestimmt rentieren. Sie beschloss, den Vater bald darauf anzusprechen.

Zum Schutz vor dem Geruch des toten Kaufmanns hatte sie sich ein Tuch vor Nase und Mund gebunden. Der Vater maß den Kaufmann für die korrekte Sarggröße aus, und Lili notierte die Zahlen im Auftragsbuch. Länge von Scheitel bis Sohle, Schulter- und Hüftbreite, Kopfumfang. Anschließend kam die Höhe dran. Der Kaufmann hatte eine eher breite, fast platte Nase und auch eine flache Brust. Doch sein Bauch war nicht zu unterschätzen. Dieser Teil seines Körpers wölbte sich erheblich empor. Lili versah die Zeile, in der sie das Maß von Rücken bis Bauchnabel vermerkte, mit einem Ausrufezeichen, denn darauf musste der Vater später achten, wenn er den Deckel fertigte. Der musste auf jeden Fall hoch genug sein.

Gemeinsam arbeiteten sie schnell und effektiv. Sie verhängten die Fenster mit schwarzen Tüchern und ebenso den Spiegel, damit sich die Seele des Toten nicht darin verfing. Dann hielten sie die Zeiger der Standuhr an. Die Lebenszeit des Hausherrn war schließlich abgelaufen, wo er nun weilte, war die Ewigkeit. Während der Vater leise vor sich hin singend dem Verstorbenen die Augen schloss, sein Kinn hochband und seine Hände zum Gebet faltete, setzte Lili in einer Ecke des Raums einen halben Becher Spiritus in Brand. Die Schwaden überdeckten den süßlichen Leichengeruch, aber die zusätzliche Hitze, die durch den Brandvorgang entstand, überstieg Lilis Leidensfähigkeit. Sie half dem Vater, den Kaufmann so aufzubahren, dass er die korrekte Position aufwies, wobei sich dessen Augen wieder öffneten.

Lili presste eine Hand auf die Brust und ließ sich auf den nächststehenden Stuhl fallen. «Oh, mein Gott, Vater! Er lebt!» Der Vater lachte leise. «Aber Lilikind, das habe ich dir doch schon erklärt. Solange man einen Toten bewegt, gehen die Augen eben wieder auf.»

«Warum verschließen wir sie ihm dann nicht zum Schluss?»

«Ich sag es jetzt mal ganz lehrerhaft.» Der Vater schmunzelte. «Das Schließen von Augen und Mund ist eine Handlung, die immer als Erstes vollzogen werden muss. Die meisten unserer Kunden glauben, dass dies der Abwehr von Dämonen dient. Aber wenn man schon solchem Aberglauben huldigt», jetzt war der Vater wieder bei seinem Lieblingsthema, «sollte man die Verstorbenen natürlich nicht in der Erde, sondern im Feuer bestatten. Erst dann kann man sicher sein, dass die dazugehörigen Dämonen ins Jenseits gehen.»

Er verschloss dem Kaufmann erneut sanft die Augen und strich ihm liebevoll übers Haar. «Wie wenig schmeichelhaft für einen Toten das doch ist, dass er immer mit den Füßen in Richtung Tür gelegt wird. Ich mag das nicht. Solange die Menschen leben, wollen sie vom Tod nichts wissen. Aber hat es einen erwischt, soll er bloß nicht wiederkommen. Wiedergänger, dass ich nicht lache. Dieser Gedanke hat doch in unserer aufgeklärten Zeit nichts mehr zu suchen.»

Lili musterte den Vater. Im Zwielicht des Raums konnte sie den Ausdruck auf seinem Gesicht nicht erkennen, sodass sie nicht wusste, ob er sich bloß unterhalten wollte oder wirklich aufgebracht war.

«Nun ja», sagte sie. «Bei diesem Herrn ist in der Tat anzunehmen, dass sein kaufmännischer Geist das Kontorhaus nicht gern verlassen wird. Rurik sagte, dass seine Bilanzen ausgezeichnet waren.» In dem Moment, in dem sie sie aussprach, bereute sie ihre Worte schon. Es war respektlos, vor dem Toten von Zahlen zu sprechen. Und es schickte sich auch nicht, so sarkastisch zu sein.

Sie bemerkte den Blick ihres Vaters. «Ich rede Unsinn», beeilte sie sich zu sagen. «Tut mir leid.»

Der Vater strich über die gefalteten Hände des Kaufmanns. «Er ist vor allem friedlich gestorben», sagte er. «Sein Herz hat einfach ausgesetzt. Ein wunderbarer Tod, sehr schön. So plötzlich und schmerzlos müsste man sich aus der Welt verabschieden können, wenn es denn so weit ist.»

Wieder empfand Lili für den Vater eine große Zärtlichkeit. Wie gut er zu den Toten war. Wie tapfer er die Schmerzen in seinem Knie ertrug. Sie half ihm, dem Kaufmann das Totengewand anzulegen, das die Mutter genäht hatte. Noch vor einem Jahr, bevor sie nach England gegangen war, hatte sie immer Mühe damit gehabt, Tote anzukleiden, weil die ja nicht mithelfen konnten. Aber jetzt kannte sie den Trick. Mit der linken Hand stützte sie den Kopf des Verstorbenen, während sie mit dem Ellenbogen unter den Rücken ging. Währenddessen zog sie mit der Rechten das Totenkleid über den Schädel. Dann erst hob sie Rücken und Hüften an. Nachdem sie die Falten seines Gewands geglättet hatte, blickte sie auf den Mann hinunter. Richtig gut sah er jetzt aus. Die Mutter hatte die Knopfleiste schlicht gehalten, und den Stoff hatte sie so gerafft, dass seine Schultern breiter schienen, als sie wirklich waren. Im Schein der Kerzen schimmerten die Knöpfe perlmutt.

Das erinnerte sie an Ruriks glänzende Manschettenknöpfe. Und so wanderten ihre Gedanken zu diesem ganz und gar rätselhaften, seltsam anziehenden Mann zurück. Sie unterdrückte ein Lächeln. Oft musste sie schmunzeln, wenn sie an Rurik dachte. Nicht weil sie besonders komische Sachen miteinander erlebten. Genaugenommen war sogar das Gegenteil der Fall. Aber sie brauchte nur sein Gesicht anzusehen, in seine grünen Augen einzutauchen und seine Stimme zu hören, und schon spürte sie, wie die Freude in ihr aufkeimte und sie gute Laune bekam.

Der Vater holte einen leinenen Sack hervor und griff hinein.

«Was machst du da?», fragte Lili, als sie sah, wie der Vater getrocknete grüne Blätter über das Leichentuch breitete.

«Das sind Brennnesseln. Sie kühlen ein bisschen und halten die Insekten fern.» Dann deutete er mit einer Kopfbewegung zur Tür. «Ich rufe jetzt die Angehörigen herein.»

Christian Buchner ging unter der brütenden Hitze so langsam wie möglich durch die Admiralitätsstraße am Herrengrabenfleet, als ihm plötzlich ein Mann entgegentrat. Er trug einen Bart und lange Locken, und in der Hand hielt er einen Eimer mit einem weißen Pulver darin. Christian hoffte inständig, dass es nicht schon wieder einer dieser Verrückten war, der ihn von seiner Religion zu überzeugen versuchte, und wich aus. Aber es war zu spät.

«Sag mir deinen Namen», sprach der Mann zu ihm, «und ich sage dir, wer du bist.»

«Gott», beschied ihn Christian und drängte sich an ihm vorbei.

Er war gerade um eine Ecke gebogen, da kam es zur nächsten Begegnung. Ein Mann in khakifarbenem Anzug mit einem Schmetterlingsnetz in der Hand und einem Tropenhut auf dem Kopf kam ihm entgegen. Trotz seines fortgeschrittenen Alters schritt er mächtig aus. Christian überlegte, woher er den Alten kannte, und grüßte ihn vorsichtshalber. Der Mann lächelte und winkte mit seinem Schmetterlingsnetz zurück. Erst als er verschwunden war, fiel es Christian ein: Es handelte sich um den scheintoten Afrikaforscher, den sein Bruder Mathis damals im Mai photographiert hatte. Er hatte sich immer schon gefragt, was aus dem Mann geworden war. Er drehte sich um und wollte ihm hinterhergehen, als er mit einem kleinen Wesen zusammenstieß. Eine Handvoll Papiere, die das Kind in der Hand getragen hatte, wehte in alle Richtungen davon.

«Hilfe, meine Flugblätter», jammerte der Kleine. «Ich darf sie nicht verlieren!»

Christian war in Gedanken immer noch bei dem Afrikaforscher, doch half er dem Jungen, die Blätter aufzusammeln. Dabei fiel sein Blick auf die Abbildung. Er erkannte einen reichverzierten Sarg, auf dem ein Leuchter mit brennenden Kerzen stand. Darunter war in verschnörkelten Buchstaben geschrieben: «Großes Angebot in Metall-, Eichen-, Tannen- und Versandsärgen von protestantischem und unbescholtenem Bestatter». Die Worte *protestantisch* und *unbescholten* waren von so gewaltigen Ausmaßen, dass der Sarg daneben klein und unbedeutend schien.

«Bestattungsunternehmen Thorolf Behnecke», las Christian

die Fußzeile des Flugblatts. Mit einem Schlag hatte er den Afrikaforscher vergessen. «Hat er dich dafür bezahlt?»

Der Junge sprang von einem Fuß auf den anderen, als ob er dringend einen Abtritt aufsuchen müsste. «Ist mein Opa», stieß er hastig hervor. «Und jetzt muss ich schnell weiter, weil ich noch so weit gehen muss. Soll zum Physikus, hat mein Opa gesagt.»

Christian hielt den zappelnden Kleinen am Ärmel fest. «Wie heißt du, Buttje?»

«Fiete zwei.»

«Hör zu, Fiete zwei, ich bin selber Physikus, wo brennt's?»

«Meine Oma ist ganz doll krank.»

Christian dachte nicht lange nach. «In Ordnung, ich komme mit.»

Das Haus, das der Junge ihm zeigte, lag auf der anderen Seite des Herrengrabenfleets und beugte sich bedenklich schief über das dunkle Wasser, auf dem sich in diesem Augenblick ein schwitzender Ewerführer seinen Weg fleetaufwärts stakte. Es wirkte wie ein Überbleibsel aus der napoleonischen Zeit: Eine Truppe anderer Häuser hatte es so fest umzingelt, dass es wohl gewichen wäre, hätte es Beine gehabt. So aber trotzte es standhaft dem Ansturm feindlicher Bebauungen, indem es sich auf seine Stärken besann. Ein vierstöckiges Fachwerkhaus mit sauber schimmernden Fenstern und einem ordentlich gedeckten Giebeldach, das sich erfolgreich Franzosen, Schneelasten, Regenstürmen und anderer Unbill widersetzt hatte. Zwischen dem dritten und dem vierten Stock war, weithin sichtbar, die Firmeninschrift gemalt: Sargschreinerei Behnecke, etabliert 1885. Während Christian dem Jungen in Richtung Ellerntorbrücke folgte, bemerkte er, wie sich die Tür zum Laderaum im Erdgeschoss öffnete, um eine bereitstehende Schute mit einem Sarg zu beladen. Er hoffte, dass dies nicht schon die Großmutter war.

Plötzlich wurde ihm bewusst, auf wessen Haus er da gerade zusteuerte. Auf das Haus von Winterbergs Erzrivalen. Lilis Gesichtsausdruck stand ihm wieder vor Augen, als er ihr bei seinem ersten Besuch im Mai von diesem Mann erzählt hatte. Und wie immer, wenn er an sie dachte, durchfuhr ihn ein leiser Stich. Nach ihrem gemeinsam verbrachten Abend im Mai hatte er gehofft, sie ein wenig öfter zu treffen. Er hatte sie gebeten, ihm bei den englischen Texten zu helfen, die er im Zusammenhang mit den Beale-Chiffren besaß – kein besonders raffinierter Trick, wie er sich nun eingestehen musste. Seither hatten sie sich nicht gesehen.

Was sollte er tun? Bei dem Gedanken an sie wurde ihm noch wärmer, als es ihm an diesem Tag ohnehin schon war. Lili war witzig, sie war klug, und sie war ausgesprochen hübsch. Er mochte ihre weibliche Figur, die Schmetterlingsaugen mit den langen Wimpern und die kleine Lücke zwischen ihren Schneidezähnen. Er hätte für sein Leben gern ihre kupferschimmernden Locken und die herzförmige Linie ihrer Oberlippe berührt. Er brannte darauf, sie einmal zum Tanzen auszuführen, seine Hand auf ihre Hüfte zu legen und sie herumzudrehen, bis ihnen beiden schwindelig wurde. Sie war all das, was er unter Liebreiz verstand.

Aber Lili erwiderte seine Gefühle nicht. Schlimmer noch, sie hatte sie ganz offensichtlich einem anderen geschenkt, einem Laffen mit flachem Strohhut und oberflächlicher Konversation. Christian kannte Rurik Robertson aus den Kaffeehäusern der Stadt, sie waren diesem Frauenhelden zum zweiten Zuhause geworden. Vorgeblich, um mit Kaufleuten und Abgeordneten der Bürgerschaft zu sprechen, deren Aussagen er brauchte, um seine Artikel zu schreiben, aber Christian glaubte dem Journalisten nicht. Robertson betrieb krumme Geschäfte, sei es mit Handelswaren oder mit Informationen, davon war er überzeugt. In der Stadt war nicht bekannt, woher er stammte und wer seine

Eltern waren, und Robertson selbst machte ein großes Geheimnis darum. Seit seiner Rückkehr aus Göttingen hatte Christian den Mann schon mit einer ganzen Reihe Frauen gesehen, und in den vergangenen drei Monaten eben auch mit Lili Winterberg. Sicher, der große, schlanke Rurik mit seinen scharf geschnittenen Gesichtszügen sah gut aus, sehr gut sogar, aber es wunderte ihn, dass Lili, die doch alles andere als unsensibel war, nicht das Verschlagene in seinen Zügen bemerkte.

«Herr Physikus?» Die helle Stimme des Jungen drang an sein Ohr. «Hier geht es lang!»

«Richtig.» Sie waren in der Düsternstraße angelangt. Von hier aus war das Haus nicht zu erkennen. Ein Emaille-Schild wies ihnen den Weg: «Behnecke, erstklassiger und unbescholtener Bestattungsunternehmer. Pompes funèbres. Hinterhof erste Tür links.»

Christian musste ein Lächeln unterdrücken. Dass Winterbergs ärgster Konkurrent seine Firmeninschrift in ein elegantes Französisch hatte übersetzen lassen, in einer Stadt, die so englandliebend wie keine andere im Deutschen Kaiserreich war, zeugte entweder von Unkenntnis oder von dem verzweifelten Bestreben, etwas darzustellen, was er gewiss nicht war.

Er vernahm eine laute Männerstimme: «Reiß dich endlich zusammen, verdammich nochmal!»

Christian sah, wie Fiete zwei sich unwillkürlich bückte. «Das ist mein Großvater», flüsterte er.

Er legte dem Jungen flüchtig seine Hand auf den Kopf. «Ganz ruhig, ich spreche mit ihm.»

Die Haustür flog auf, und ein ausladender Mann mit gewaltig gezwirbeltem Schnurrbart stellte sich ihm in den Weg. «Guten Tag», sagte dieser. «Was kann ich für Sie tun, mein Herr?»

«Doktor Buchner, guten Tag», sagte Christian. «Sind Sie Herr Behnecke? Ich soll nach Ihrer Gattin sehen?»

Statt einer Antwort holte der Mann vor ihm aus und knallte Fiete links und rechts eine. «Wer hat dir befohlen, diesen Quacksalber zu holen?», herrschte er ihn an. Sein Gesicht war dunkelrot, und in seiner Stirn pulsierte es. «Hab ich dir nicht gesagt, du sollst die Schnapsleiche Schneider holen? Für diesen feinen Herrn hier haben wir gar kein Geld.»

Fiete hielt sich das Gesicht. Er sah aus, als ob er weinen wollte, riss sich aber zusammen.

«Machen Sie dem Jungen bitte keinen Vorwurf», sagte Christian. «Ich fürchte, das ist alles meine Schuld. Wir sind zusammengeprallt. Ihr Enkel berichtete mir dann, dass er gerade Hilfe für seine Oma holen wollte, und da ich in der Gegend ohnehin auf Arztbesuch war, habe ich angeboten, mitzu...»

«Sparen Sie sich das studierte Gequatsche», unterbrach ihn Behnecke grob. «Ich bin sicher, dass wir uns einig werden. Die Alte stellt sich bloß an.»

«Das werden wir gleich sehen», sagte Christian und folgte dem Bestattungsunternehmer nach drinnen.

Die Frau lag zusammengekrümmt auf einem Bett in einem verdunkelten Raum und wimmerte leise vor sich hin. Sie war so dünn, dass Christian sie im ersten Moment für ein Kind hielt. Er sprach sie an, aber sie antwortete nicht. Während er seinen Koffer abstellte, seinen Rock über einen Stuhl legte und seine Manschettenknöpfe öffnete, um die Ärmel hochkrempeln zu können, fragte er, an Behnecke gewandt: «Wissen Sie, was ihr fehlt?»

Der Bestattungsunternehmer schnaubte. «Was soll ihr schon fehlen, der Alten? Faul-Fieber würde ich diese Krankheit nennen – ein Leiden, das unter den Weibern ja neuerdings um sich greift.»

Christian öffnete einen der Vorhänge. Die Sonne warf einen Schwall Hitze herein. Jetzt erst erkannte er das Gesicht der Frau. Es war eingefallen, und die Nase ragte spitz daraus hervor.

Sie hatte die Augen geschlossen, aber ihr Mund machte merkwürdige Bewegungen.

«Übergibt sie sich?», fragte Christian ihren Mann.

Behnecke stampfte mit dem Fuß auf. «Woher soll ich wissen, was die Alte als Nächstes tut? Seh ich aus wie 'n Hellseher, Mann?»

«Ich wollte keine Zukunftsprophezeiung hören.»

«Die kann ich Ihnen auch nicht geben. Verschreiben Sie ihr irgendein Zeug, damit sie fix wieder auf die Beine kommt. Hier kann es sich niemand leisten, tagelang im Bett herumzulungern. Ich lass Sie jetzt mit der ollen Schachtel alleine, muss wieder zurück ans Werk. Ach, da bist du ja, Klugheit! Du kannst gleich mitkommen und mir helfen. Es gibt in diesem Haus noch einiges zu tun.»

Christian blickte auf und erkannte eine Frau in Lilis Alter mit stark gewölbtem Bauch. Sie starrte ihn ausdruckslos an. «Ich habe sie saubergemacht», erklärte sie.

«Wie bitte?» Christian war überrascht von der Ähnlichkeit, die sie mit dem Bestatter hatte. Schwarze Haare, kleine schwarze Augen, verkniffener Mund. Doch wo der Vater vierschrötig wirkte, sah diese Person bloß eckig aus. Trotz ihrer offensichtlichen Schwangerschaft.

«Man sagte, man habe sie saubergemacht», wiederholte die Frau. Sie stand ganz offensichtlich unter Schock. «Ich wusste nicht, dass man das bei einem erwachsenen Menschen würde tun müssen.»

Wieder erklang das Wimmern vom Bett. Eine rothaarige Katze schlich heran und miaute. Christian bemerkte, dass ihr Fell von derselben Farbe war wie Lilis Haar.

«Ihre Mutter, nehme ich an ...», begann Christian und blickte wieder zurück zu der Kranken. «Hat sie Durchfall gehabt?»

Die Schwangere nickte.

«Dann müssen Sie sich die Hände waschen.»

Die Frau schien wieder zu sich zu kommen. Dem Erschrecken in ihren Zügen wich ein Ausdruck von Überheblichkeit. «Das habe ich bereits getan. Für uns Bestatter ist Sauberkeit oberstes Gebot.»

In diesem Moment zuckte die Kranke auf ihren Laken wie von Krämpfen geschüttelt. Dann erbrach sie sich.

«Grundgütiger», die Tochter verdrehte die Augen gen Himmel. «Jetzt auch noch das!»

«Wie lange geht das schon?», fragte Christian. «Der Durchfall und das Erbrechen, meine ich?»

Die Angesprochene bückte sich schwerfällig, um eine Emailleschüssel unter dem Bett hervorzuziehen.

«Nicht in Ihrem Zustand», rief Christian. «Rühren Sie Ihre Mutter nicht mehr an.» Er entriss ihr die Emailleschüssel und stellte sie so, dass die alte Frau hineinspucken konnte. Als er ihren Kopf hielt, bemerkte er, wie kalt sie war.

«Sie verliert viel zu viel Flüssigkeit», rief er, als er sah, dass das Erbrechen nicht enden wollte. «Besorgen Sie ihr frisches, abgekochtes Wasser, schnell!»

Die Tochter seufzte schwer und wandte sich ab, um hinauszugehen. «Als hätte man nichts anderes zu tun.»

Jetzt stand wieder der kleine Junge neben ihm. «Was hat Oma?» Er sah verängstigt aus.

«Ich weiß es nicht», erklärte Christian wahrheitsgemäß. «Vielleicht hat sie etwas Schlechtes gegessen. Vielleicht ist es auch diese große Hitze. Die setzt im Moment sehr vielen Menschen zu.»

In diesem Augenblick hörte er ihre Stimme. Sie hatte aufgehört, sich zu übergeben, und blickte ihn an. «Ich brauche ...», sagte sie.

Aber was sie brauchte, konnte sie ihm nicht mehr sagen, ihm nicht und keinem anderen mehr. Frida Behnecke war tot.

Basilius schaute versonnen auf den Sarg. Die Familie des alten Kaufmanns hatte keine besonderen Wünsche geäußert, was Holz und Ornamente anbetraf, und so hatte er bei der Ausführung freie Hand gehabt. Die Kehlung hatte er hoch gestaltet, was dem Sarg etwas Imposantes verlieh. Rings um den Sargdeckel verlief eine Reihe von reliefartig herausgeschnitzten Kreisen, die sehr gut zu dem Kaufmann passten, wie Basilius fand, denn der Verstorbene hatte zeit seines Lebens vor allem auf zwei Dinge Wert gelegt: auf Gleichförmigkeit und auf Geld. Die Kreise stellten in Basilius' Augen das immerwährende Rad eines betriebsamen Alltags dar. Und Reichtum dazu.

Er humpelte zu den Regalen seiner Werkstatt hinüber, um die Zinkschüssel zu holen, in der er die Zutaten für die Armierung des Sargs mischte. Noch immer pulste der Schmerz durch sein Knie.

«Was machst du gerade, Vater?», fragte Lili, und Basilius wandte sich überrascht um. So ruhig hatte seine Älteste am Schreibtisch in der Ecke der Werkstatt gesessen und die Zutaten für den Totentrunk notiert, dass er vergessen hatte, dass es sie in diesem Zimmer überhaupt gab.

«Ich muss den Sarg von innen bestreichen», erklärte er. «Habe ich dir das nicht schon früher einmal gezeigt?»

Lili sprang auf und umrundete den Schreibtisch. «Doch, das hast du, Vater. Ich erinnere mich, als ich klein war, hast du Papier in Holzteer getaucht und den Sarg damit von innen abgedichtet. Damit die Verwesungsflüssigkeiten nicht herauslaufen können, habe ich recht?»

Der Vater lächelte. Seine Lili, so mochte er sie. Er betrachtete ihre Haare, die im Schein der Nachmittagssonne feuerrot zu lodern schienen, ihre dunklen, klugen Augen, ihr liebes Gesicht.

«Das hast du dir gut gemerkt», sagte er anerkennend und holte die Flasche mit dem bräunlich schimmernden Rüböl hervor. «Das muss allerdings wirklich lange her sein, denn mittlerweile verwende ich ein ganz eigenes Gemisch. Siehst du, dieses Öl hier nehme ich, und das mische ich mit Kreide, Kolophonium und Guttapercha. Wenn ich die Mischung im Inneren des Sarges auftrage, entsteht dadurch eine Art elastischer innerer Überzug. Das hat den Vorteil, dass er den Sarg wirklich dicht macht, sollte das Holz einmal platzen oder wenn eine der Fugen weicht.»

Basilius griff nach dem Päckchen Kreide. Lili holte unterdessen das Gefäß mit dem silbernen Mörser, nahm die Kreide, die er ihr wortlos reichte, und zerstampfte sie darin. Wieder lächelte Basilius. Er liebte es, wenn seine Tochter ihm so zur Hand ging. Lili sah auf, bemerkte seinen Blick und lächelte zurück.

«Wenn die Temperaturen so verrückt spielen wie in diesem Sommer», erklärte Basilius, nachdem er die zerstoßene Kreide zusammen mit dem Rüböl in die zinkene Schüssel gegeben hatte, «ist es besonders wichtig, dass wir den Sarg luftdicht gestalten. Ich habe mit der Frau unseres toten Kaufmanns gesprochen. Sie ist einverstanden, ihren Gatten noch heute Abend einsargen zu lassen. So halten wir die Leichenzersetzung ein bisschen auf.»

«Vater?», fragte Lili.

«Ja?» Basilius rührte, so schnell er konnte. Die Luft war so heiß, dass er befürchtete, die Mischung würde trocknen, bevor er auch nur begonnen hatte, den Sarg damit zu bestreichen.

«Ach, nichts.»

«Sprich es ruhig aus. Du denkst wohl daran, wie ich einmal bestattet werden möchte?» Der überraschte Ausdruck auf dem Gesicht seiner Tochter zeigte ihm, dass er richtiglag.

«Ja», flüsterte Lili. «Aber ... woher weißt du das?»

«Weil ich dich kenne, Kind. Na los, frag schon! Es stört mich nicht.»

«Na ja, nun kennst du die Frage ja schon.»

Basilius schmunzelte. «Ich hätte Lust auf einen dieser witzigen Klappsärge, wie sie in Österreich vor ein paar Jahren in Mode waren. Vielleicht bau ich mir rechtzeitig vorher so ein Ding. Es gibt da diese Vorrichtung unten, so wie bei einer Falltür, mit Scharnieren und allem, und wenn man daran zieht, geht die Klappe auf und die Leiche fällt hinaus, direkt ins Grab.» Er kicherte.

Lili starrte ihn an. «Das ist nicht dein Ernst.»

«Nein, natürlich ist das nicht mein Ernst.» Basilius ging zum Sarg des alten Kaufmanns hinüber, öffnete den Deckel, tauchte den Pinsel in die zinkene Schüssel und trug mit raschen, geübten Strichen die Paste auf. «Ich möchte eine Feuerbestattung, Lili. In unserem Hamburger Krematorium, das bis dahin hoffentlich schon mehrere Jahrzehnte laufen wird. Bis zu meinem Tod lasse ich mir nämlich noch ganz viel Zeit.»

Rurik holte Lili in seiner Kutsche wie versprochen um halb sechs Uhr vor ihrer Haustür ab. Obwohl der Tag sich nun dem Ende zuneigte, war es immer noch drückend heiß. Lili hatte sich gewaschen und umgezogen und sich die Haare zu einem Zopf geflochten, den sie einmal um den Kopf herumgewickelt trug. An Stirn und Schläfen, dort, wo die feuchte Hitze ihre Haare kräuselte, sprangen ein paar Locken hervor.

«Guten Abend», sagte sie ein wenig außer Atem. Nicht weil sie die Stufen hinaus so schnell gelaufen war, sondern weil ihr Herz bei Ruriks Anblick heftig schlug.

«Guten Abend», erwiderte er mit seiner sonoren Stimme. Er bedachte sie mit einem charmanten Lächeln. Seine Augen wirkten im Licht der spätnachmittäglichen Sonne außerordentlich hell. Er sah anders aus als bei ihrem letzten Treffen, ohne dass sie hätte sagen können, worin der Unterschied bestand. Seine Koteletten waren wie stets säuberlich rasiert, und seine Zähne schimmerten gesund und weiß. Vielleicht lag es an seinem Gesichtsausdruck. Die Freude verlieh seinen Zügen etwas Jungenhaftes, das für einen Mann in seinem Alter unüblich war.

Überhaupt unterschied er sich in jeder Beziehung von den Männern, denen Lili in ihrem einundzwanzigjährigen Leben begegnet war. Vor allem aber schien er keine Angst vor ihr und ihrem Gewerbe zu haben. Warum das so war, wusste sie nicht. Es war eine vollkommen neue Erfahrung für sie. Solange sie denken konnte, hatte sie auch außerhalb des Geschäftes immer nur Kontakt mit ihresgleichen gepflegt, mit Bestattern, Totengräbern oder Leichenfrauen. Der Umgang mit einem Mann, der für etwas so Lebenszugewandtes wie eine Zeitung arbeitete, war ein ungewöhnlich erfrischendes Gefühl. Sie bemerkte, wie Rurik sie musterte. «Bereit für ein kleines Amüsement?»

«Was könnte das sein?», lächelte Lili.

Rurik knallte mit der Peitsche, die Pferde setzten sich in Bewegung, und die Kutsche fuhr an. «Das wirst du gleich sehen, schöne Frau.»

Lili musterte Rurik von der Seite. Nicht zum ersten Mal dachte sie, dass Rurik nahezu unerträglich geheimnisvoll war. Nie wusste sie, was er den Tag über trieb, und auch über seine Familie schwieg er sich aus. Sie betrachtete ihn, wie er seinen Hut lüftete, um Bekannte zu grüßen, an denen ihre Kutsche vorüberfuhr. Der Fahrtwind strich über Lilis Wangen und kühlte sie ein wenig ab. Und dann drehte er sich zu ihr um, nahm leicht ihre Hand und strahlte sie an. In diesem Augenblick vergaß sie alles. Die Arbeit am verstorbenen Kaufmann, das schmerzverzerrte Gesicht ihres Vaters, wenn er ging, die richtige Mischung für einen luftdichten Sarg. Sie blickte in die Augen dieses Mannes, der sie verzaubert hatte, erwiderte den Druck seiner Rechten und strahlte zurück.

So rumpelten sie vom Cremon über die Hohe Brücke, die das Nikolaifleet überspannte, und an der Elbe entlang. Immer weiter ging es hinaus in westliche Richtung, vorbei am Waisenhaus, über das Alsterfleet. Ein orangefarbenes Leuchten verwandelte die Brücken und Straßen, und es war, als läge ein Versprechen über der Stadt.

Schließlich passierten sie das Millerntor und kamen in die Vorstadt St. Pauli. Lili riss die Augen auf. Hier war ein Treiben, wie sie es auch aus ihrem eigenen Viertel kannte, aber auf der weiten Fläche schien es pulsierender zu atmen, es besaß mehr Fröhlichkeit. Buntgeschmückte Mädchen und Matrosen flanierten Arm in Arm über den großen Platz, auf dem steinerne Pavillons aufgereiht standen. Überhaupt waren viele Menschen in ihrem Alter unterwegs. Eine Gruppe junger Männer ließ einen Tonkrug herumgehen und lachte dabei laut. Ein jüdischer Händler schob einen Karren voller Bücher vorbei und pries seine Ware mit unverkennbar jiddischem Akzent: «Geheimschriften, Numerologie, Kabbala! Allerfeinst gebundene Bücher in Ledereinband und papierene Traktate, kaufen Sie, meine Damen und Herren!» Ein Gleichgewichtskünstler in rotgoldenen Hosen spazierte hoch in der Luft auf einem zwischen zwei Dächern befestigten Seil.

Lili wippte vor Aufregung auf ihrer Kutschbank auf und ab. Sie beobachtete einen Mann, der einen Affen an einer goldenen Kette hinter sich herzog, vorbei an einem Ausrufer, der vor der Tierhandlung Hagenbeck für ein paar wunderlich aussehende, grünbeschuppte Tiere warb. Gelächter brandete an ihr Ohr. Rurik lenkte die Droschke zu einer Stallung am Rande des Platzes, vorbei am säulengestützten Vorbau der Davidwache, vor der ein schnurrbärtiger Wachmann mit Pickelhaube seinen Blick über die Menge schweifen ließ.

Rurik sprang vom Kutschbock und half auch ihr hinab. Sofort waren sie umringt von einer Schar junger Paare, Horden von Kindern und allerlei Gauklervolk. Rurik nahm ihren Arm und zog sie fort zu einem Bierausschank, den entweder ein grausames Schicksal oder eine Verordnung aus dem Rathaus Altona dazu gezwungen hatte, sich in unmittelbarer Nachbarschaft der Davidwache aufzustellen, von wo aus die Polizisten einen hervorragenden Blick auf alle jene genossen, die im volltrunkenen Zustand mit ihren Gaunereien prahlten. Die Sonne stand jetzt schon etwas tiefer und tauchte den Platz in dunkelgelbes Licht. Noch immer war es drückend warm, und Lili lockerte mit ihrer freien Hand den obersten Knopf ihres Kleids. Ein feingekleideter Herr mit dichtem schwarzen Schnurrbart verteilte Druckwaren. «Jongs un Deerns», rief er, «kümmt man all'ns nochher innen Siebenten Himmel. Doar süng ick dat Lied vom Hamborger Droschkenkutscher ond de Reis no Helgoland.»

«Moin, Hein», hörte Lili den Wachmann vor der Davidwache den Ausrufer grüßen. «Heute in Frack und Zylinder. Was hast du dich denn so fein gemacht?»

Der Ausrufer schlug die Hacken zusammen: «För min Mudderspraak is mir dat Beste graad god noog.»

Während sie vor dem Pavillon anstanden, an dem sich schon an die zwanzig andere Menschen drängten, erklärte Rurik lächelnd: «Das ist Hein Köllisch, der singende Schuhwichs-Fabrikant. Er hat zahlreiche Lieder gedichtet, wenn er unterwegs war, um seine Ware auszuliefern, und die Lieder sind hier in St. Pauli sehr beliebt. Im Mai hat ihn der Wirt im Siebenten Himmel für dreihundert Mark im Monat unter Vertrag genommen. Seither ist Hein Köllisch ein gemachter Mann.»

Lili lachte. Das hier war das pralle Leben. Sie drehte sich um die eigene Achse und sog alles in sich ein. Niemand hier schien sie zu kennen, denn wohin sie auch ihr strahlendes Lächeln richtete, die Leute lächelten zurück. Der Geruch von Würstchen stieg ihr in die Nase. Auf einem offenen Rost, unter dem ein Feuer loderte, nur wenige Schritte von ihnen entfernt, wurden sie gegrillt. Wegzehrung für den langen Marsch durch die Pavillons, Menagerien, Marionettentheater und andere Bühnen. Daneben hatte sich ein Mann mit langer gestreifter Schürze vor mehreren dicken Holzfässern aufgestellt. «Saure Gurken», schrie er. «Salzheringe. All'ns förn besten Gesmack!»

Auf einmal bemerkte Lili, wie sich eine fremdländisch aussehende Frau mit schwarzen Haaren und schweren goldenen Kreolen an sie heranschob und ihr einigermaßen aufdringlich in die Augen sah. «Willst du wissen deine Zukunft?», fragte sie laut, um das Reden und Lachen der anderen zu übertönen.

Sie bemerkte, dass die Stimme der Frau gebrochen klang. Eine ungewohnte Melodie schwang darin. Sie wollte die Wahrsagerin schon freundlich abwehren, doch Rurik kam ihr zuvor. «Natürlich will sie ihre Zukunft kennen», sagte er und schob der Frau ein paar Münzen zu.

Die Frau ergriff Lilis Hand und drehte sie so um, dass ihre Handfläche nach oben zeigte. Sie fuhr mit ihrem Zeigefinger über die Linien und Kerben, als lese sie in einem Buch in Blindenschrift. Teile der Geschichte, die sie offenbar sah, schienen ihr zu gefallen, denn ihr Mund verzog sich zu einem goldblitzenden Lächeln. «Da viel Liebe in dein Leben», lächelte sie Lili an. «Du kennst eine Mann, der sehr gut ist zu dir!»

Lili fing Ruriks Blick auf und spürte, wie sie errötete. Seine Nähe machte sie verlegen.

Die Wahrsagerin runzelte die Stirn. «Aber da noch ein Mann. Und der nicht sehr gut. Oh, und dann ich sehe noch der Vater. Hat dunkle Geheimnis, Vater. Viel Tod!»

«Mein Vater ist Bestattungsunternehmer», erklärte Lili freundlich. «Von daher hat er natürlich viel mit Toten zu tun.»

Zu ihrer Überraschung ging Rurik plötzlich dazwischen. «Ist das alles, was du zu sagen hast?», herrschte er die Fremde an. «Dafür habe ich dir meine Taler nicht gegeben. Scher dich fort von uns, vermaledeites Weib!»

«Aber sie ist doch noch gar nicht fertig», protestierte Lili.

«Wenn ich sage, dass das Weib verschwinden soll, dann hat es gefälligst fertig zu sein.»

Die Frau wirbelte so schnell zu ihm herum, dass einer ihrer großen Ohrringe Lili an der Wange traf. «Ich dich kenne», schrie sie Rurik an.

Lili blickte ihren Begleiter verblüfft an. Sein Gesicht war auf einmal dunkelrot, und er tat einen drohenden Schritt auf die Wahrsagerin zu. «Ich dich aber nicht», herrschte er sie an.

In einer blitzschnellen Bewegung reckte die Frau Zeige- und kleinen Finger ihrer ringbeschmückten rechten Hand. Fast sah es so aus, als wollte sie Rurik die Augen damit ausstechen, und Lili tat beherzt einen Schritt zwischen die beiden, aber stattdessen stieß die Frau nur einen Fluch in einer Sprache aus, die Lili nicht verstand, und rannte weg.

«Verfluchte Zigeunerin», stieß Rurik hervor. «Ich hätte gleich sehen müssen, dass sie eine Betrügerin war. Erzählt dir Dinge, die sowieso jeder sieht, und dann will sie auch noch Geld dafür.»

«Aber woher hätte sie denn wissen können, dass mein Vater mit dem Tod zu tun hat?», fragte Lili. Sie fühlte sich verwirrt und verärgert, nicht nur, weil ihr missfiel, wie Rurik, ihr stets lächelnder, galanter Begleiter, einen so plötzlichen Streit mit einer harmlosen Wahrsagerin vom Zaun brechen konnte, sondern auch, weil sie nach ihrem anfänglichen Widerstand nun doch gern gewusst hätte, wie es mit ihrem Leben weiterging.

«Es gibt nicht viele rothaarige Mädchen in der Stadt, deren Väter Tote bestatten, ist dir das klar?», herrschte Rurik sie an. «Sie kannte dich, und wie alle diese verfluchten Gauner hat sie versucht, daraus Kapital zu schlagen.»

Lag es daran, dass sie auf einmal wieder an das tote Mädchen denken musste, das im Mai auf ihrer Bahre gelegen hatte – oder warum flößten ihr Ruriks Worte auf einmal Unbehagen ein? Da war etwas an der Art, wie er das Wort *rothaarig* betonte, das ihr nicht gefiel.

«Glaub mir», fuhr er fort. «Ich kenne diese Leute. Ich kenne sie alle! Habe schon unzählige Polizeiberichte geschrieben, und in jedem zweiten kommt dieses Gesindel vor.»

Sekundenlang starrte sie Rurik an, wie er da stand mit seinem flachen Strohhut, der perfekt geknüpften Krawatte, der grauen Weste über dem blütenweißen Hemd und dem makellosen Rock, dessen Revers er lässig mit beiden Händen hielt, und auf einmal wollte sie diesen belehrenden Ton nicht länger hören. Ohne ein weiteres Wort zu sagen, drehte sie sich auf dem Absatz um und marschierte davon.

«Lili», hörte sie ihn hinter sich herrufen, aber sie reagierte nicht darauf.

Mit wenigen Schritten war er bei ihr. «Lili, nun sei nicht dumm, komm zurück.»

Lili blieb stehen und starrte ihn an. «Ich bin nicht dumm», stieß sie hervor. «Nur … dein Ton eben, so kenne ich dich überhaupt nicht! Du hast mich wirklich erschreckt.» Sie bemerkte, wie eine Gruppe Gleichaltriger auf sie aufmerksam wurde. Eines der Mädchen tuschelte ihrer Freundin etwas ins Ohr und zeigte auf sie.

Rurik nahm sie sanft am Arm. «Du hast recht», sagte er. «Ich war eben etwas aufbrausend dieser Zigeunerin gegenüber. Aber ich kann es nun mal nicht leiden, wenn man mich betrügt.»

«Betrügen nennst du das?», fragte Lili erregt, während sie spürte, dass es um sie herum schlagartig still wurde. Sie war dermaßen zornig auf Rurik, dass sie am liebsten in Tränen ausgebrochen wäre. Sie hatte sich so auf diesen Abend gefreut! Es gab weiß Gott nicht viele Stunden, in denen sie sich amüsieren konnte, und nun war der Abend für sie schon vorbei.

«Ja, betrügen», wiederholte Rurik und bemerkte ihren Gesichtsausdruck. «Nun komm schon, sei wieder lieb. Diese Frau eben hat mein Geld genommen und dir irgendwelche Erfindungen erzählt. Und nun lass uns weitergehen. Die hören uns hier alle zu.»

Eine schweigende Menge hatte sich um sie herum gebildet, junge und alte Menschen, und alle starrten sie an.

«Hat se dich betrogen, deine Schachtel?» Ein Mann mit umgehängtem Bauchladen spuckte verächtlich aus. «Lass dir das bloß nich gefallen, Jong! So sind die Weiber nämlich. Machen mit alles rum, was Bart und Eier hat.»

Lili starrte den Bauchladenträger wütend an. «Was für ein Feigling bist du denn, dass du eine Frau beschimpfst? Na ja, von den genannten männlichen Kennzeichen hast du wohl nur noch Ersteres!»

Der Bauchladenträger sah aus, als wollte er sie erwürgen, aber Rurik legte beschützend einen Arm um sie. «Nicht meine Freundin hier hat mich betrogen», erklärte er, «sondern eine dieser leidigen Zigeunerinnen.»

Lili wusste nicht, ob es an seiner Berührung lag oder an der Art, wie er das Wort *Freundin* aussprach, aber ihre Entrüstung ließ ein wenig nach. Schweigend ließ sie sich von Rurik aus der Menschenmenge herausführen, auf eine weiter entfernte Bude zu. Ein Mann in Frack und hohem schwarzen Hut trat in diesem Moment daraus hervor, stellte sich auf ein hölzernes Podest und rief mit donnernder Stimme sein Publikum zusammen. In seiner Linken hielt er eine Peitsche und in der Rechten, an beiden Händen trug er weiße Handschuhe, eine Pistole, damit knallte er einmal in die Luft. «Herbei, ihr schaulustigen Damen von Welt und Halbwelt», rief er. «Guten Abend, ihr Männer von überall her. Schaut die Kreatur, die ich eingefangen habe. Ich selbst habe sie gezähmt!»

«Schauen wir uns das an?», fragte Rurik, wobei er ihren Arm drückte.

«Ich habe heute Abend zwar schon meine Dosis gehabt von wilden Kreaturen», gab Lili zurück. «Aber gern.»

Sekundenlang sah Rurik verdutzt aus, dann lächelte er doch. «Zauberhaft», flüsterte er.

In diesem Moment sah Lili die «Kreatur», die der Budendirektor hinter einem Vorhang herausführte. Sie trug ein enggeschnürtes Mieder und einen Rock, den sie so weit hochhob, dass ihre mit schwarzer Spitze bekleideten Beine darunter zu sehen waren.

«Sehr verehrtes Publikum», rief der Direktor mit blitzenden Augen in die Menge. «Darf ich vorstellen: die gefährlichste aller Kreaturen, das Weib!»

Lili riss vor Staunen die Augen auf. Es war nicht so sehr der Umstand, dass der peitschen- und pistolenfuchtelnde Mann auf seinem Podest statt eines Tieres eine Frau vorführte, was sie verblüffte. Sondern die Tatsache, dass sie völlig unvorhergesehen am Ziel ihrer monatelangen Suche war. Denn die Frau vor ihr, die eine Hand kokett auf die Hüfte stützte und ihre leuchtend roten Lippen schürzte, war keine andere als Magdalena, die Freundin der toten Rothaarigen.

7. KAPITEL

Das gotische Eichenholz-Fachwerkhaus im Schatten der Jacobikirche, in dem Gastwirt Jarchow Frankfurter Apfelwein, kross gebratenen Schweinebraten und gelegentliche Ratschläge feilbot, hatte schon einiges erlebt. Seine ersten Bewohner hatten 1528 die ungeheure Behauptung des Astronomen Nikolaus Kopernikus diskutiert, derzufolge die Himmelsgestirne nicht, wie bis dahin angenommen, um die Erde, sondern um die Sonne kreisten. Dreißig Jahre später stellte die Kirche fest, dass sich zwei der hier lebenden Frauen als Hexen betätigt hatten, und verbrannte sie. Im darauffolgenden Jahrhundert wurde hier ein Knabe geboren, der später das erste Bankhaus Deutschlands gründete, die Hamburger Giro-Bank. 1618, noch im selben Jahr, brach in Europa ein Glaubenskrieg aus, der drei Jahrzehnte dauern sollte und in dessen Verlauf allein auf deutschem Boden etwa vier Millionen Menschen starben, ein Viertel der Gesamtbevölkerung. Nur die wenigsten der Toten waren jedoch aus Hamburg, das sich durch den Bau einer starken Festung gegen den Krieg gewappnet hatte. In diesem kleinen Fachwerkhaus am Pferdemarkt 28, Ecke Jacobikirche, fielen die Bewohner dankbar auf die Knie, als die Glocken im Oktober 1648 das Kriegsende einläuteten und die Wände unter den Dankessalven der Kanonen auf den Wallanlagen erzitterten. Es war das älteste Haus der Stadt, in dem der Wirt seine Gäste bediente, und die von Zeit und Ruß geschwärzten Wände verrieten sein Alter auch. Die Balken an der Außenfassade waren üppig mit Figuren verziert und der Eingang blumengeschmückt, nur seine ursprüngliche Größe hatte es eingebüßt, denn die Hamburger Neustadt wuchs und wuchs. Schon waren zwei Drittel des Hauses modernen Putzbauten mit Stuckverzierung gewichen, aber sein Mittelbau stand noch und erinnerte alle, die hier einkehrten, an die Vergangenheit. Hier war es, wo Christian Buchner sich mit seinem Bruder Mathis und einigen seiner ehemaligen Kommilitonen aus Göttingen regelmäßig zum Tafeln und Trinken verabredete, so auch an diesem Tag.

Christian hatte ein Stück Schweinebraten und einen großen Krug Bier bestellt, aber als das Essen von dem Mädchen der Jarchows, einem appetitlichen, blonden Geschöpf, auf den Tisch gestellt wurde, hatte er keinen Hunger mehr. Am Nachbartisch bemerkte er eine Gruppe von Männern, die etwas spielten, was wie Black Jack aussah. Augenblicklich spürte er, wie es ihm in den Händen kribbelte. Doch dann sah er, wie Peter fragend eine Braue hob, und schüttelte unmerklich den Kopf.

Heinrich, mit dem er sich in Göttingen die nicht ganz regendichte Dachstube einer Witwe geteilt hatte, zeigte sich teilnahmsvoll. «Immer noch Kummer am Herzen wegen der schönen Bestatterstochter?» Heinrich war mit Christians Problemen sozusagen intim vertraut.

«Sag bloß, ich war betrunken neulich», stöhnte Christian und nahm einen langen und tiefen Schluck.

Heinrich schlug ihm auf den Rücken und lachte. «Betrunken? Alter, du warst bewusstlos, als wir dich nach Hause getragen haben!»

«Du hast gesungen», erinnerte sich Mathis und grinste.

«Und der Text war ausgesprochen monoton. Irgendwas mit Lili, Lili, schöne Maid …»

«Verfluchte Kiste.» Christian schob das Bier von sich weg

und schlug die Hände über den Augen zusammen. Nach kurzem Überlegen nahm er das Glas wieder auf und leerte es in einem Zug.

«Ich diagnostiziere einen Fortbestand des Problems», erklärte Peter, der ebenfalls Mediziner war.

Christian hob die Hand und deutete auf sein leeres Glas. «Noch so eins.»

«Warum sagst du ihr nicht einfach, wie es um dich steht?», wollte Heinrich wissen.

«Hört zu», bemerkte Christian. «Ich mag Gefühlsnöte mit euch teilen, wenn ich besoffen oder pleite bin. Aber heute gibt es etwas anderes, was ich euch sagen will.» Er nahm dankbar das Glas entgegen, das ihm das blonde Geschöpf reichte, und trank sofort einen tiefen Zug. Dann beugte er sich vor und blickte alle der Reihe nach an, Heinrich, Peter, seinen Bruder. Er senkte seine Stimme zu einem Flüsterton.

«Mir ist heute eine Frau unter den Händen weggestorben», flüsterte er.

Heinrich nickte wissend. «Das ist mir letzte Woche auch passiert.»

Peter zuckte mit den Achseln. «Passiert mir fast jeden Tag.»

«Schön, wie ihr das ausdrückt, Freunde», grinste Mathis. «Aber Werbung für euren Berufsstand sieht bestimmt anders aus.»

Wieder flüsterte Christian. «Ich glaube, es war die Cholera.»

Jetzt breitete sich Schweigen am Tisch aus. Christian sah in den Gesichtern der anderen endlich die Bestürzung, die er selbst empfand.

«Bist du sicher?», fragte Heinrich leise. «Wir haben einen ungewöhnlich heißen Sommer. Viele Menschen leiden an akuten Verdauungsstörungen.»

«Das war keine Verdauungsstörung.» Christian runzelte die Stirn. «Die Frau war eiskalt und völlig ausgetrocknet. Sie hatte starken, ich meine wirklich: starken Brechdurchfall. Und bevor ich auch nur irgendwas tun konnte, war sie tot.»

Peter nahm sich seinen Teller vor und begann, das Fleisch darauf zu schneiden. «Ich hasse Gesprächsthemen bei Tisch, die darauf abzielen, mir den Appetit zu verderben. Aber, Christian, so leicht kriegst du mich diesmal nicht!»

«Ich will ja nicht schon wieder der Querulant sein», bemerkte Mathis und machte sich nun seinerseits an seinem Teller zu schaffen. «Aber ihr Burschen redet immer über Sachen, die irgendwie ekelerregend sind.»

Christian starrte in die Runde. «Begreift ihr eigentlich nicht, worüber ich rede? Ich sagte: Ich glaube, es war die Cholera!»

Heinrich legte ihm beruhigend eine Hand auf den Arm. «Du darfst keine Cholera asiatica diagnostizieren, wenn du nicht absolut sicher bist. Das weißt du doch?»

«Ich stelle das fest, was ich sehe», beharrte Christian. «Und wenn ich eine Cholera behandle, dann sage ich das auch, verdammt nochmal.»

«Heinrich hat ganz recht», mischte sich nun auch Peter ein. «Der Medizinalrat hat uns Ärzte angewiesen, das mit der Cholera nicht an die große Glocke zu hängen. Wenn irgendwas davon nach außen dringt, wird das Kaiserliche Gesundheitsamt eine Quarantäne über den Hafen verhängen.»

Heinrich nickte. «Der Außenhandel ist Reichsangelegenheit. Unsere Stadt ist somit auf die Entscheidungen des Deutschen Zollvereins angewiesen, dem wir vor vier Jahren beigetreten sind.»

«Cholera, verflucht», fiel Peter wieder ein. «Die Quarantänemaßnahmen würden Hamburg dazu zwingen, seine Handelsbeziehungen einzustellen. Du bist selbst Hamburger und weißt, was das für die Hansestadt heißt.»

Christian runzelte die Stirn. «Klar. Aber ich kann mir auch gut ausmalen, was es heißt, wenn Hamburg keinen Handel mehr treiben kann, weil die Gesamtheit seiner Pfeffersäcke wegen Cholera das Zeitliche gesegnet hat.»

«Dazu wird es schon nicht kommen», meinte Heinrich versöhnlich. «Hast du den Leichnam der Frau desinfiziert?»

«Natürlich habe ich das getan, wofür hältst du mich? Außerdem habe ich angewiesen, ihre Kleider zu verbrennen sowie alles, was die Frau in den vergangenen vierundzwanzig Stunden angerührt hat. Ihre Angehörigen haben sich gründlich gewaschen. Und doch ...»

«Was heißt, und doch?», fragte Peter. «Und was soll das Gerede von wegen desinfiziert? Hast du dich mit Robert Koch und den Kontagionisten verbündet, oder warum redest du so?»

Mathis sah zwischen den drei Medizinern hin und her. Er war nicht ganz sicher, ob er alles, was sie sprachen, auch verstand.

«Nicht diese Diskussion schon wieder», sagte Christian und sah auf seinen Teller. Das Essen hatte aufgehört zu dampfen. Nun hatte er noch weniger Appetit darauf. «Peter, du bist von gestern, wenn du immer noch an das Miasma glaubst.»

Heinrich wand sich auf seinem Stuhl hin und her. Während eines relativ frühen Stadiums ihrer Dreierfreundschaft hatte er Symptome von Meinungslosigkeit gezeigt, die zu kurieren Christian noch immer misslang. Gegen Heinrichs Gutmütigkeit und Absicht, es den beiden alten Studienfreunden gleichermaßen recht zu machen, war einfach kein Kraut gewachsen.

«‹Von gestern› kann man wohl nicht direkt sagen, Christian», bemerkte er aber schließlich in einem unerwarteten Anflug von Willen, Rückgrat zu zeigen. «Schließlich ist die Miasmalehre die alles beherrschende Doktrin in Hamburg heute. Aber andererseits, Peter, haben wir in unseren Seminaren gelernt, dass der Kontagionismus wohl die überzeugendere Theorie darstellt.»

«Ich bin kein Student mehr, ich bin praktizierender Physikus», schnaubte Peter. «Und zwar nicht irgendwo, sondern in Hamburg. Wenn du glaubst, dass es mich erheitert, mich mit der führenden Gesellschaftsschicht zu überwerfen, weil die von Ansteckung nichts wissen will, dann hast du all die Jahre leider nichts von mir verstanden.»

Heinrich zog den Kopf ein bisschen ein, sagte aber nichts dazu.

Jetzt schritt Mathis ein. «Ihr müsst entschuldigen, Freunde, wenn ich euer munteres Gespräch einen Moment lang unterbrechen muss, aber ich verstehe leider kein Wort von dem, was ihr da quatscht. Miasmalehre, Kontagionismus? Bitte diese Wörter für ungebildete Photographenohren zu übersetzen, danach könnt ihr weitermachen mit eurer schlauen Art.»

Gegen seinen Willen musste Christian innerlich lächeln. Mathis steuerte wie so oft in letzter Zeit die erfrischendsten Beiträge zu ihren Gesprächen bei. «Das ist ein weites Feld, kleiner Bruder», erklärte er. «An diesem Punkt rennen sich die gelehrtesten Männer unserer Zeit die Köpfe ein.»

Mathis nickte. «Ein Beispiel dafür habe ich gerade erlebt.»

«Also, ich versuche jetzt mal so diplomatische Worte zu finden, wie Heinrich es sonst immer tut. Die Anhänger der Miasmalehre sind der Überzeugung, dass ein Miasma, das die Luft vergiftet, Krankheiten verursacht. Sie stützen ihre Ansicht darauf, dass Krankheiten an unterschiedlichen Orten einen unterschiedlichen Verlauf nehmen und somit auch überall andere Behandlung verlangen. So weit alles klar?»

Mathis schüttelte den Kopf. «Ich verstehe nicht, warum das Medizinstudium so lange dauert, wenn ihr Physici bloß feststellt, dass wohl wieder mal was an der Luft faul war.»

Christian sah, wie Peter entrüstet dagegenhalten wollte, und beeilte sich weiterzureden. «Ärzte belassen es ja nicht bei der Diagnose. Sie zeichnen zum Beispiel Darstellungen von Temperatur, Niederschlagsmenge und anderen Dingen, die für den jeweiligen Ort kennzeichnend sind.»

«Und was macht der arme Kranke in der Zwischenzeit?», wollte Mathis wissen.

«Der wird natürlich vom Physikus geheilt», warf Peter ein. «Aber das allein reicht nicht aus. Unsere Aufgabe ist es ebenfalls, die Miasmen in Schach zu halten. Durch die Schweinehaltung in der Stadt entstehen, vor allem jetzt, wo es so heiß ist, widerwärtige Gerüche. Und das lockt die Ratten an.»

«Die Ratten in der Stadt sind in der Tat ein Problem», fügte Christian an. «Da muss ich Peter ausnahmsweise einmal beipflichten.»

Peter bedachte ihn mit einer ironisch hochgezogenen Augenbraue. «Wie freundlich von dem Herrn.»

«Aber jetzt zum Kontagionismus», erklärte Christian weiter. «Das ist die Lehre von der Ansteckung. Sie geht auf die Annahmen der Pestärzte im 16. Jahrhundert zurück, dass sich Krankheiten durch Berührung ausbreiten. Neueste Forschungen bestätigen das. Der Berliner Physikus Robert Koch hat vor acht Jahren das Choleravibrio entdeckt und nachgewiesen, dass man sich vor einer Choleraerkrankung nur schützen kann, wenn man sich mit dem Vibrio nicht infiziert. Das kann nur geschehen, indem das Haus der Erkrankten komplett isoliert wird. Im Falle einer Epidemie also die ganze Stadt.»

«Und du glaubst, dass eine Epidemie in Hamburg bevorsteht?», fragte Mathis.

Christian stürzte auch sein zweites Bier herunter. «Wenn wir die Kranken nicht komplett isolieren und keine Quarantänemaßnahmen ergreifen, ja.»

Peter schlug mit der Faust auf den Tisch, dass die Flamme in der Petroleumleuchte zitterte. Ihr Schein warf einen blakenden Schatten in den Raum. «Nun mal man nicht den Teufel an die Wand!»

In diesem Moment näherte sich das holde Blondchen, um neue Bestellungen aufzunehmen. In der Hand hielt sie ein Stück Papier. «Heißt einer von euch Christian Buchner?», fragte sie.

Christian hob die Hand. «Aber natürlich, Unschuld, du kennst mich doch.»

Sie schob ihm das Papier zu. Er faltete es auseinander, las und wurde bleich. «9, 1, 16, 11, 7, 7, 19» stand darauf.

Ein Gefühl stieg in Lili auf, das sie nicht benennen konnte. Reglos beobachtete sie, wie der noch immer waffenklirrende Budendirektor jetzt in die Tasten eines Spinetts hämmerte. Magdalena bewegte sich in aufreizend langsamen Tanzbewegungen zu der Melodie. Ein verstohlener Seitenblick auf Rurik zeigte Lili, dass er von der Darbietung Magdalenas vollkommen in Bann gezogen war. «Die ist gut», erklärte er, als er Lilis Blick bemerkte. «Burlesktänze sind eine hohe Kunst.»

Lili spürte, wie ihr die Hitze in die Wangen schoss. Sie musste sich zurückhalten, um nicht mit dem Fuß aufzustampfen. So hatte sie sich ihren Abend nicht vorgestellt. Erst Ruriks Ausbruch gegenüber der Zigeunerin, und jetzt das. Doch in die Wut mischte sich dieses seltsame Gefühl, das ihr den Atem verschlug und ihr die Worte raubte. Und dann wusste sie es: Das Spektakel auf der Bühne erregte sie.

Die Sonne war mittlerweile über den Horizont verschwunden, und der Abend dämmerte blau herauf. Magdalenas nur noch notdürftig bekleideter Körper wurde von zwei Fackeln links und rechts der Bühne erhellt. Lili war so vertieft in die Gefühle, die in ihr loderten, dass sie den kleinen Jungen, der bei ihnen stand, nicht bemerkte. Erst als sie hörte, wie er Rurik ansprach, wandte sie sich ihm zu.

«Sie müssen sofort mitkommen, Herr Robertson!» Der Junge zerrte an Ruriks Hosenbeinen. «Eine Frau ist gestorben, und

Sie sollen sie sich ansehen, hat mein Großvater gesagt, denn der Tod ...», er suchte keuchend nach Worten, «... war nicht normal.»

«Nicht normal, sagst du?» Rurik kniff die Augen zusammen. «Ist sie abgemurkst worden, oder was?»

Der Junge nickte mit weitaufgerissenen Augen.

Auf einmal spürte Lili, wie ihr die Luft knapp wurde. Noch immer war sie so wütend, dass sie Rurik hätte schlagen können, aber gleichzeitig verspürte sie Angst. Und Verwunderung. Woher wusste dieser kleine Bote, dass Rurik ausgerechnet hier zu finden war? Und wer war sein Großvater? Sie öffnete den Mund, um Rurik zu fragen, doch er unterbrach sie knapp.

«Hier», sagte er und drückte ihr ein paar Münzen in die Hand. «Ich muss etwas Wichtiges erledigen. Etwas, das nur ich tun kann. Nimm dir bitte eine Mietdroschke, um nach Hause zu fahren. Wir sprechen uns morgen. Ich muss los.»

Und bevor Lili etwas darauf antworten konnte, war Rurik nach einem letzten Blick auf die Bühne und die Tänzerin davongestiefelt. Der kleine Junge lief ihm auf seinen kurzen Beinen hinterher.

Kein Abschiedshandkuss, keine Entschuldigung. Rurik ging einfach fort. Einen Moment lang war es Lili, als müsste sie heulen vor Zorn und Enttäuschung, aber dann kam ihr eine Idee. Das, was ihr nicht möglich gewesen wäre, stünde Rurik weiterhin neben ihr – jetzt konnte sie es tun.

Sie holte einmal tief Luft, dann schritt sie in die umgekehrte Richtung. Nach vorn. Der Geruch ungewaschener Körper stieg ihr in die Nase, während sie sich durch die Zuschauerreihen schob. Dann stand sie vor dem Podest der Bude, das plötzlich leer war. Nur das Spinett stand noch dort. Ein Raunen schwoll hinter ihr an und formte sich zu einer Welle. Rufe nach einer Zugabe brandeten an ihr Ohr. Alle anderen Geräusche gingen in dem Geschrei unter: das Knirschen der Kutschenräder im groben Sand des Platzes, das Wiehern der Pferde, Gesangsfetzen, die von der Nachbarbude zu ihnen herübertrieben. Doch die Rufe waren vergebens, Magdalena kam nicht wieder heraus.

So dicht es ging, schob sich Lili an die Bude, dann legte sie ihr Ohr an das splittrige Holz. Dumpf drang die befehlende Stimme des Direktors hindurch, daneben erkannte sie eine Frauenstimme, die nicht ganz so laut klang, aber genauso autoritär. Lili zögerte. Sollte sie es wirklich tun? Ein Blick nach hinten verriet ihr, dass sich die Menge allmählich auflöste. Die Menschen strebten dem nächsten Vergnügen zu. Noch immer drangen die streitenden Stimmen zwischen dem Mann und der Frau nach draußen. Endlich wurde die rückwärtige Tür aufgerissen, und eine Frau in hochgeschlossenem Kleid, mit Umhang und Hut trat daraus hervor. Ihr Gesicht lag im Hutschatten verborgen, als sie gleich darauf den Platz in Richtung Millerntor überquerte, aber an ihrem Gang und der geschmeidigen Bewegung ihrer Hüften erkannte Lili, dass es Magdalena war. Sie folgte ihr in einiger Entfernung. Noch immer wusste sie nicht, ob es überhaupt richtig war, was sie da tat.

Nachdem sie das Tor passiert hatte und wieder auf Hamburger Boden stand, drehte sich Magdalena, die wenige Schritte vor ihr gegangen war, überraschend zu ihr um. Lili bemerkte, dass ihr Gesicht vollkommen ungeschminkt war. Seltsam jung und verletzlich wirkte es.

«Ich weiß, dass du mir folgst, Mädchen», sagte Magdalena mit ihrer rauen Stimme. «Was willst du von mir?»

«Etwas über Sibylle erfahren», brach es aus Lili hervor.

Magdalena musterte sie lange. Erneut wunderte sich Lili über die Möglichkeiten, die man mit Schminke erzielen konnte. Die Frau, die mit ihrem nackten Gesicht vor ihr stand, ähnelte in nichts mehr dem animalischen Weib, das mit seinen Blicken und Bewegungen Lustfunken in der Menge vor ihr entzündet hatte, oder der Hure, die an einem warmen Maitag durch das Gängeviertel gelaufen war.

«Meine Güte, wie siehst du ihr ähnlich», stieß sie endlich hervor. «Man könnte wirklich meinen, du bist sie!»

Lili fühlte, wie ihr ein Schauer über die Haut fuhr. Sie wusste, dass Magdalena von Sibylle sprach. «Ich bin aber ...», begann sie.

«Ich weiß», unterbrach Magdalena. «Du bist die Tochter des Bestatters. Die große Schwester der beiden Kleinen, die ich ...»

«... die du zurück zu uns nach Hause gebracht hast, ja.» Lili wusste nicht, warum sie auf das Du von Magdalena einging, aber irgendetwas an dieser Vertraulichkeit gefiel ihr. «Das war übrigens sehr nett von dir.»

Sie stand so dicht vor Magdalena, dass sie ihren Duft atmen konnte. Eigentlich hätte sie schwören mögen, dass diese Circe, die die Sinne der Männer betörte, entweder schmutzig oder nach etwas aufregend Exotischem roch, aber alles, was ihr in die Nase stieg, war der Geruch von Kernseife. Zum ersten Mal seit Jahren wurde ihr wieder bewusst, dass sie niemals erfahren hatte, was es hieß, eine Freundin zu haben. In ihrer geschlossenen kleinen Welt hatte es keine gleichaltrigen Mädchen gegeben. Niemanden, mit der sie zusammen lachen oder der sie etwas zutuscheln konnte, so wie sie es die anderen früher in der Schule oder wie sie es Nachbarinnen oder Marktfrauen hatte machen sehen. Alle eben, die keine Toten bestatteten. Die am fröhlichen Teil des Lebens teilnahmen.

Ein plötzliches Verlangen überkam sie, diese Frau vor ihr sich zur Verbündeten zu machen. Für den Bruchteil eines Augenblicks sah sie Magdalena neben sich vor einem Spiegel sitzen. Wie es wohl war, einer anderen die Haare zu bürsten, die Form der Brüste zu vergleichen oder über Dinge zu lachen, die kein Außenstehender verstand? Das flackernde Licht einer Gaslaterne warf zuckende Schatten auf Magdalenas Gesicht. «Was willst du über Sibylle wissen?», fragte sie schließlich.

«Alles», brachte Lili hervor.

Wieder blickte die andere sie lange an. Lili sah, wie sich ihr Gesichtsausdruck allmählich änderte. «Dann komm mit mir mit», sagte sie.

Ihre Schritte hallten auf dem Kopfsteinpflaster. Sie schwiegen. Auf einmal drehte Magdalena sich zu ihr um: «Hast du Angst?»

Lili lächelte. «Wovor?»

«Vor dem, was du herausfinden könntest.» Magdalenas Stimme klang noch dunkler. «Oder davor, dass uns hier jemand überfällt. Oder vor dem Tod.»

Lili schüttelte den Kopf. «Vor dem Tod habe ich keine Angst. Ich wünsche mir zwar ein langes Leben, aber das Ende fürchte ich nicht.» Dann war nichts mehr zu hören als das Klappern ihrer Absätze. Der Neue Steinweg lag dunkel und wie ausgestorben da.

«Aber was passiert nach diesem Ende?», fragte Magdalena leise. «Geht es dann irgendwo anders weiter? Und wenn ja, wo? Oder ist es das vollkommen endgültige Ende? Hast du darüber mal nachgedacht?»

«Sicher», entgegnete Lili spontan. «Daran denke ich jeden Tag.»

«Nicht gerade das, was man von einer schönen jungen Frau wie dir erwartet, habe ich recht?» In Magdalenas Stimme schimmerte ein Lächeln durch.

Lili schüttelte den Kopf. «Nein, wohl nicht.» Vor ihrem geistigen Auge stieg plötzlich ein Bild auf. Sie sah sich und Magdalena in einem Raum stehen, den eine Linie durchzog. Magdalena stand an dem einen Ende, wo Verführung und Fruchtbarkeit war, am aufblühenden Lebensbeginn. Und sie selbst war die Hüterin des anderen Endes, sie war beim Tod. Seltsam, dass sie so gegensätzlich waren und gleichzeitig schon so eigentümlich vertraut.

«Wie ist es, mit einem Mann zu schlafen?» Aus Lili brach die pure Neugier hervor.

Magdalena sah überrascht auf und lachte. «Das weiß ich nicht.»

Lili blieb stehen, mitten auf der Straße, und blickte ihre neue Bekannte an. «Aber ...»

«Ich tanze nur», erklärte Magdalena, die Lilis Blick mit ihrem festhielt. «Mehr nicht.»

Sie gingen weiter. Lili fand es schwer, diese neue Information aufzunehmen. Sie sah Magdalenas Gesicht vor sich, wie sie es beim ersten Mal gesehen hatte, im gleißenden Tageslicht, die schwarzumrandeten Augen, der schimmernd rote Mund. Das Dekolleté, das den Brustansatz deutlich zeigte. Woher wusste Magdalena, was den Männern gefiel?

«Ich habe schon getanzt, bevor ich richtig gehen konnte», fuhr Magdalena stockend fort. «Mit dreizehn bin ich von zu Hause weggelaufen, weil mein Stiefvater ... Er war nicht nett.»

Lili berührte flüchtig ihre Hand. «Teresa, das ist die Bordellmutter, bei der ich wohne, hat mich aufgenommen. Ich war zu jung, um das zu tun, was die anderen Mädchen taten. Also habe ich bloß vorgetanzt. Ich mache den Männern Appetit, damit sie richtig in Schwung kommen. Damit bin ich wohl so etwas wie eine Berühmtheit bei Teresa geworden. Viele Besucher kommen nur, um mich tanzen zu sehen. Dabei ist es – bislang – geblieben. Aber nur, weil Teresa mich beschützt.»

«Wie alt bist du?», fragte Lili leise.

«Einundzwanzig. Und du?»

«Ich auch.»

Sie gelangten an einen Platz, an dem der Neue Steinweg endete und der Alte Steinweg begann.

«Und Sibylle?», fragte Lili.

«Sie war meine Freundin», entgegnete Magdalena und blieb stehen. Vorsichtig griff sie nach Lilis Händen. Dann sah sie sie eindringlich an. «Ohne sie ist nichts mehr, wie es war.» Sie deutete auf ein zweigeschossiges Gebäude mit Giebel und Erker, aus dem Licht fiel und Musik erklang.

«Hier ist es», erklärte Magdalena. «Hier wohne ich.» Aus ihrer Tasche kramte sie einen schmiedeeisernen Ring mit mehreren großen, verschnörkelten Schlüsseln. Im Licht der Laterne, die links neben der Eingangstür angebracht war, steckte sie einen der Schlüssel in das Schloss. Die Tür öffnete sich knarzend, und sowie sie die Diele betraten, schollen ihnen die Klänge eines Akkordeons entgegen. Gelächter und Gläserklirren mischten sich darin. Die Tür zum Nebenraum schlug im Luftzug, Qualm und Parfümöle wehten durch den Raum. Magdalena stellte sich vor einen Spiegel, nahm Hut und Umhang ab und löste ihr dunkles Haar. Dann öffnete sie ihre Handtasche und holte Schminkutensilien daraus hervor: einen kleinen Tiegel mit schwarzer Paste, die sie geschickt mit dem kleinen Finger aufnahm, um sie auf ihren Augenlidern zu verteilen.

Lili beobachtete sie fasziniert. «Warum hast du dich auf dem Spielbudenplatz erst abgeschminkt, wenn du jetzt alles wieder neu auflegst?», fragte sie.

«Meinst du, ich habe Lust, spätabends auf der Straße angesprochen zu werden, weil man mich für eine Hure hält?», gab Magdalena zurück.

«Ach so», sagte Lili. «Natürlich. Was ist das da?» Sie deutete auf einen anderen, etwas größeren Tiegel, in dem Magdalena vorsichtig herumrührte.

«Eine Mischung aus Vaseline, Läuseblut und Purpur», erklärte Magdalena und begann, sich die Mischung auf die Lippen zu tupfen. Das Ergebnis sah überwältigend aus, und doch konnte Lili einen Schauer des Ekels nicht unterdrücken. Allein die Vorstellung, gequetschtes Krabbelzeug auf der Haut zu haben, war ihr sehr unangenehm.

Dann besann sie sich darauf, was sie Magdalena schon die ganze Zeit fragen wollte, und nestelte nach ihrer Uhr. «Hier», sagte sie und ließ die Kette vor Magdalenas inzwischen schwarzumrandeten Augen baumeln. «Kennst du die?»

Magdalena griff nach dem silbernen Schmuckstück und hielt es näher ans Licht. Lili sah, wie sich ihre Züge veränderten, während sie die Uhr studierte. Immer noch staunte sie, wie schön Magdalenas Lippen aussahen, Läuseblut hin oder her.

«Das ist Sibylles», sagte sie endlich und sah Lili stirnrunzelnd an. «Woher hast du die?»

«Es ist meine», stellte Lili richtig. «Sie wurde mir in England gestohlen.»

«Willst du damit etwa sagen ...?» Magdalena hob bedrohlich die Stimme.

«Natürlich will ich ihr keinen Diebstahl unterstellen. Sibylle war doch überhaupt nicht in England, oder doch?»

Magdalena schüttelte den Kopf.

«Hier.» Sie öffnete den Deckel und deutete auf die Initialen. «L. W. wie Lili Winterberg. Und hier: Die Engelsflügel an der Einfassung, das Symbol von himmlischer Ruhe, wir verwenden es häufig auf Einladungen zu Trauerfeiern und in Anzeigen. Glaubst du mir nun?»

Magdalena blickte langsam auf. «Sie hat diese Uhr von einem Kunden bekommen.»

«Wer war dieser ... ‹Kunde›?» Lili fand es seltsam, dass Magdalena von einer Frau, die ihren Körper verkaufte, wie von einer Kauffrau sprach.

«Ich kenne seinen Namen nicht.»

«Wir müssen ihn herausfinden.» Lili blickte Magdalena eindringlich an. «Das könnte ein Hinweis auf Sibylles Mörder sein.»

«Jemandem eine Uhr zu schenken ist kein Mordmotiv.» Magdalena schüttelte den Kopf und wandte sich wieder dem Spiegel zu.

Lili zögerte. Wahrscheinlich hatte Magdalena recht. Sie schwieg. Das Akkordeon im Nebenraum schmetterte seine Melodien zu ihnen herüber. Dann fiel ihr Blick auf einen gerahmten Spruch, der neben dem Spiegel hing.

«Honig und Milch ist unter deiner empfindsamen / rollenden Zunge, cinnamonumreich der leichte Duft deiner Gewänder, wie oleandergleich der Libanon. Aus dir entspross ein Lustgarten von Granaten nebst edlen Früchten, Zyperblumen nebst Narden; Narde und Safran.»

Lili runzelte die Stirn. Die Sätze kamen ihr reichlich schwülstig vor. Allein diese absurde Anhäufung von Eigenschaftswörtern. So etwas hatte sie in Geschichten stets gehasst. Sie wollte sich schon Magdalena zuwenden, die mit einem Ausdruck höchster Konzentration im Gesicht ihre Lippen ausmalte, um sie zu fragen, welch unglücklicher Möchtegernpoet diesen Schmalz erdichtet hatte, als sie in der rechten unteren Ecke der Tafel winzig kleine Lettern sah: Hohelied der Liebe, Salomon; 4,11; 4,13.

«Ihr habt im Eingang einen Auszug aus dem Alten Testament aufgehängt?», fragte sie.

Magdalena lachte, dass ihre Zähne hinter den rotgeschminkten Lippen weiß aufleuchteten. Dann fuhr sie sich mit den Fingern durch den Ansatz ihrer langen Haare. «Den Spruch hat uns ein Kunde geschenkt. Im Übrigen ist Teresa sehr religiös.»

«Eine etwas eigenartige Auffassung von Hingabe an das Göttliche», murmelte Lili. «Wenn man sich eine Horde Mädchen hält, die sich für Geld mit allen Männern des Stadtgebiets vergnügen.»

«Lena?», drang eine Stimme von nebenan herein. «Bist du es? Ich habe mir schon Sorgen gemacht. Du bist spät dran.»

Eine Frau in hochgeschlossenem Kleid, das schwarz gefärbte Haar zum Dutt geschlungen, trat in die Diele. Ihr Blick fiel auf Lili, und sie kniff nachdenklich die Augen zusammen, als überlegte sie, von wo in Gottes Namen ihr dieses appetitlich aussehende Mädchen noch einmal zugelaufen war. Sie selbst sah von Kleidung und Aufmachung her wie eine Frau von höchstens dreißig Jahren aus, aber Lili bemerkte, dass ihre Haut von tiefen Falten durchzogen war.

Auf einmal riss sie ihre Augen auf. «Aber das kann doch nicht sein», rief sie aus. «Sibylle, Schätzchen? Bist du wieder da?»

«Das ist nicht Sibylle, das ist Lili», erklärte Magdalena. «Sie ist mitgekommen, weil ich ihr etwas geben will. Und ja, ich bin wirklich spät dran. Verfluchter Fiete wollte mich nicht ziehen lassen. Zugabe um Zugabe haben die Leute gefordert, und ich musste immer wieder raus.»

«Ich werde das nächste Mal einfach mehr Geld von ihm verlangen, wenn ich dich an ihn ausleihe», meinte die Alte energisch. Aus ihrem Tonfall war das mütterlich Liebevolle geschwunden, rein geschäftsmäßig klang sie jetzt.

«Und, meine Süße?», fragte sie sodann an Lili gewandt. «Du siehst einem Mädchen zum Verwechseln ähnlich, das hier früher gearbeitet hat. Würde es dir denn auch gefallen, hier den einen oder anderen Abend Geld zu verdienen? So ein hübsches Ding wie dich habe ich hier nämlich schon lange nicht mehr gehabt!»

Lili lachte verlegen, verschluckte sich und hustete. «Sehr freundlich von Ihnen. Aber nein, ich denke, nicht.»

«Lili ist die Tochter eines Bestattungsunternehmers und hilft ihrem Vater im Geschäft», erläuterte Magdalena, während sie sich einen letzten prüfenden Blick im Spiegel zuwarf. Sie hatte ihr Mieder nun geöffnet, der Ansatz ihrer blütenweißen, vollen Brüste wölbte sich daraus hervor.

«Bist du die Tochter von Thorolf Behnecke?», fragte die Alte. Lili bemerkte, dass sie auf einmal verärgert aussah.

«Gott bewahre», sagte Lili. «Mein Vater ist Basilius Winterberg.»

«Oh, dann ist es gut», sagte die Alte erleichtert. «Es ist nämlich so, dass Herr Behnecke in meinem Etablissement», sie betonte das Wort mit abgespreiztem Finger, «Hausverbot hat.»

«Er hat eines der Mädchen übel zugerichtet.» Magdalena drehte sich vom Spiegel weg und blickte sie an.

«Wenn meine Lena hier», ergänzte die Alte, «ihre Schreie nicht gehört hätte, wäre sie jetzt tot.»

Ein düsterer Ausdruck umwölkte Magdalenas Gesicht. «Sie ist jetzt tot, Teresa», sagte sie mit ihrer tiefen Stimme. «Wir haben sie im Mai zu Grabe getragen.» Sekundenlang hielt sie Kontakt mit Lilis Augen. «Es war Sibylle.»

8. KAPITEL

Lili stockte der Atem. Die Vorstellung, dass der grobschlächtige Bestatter so etwas wie ein Geschlechtsleben haben konnte, löste in ihr eine Woge des Ekels aus. Ihr wurde schwarz vor Augen, und sie fühlte, wie sie schwankte. Magdalena ergriff ihren Arm. Erst in diesem Augenblick wurde ihr die Tragweite dieser neuen Information bewusst. «Du meinst …», sagte sie.

«Ja», entgegnete Magdalena. «Auch darum habe ich dich hierher mitgenommen. Du wirst Behnecke kennen. Du musst mir alles sagen, was du über ihn weißt!»

«Lena», schaltete sich jetzt die Alte wieder ein. «Wir können gegen Behnecke ohnehin nichts ausrichten. Außerdem drängt die Zeit.» Sie deutete mit dem Daumen über ihre gerüschte Schulter. «Die warten alle schon auf dich!»

Das Klatschen und die Rufe wurden laut. «Kannst du auf mich warten? Nur eine halbe Stunde?», fragte Magdalena und sah sie bittend an.

Lili dachte an das Versprechen, das sie dem Vater gegeben hatte. Sie sollte nicht zu spät nach Hause kommen, eine Trauerfeier stand morgen in aller Frühe an. Und dann fiel ihr wieder Rurik ein, dem sie versprochen hatte, sogleich eine Droschke nach Hause zu nehmen. Eigentlich sollte sie von hier fortgehen. Sofort.

«Es tut mir leid, dass ich damals vor dir weggelaufen bin», sagte Magdalena leise und nahm erneut ihre Hand. «Eigentlich habe ich schon länger mit dir reden wollen. Wenn meine Vorstellung vorüber ist, tue ich es. Ehrenwort!»

Lili überlegte kurz, dann nickte sie. «In Ordnung. Ich warte auf dich.»

Der Akkordeonspieler schien es nicht für nötig zu halten, den Zigarrenstummel aus dem Mund zu nehmen, während er sein Instrument bearbeitete, obschon der Stummel längst verloschen war. Er nickte dem Trommelspieler an seiner Seite zu, einem mit starken Armen gesegneten Schwarzen, dessen ausladende Brust ein blau-weiß geringeltes Hemd umspann. Lili betrachtete die Szene mit weitaufgerissenen Augen. Die Zuschauer waren keinesfalls die Sorte verkommene Klientel, die sie in einem solchen Etablissement vermutet hätte, sondern feine Herren, deren Bäuche von gutem Zwirn bedeckt waren und die glücklich aussahen, dem Einerlei ihrer Ratsstuben, Kontore und ehelichen Schlafzimmer entronnen zu sein. Die Mädchen, die raffiniert bestrumpft ohne lästige Überkleider auf den Armlehnen der Besuchersessel hockten, sahen großenteils recht hübsch aus, aber Magdalena mit ihren großen dunklen Augen, den langen, dunklen Haaren und den gesund wirkenden Zähnen stach ohne jeden Zweifel unter ihnen hervor.

Lili nahm einen kräftigen Schluck von dem Bier, das ihr eines der Mädchen hingestellt hatte. Der Alkohol schoss ihr in den Kopf. Sie beobachtete Magdalena, die nun in nichts als Korsett und Rock ihre Hüften zu drehen begann. Ein Ruck schien in die zuschauenden Männer zu fahren. Gespräche wurden unterbrochen, und Gläser verharrten reglos in der Luft. Es sah aus, als posierten sie vor der Linse eines Photographen. Nur der Zigarrenraucher am Akkordeon, der Trommler und Magdalena bewegten sich, Letztere aufreizend langsam, aber absolut im Takt. Nie zuvor hatte Lili jemand gesehen, der so geschmeidig tanzen konnte. Magdalenas Gesten waren das Instrument, das die Musik erst vollkommen machte. Sie brachte einen Rhythmus in die Melodie, die den Takt des Trommlers härter machte. Der Schwung ihres Körpers war eine große Verlockung, und Lili konnte nicht anders: Auch sie betrachtete die Frau vor ihr, die jetzt auf ein Podest gestiegen war, wie hypnotisiert.

Der schwarzglänzende Stoff ihres Rocks glitt widerstandslos über ihre Hüften. Obwohl sie keinen winzigen Flecken Haut zeigte, wirkte sie beim Tanzen wie nackt. Lili konnte ihre langen Beine unter dem Satin erkennen, den Strumpfhalter mit den Strapsen, an dem die schenkelhohen Strümpfe befestigt waren, und in einem besonders gewagten Moment sogar den Knochen ihres Schambeins. Bis zu dieser Sekunde hatte Lili geglaubt, alles über Anatomie zu wissen. Doch der menschliche Körper in Bewegung, in all seiner biegsamen Vollkommenheit, der war ihr neu.

Als Magdalena geendet hatte, war es sekundenlang still, dann brach ein lautes Gejohle aus. Wie auf ein geheimes Stichwort hin begannen die Herren, die auf ihren Armlehnen Hingegossenen zu berühren, und dann standen die Ersten auf und gingen mit den Mädchen am Arm davon. Lili sah, wie die Alte zu Magdalena hinüberging und ihr etwas ins Ohr flüsterte. Magdalena wurde daraufhin blass und erhob sich ebenfalls.

«Komm mit!» Auf einmal stand Magdalena neben ihr und ergriff ihren Arm.

«Wohin?», stutzte Lili.

«Auf mein Zimmer, verdammt!»

«Auf dein Zimmer?» Lili fühlte sich tief erröten. «A… aber das geht doch nicht!»

Spontan warf Magdalena den Kopf in den Nacken und lachte los. Ein paar Herren sahen sich verwundert nach ihr um.

Lili bemerkte, dass die Alte weniger amüsiert aussah. «Nicht für das, was du denkst», raunte Magdalena. «Ich habe doch gesagt, dass ich mit dir reden will.»

Hatte sie das? Lili war sich nicht ganz sicher. Der Raum schaukelte vor ihren Augen hin und her. Dieses Bier, das sie getrunken hatte, war eindeutig zu stark für sie. Sie fühlte sich wie ein Schiff, das erst vor kurzem den sicheren Hafen verlassen hatte und sich nun unvermittelt in einem Sturm befand.

Magdalena stieg hinter einem Mann in dunkler, schwerer Kontorsbekleidung und einer durchsichtig gewandeten Kollegin die Treppe hinauf, und Lili folgte ihr. Als sie vor einer Tür im Dachgeschoss zu stehen kamen, zückte Magdalena erneut ihren imposanten Schlüsselring. «Es könnte gleich laut werden», warnte sie Lili. «Diesen Kaufherrn, der gerade mit Nina aufs Zimmer gegangen ist, nennen wir den röhrenden Hirsch. Verdammt, dieses Schloss ist rostig geworden, es klemmt. So, jetzt endlich. Komm rein.»

Sie betraten einen Raum mit Dachschräge, zwei Betten, einem schmalen Schrank und einer Frisierkommode, an der rechts und links Kandelaber mit Kerzen steckten. Magdalena nahm von der Kommode ein silbernes Feuerzeug und hielt es an die Dochte. Im Schein der aufflammenden Lichter erkannte Lili, dass die Wände purpurrot gestrichen waren. Die blakenden Schatten machten den Raum seltsam unwirklich, und Lilis Gefühl, auf hoher See zu segeln, verstärkte sich.

«Du kannst lesen?», fragte sie verblüfft, als sie den Stapel Bücher bemerkte, der auf der Kommode aufgetürmt war.

Magdalena lachte. «Hättest du von einer wie mir nicht gedacht, oder? Setz dich einfach auf das Bett hier. Hab keine Angst, wir haben gerade gestern große Wäsche gemacht, und jetzt ist das Ungeziefer tot. Ich zieh mir mal rasch ein Kleid über, so kann ich ja wohl schlecht bleiben, wenn ich mit dir rede. Was sagst du eigentlich dazu, dass Behneckes Frau heute gestorben ist?», wechselte Magdalena von einem Thema aufs andere.

«Wie bitte?» Lili starrte sie an.

«Sag bloß, du weißt es nicht! Das halbe Gängeviertel spricht davon.»

«Aber … woran denn?»

Magdalena entledigte sich ihres schwarzen Satinrocks und stand plötzlich nur noch in Strümpfen und Strumpfhalter da. Dann ging sie zum Schrank und holte ein Kleid daraus hervor, streifte es sich über und drehte sich um. «Kannst du mir beim Schnüren helfen? Und nicht so fest! Wir sind ja unter uns. Also, wie sie gestorben ist … keiner weiß das so genau. Dieser gutaussehende junge Physikus, der bei euch gegenüber wohnt, wie heißt er noch gleich?»

«Christian Buchner», sagte Lili, während sie die Bänder durch die Ösen an Magdalenas Kleid zog.

«Ja, dieser Doktor Buchner, ein Leckerbissen, wenn du eine wie mich fragst, die schon viele Männer beobachtet hat, markantes Profil, aber nicht zu herb, weiche Lippen, sinnlicher Blick, den man nicht gleich vermutet, wenn man seine Brille sieht …» Magdalenas Wortfluss nahm zunehmend Fahrt auf und segelte nun vor einem guten Wind dahin.

«Ja?», hakte Lili nach.

«Ja, der hat festgestellt, dass die Gute eine Magen-Darm-Krankheit hatte und sich auch viel übergeben hat.»

Lili hielt inne. Der Gedanke an Erbrochenes ließ sie beinahe seekrank werden. Sie fühlte, wie ihr Magen sich in eine Richtung stülpte, die nicht die gewohnte war.

«Wenn du mich fragst, hat Behnecke sie vergiftet», fuhr Magdalena leise und mit Verschwörermiene fort. Lili musterte ihre neue Bekanntschaft lange. Das Unwohlsein, das ihren Körper überflutete, hielt sie nicht davon ab, sich zu wundern.

Sie hatte Magdalena – trotz ihrer Freundlichkeit damals, als sie die Zwillinge nach Hause gebracht hatte – als kurz angebunden und verschlossen erlebt. Je länger sie sich nun unterhielten, desto lebendiger wurde sie. Vor allem wohl beim Thema Männer. Kein Wunder – dieser Bereich war ohne Zweifel vertrautes Gewässer für sie.

«Vergiftet?», fragte Lili. «Warum glaubst du das?»

Magdalena nahm Lili bei den Schultern und bugsierte sie in Richtung Frisierkommode. «Du siehst ganz blass aus, meine Liebe. Hast du es schon einmal mit Schminke probiert?»

«Wie bitte?» Lili versuchte, Magdalenas Gesicht im Spiegel zu erkennen. Der plötzliche Kurswechsel irritierte sie.

Magdalena griff nach den Klammern in Lilis Haaren, löste sie und nahm ihren langen Zopf zur Hand. «Meine Güte, was für schöne Haare du hast», sagte sie träumerisch, während sie ihre Flechten löste. «Genau wie Sibylle. Die gleiche Haardichte, die gleiche Farbe, die gleichen Locken. Erlaube mir, dass ich ein bisschen damit spiele.»

«Wir waren bei Frida Behnecke stehengeblieben.» Lili wollte zum Thema zurückkommen. «Du glaubst also wirklich, dieser alte Widerling hat sie umgebracht?»

Magdalena griff nach ihrer Bürste und fuhr Lili damit verträumt durch das Haar. «Es wäre jedenfalls gut möglich», sagte sie. «Der Kerl ist gewissenlos und brutal. Sieh dich an – wie seidig deine Locken im Kerzenlicht glänzen. Wie unglaublich schön du bist.»

Lili betrachtete sich im Spiegel. Sie fand, sie sah eher aus wie ein Geist. Ihre Augen waren dunkel umschattet, und ihre Haut war schneeweiß.

«Warte, ich werde dir noch die Augen mit Khol schminken», sagte Magdalena und schob den Bücherstapel beiseite. Dann zog sie eine Schublade auf und nahm einen Tiegel daraus hervor. «Das hat Sibylle auch immer getan.»

«Ich bin mir sicher, das wird nicht nötig sein», wehrte Lili ab, aber Widerstand war zwecklos, denn Magdalenas Hände tupften bereits schwarze Farbe aus dem Tiegel auf ihre Lider auf. Sie förderte eine Dose mit roséfarbenem Puder und eine Quaste zutage. «Für deine Wangen, damit du wieder hübsch frisch und lebendig aussiehst», kommentierte Magdalena. «Und hier einen Tupfen Rot für deine Lippen. Nein, dieses Rot passt nicht zu deinen Haaren. Wir probieren es mit diesem dunklen Karmesinrot hier.»

«Wie viele Schminksachen hast du eigentlich?», fragte Lili.

«Oh, viele. Als ich klein war, habe ich mit meiner Puppe oft Hübschmachen gespielt.»

Jetzt bemerkte Lili, dass auf Magdalenas Bett eine Stoffpuppe mit Porzellankopf hockte, die schon ziemlich weichgeliebt aussah. «Das ist Käthe», erklärte Magdalena. «Das Einzige, was ich aus meinem alten Leben noch besitze. Sie begleitet mich überallhin. Wenn ich mal eine Tochter bekomme, soll sie auch Käthe heißen. Natürlich wird sie auf keinen Fall Tänzerin.»

Sie hockte sich vor Lili nieder und nahm vorsichtig eine ihrer Locken in die Hand. «Ich werde nämlich mal heiraten, weißt du. Einen Mann, der sich um mich kümmert und der gut zu mir ist. Darum ist es auch so wichtig, dass ich Jungfrau bleibe. Übrigens kann ich dich jetzt unmöglich allein nach Hause gehen lassen. Willst du nicht einen Boten zu deinen Eltern senden, und dann bleibst du über Nacht hier?»

Lili überlegte. Die Worte erinnerten sie an etwas. Boten zu den Eltern schicken ... Hatte sie das nicht unlängst schon einmal erlebt? Sie schwankte. Auf der einen Seite kam es ihr mehr als eigenartig vor, in einem Bordell zu schlafen. Auf der anderen Seite wäre das jetzt die Gelegenheit, auf die sie lange gewartet hatte. Sie wollte von Magdalena alles wissen, was mit der Toten vor ihrer Haustür zusammenhing. Der Vater war dafür eingesperrt worden, sein Knie hatten sie ihm zertreten, und überhaupt lastete seither ein Makel auf ihrem Geschäft – es gab viele Gründe, warum sie dieser Angelegenheit weiter nachgehen musste. Magdalenas Einladung kam ihr somit mehr als recht. Und um diese Stunde auf der Straße zu sein war ohnehin unangenehm.

Aber der überzeugendste Grund, bei Magdalena zu bleiben, war: Sie fühlte sich mit ihr wohl. Das Schwindelgefühl und die Übelkeit waren gewichen. Der alte Lebenshunger war zurückgekehrt. Jetzt würde sie endlich einmal etwas erleben, das es in ihrer Welt sonst nicht gab! Sie bemerkte, dass der Raum nach einer Mischung aus Jasmin und Moschus roch und dass die rote Tapete im Schein der Kerzen schimmerte. Ungewohnte Geräusche drangen an ihr Ohr. Sie schienen aus allen Richtungen zu kommen, brachten die Wände zum Zittern und verunsicherten sie.

«Wo würde ich denn schlafen?», fragte Lili. «Du teilst dir doch das Zimmer mit jemandem, oder nicht?»

Magdalenas Blick traf ihren im Spiegel. «Die Schlafstatt dort», sie zeigte auf das Bett, auf das sich Lili beim Eintreten gesetzt hatte, «wird fürs Erste nicht mehr benutzt. Das habe ich so durchgesetzt.»

Und nach einer Pause: «Sie hat nämlich Sibylle gehört.»

Christian nahm Carl vorsichtig bei den Schultern und führte ihn so vor das Fenster, dass ihm das schräge Licht der Morgensonne direkt in die Augen schien. Die riesigen schwarzen Pupillen des Jungen wurden augenblicklich winzig klein. «Ich behandle ihn jetzt seit drei Monaten, ist das richtig?», fragte er, an Elisabeth Winterberg gewandt. Die Frau des Bestatters nickte.

«Aber die Behandlung mit Pestwurz hat überhaupt nichts gebracht.»

«Je, nun seien Sie doch nicht so streng mit sich, Liebchen.» Elisabeth Winterberg lächelte ihn an. «Allein, dass Sie fast jede Woche vorbeisehen, ist doch schön.»

Christian zuckte kurz zusammen. Er war es nicht gewohnt, «Liebchen» genannt zu werden, schon gar nicht von einer dreißig Jahre älteren Frau. Er wandte sich an Carls Zwillingsschwester Caroline, ein geheimnisvolles, kleines Mädchen, das mit Carl in einer Weise kommunizierte, die niemand außer den beiden verstand.

«Er hat also immer noch Kopfschmerzen, sagst du?», fragte er sie.

Die Kleine nickte. «Mhmm.»

«Und wie ist es in der Schule? Und mit Schularbeiten? Er macht Fortschritte auf dem Griffel, hast du mir beim letzten Mal gesagt.»

Caroline zog die Schultern hoch. «Meine Schwester Lili übt mit ihm Zahlen schreiben. Neulich hat er schon was gekonnt.»

«Wo ist Lili eigentlich?», fragte Christian so beiläufig wie möglich. «Schläft sie noch?»

«Mein Lilichen müsste jeden Moment eintreffen.» So wie Frau Winterberg über ihre große Tochter redete, klang es, als handle es sich bei ihr um ein dreijähriges Kind.

«Gut. Also, um zurück auf Carl zu kommen …» Christian verstand gar nichts mehr. Wo, bitte schön, war Lili denn um halb sieben Uhr morgens hingegangen? Ihr Vater war doch auch zu Hause, er konnte ihn in seiner Werkstatt rumpeln hören. Lauter Fragen drängten danach, gestellt zu werden, aber er bremste sich und sprach keine davon aus.

«Frau Winterberg. Ich bin mittlerweile der Ansicht, dass die Krankheit, unter der der Kleine vor sechs Jahren gelitten hat, eine Meningitis cerebro-spinalis war. Entschuldigung», er verzog seinen Mund zu einem leichten Lächeln, «Ärzte verwenden immer so komische Wörter. Hirnhautentzündung, meine ich.»

«Nichts für ungut, Herr Doktor, das mit den Wörtern, das tun wir Bestatter auch.»

«Ja, in manchen Punkten sind wir uns wohl ähnlich.» Christians Lächeln wurde breiter. «Und so habe ich darüber nachgedacht, ob wir Ihren Kleinen mit Mitteln behandeln, die gegen Meningitis verwendet werden. Auch wenn der eigentliche Krankheitsverlauf natürlich schon längst abgeschlossen ist. Erwachsenen wird bei dieser Krankheit mittels Schropfköpfen und Blutegeln im Nacken und entlang der Wirbelsäule Blut entzogen. Bei Kindern hingegen hat man das Risiko, dass sie bei einer solchen Behandlung kollabieren. Aber ich könnte Carl Kaliumbromatum verschreiben. Und gegen die Schmerzen kann er Äther inhalieren.» Er blickte den Jungen an, der reglos dastand und aus dem Fenster träumte. Als Einziger im Raum hatte er noch gar nichts gesagt.

Frau Winterberg trat auf ihn zu und nahm seine Hand. Obwohl er ihre Art mittlerweile kannte, überraschte ihn die liebevolle Geste. «Sie müssen mir erlauben, Sie diesmal zu bezahlen», sagte sie.

«Aber nein», erwiderte Christian rasch. «Das brauchen Sie doch nicht.»

«Aber Sie müssen für Ihre Arbeit doch bezahlt werden», protestierte sie. «Wenn man uns für unsere Arbeit nicht bezahlt – wo kämen wir dann hin?»

«Machen Sie sich um mich mal keine Sorgen», sagte Christian. «Ich werde schon bezahlt.»

«Ist das wahr?», fragte Frau Winterberg verblüfft. «Von wem?»

Ja, von wem nur? Das hätte Christian selber gern gewusst. Wenn er ehrlich war, kam er nur hierher, um Lili treffen zu können. Allerdings schien er mit seinen Visiten regelmäßig Pech zu haben. Lili war auffallend häufig unterwegs. «Von der

Krankenkasse!», rief er in einer plötzlichen Eingebung aus. «Die Krankenkasse bezahlt all das für Sie.»

Elisabeth Winterberg runzelte die Stirn. «Krankenkasse?», fragte sie. «Was ist denn das schon wieder für ein neumodischer Kram?»

«Gar nicht so neumodisch, wie Sie denken.» Christian dehnte seine Worte in die Länge. Vielleicht, wenn er sich genügend Zeit mit seinen Erklärungen ließe, bekäme er Lili noch zu Gesicht. «Es gibt sie schon seit ein paar Jahren, die Krankenkassen, in jeder größeren Stadt des Kaiserreichs. Fünf Prozent aller Deutschen sind inzwischen Mitglied.»

Frau Winterberg sah aus, als verstünde sie die Welt nicht mehr. «Und wir gehören dazu?», fragte sie erstaunt.

«Nun ja.» Christian wischte sich über die Stirn. «Sieht ganz so aus.»

«Das muss ich meinem Mann erzählen.» Frau Winterberg wandte sich zum Gehen.

«Halt, das ist nicht nötig.» Christian hielt die Bestattersgattin an einem Zipfel ihrer Schürze fest. «Ihr Mann weiß natürlich längst davon.»

In diesem Moment klopfte es an die Tür. «Oh, das ist mein Lilichen», sagte die Winterberg und riss sich endlich los.

Christian fühlte eine Welle der Hitze in sich aufsteigen. Was hatte er da nur erzählt? Und alles nur, um den Stolz der Frau Winterberg nicht zu verletzen. Und jetzt kam auch noch Lili dazu.

In dem Augenblick, in dem sie vor ihm stand, erkannte er, dass eine Veränderung mit ihr vorgegangen war. Sie wirkte erschöpft und mitgenommen, gleichzeitig sah sie aber auch noch aufregender aus als sonst. Ihre Haare trug sie offen, und er hätte schwören können, dass ihre Augen geschminkt waren.

«Liebchen!», rief ihre Mutter. «Was haben sie denn mit dir gemacht?»

«Nichts, Mutter», sagte Lili leise. «Ich habe nur nicht sehr viel geschlafen, und dann hatte ich für meine Morgentoilette keine Zeit. Oh, guten Morgen, Christian! Was treibt dich denn zu dieser Stunde schon hierher?»

«Welche Dame hat dich denn nun gestern aufgenommen, Liebes?», fragte Frau Winterberg. Sie sah mindestens so neugierig aus wie Christian. «Die Nachricht, die dieser merkwürdige Bote mir gestern Abend hat zukommen lassen, war nicht sehr verständlich. Und außerdem dachte ich, du wärst mit Herrn Robertson unterwegs.»

Christian sah Lilis von Schlafmangel gezeichnetes Gesicht, ihre aufgelösten Haare und fiebrig glänzenden Augen, und die Wahrheit ging ihm schonungslos auf. Das war es also gewesen! Sie hatte die Nacht mit diesem Rurik Robertson verbracht.

«Guten Morgen, Lili», erwiderte er ihren Gruß so höflich wie möglich. «Ich empfehle mich jetzt.»

«Aber wohin willst du denn so schnell?», fragte Lili und ergriff seine Hand.

Einen Moment lang fühlte er sich geschmeichelt. Dann erinnerte er sich, dass in der Familie Winterberg Berührungen etwas ganz Alltägliches waren. «Zu meinem nächsten Patienten», sagte er. Und er konnte es sich nicht verkneifen zu sagen: «Ich hoffe, du hast eine gute Nacht gehabt.»

«Zu deinem nächsten ... Was soll das heißen? Ist hier jemand krank?»

«Der Herr Doktor kümmert sich doch um das Carlchen», hörte Christian die alte Frau Winterberg noch sagen. Was Lili darauf antwortete, hörte er nicht mehr. Er war schon zur Tür hinaus.

Hätte Lili zwei Stunden später nicht so genau gewusst, dass sie sich auf einem Leichenbegängnis befand, sie hätte meinen können, es wäre ein großes Fest in der Stadt. Hunderte von Menschen säumten die Straßen, durch die sie mit der Bestattungskutsche fuhren. Die Männer hielten zum Zeichen ihrer Trauer die Hüte auf die Brust gepresst. Lili saß in einem hochgeschlossenen schwarzen Kleid, die Haare nun wieder ordentlich aufgesteckt, zwischen Tobias und ihrem Vater auf dem Bock der Kutsche, die mit schwarzem Trauerflor umwickelt war. Sie blickte umher. Vor der Börse entdeckte sie Rurik in einem schwarzen Anzug, wie er in sein Notizheft schrieb. Er sah gedankenverloren auf, als sie an ihm vorüberfuhr, schien sie aber nicht zu erkennen. Ihr Herz klopfte heftig bei seinem Anblick. Und nicht nur ihr schien es so zu gehen. Einige Marktfrauen, die der Etikette des Leichengangs nur bedingt gehorchten und in diesem Augenblick kichernd vorübergingen, verzogen bei Ruriks Anblick schmachtend das Gesicht. Lili hätte schwören können, dass sich eine der Frauen sogar vielsagend die Lippen leckte, doch weiter konnte sie das Geschehen nicht verfolgen, denn nun waren sie um eine Ecke gebogen, und vor ihnen lag der Rathausmarkt.

Die widersprüchlichen Gefühle des vergangenen Abends wallten in Lili auf. Sie fühlte sich auf eine unerklärliche Weise von Rurik angezogen, aber gleichzeitig war sie wütend auf ihn, weil er ihr Gespräch mit der Zigeunerin unterbrochen hatte, wo sie doch gern erfahren hätte, wie es mit ihrem Leben nun weiterging. Und weil er sie am Ende stehengelassen hatte, ohne ihr zu erklären, warum er das tat. Die Müdigkeit verschleierte ihren Blick, und sie schloss die Augen. All die bunten, verwirrenden Bilder der letzten Nacht kamen ihr in den Sinn und drehten sich vor ihr wie die Bilder eines Kaleidoskops. Da war sie ausgezogen mit einem Geschäftsfreund ihres Vaters, der ihr Freund und vielleicht auch mehr sein könnte, und dann hatte sie Magdalena gefunden, die Licht in das Dunkel um die arme, ermordete Sibylle bringen konnte und die vielleicht bereits so etwas wie ihre Freundin geworden war.

Sie öffnete die Augen wieder, blickte zu ihrem Vater hinüber und lächelte. Er saß hoch aufgerichtet und hielt das Kinn stolz gereckt. Sie fand, dass er allen Grund dazu hatte. Ein Auftrag solcher Größenordnung lag für das Unternehmen auch wirklich lange zurück. Dies war ein richtiges Leichenbegängnis mit Ehrengeleit! Vor der Kutsche marschierten Polizisten mit Pickelhauben in langen, würdevoll aussehenden Mänteln, während hinter ihnen die Ratsherrn mit weißer Halskrause und schwarzem Umhang gingen. Der Leichnam, den sie in einem Sarg aus Kirschbaumholz mit silberner Beschlagung im Fahrgestell transportierten, war ein ehrenwertes Mitglied der erbgesessenen Bürgerschaft gewesen. Seinem hohen Amt entsprechend, hatte Basilius Winterberg ihn sogar einbalsamiert.

Lili nahm prüfend die Einladung zum Leichengang in die Hand. Sie hatten den Werbeschildmaler beauftragt, etwas Hübsches um die eigentliche Einladung herumzuzeichnen, und das hatte er getan. In die zwei oberen Ecken des Briefkopfes hatte er jeweils einen Engel gesetzt. Den zwei Himmelswesen waren die Flügel oder vielleicht auch andere Körperteile in der Phantasie des Malers schwer geworden, denn der linke Engel stützte sich auf einem Totenkopf und der rechte auf einer Sanduhr auf. Lili hatte mit dem Vater lange Überlegungen darüber angestellt, welcher Sinnspruch den Abstand zwischen den beiden Engeln zieren sollte. Caroline, die bei einem dieser Gespräche in der Werkstatt zufällig anwesend war, hatte ihrem Vater schüchtern ein Heft mit selbstverfassten Trauersprüchen gezeigt, in denen es zwar vor Rechtschreibfehlern strotzte, die aber erstaunlich weise klangen. Besonders ein Satz daraus hatte es Lili angetan: «Ich werde in euren Herzen weiterleben.» Sie fragte sich, wie es angehen konnte, dass ihre kleine Schwester zu solchen Einsichten kam, und ob sie nicht vielleicht zu ernst für eine Siebenjährige war.

Der Witwe war ein solch gefühliges Motto allerdings etwas unheimlich gewesen, sie hatte stattdessen einen reimlosen Spruch gewählt: «Was ist unser Leben? Ein Dampf ist's, der eine kleine Zeit währet, die aber verschwindet. Jakob 4; Vers 14». Unterhalb der Engel stand: «Elisabeth Thurgau, geborene Ruland, ersuchet die hochlöbliche Bürgerschaft, Einwohner und einen jeden, ihrem in Gott ruhenden Eheliebsten Friedrich Thurgau aber die letzte Ehre zu erweisen und dessen entseelten Körper am zukünftigen 6. August dieses laufenden 1892 von Ihrer Behausung im Alten Wall bis nach St. Petri Kirchen zu seiner Ruhestätte auf dem Friedhof Ohlsdorf zu begleiten.»

Lili dachte an den Mann, der hinter ihnen weichgebettet in seinem Luxussarg lag. Sie wusste nichts über den Mann, außer dass er etwas Wichtiges in der Stadt getan haben musste und er ferner unter starkem Bartwuchs litt, der auch nach seinem Übergang in eine bessere Welt kaum zu stoppen gewesen war.

Erneut ließ sie die vergangene Nacht Revue passieren. Magdalena hatte ihr von ihrer Kindheit erzählt und wie sie fortgelaufen war. In der großen Stadt angekommen, hatte sie sich mit ein paar Diebstählen durchgeschlagen, und dann war sie Teresa begegnet. Die Bordellmutter hatte sie davor bewahrt, einem Dienstherrn mit fleischlichen Gelüsten oder einem Zuhälter in die Finger zu fallen. Weil sie mit dreizehn noch zu jung gewesen war, hatte sie mit keinem von Teresas Kunden gehen müssen, ihre Arbeit wurde es, zu tanzen. Bald hatte Teresa festgestellt, dass Magdalenas Fähigkeit, ihren Körper zu verbiegen, auf einer Bühne wesentlich besser zur Geltung kam als im Bett, aber in jüngster Zeit trat Teresa mit Forderungen auf sie zu, die für Magdalena, die ewig Keusche im Sündenbabel, unakzeptabel waren. Und dann hatte sie von Sibylle erzählt. Sechs Jahre lang hatte sie sich ein Zimmer mit ihr geteilt. Sibylle war ihre

Freundin, Vertraute und Seelenschwester gewesen, sie hatte sie nach besonders schlimmen Stunden oft trösten müssen, wobei die schlimmste jene mit Thorolf Behnecke gewesen war. Schließlich hatte sie Lili eine metallene Scheibe mit eingravierten Zahlen und Buchstaben gezeigt, ähnlich jener, die Lili bereits von der Toten besaß.

«Sie hat sich in den letzten Wochen vor ihrem Tod oft mit einem Mann unterhalten, der uns besucht hat und der … warte mal, wie heißt das Wort … Numerologe war.»

«Numerologe?», hatte Lili nachgehakt. «Einer, der dein Schicksal aufgrund von Zahlen deutet? Und du meinst, diese Scheibe hat irgendetwas mit ihm zu tun?»

«Im Grunde genommen habe ich keine Ahnung.» Magdalena hatte enttäuscht vor sich hin gestarrt. «Aber ich versuche, diesen Mann wiederzufinden. Vielleicht weiß er ja etwas über Sibylle, was ich nicht weiß.»

Und nach einer Pause des Schweigens: «Lili, ich muss den Mann finden, der Sibylle das angetan hat. Hilfst du mir dabei?»

Sie hörte die Glocken von St. Petri schon an der Baustelle läuten, an der das neue Rathaus entstand. Basilius Winterberg lenkte die Rappen über die Rathausstraße und brachte sie vor dem Eingang zur Kirche zum Stehen. Augenblicklich kletterte Tobias vom Bock und ging um die Kutsche herum. Dort standen schon die anderen Träger bereit. Gemeinsam schafften sie den Sarg aus dem Himmelswagen und ins Kirchenschiff hinein. Lili fühlte, wie Gänsehaut ihre Arme überzog. Die Orgel spielte ein Requiem von Cherubini, während die Trauergemeinde dem Sarg folgte. Friedrich Thurgaus Witwe, geborene Ruland, stand auf den Arm ihres Sohnes gestützt und schluchzte in ein Taschentuch. Nachdem sie sich gesetzt hatten, brandete der Chor an Lilis Ohr:

«Requiem aeternam dona ei, Domina, et lux perpetua luceat ei; in memoria aeterna erit justus, ab auditione mala non timebit.»

Lili beobachtete den Pfarrer, der sich vor den Altar stellte und seine Arme hob. Es war ein kleines dürres Männchen, das in seiner Soutane verloren wirkte, fast so, als würde es in einem schwarzen Meer ertrinken. Sie war sich sicher, dass sie ihm schon einmal irgendwo begegnet war, sie wusste nur nicht, wo. Auf der Kanzel von St. Petri musste er neu sein, denn hier hatte sie ihn noch nie zuvor gesehen. Als die letzten Töne des Requiems verebbten, erhob er seine Stimme und stimmte ein Loblied auf den Verstorbenen an. Der Tonfall, in dem er diese Worte sprach, war seltsam hoch und quäkig. Nein, sie mochte diesen Pfarrer nicht.

Lili beugte sich unauffällig zu ihrem Vater hinüber: «Warum haben sie denn ausgerechnet diesen Pfarrer für die Aussegnung gewählt?»

«Der richtige Pfarrer von St. Petri ist vergangene Nacht ganz plötzlich verstorben», flüsterte der Vater. «Der Arme hat einen schlechten Magen gehabt.»

Die Fistelstimme wurde unterbrochen von einem erneuten Anschlag auf die Orgeltastatur. Lili nahm das ledergebundene Gesangbuch, das in der hölzernen Halterung vor ihr lehnte, schlug wie vom Pfarrer befohlen die richtige Seite auf und stimmte mit der Gemeinde an:

«Der Herr der Erde winket,
die reife Garbe fällt,
die Abendsonne sinket,
der Wanderer sucht sein Zelt.
Dein Knecht geht reif an Jahren,
O Herr, zur stillen Rast,
lass ihn in Frieden fahren
wie du gesaget hast.»

Nach dem gemeinsamen Vaterunser sprach der fistelnde Pfarrer ein letztes Gebet: «Herr, himmlischer Vater, du hast Friedrich Thurgau, Mitglied der hochlöblichen erbgesessenen Bürgerschaft, aus unserer Mitte genommen. Da wir nun seinen Leib aus diesem Haus hinausgeleiten, bitten wir dich: Wende unseren Sinn von den irdischen Wohnungen zu der ewigen Heimat, die du uns verheißen hast. Tröste uns in der Kraft des Heiligen Geistes durch Jesus Christus, unseren Herrn.»

Und dann riss der Pfarrer die Arme empor, wie um seine schmalen Gliedmaßen von den erdrückenden Stoffmassen seines Gewands zu befreien oder als wollte er die Gemeinde zum Spielen hinausscheuchen in den grellen Tag, und schrie: «Wir haben keine bleibende Stadt in dieser Welt, in der die Flammen des Bösen lodern. Die zukünftige Welt suchen wir. Lasst uns also zum Acker Gottes gehen und den Verstorbenen zu seiner Ruhestätte bringen. Der Herr behüte unseren Ausgang und Eingang von nun an bis in Ewigkeit. Amen.»

Lili wunderte sich ein wenig über diese letzten Worte. In dieser Form hatte sie das Gebet noch nie gehört. Nachdenklich reihte sie sich mit in den Trauerzug ein, um der Witwe zu kondolieren. Der Vater ging vor ihr. Sein rechtes Bein zog er kaum merklich nach. Lili beobachtete ihn, während er vor ihr leicht humpelte, den Hut auf die Brust gedrückt, den Kopf gesenkt, und eine große Zärtlichkeit für ihn floss in ihr Herz. Sie ahnte, dass der Vater echte Trauer empfand, wenn er sich um «seinen» Verstorbenen kümmerte, sie wusste, dass ihm die Würde, mit der er die sterblichen Überreste eines Menschen behandelte, eine wirkliche Herzensangelegenheit war.

Es geschah, als sie kurze Zeit später wieder in die Gluthitze hinaustraten. Tobias und die anderen trugen den Sarg in die Bestattungskutsche zurück, um damit zum Ohlsdorfer Friedhof zu fahren, da verzog einer der Träger sein Gesicht zu einer Grimasse, übergab sich und brach tot zusammen. Der Sarg geriet dadurch ins Schlingern, was einen dumpfen Aufprall im Sargesinneren zur Folge hatte. Dann schlug die kirschbaumhölzerne Sonderanfertigung auf dem Pflaster auf. Das Mitglied der hochlöblichen erbgesessenen Bürgerschaft war verrutscht.

9. KAPITEL

Für einen quälend langen Moment vermochte niemand zu sprechen, entsetzte Stille machte sich breit. Plötzlich fühlte sich Lili am Arm gepackt. «Bist du gestern gut nach Hause gekommen, und hast du alles so gemacht, wie ich es angeordnet habe?», zischte ihr jemand ins Ohr.

Sie blickte auf und sah direkt in Ruriks Gesicht. Seine Augen schimmerten noch heller als sonst. Im Licht der grellen Morgensonne wirkten sie fast weiß. Sie zog ihn rasch beiseite. «Ja und nein. Ich habe mit der Tänzerin gesprochen, die wir auf dem Platz gesehen haben.»

Auf einmal veränderten sich Ruriks Züge. Sein sonst so ebenmäßiges, gelassenes Gesicht verzerrte sich und wurde rot. «Wozu wolltest du eine Hure sprechen? Ich glaube dir kein Wort.»

«Du musst dich nicht um meine Ehre sorgen», erklärte sie leise. «Magdalena ist keine Hure. Und mach mir hier bitte keine Szene, mein Vater richtet das Leichenbegängnis aus.»

«Du wagst es, mir Vorschriften zu machen!» Ruriks Gesichtsfarbe wurde noch dunkler. Eine pochende Ader trat auf seiner Stirn hervor. «Ich bitte dich, auf der Stelle mit einer Mietdroschke nach Hause zu fahren, und du läufst umher und unterhältst dich mit irgendwelchen zwielichtigen Gestalten. Weißt du eigentlich, wie gefährlich es für eine Frau ist, allein herumzulaufen? Du hättest tot sein können!»

Lili bemerkte, dass einige der Trauergäste zu ihnen herübersahen. Zum Glück bekam der Vater nichts von ihrem Disput mit, er war sofort zu dem zusammengebrochenen Träger geeilt. Die Trauergemeinde hingegen sah aus, als befände sie sich in einem Gewissenskonflikt, hin und her gerissen zwischen Aufmerksamkeit für den gestrauchelten Totenträger, der beim Gang zur letzten Ruhestätte eines hohen Herrn selbst seinem Schöpfer begegnet war, Mitgefühl für die Witwe Thurgau und Neugier auf den Streit zwischen einem Mann und einer Frau, der durch die Worte «Hure» und «tot» noch interessanter geworden war.

«Hör zu», begann sie. «Dies ist eine Geschichte …» Sie brach ab. Ihr lagen die Worte auf der Zunge: «… der gerade du nachgegangen wärst», aber noch rechtzeitig fiel ihr ein, dass Rurik dieser Geschichte in der Tat nachgehen würde und dass es nicht gerade Magdalenas Vertrauen in ihre Verschwiegenheit fördern würde, wenn sie ihren Werdegang und ihre Mutmaßungen, Sibylle betreffend, in einer Tageszeitung zu lesen bekäme.

«Eine Geschichte, die was?», hakte Rurik ungeduldig nach.

«Ich muss dir das in Ruhe erklären», sagte Lili. «Nicht hier. Die Tänzerin ist übrigens wirklich keine Hure.»

Als hätte Rurik unversehens seine Persönlichkeit gewechselt, warf er den Kopf in den Nacken und lachte laut auf. «Wer es glaubt, Lili, wer es glaubt.»

«Wenn ich es dir doch sage», beharrte Lili verärgert. «Sie ist bloß Tänzerin. Aber das tut gar nichts zur Sache.» Sie warf einen Blick auf ihren Vater, der immer noch mit dem toten Träger beschäftigt war. «Sie hat sich ein Zimmer geteilt mit der Frau, die vor unserem Haus gefunden wurde. Seit Monaten suche ich sie in der Stadt, weil ich gehofft habe, sie könnte mir mehr über die Tote erzählen. Etwas, das mich vielleicht auf die Spur ihres Mörders führt.»

Rurik lachte immer noch, was einerseits eine Erleichterung war, andererseits aber auch ärgerlich. «Will meine Kleine etwa Detektiv spielen?», schmunzelte er und nahm sie an den Schultern. Dann wieder umwölkte sich seine Stirn. «Sehr niedlich. Trotzdem hättest du nicht mit dieser Fremden reden dürfen. Ich hatte deinen Eltern doch versprochen, dich heimzubringen.»

Lili versuchte, sein Lächeln zu erwidern, aber der Gesichtsausdruck gelang ihr nicht. «Und warum hast du das nicht getan?»

«Weil es nicht ging», erklärte Rurik ruhig. «Ich bin zu einem Mordfall gefahren, über den ich berichten musste. Du musst das verstehen, Kleines. Mein Verleger beauftragt mich mit solchen Sachen, weil ich eben der Beste bin. Ich kann die Leute in einer Art befragen, die ... nun ja. Das bekommt kein anderer so hin. Und ich bin wirklich davon ausgegangen, dass dich eine Mietdroschke nach Hause bringt. Ich glaube, du weißt nicht, wie gefährlich es derzeit ist, als Frau allein herumzulaufen. Vor allem als rothaarige Frau.»

«Was meinst du damit?», fragte Lili. Ihr Herz schlug auf einmal wieder schneller. «Sagst du das wegen der Frau, die sie uns vor die Tür gelegt haben? Wegen der Geschichte im Mai?»

«Nein», sagte Rurik leise. «Ich sage das, weil ich gestern etwas gesehen habe. Die Polizei hat eine Tote gefunden, die dir ein bisschen ähnlich sah. Sie war ebenfalls rothaarig.»

Rurik nahm sie an den Schultern und blickte sie an. Ein Kribbeln ging von der Stelle aus, auf der seine Hände lagen. Seine Worte hallten in ihr nach, und auf einmal bekam Lili Angst.

«Ein schlechtes Omen», hörte sie eine Frau direkt neben ihr sagen. «Wenn bei einer Trauerfeier einer stirbt.»

Christian war in Gedanken immer noch bei Lili, als er den Weg zu einem Patienten in der Neustadt antrat. Ein kleiner Junge war zu ihm gelaufen gekommen mit der Bitte, ganz schnell nach seiner Mutter zu sehen. Er hatte ja gewusst, dass sich Lili mit diesem Nachrufschreiber und Journalisten traf. Aber dass sie so weit gehen würde, bei ihm zu übernachten, hätte er nicht gedacht.

Auf einmal war ihm, als könne er nicht mehr atmen. Er holte tief Luft, aber die Luft kam einfach nicht in seinen Lungen an. Das Herz schlug ihm bis zum Schlüsselbein. Mitten auf dem Fischmarkt, im Sirren der Fliegen, unter den Rufen der Marktschreier, ließ er sich auf eine Bank fallen, nahm den Hut ab und wischte sich die Stirn. War es die Hitze? Oder der Vorbote einer Katastrophe? Was auch immer es war, es schnürte ihm die Kehle zu. Mit zitternden Fingern löste er seine Krawatte und öffnete die obersten Knöpfe seines Hemds. Er schloss die Augen und hielt das Gesicht in die Sonne. Orangefarbene Lichter zuckten ihm in den Kopf.

Er kam erst wieder zu sich, als um ihn herum Stimmen laut wurden. «Da ist Hinnerk! Und er sieht nicht so aus, als wäre er gut gelaunt.»

Christian erhob sich. Er kannte Hinnerk. Der ehemalige Fischer war stadtbekannt. Ein Augenleiden vor mehreren Jahren hatte zur Folge gehabt, dass Hinnerk blind geworden war. Das hatte aus dem einst schweigsamen, sanftmütigen Menschen einen wütenden und dem Alkohol zugeneigten gemacht. Christian sah, wie Hinnerk aus einer der Kaschemmen am Rande des Fischmarkts herausgetorkelt kam und nach allem schlug, was ihm in die Quere kam. Während er sich den Ständen näherte, wurde es auf dem Platz ganz still. Die Marktschreier verstummten, und auch die Kunden, die eben noch lautstark um einen besseren Preis gefeilscht hatten, brachten keinen Ton mehr heraus, denn Hinnerk orientierte sich, einer Fledermaus gleich, einzig am Schall.

«Hier herüber, Herr Doktor», flüsterte eine alte Dame und

zog ihn vorsichtig am Arm. Es war wie bei einem dieser Spiele, bei dem ein Kind mit verbundenen Augen umherläuft und so viele andere Kinder wie möglich berühren muss. Schon lief Hinnerk einigermaßen zielsicher – soweit das bei seinem Bierpegel möglich war – auf eine Gruppe von Hausmädchen zu, die Körbe voller Fische am Arm trugen, und hob die Hand. Die Mädchen duckten sich und wären wohl auch mit dem Schrecken davongekommen, wenn nicht eine von ihnen angefangen hätte, unterdrückt zu kichern. Hinnerk drehte sich nach ihr um und packte sie.

«Tun Sie was, Herr Doktor», schrie die alte Dame, was ein Fehler war, denn augenblicklich torkelte Hinnerk, das Hausmädchen im Schlepptau, auf sie zu.

Christian, der sich schon zu Studentenzeiten durch fehlendes Engagement für schlagende Verbindungen und andere Formen der körperlichen Ertüchtigung ausgezeichnet hatte, empfand nichts als Widerwillen gegen diesen Befehl. Doch er schien der Einzige auf dem Markt zu sein, der über genügend Kraft verfügte, um Hinnerk in den Griff zu bekommen, also schnappte er sich den alten Fischer, befreite das Hausmädchen aus der Umklammerung und hielt Hinnerk fest. Doch was nun? Erneut fühlte Christian, wie ihm der Schweiß ausbrach.

Seine unbehagliche Lage dauerte zum Glück nicht sehr lange. Ein Wachmann, der über den Fischmarkt geschritten war, nahm ihm den Alten ab. Christian seufzte und wandte sich zum Gehen. Er verließ den Fischmarkt in östlicher Richtung, als ihm der Bärtige mit der Abneigung gegen Haarschneider ein weiteres Mal entgegentrat. «Sag mir deinen Namen», rief er Christian schon von weitem entgegen, «und ich sage dir, wer du bist.»

Nein, heute war nicht sein Tag.

Auch in den darauffolgenden Stunden nicht. In der Wohnung an der Niedernstraße, zu der er gerufen worden war, schockierte ihn weniger der Umstand, dass er erneut eine Frau antraf, die mit Krämpfen und Erbrechen kämpfte, als dass die Wohnung voller Wanzen und Feuerwürmer war. Das Bett, auf dem die Frau sich wälzte, wimmelte nur so davon. Ein scharrendes Geräusch hinter den Bilderrahmen ließ ihn innehalten. Als er eines der Bilder abnahm und dahinter ein Loch entdeckte, fühlte er, wie es in ihm würgte, und er wankte zurück in den Hausflur, die Treppen hinunter und schnappte dort nach frischer Luft.

Es gab Tage, da spürte Christian es ganz deutlich: den Wunsch nach einem Leben ohne Kranke, ohne Ungeziefer und Schmutz. Er dachte dann an das Fieber zurück, das ihn in Göttingen an die Spieltische getrieben hatte, an seine Sehnsucht nach einem Gewinn, der groß genug war, um ihn aus seinem Leben herauszuschleudern. Er schloss die Augen und stellte sich vor, wie es wäre, einfach davonzugehen. Er würde sich nach Amerika einschiffen, sich bei seiner Ankunft ein Pferd besorgen, sich auf den Weg nach Bedford County machen und mit dem Graben beginnen. Wenn er schon nicht in der Lage war, den Ort des Beale-Schatzes auf mathematische Weise zu bestimmen, so doch vielleicht mit Hilfe seiner Hände und mit der Kraft seines Körpers.

Aber dann sah er wieder Lili vor sich. Und wusste, dass er die Stadt nicht verlassen konnte. Nicht, solange sie sich darin aufhielt. Er stieß einen Fluch aus. Warum in Gottes Namen hatte er eigentlich nicht einen weniger aufwendigen Beruf gewählt? Warum hatte er sich nicht zum Kaufmann ausbilden lassen, so wie sein Vater einer gewesen war? Was nur hatte ihn an dieser im Praktischen niederen Arbeit gereizt, die bisweilen der einer Totenfrau würdig war? Die Wissenschaft dahinter, ja, das sicherlich, aber mit Wissenschaft verdiente man sich weder Achtung noch Wohlstand, schon gar nicht in einer Stadt, die vom Handel lebte wie die Hansestadt.

Er atmete einige Minuten lang tief durch, dann kehrte er in das Haus zurück. Er wies den Jungen an, Wasser zu holen, denn eine eigene Leitung gab es im Haus nicht. Dann brachte er das Wasser auf einer Feuerstelle in der Küche zum Kochen, stellte einen Teil davon zum Abkühlen beiseite und benutzte den Rest, um die Möbel und Wände damit zu übergießen. Die Wanzen flüchteten in die Ritzen der Fußbodenbretter, also begoss Christian die Dielen vorsichtig mit Brennspiritus und zündete sie an. Das Ungeziefer verbrannte mit lautem Geknister.

Mittlerweile war die Tochter der Erkrankten nach Hause gekommen, ein blasses, halbwüchsiges Geschöpf, das Christian bei seiner Kammerjägerarbeit nach Kräften half.

«Die Leute, die unter euch wohnen, werden sich bedanken», sagte Christian, als er sah, wie eine besonders fette Kakerlake zwischen zwei klaffenden Dielenbrettern ins darunterliegende Stockwerk huschte.

«Sind daran gewöhnt», entgegnete die Kleine lakonisch.

«Wie bitte?»

«Ja. Wir reinigen unsere Wohnung jeden Monat von Ungeziefer. Es kommt immer wieder nach. Die meisten Tiere verschwinden während der Säuberung nach unten, aber Klagen haben wir noch nie gehört.»

«Aber …» Christian versuchte, ein Biest abzuschütteln, das ihm in den Ärmel kroch. «Wie kann das sein?»

«Die haben es beide mit den Augen. Ich geh manchmal runter, um mich um sie zu kümmern. Hin und wieder fallen ihnen die Feuerwürmer in den Kochtopf. Sie essen sie einfach mit.»

Jetzt hatte Christian selbst das Gefühl, sich übergeben zu müssen. «Sorg dafür, dass deine Mutter noch mehr trinkt. Sie hat sehr viel Flüssigkeit verloren. Koche das Wasser in jedem Fall ab und halte sie warm. Ich komme morgen wieder und sehe noch einmal nach ihr.»

Er erreichte das Gesundheitsamt gut zwanzig Minuten später, was ein Rekord war angesichts der Hitze und der damit verbundenen Verlangsamung aller Bewegungen.

«Medizinalrat Kraus bitte, ich muss ihn sprechen», keuchte er. Seine Hände fühlten sich trotz Schrubben mit Seife, Lysol und gekochtem Wasser immer noch schmutzig an, darum versteckte er sie hinter seinem Rücken, was ihm, wie er hoffte, etwas Respektables verlieh.

«Der Medizinalrat ist zum Mittagessen», erklärte sein Sekretär.

Mittagessen, schnaubte Christian. So etwas hätte er auch gern mal wieder gehabt. «Gut, dann suche ich ihn in seinem Lokal auf. Welches ist es denn?»

«Das darf ich Ihnen nicht sagen.»

Christian schloss die Augen. Er durfte sich jetzt zu keiner unüberlegten Tat hinreißen lassen. Das wäre vollkommen kontraproduktiv. Den Sekretär an seinem Revers packen und ihn so lange schütteln, bis er die Adresse des Lokals ausspuckte, war folglich keine gute Idee. «Und wenn ich Ihnen sage», begann er so ruhig wie möglich, «dass ich etwas entdeckt habe, das dem Medizinalrat augenblicklich vorgetragen werden muss, andernfalls ist mit den schlimmsten Folgen zu rechnen, nicht nur für meine heutige Patientin, sondern für die Stadt Hamburg insgesamt?»

Der Sekretär zuckte mit den Schultern. «Dann wäre ich natürlich sehr besorgt. Dennoch kann ich Sie nur bitten, auf die Rückkehr des Medizinalrats zu warten. Er ist in einer knappen Stunde wieder da.»

Christian knallte seinen Arztkoffer auf den nächstgelegenen Stuhl. «Wenn der Herr Medizinalrat zurückkommt und erfährt, dass Sie mich daran gehindert haben, ihm etwas zu sagen, was in genau diesem Augenblick die gesamte Stadt berührt, wird Sie das Ihren Kopf kosten, Herr ... Wie ist Ihr Name noch gleich?»

Der Sekretär schluckte, dann senkte er den Kopf. «Zum ältesten Hause Hamburgs, Pferdemarkt 28, Ecke Jacobitwiete. Aber von mir haben Sie es nicht.»

«Na bitte, geht doch.» Christian packte seinen Koffer und stürmte wieder hinaus.

Der Werbeschildmaler betrachtete den Sarg, der bei Winterbergs in der Auslage stand, und Falten legten sich über seine Stirn. Natürlich war es schön, dass ihm ein neuer Auftrag winkte, und dieser Sarg war sicherlich auch hübsch geschnitzt, aber warum nur hatte er in den vergangenen Monaten ständig mit Bestattern zu tun? Es gab doch wahrlich noch andere Gewerbetreibende in der Stadt. Vermutlich hatte sich sein Ruf herumgesprochen, und nun kam er aus diesem speziellen Gewerbe nicht mehr heraus.

Der Werbeschildmaler aus dem Gängeviertel?, hörte er die Stimmen in ihrem unverkennbar hamburgischen Idiom. Joa, de mokt man hervorragende Särge und Lieken zeichnen don, de is man god!

Er dachte an seine Jahre auf der Kunstschule in Weimar, an seine Zeichnungen mit Kohle und Rötel, seine Ölmalereien. Jahr für Jahr hatte er in einer feuchten, zugigen Stube zugebracht, mit nichts als harten Brotkanten, schalem Wein und gelegentlich lobenden Worten seiner Lehrer abgespeist. Aber er hatte nicht aufgegeben, hatte seine Bilder schon in den prächtigen Sälen eines deutschen Duodezfürsten gesehen, war in Gedanken zu Diners geladen, in Begleitung einer schönen Dame, rechtmäßiger Mieter eines großen, lichten Ateliers. Doch aus den Malerträumen war nichts geworden, und so war er in den Norden gereist, in die Stadt der zahlungskräftigen Kaufleute. Hier immerhin fristete er ein Auskommen, nun eben mit Darstellungen auf Emaille und Papier von dem ganzen Totenallerlei. Er seufzte und betätigte die Glocke.

«Ist der verehrte Herr Ehemann zu sprechen?», fragte er Frau Winterberg, die ihm die Tür öffnete.

«Aber natürlich, kommen Sie doch herein. Möchten Sie vielleicht einen Tee?» Die Bestattersgattin lächelte ihr liebes, runzeliges Lächeln, und wieder einmal dachte der Werbeschildmaler daran, wie anders der Empfang hier im Vergleich zu dem bei Behneckes war. Er folgte Frau Winterberg ins Atelier hinüber, in dem ein offener Sarg stand, und linste vorsichtig hinein. Der Sarg war mit einer samtenen Decke und einem Kissen ausgestattet, aber ansonsten war er glücklicherweise leer. Der Werbeschildmaler atmete erleichtert auf. Es war wirklich nicht leicht zu verkraften, dass bei seinen Auftragsgesprächen so oft ein Leichnam zugegen war.

Nun trat der Meister selbst in die Werkstatt. Der Maler bemerkte, dass er hinkte. Das hatte er im Mai noch nicht getan, so etwas wusste der Maler, er hatte ein Auge dafür. Doch wenn der Bestatter Schmerzen litt, so ließ er es sich nicht anmerken. Er sah wie bei ihrem letzten Treffen sogar unangemessen fröhlich aus – wenn man bedachte, womit er sich beschäftigte und wie das meistens auch noch roch.

«Meine Tochter Lili, meine Große, wissen Sie», begann er lächelnd, «hat mich zu etwas überredet. Und darum geht es jetzt.»

Der Maler dachte an die rothaarige Schönheit der Tochter, die der Bestatter hatte.

«Es geht um diese kleinen Flugblätterchen, die überall in Mode gekommen sind», schaltete sich nun die Bestattersgattin ein, die eine Tasse mit dampfendem Tee vor ihn hinstellte.

«Ja, und da haben wir gedacht, dass Sie etwas schreiben und zeichnen könnten, das unser Geschäft besonders heraushebt», fuhr der alte Winterberg schmunzelnd fort. «Ich weiß, Särge und diese ganzen Sachen sind nichts, was die Leute gerne ansehen. Aber andererseits – wenn es einen Tod in der Familie gibt, freut sich vielleicht so manch einer zu wissen, wer ihm helfen kann. Sie haben Erfahrung, junger Mann, schließlich zeichnen Sie ja auch die Einladungskarten für die Trauerfeiern, und ich finde, Sie machen das sehr gut.»

Der Werbeschildmaler deutete eine Verbeugung an, wobei er etwas von seinem Tee auf die Sägespäne verschüttete, die auf dem Boden lagen. Er entschuldigte sich und bat um ein Tuch zum Aufwischen, aber die Bestattersgattin erklärte ihm, er solle kein Aufhebens um so unwichtige Sächelchen machen, und schenkte ihm einfach nach.

Dann nannte ihm der Bestatter einen Preis. Er zahlte um einiges weniger als Behnecke, aber andererseits war das, was er von ihm forderte, auch nicht so aufwendig. Der Werbeschildmaler überlegte. Eigentlich hatte er Lust, für Winterbergs das schönere Flugblatt zu zeichnen, denn sie waren die angenehmeren Kunden, aber dann siegte sein kaufmännischer Instinkt, den anzunehmen er in der Hansestadt nicht umhingekommen war. Er beschloss, etwas Einfaches zu machen, das einen trauernden Angehörigen, der die Unternehmen Behnecke und Winterberg miteinander verglich, vermutlich eher zu Behnecke gehen ließ. Dann rührte sich sein Gewissen, als er in die freundlichen Gesichter der beiden vor ihm blickte, aber dieser Moment ging vorbei. Für das, was Winterberg ihm zahlte, konnte er nicht lange an den Entwürfen sitzen. Zeit war schließlich Geld.

Wirt Jarchow begrüßte Christian mit einem festen Schlag auf die Schulter. «Noch so ein Quacksalber», rief er begeistert. «Na, ihr gebt euch aber heute die Klinke in die Hand.»

«Ich wünsche Ihnen auch einen guten Tag.» Christian kniff die Augen zusammen. Er war sich bewusst, dass Mediziner in Hamburg nicht den besten Ruf genossen, aber von den Gastwirten wie ein Fuhrkutscher behandelt zu werden irritierte ihn doch immer wieder aufs Neue. «Ist der Medizinalrat noch da?»

«Ja, der Oberquacksalber sitzt da drüben.» Jarchow deutete mit einer Bewegung seines buschigen Kopfs in eine Ecke am Buntglasfenster, durch das die Sonne schien. Kraus und die anderen Köpfe aus dem Medizinal-Kollegium waren in farbige Schatten getaucht. Freundlich und lustig sah das aus, wie aus einem Kaleidoskop. Christian schritt entschlossen auf sie zu.

«Doktor Buchner ist mein Name, guten Tag allerseits. Es gibt da etwas, was ich Ihnen sagen muss!»

Die Riege wandte sich ihm in einer einzigen Bewegung zu. Alle Männer bis auf einen, der in seinem Stuhl zusammengesackt war und zufrieden vor sich hin schnarchte. Einer der Doktoren, sein Gesicht war in eine gelbe und eine grüne Hälfte aufgeteilt, musterte ihn mit einem abschätzigen Blick. «Wir sind gerade beim Essen», sagte er. «Warten Sie, bis wir fertig sind!»

«Die Sache duldet leider keinen Aufschub», erklärte Christian, zog sich einen Stuhl heran und setzte sich.

«He», protestierte der neben ihm Sitzende, dessen Gesicht ein Preußischblau beschien.

Christian beachtete ihn nicht weiter. «Wir haben die Cholera asiatica in der Stadt.»

«Senken Sie die Stimme», zischte ein leuchtendes Orange. «Mit einer solchen Behauptung können Sie eine Massenpanik auslösen, ist Ihnen das denn nicht klar?»

«Es ist keine Behauptung.» Christian blickte sich in der Runde um. «Wenn wir die Cholerakranken nicht heute noch isolieren, können wir für nichts mehr garantieren.»

«Und was bringt Sie zu einer solchen Schlussfolgerung?» Medizinalrat Kraus lehnte sich so weit vor, dass sein Gesicht von Halbdunkel überschattet wurde.

«Das hier.» Christian öffnete den Verschluss an seinem Arztkoffer und förderte ein Glas zutage, das eine dünne, braune Flüssigkeit enthielt.

Das Preußischblau ließ sein Besteck sinken. «Ich hoffe von Herzen, dass es nicht das ist, wofür ich es halte.»

«Dann hoffen Sie vergeblich.»

«Wie können Sie es wagen!», fuhr das Orange auf. «Sehen Sie nicht, dass wir mitten in einer Mahlzeit sind? Schaffen Sie diese ekelhafte Sache sofort von unserem Tisch!»

«Wovor fürchten Sie sich?», fragte Christian ungerührt. «Wenn Sie der Meinung sind, dass es in Hamburg keine Cholera gibt, kann Sie diese Stuhlprobe doch nicht weiter tangieren.»

«Stuhlprobe?» Der Schläfer riss die Augen auf, blickte verwirrt um sich und begann dann, seine Sitzfläche zu inspizieren. «Habe ich es nicht gleich gesagt? Jarchow hat Würmer in seinem Holz.»

Die anderen beachteten ihn nicht. Einer nach dem anderen nahm sein Besteck auf und begann wieder zu essen. Beim Medizinalrat sah die Art, wie er sein Fleisch zerschnitt, fast trotzig aus. «Sie können Ihr Beweisstück jetzt wirklich wieder vom Tisch entfernen», sagte er. «Es ist alles andere als angenehm, das anzusehen.»

Christian rührte sich nicht. «Angst vor Ansteckung?», fragte er.

Der Gelbgrüne lachte unsicher auf. «Verschonen Sie uns mit dieser Berliner Kontagionismus-Theorie. Wie sollen wir bitte schön Angst vor etwas haben, das es überhaupt nicht gibt?»

«Jarchow!» Der Preußischblaue schlug mit dem Messer gegen sein halbvolles Glas Bier. «Kannst du den ... Doktor hier», er betonte das Wort verächtlich, «bitte an einen anderen Tisch setzen? Er belästigt uns.»

Christian packte die Stuhlprobe der armen Niedernstraßenbewohnerin, verstaute sie wieder in seinem Arztkoffer und erhob sich. «Jarchow», rief er in den Schankraum hinter sich. «Kannst du dem ... fleißigen Teil der Bevölkerung hier», er lächelte flüchtig, «bitte ausrichten, dass ich die Stuhlprobe der Cholerakranken jetzt zur Untersuchung ins Krankenhaus bringe? Danke schön!» Und damit verließ er das Etablissement.

Er war schon fast am Ende des Pferdemarkts angelangt, dort, wo die kopfsteinbepflasterte Straße ins Alstertor überging, als er immer noch den Tumult hören konnte, der nach seinem letzten Satz im «Ältesten Hause Hamburgs» losgebrochen war. Ob das Medizinal-Kollegium versuchen würde, ihm für seinen Auftritt eben die Approbation zu entziehen? Einen Moment lang überkamen ihn Zweifel an dem, was er tat. Was, wenn die Kontagionisten doch unrecht hatten und ihre Warnung vor der Ansteckungsgefahr, die von Geißeln wie Grippe, Pest und Cholera ausging, bloß Panikmache war? Ihm war klar, dass es leicht war, in der Hansestadt Ängste vor einer Epidemie zu schüren. Allein sieben Mal in diesem Jahrhundert hatte die Cholera unter Hamburgs Bevölkerung gewütet. An das letzte Mal konnten sich noch viele erinnern, es war schließlich erst neunzehn Jahre her. Aber Ängste hin oder her, er brauchte Gewissheit.

Christian überlegte kurz, ob er mit der Pferdebahn oder einer Mietdroschke nach Eppendorf hinausfahren sollte, und entschied sich für die teurere Variante. Sicher, die Arzthonorare, die in seine Geldbörse tröpfelten, waren nicht dazu angetan, größere Ausgaben zu rechtfertigen, aber jetzt war Schnelligkeit gefragt. In der Ferne konnte er die gestaute Alster erkennen, deren breite Fläche in der Sonne glitzerte. Unversehens stellte sich ihm der Mann in den Weg, ohne dass er seine Schritte gehört hätte. «Sag mir deinen Namen», lächelte er, «und ich sage dir, wer du bist.»

Ohne groß nachzudenken, packte Christian den lästigen Unbekannten an seinem schmierigen Kragen und schüttelte ihn, dass dessen Kopf- und Barthaare wie bei einem Pendel hin- und herschwangen. Dann hielt er die Gestalt auf Armeslänge von sich. «Merk dir dieses Gesicht», stieß er hervor und deutete auf seine Nase. «Merk dir, wie ich aussehe, ja?»

Sein Gegenüber hob fragend eine Augenbraue.

«Ich bin der Mann, den du niemals wieder ansprechen wirst, ist das angekommen?»

Erneutes Nicken. Christian stieß den Bärtigen von sich. «Dann ist es ja gut.»

Er erkannte sich selbst nicht wieder, als er auf eine der Mietdroschken zumarschierte, die am Jungfernstieg auf Kundschaft warteten. Er, der sich sein Leben lang in andere Menschen eingefühlt hatte, angefangen von seiner Mutter bis hin zu den Kranken, mit denen er litt, hatte in weniger als der Zeit, die eine Lokomotive von Hamburg ins preußische Berlin dampfte, jede Rücksichtnahme über Bord geworfen, um endlich einmal das zu tun, was er selbst für richtig hielt.

«Ins Krankenhaus nach Eppendorf», rief er dem Kutscher zu und kletterte nach hinten in den Wagen.

Die Kutsche rumpelte über den Jungfernstieg in Richtung Gänsemarkt, und Christian holte tief Luft. Zu seiner Linken ragten die Kontorhäuser auf, und zur Rechten lag die Alster. Er wusste nicht, warum, aber das funkelnde Wasser erinnerte ihn plötzlich an einen der blankpolierten Särge des alten Winterberg. Der Mord, den sie dem Bestatter anhängen wollten, war niemals aufgeklärt worden. Ein Umstand, der dem Criminal-Sergeanten Marquardt keine schlaflosen Nächte zu bereiten schien. Bordsteinschwalben wurden in der Hansestadt schließlich des Öfteren beiseitegeschafft, ohne dass ein Hahn danach krähte, insofern schien auch dieser Fall nicht anders als andere zu sein.

Christian versuchte, sich auf das bevorstehende Gespräch mit dem Leiter des Krankenhauses, Professor Theodor Rumpf, zu konzentrieren. Sicherlich konnte es ihm als Herr über Pfleger, Ärzte, Medikamente und Betten nicht gleichgültig sein, ob die Hamburger zu Hunderten erkrankten. Christian war die letzte Cholera-Epidemie noch in eindrucksvoller Erinnerung. Er war damals noch ein kleiner Schuljunge mit Schiefertafel und Buchstabierproblemen gewesen, aber dass sein Lehrer, der Aalverkäufer auf dem Fischmarkt, und der Pastor, der ihn getauft hatte, am selben Tag gestorben waren, hatte ihn zutiefst schockiert. In den Straßen seiner Kindheit hatte sich Wohnung um Wohnung geleert, die Menschen in der Altstadt hatte es zu Hunderten dahingerafft, bis es sogar den Vater erwischt hatte. Schon damals hatte er sich geschworen, Kranke zu heilen und ein solches Unglück nie wieder geschehen zu lassen, und das hatte ihn nun bis hierher gebracht. Er besaß den Titel eines Doktors der Medizin, der ihm in den Universitätsstädten des Kaiserreichs sicherlich Anerkennung eingebracht hätte, nicht aber hier in der Stadt der Kaufherren, wo nur der etwas galt, der den Reichtum der Stadt vermehrte. Kein Wunder, dass die Mitglieder des Medizinal-Kollegiums die Weisung befolgten, nichts zu diagnostizieren, was Unruhe in die bürgerliche Behäbigkeit hineintragen konnte. Ihr eigenes Ansehen hing unmittelbar davon ab, was sie zur Geschäftstüchtigkeit der Hamburger beitragen konnten oder eben nicht. Anzuerkennen, dass die Cholera asiatica in der Stadt war, hieß, Hamburg komplett unter Quarantäne zu stellen, was den Handel für Wochen, wenn nicht gar Monate zum Stillstand bringen würde.

Sie hatten das Dammtor passiert, und die Pferde waren in einen lockeren Trab gefallen. Auf der Landstraße in Richtung Eppendorf waren weit weniger Menschen unterwegs als innerhalb der Stadtmauern. Ein paar Bauersfrauen, die in der Nachmittagshitze Körbe voller Gemüse auf ihrem Kopf balancierten und regelmäßig stehen blieben, um sich den Schweiß aus dem Gesicht zu wischen. Wasserträger, die Hamburg zustrebten, um ihre Ware zu verkaufen. Eine Gruppe gelangweilt aussehender Jungen. Christian setzte seine Brille ab, um die Gläser zu säubern. Diese Hitze war überhaupt nicht gut. Selbst wenn es nicht die Cholera, sondern eine andere Krankheit war, die in der Stadt Einzug gehalten hatte – in diesem Klima würden sich die Erreger auf das übelste vermehren.

Er öffnete seinen Arztkoffer, um nach einem Stück Papier zu fischen, auf dem er seine Argumentation Professor Rumpf gegenüber skizzieren konnte. Er wollte ihn davon überzeugen, so rasch wie möglich eine bakteriologische Untersuchung der mitgebrachten Proben durchzuführen. Er verfluchte sich. Dies war wieder einer dieser Tage, an dem er Arbeitswerkzeug und Papiere wahllos durcheinandergeworfen hatte, weil es keine Zeit gegeben hatte, um sie zu ordnen. Der Zettel, den er schließlich zu fassen bekam, verbesserte seine Laune auch nicht gerade: Es war die mysteriöse Zahlenreihe, die ihm jüngst wieder zugesteckt worden war: 9, 1, 16, 11, 7, 7, 19. Er schüttelte den Kopf und begann zu schreiben. Doch kaum hatte er die ersten Stichpunkte notiert, kamen schon die langgestreckten rot-weißen Backsteingebäude des Krankenhauses in Sicht. Er war angekommen.

10. KAPITEL

Einen Totentrunk auszurichten, empfand Lili immer als eine besonders anstrengende Station auf dem Weg in die Unvergesslichkeit. Der Kaufmann aus der Deichstraße hatte eine riesige Verwandtschaft hinterlassen, deren Wohngebiet sich von Hamburg bis nach Glückstadt erstreckte, das weiter elbaufwärts lag. Und diesen Verwandten war vor allem eines gemeinsam: ihr Hunger auf Fisch.

Lili eilte mit einem Eimer in der Rechten und einem Korb in der Linken zum Hafen hinunter. Die Nachmittagssonne schien grell auf den Mastenwald der Segelschiffe. Längsseits davon hatten Schuten und Ewer angelegt, um die Fracht zu löschen und zu den Speichern zu befördern. Im Hafen herrschte immer noch Hochbetrieb. Schauerleute schleppten Säcke und Kisten, andere Arbeiter rollten Fässer über eine Rampe von den Schuten auf den Kai. Nachdem Lili eine Weile am Hafen entlanggegangen war, bemerkte sie, dass das hellgrüne Kleid, das sie an diesem Tag trug, von einer dicken Staubschicht überzogen war. Es war unerträglich schwül.

Sie bog nach links auf eine Brücke ab, die zu einem Ponton am Fluss hinunterführte. Hier lagen die Jollen mit ihren fangfrischen Lengfischen und Dorschen, den Kabeljaus und Seehechten, die es zu jeder Jahreszeit in der Elbe gab. Auf einmal bemerkte sie, dass die alte Frau Schröder vor ihr stand. Ein Einkaufsnetz zappelte vor ihrem ausladenden Bauch, das sie mit beiden Händen zu bändigen versuchte. Aus dem Netz ragte ein lebendes Huhn. «Guten Tag», grüßte Lili. «Mächtig heiß heute, nicht wahr, Frau Schröder?»

Die Nachbarin drehte sich um und lächelte, doch als sie erkannte, dass es Lili war, nickte sie bloß. «Was willst du haben, Deern?», fragte der Mann im blau-weiß gestreiften Hemd vor ihr, der wie eine Hamburger Ausgabe des Gottes Neptun über eine Vielzahl von Fischen herrschte, die sich in ihren Wassereimern über die unerwartete Endlichkeit ihrer Welt zu wundern schienen. «Sieben Pfund Dorsch, bitte», sagte Lili.

«Festessen heute?» Der blau-weiß gestreifte Neptun zwinkerte ihr zu.

«So ähnlich», antwortete Lili. Sie musste dem Fischhändler ja nicht auf die Nase binden, dass sie eine Beerdigungsfeier ausrichtete. Wer weiß, ob er ihr gegenüber dann noch genauso zuvorkommend gewesen wäre. «Und außerdem hätte ich gern noch zwanzig von diesen Krebsen hier.» Sie deutete auf die weißen Schalentiere, die in ihren Körben zu krabbeln versuchten.

Als sie nach einer kurzen Unterhaltung mit dem Händler wieder den Rückweg antrat, hatte sie erneut das Gefühl, verfolgt zu werden. Sie beschleunigte ihre Schritte, so gut das eben möglich war, wenn man einen vollen Wassereimer mit sieben Pfund Dorsch und einen Korb mit offenbar äußerst bewegungshungrigen Krebsen trug. Die Schritte hinter ihr nahmen ebenfalls an Tempo zu. Sie wollte sich gerade umdrehen, um ihren Verfolger in Augenschein zu nehmen, als sie etwas Furchtbares passieren sah. Ein Kaiarbeiter, der gerade dabei war, sich ein Fass auf den Rücken zu wuchten, brach mitten in der Bewegung zusammen. Ein Krampf schien ihn zu schütteln. Er beugte sich vornüber und erbrach sich heftig. Lili konnte dem Schwall gerade noch ausweichen. Rasch stellte sie ihre Einkäufe ab.

«Kann ich Ihnen helfen?», fragte sie, doch der Mann antwortete ihr nicht. Er hatte sich hingehockt und war sehr weiß im Gesicht.

«Hilfe», rief Lili, «dieser Mann braucht Hilfe! Hier geht es jemandem nicht gut!» Ein anderer Kaiarbeiter sprang mit einem Eimer Wasser in der Hand herbei. Mit einem Schwall beseitigte er das Erbrochene seines Kollegen, das in breiigen Schlieren in die Elbe floss. «Hein hat zu viel gesoffen gestern», grunzte er und riss den Kaiarbeiter am Arm. «Mach, dass du weiterkommst, Deern. Hier hältst du den Betrieb bloß auf.»

Ein Grollen ließ sie zusammenfahren. Auf einmal verdunkelte sich der Himmel, und graublaue Wolken zogen auf. Das erleichterte Lili die Entscheidung. Sie leerte das Wasser aus dem Eimer mit den Dorschen und nahm, auf diese Weise um einiges Gewicht erleichtert, ihren Weg nach Hause wieder auf. Schließlich hieß es, dass ein Gewitter starken Einfluss auf das Wasser habe und dass die Fische dann manchmal darin starben – ein Schicksal, das ihnen angesichts des Totentrunks in wenigen Stunden ohnehin bevorstand, aber man musste sie ja nicht zusätzlich noch quälen.

Zu Hause angekommen, begann sie unverzüglich mit der Zubereitung der Speisen. In nur vier Stunden würde die Trauergemeinde vom Friedhof in die Deichstraße zurückkehren, dann wurde der tröstende Leichenschmaus erwartet. Zum Glück waren Carl und Caroline da, um ihr zu helfen. Carl schuppte mit einem Messer geschickt die Fische, Caroline half ihr beim Kartoffelschälen. Und während der gesamten Zubereitung gab Carl nicht einen Klagelaut von sich. Da wusste Lili, dass sie vergessen hatte, etwas sehr Wichtiges zu tun.

«Gott im Himmel!» Christian ließ vor Überraschung seinen Arztkoffer fallen. Da stand sie unter der Gaslaterne, sodass ihr rotes Haar leuchtete, und lächelte ihn an.

Als sie endlich einen Schritt auf ihn zumachte, erkannte er, dass ihr Lächeln etwas Spitzbübisches hatte. Die kleine Lücke zwischen ihren Schneidezähnen blitzte auf. «Es ist nett, so ehrerbietig begrüßt zu werden», erklärte sie. «Aber du musst das nicht.»

«Was muss ich nicht?» Christian rührte sich immer noch nicht.

«Mich Gott nennen», erwiderte Lili augenrollend. «Darf ich reinkommen?»

«Oh, natürlich. Ich komme gerade erst nach Hause. Ist etwas passiert? Du musst verzeihen, mein Humor ist mir im Lauf des Tages abhandengekommen», sagte Christian und hielt ihr die Tür auf. «Und wenn ich dir erzähle, was ich erlebt habe, wirst du auch verstehen, warum. Ich fürchte allerdings, wir müssen wieder einmal sehr leise sein. Meine Mutter schläft.»

«Manchmal glaube ich, deine Mutter ist nur ein Vorwand für dich, mich im Flüsterton zu hören», sagte Lili leise und strich sich ihre Haare aus dem Gesicht.

Christian blickte betont gelangweilt an ihr vorbei in den Salon. Sein Herz klopfte zum Zerspringen. Ließ Lili absichtlich ihren Liebreiz spielen? Schwer vorstellbar, dass sie nichts von der Wirkung ahnte, die sie mit solchen Worten entfachte. «Ich muss dich enttäuschen», sagte er fest. «Der Widerwillen meiner Mutter gegen nächtliche Weckaktionen ist real.»

Er lud sie ein, auf dem Canapé Platz zu nehmen und nicht auf dem Sessel, den sie das letzte Mal besetzt hatte, und stellte seinen Arztkoffer auf dem Boden neben ihr ab. Dann entzündete er die Petroleumlampe aus Messing, die auf dem Beistelltisch in der Ecke stand. «Ich bin gleich wieder da», erklärte er. «Muss mir die Hände desinfizieren. Darf ich dir auf dem Rückweg ein Glas Rum mitbringen?»

«Das Getränk des Hauses», sagte Lili mit einem neckischen Lächeln. «Dazu sage ich natürlich nicht nein.»

Er verließ den Raum in Richtung Waschstein, blieb aber im Flur stehen, um Lili im Schein der Lampe anzusehen. Nun, da sie sich unbeobachtet wähnte, sah sie überhaupt nicht mehr forsch und fröhlich aus, sondern einfach nur erschöpft. Ihre Stirn war gekraust, und sie war mit ihrem Daumennagel beschäftigt. Irgendein Kummer schien sie zu bedrücken. Fühlte sie sich etwa krank?

Als er zurückkehrte, saß sie noch immer so da. Aber ihr Gesichtsausdruck veränderte sich in dem Moment, in dem sie seine Schritte hörte. Sie wandte ihm ihr Gesicht zu, und ein strahlendes Lächeln erschien darin. Er stellte eine Karaffe mit abgekochtem Wasser und eine Flasche Rum auf den Tisch und vier Gläser dazu.

«Ich habe heute schon wieder eine Frau sterben sehen», erzählte er leise, während er die Gläser vollschenkte. «Erst habe ich sie behandelt, dann bin ich ins Krankenhaus gefahren, um Untersuchungen durchzuführen, und als ich wiedergekommen bin, war sie tot. Ich hätte den Hinterbliebenen normalerweise die Karte deines Vaters gegeben, aber ich möchte nicht, dass ihr dieser Art von Tod zu nahe kommt. Ihr würdet es selbst nicht überleben.»

Er sah, wie Lili ihn mit ihren dunklen Augen fixierte. Sie schien darauf zu warten, dass er weitersprach, aber er hatte auf einmal keine Lust mehr dazu. Alle Kraft war aus seinen Gliedern gewichen. Er schloss die Augen und lehnte sich zurück. Gleich entspannten sich die Muskeln in seinem Körper. Sein Kopf kippte zur Seite und berührte Lilis Schulter. Er richtete sich erschreckt wieder auf. «Verzeihung», sagte er. «Sekundenschlaf.»

Zu seiner Überraschung nahm Lili seine Hand in ihre und streichelte sie. «So etwas kenne ich», sagte sie leise. «Ich bin vorhin auch an Ort und Stelle eingeschlafen. Aber ich wollte dich unbedingt sprechen. Also bin ich wieder aufgestanden, habe mich ans Fenster gestellt und gewartet.»

«Ja?», erwiderte Christian ebenso leise. Er versuchte, sich nicht zu bewegen. Die Berührung ihrer Hände, hatte er schon einmal so etwas Schönes gespürt?

«Ja», sagte Lili, die nicht mehr aufhörte, ihn anzusehen. «Ich wollte mich entschuldigen. Für mein Verhalten heute Morgen und überhaupt. Dafür, dass ich so wenig mitbekommen habe in den letzten Wochen. Ich hatte zum Beispiel nicht gewusst, dass du Carl behandelst. Das wollte ich dir sagen. Es hat mir einfach keine Ruhe gelassen. Ich habe nur … mich selbst gesehen.»

«Du Glückliche», entfuhr es Christian.

«Wie bitte?»

Ja, wie bitte? Falsche Antwort, Christian spürte es gleich, ganz falsche Antwort. Er konnte ihr in diesem ernsten Moment ja schlecht sagen, wie gern er sie selbst ansah.

Er betrachtete ihre Finger. Fein und verletzlich wirkten sie, wie sie sich so um seine schlangen. Sie waren erstaunlich warm. Als er seinen Blick wieder hob, spürte er, wie verwirrt er war. Noch immer schaute Lili ihn auf diese durchdringende Weise an.

«Ich meine, du Glückliche, dass du das tun konntest», brachte er hervor. «Wir sollten alle öfter an uns denken. Wenn man sich nicht selbst hilft, tut es niemand sonst.»

«Ich glaube nicht, dass du das wirklich meinst», erwiderte Lili und ließ seine Hand los. «Du zum Beispiel, der du so viel an andere denkst, machst das Leben ja besser. Ich wünschte, es gäbe mehr Menschen von deinem Schlag.»

«Du machst das Leben auch besser, Lili.»

«Ich?» Lili sah ihn spöttisch an. «Ich habe mit dem Leben doch noch nicht einmal etwas zu tun.»

«Wie kannst du das nur sagen? Du schenkst den Menschen am Ende ihres Lebens Würde. Hier, nimm dein Glas und stoß mit mir an. Auf dich und das, was du tust. Auf das siebte Werk der Barmherzigkeit.»

«Die Bestattung der Toten …» Auf einmal wirkte Lili wieder erschöpft. «Ich habe heute ebenfalls jemand sterben sehen. Einen unserer Sargträger. Er hat mit den anderen gemeinsam den Sarg von Friedrich Thurgau angehoben. Und dann ist er zusammengebrochen.»

«Was ist mit ihm geschehen?» Christian hielt sein Glas noch immer in der Luft. «Hat er sich übergeben?»

«Ja.» Nun sah Lili erstaunt aus. «Woher weißt du das?»

«Verdammt.» Christian sprang auf und durchmaß den Raum mit großen Schritten. «Das Vibrio ist schon viel weiter verbreitet, als ich gedacht hätte. Oh Gott, Lili. Uns steht eine Katastrophe bevor.»

«Was meinst du?» Lili hatte ihr Glas wieder abgesetzt, ohne davon zu trinken.

Christian stellte sich direkt vor sie. «Wir haben die asiatische Cholera in der Stadt. Wenn wir nicht umgehend etwas dagegen tun, wenn die Kranken nicht augenblicklich isoliert und ihre Habseligkeiten desinfiziert werden, wenn wir nicht sofort anfangen, unser Trinkwasser abzukochen, werden in den nächsten Wochen Hunderte von Menschen sterben.»

«Das kann nicht sein, oder?» Lilis Stimme klang auf einmal ganz dünn.

Christian nahm seine Brille ab und warf sie auf den Tisch. «Warum wollt ihr das eigentlich nicht glauben? Das Leben wird doch nicht besser, wenn man seinen Blick von den Problemen abwendet.» Er sah, wie Lili auf dem Canapé förmlich in sich hineinkroch. Sie hatte die Beine angezogen und hielt ihre Knie umschlungen.

«Verzeih mir», sagte er und eilte zu ihr zurück. «Ich schreie dich an, dabei bist du nun wirklich die Letzte, die etwas dafür kann.» Er erwiderte ihren dunklen Blick. Minutenlang saßen sie so da und starrten sich an, während nur die Standuhr laut tickte.

Christian spürte, wie Lili am ganzen Körper zitterte. «Ich habe den halben Tag damit verbracht, die Leute an den richtigen Stellen davon zu überzeugen, dass wir das Choleravibrio in der Stadt haben. Und bin damit nur gegen Wände gelaufen. Ich bin mit den Nerven ein bisschen am Ende. Entschuldige.»

Lili nickte. Sie schien etwas sagen zu wollen, entschied sich dann aber doch anders.

Christian nahm sein Glas wieder auf und leerte es in einem Zug. «Ich habe übrigens viel darüber nachgedacht, was du mir neulich gesagt hast», griff er das Gespräch wieder auf. «Warum es vorteilhaft ist, die Toten zu verbrennen. Meinst du, du könntest mich einmal mitnehmen zu diesen Treffen des Feuerbestattungsvereins?»

Lili nahm nun ihrerseits einen kräftigen Schluck aus dem Glas. «Wenn dich diese ganze Krematoriumsgeschichte so interessiert, kannst du dich ja mit meinem Vater zusammentun. Er wird sicher bereit sein, dich zu den Vereinstreffen mitzunehmen.»

Christian hob spöttisch eine Augenbraue. «Vielen Dank für das freundliche Angebot. Ich mag deinen Vater, aber mit ihm auszugehen, ist nicht wirklich eine Alternative zu einem Treffen mit dir.»

Lili sah ihn auf eine Weise an, die er nicht so recht deuten konnte. Wieder verhakten sich ihre Blicke ineinander, eine gefühlte Ewigkeit lang. Als er es fast nicht mehr aushielt, wandte sie sich endlich ab.

«Diese Photographie da von unserer Straße, die über eurem Kamin hängt, mit dem Morgennebel ...»

«Hat mein Bruder gemacht.»

«Sie ist sehr schön. Ich würde gern einen Abzug davon kaufen.»

«In Ordnung. 22 mal 37?»

Lili sah verblüfft aus, zögerte aber nicht. «Das macht 814. Sind jetzt Rechenaufgaben dran?»

Christian lachte schallend. Das Gefühl tat ihm unendlich

gut. Zum ersten Mal an diesem Tag fiel die Anspannung von ihm ab. «Nein. Ich wollte wissen, wie groß du den Abzug haben willst. 22 mal 37 Zentimeter ist Mathis' Standardgröße für Photographien.»

«Ach so.» Auch Lili lächelte. «Wenn das die Norm ist – die erfülle ich doch immer wieder gern.»

Christian biss sich auf die Zunge. Am liebsten hätte er ihr gesagt, dass sie in keinster Weise die Norm erfüllte. Lili war alles, nur keine Norm. Und sie war diejenige, die er in das Geheimnis der Beale-Papiere einweihen musste. Mit ihr zusammen wollte er das Rätsel lösen. Mit ihr zusammen konnte er es.

Er blickte hinüber zu seinem Sekretär, in dem er die Papiere eingeschlossen hatte, und öffnete den Mund, um zu einer Erklärung anzusetzen, da stand Lili auf. «Es ist kolossal spät geworden», erklärte sie gähnend und reckte sich. «Ich muss jetzt dringend nach Hause und ins Bett.»

Christian starrte sie an. Seine eigene Müdigkeit war schlagartig verschwunden. Er hätte alles dafür getan, damit sie jetzt bei ihm blieb, aber erstens war das natürlich nicht schicklich, und zweitens schlug ihr Herz ja für diesen entsetzlichen Robertson. Beim nächsten Mal, schwor er sich, bringe ich die Geheimschriften gleich zu Beginn des Treffens auf den Tisch.

Der Himmel war von tausend funkelnden Sternen übersät, als Lili auf die Straße trat. Von St. Nikolai schlug es halb zwei, Lili zählte leise mit. Sie konnte sich nicht erinnern, jemals so spät unterwegs gewesen zu sein. Aber sie musste ja nur einmal quer über die Straße gehen. Sie betrachtete die Wäscheleinen, die zwischen ihrem Haus und dem Haus der Buchners aufgespannt waren. Sie sahen aus wie Fäden, die eine geheime Verbindung herstellten. Auf ihrer Seite der Straße hing der schwarze Frack des Vaters, ein Kleid der Mutter und – oh, wie peinlich – ein Unterrock von ihr. Auf der anderen Seite hingen drei Kittel, von denen sie annahm, dass es die Arbeitsanzüge waren, die Christian bei seinen gelegentlichen Diensten im Krankenhaus trug. Ein Ärmel seines Kittels berührte den oberen Saum ihres Dessous, was Lili in der Stille der Nacht und mit dem Alkohol in ihren Adern fast obszön erschien.

Sie musste ewig so gestanden und Christians und ihre Kleidungsstücke betrachtet haben, denn von St. Nikolai schlug es auf einmal Viertel vor. Jetzt erst nahm sie die Geräusche wahr, die sie umgaben, die Schritte eines Nachtwächters in der Ferne, das Meckern einer Ziege, das Muhen einer Kuh. Von der angrenzenden Stallung meinte sie ein leises Schnauben zu hören. Melchior und Kaspar, die beiden Rappen, schienen auch nicht schlafen zu können. Im Schein der Gaslaterne sah sie, dass die Buchstaben des Wortes FEUERBESTATTUNG auf dem Messingschild mit feuchter Erde beschmiert waren.

Sie schob ihren Ärmel über Daumen und Zeigefinger und wischte das Schild damit rein.

Eine übermütige Freude stieg in ihr auf. Es war aufregend, zu dieser Stunde auf der Straße zu stehen. Sie drehte sich einmal um die eigene Achse, um möglichst alles auf sich wirken zu lassen. Von wo nur hatte Mathis Buchner diese erstaunliche Aufnahme gemacht? Sie bewegte sich ein Stück die Straße in Richtung Fluss hinunter, um den Blickwinkel des Photographen zu finden, und wunderte sich über ihre Schritte, die zu dieser nachtschlafenden Stunde auf dem Pflaster wie Trommelschläge klangen. Das Ende der Straße war vollkommen unbeleuchtet, und auf einmal fielen ihr Ruriks Worte wieder ein. Eine Frau war ermordet worden, schon wieder, eine Frau, die ihr ähnlich sah. Plötzlich vernahm sie eine tiefe Stimme. Ein Mensch war hinter ihr aufgetaucht, den sie in der Dunkelheit nicht erkennen konnte. «Guten Abend, Lili. Ich habe auf dich gewartet», sagte die Stimme zu ihr.

Chlodwig Behnecke war eine Frau, auf die die Beschreibung «resolut und rechteckig» passte. Rechteckig war ihr Gesicht, und rechteckig wirkte auch ihre Figur, denn ihre Schultern waren genauso breit wie ihre ausladenden Hüften. Wohlmeinende Menschen bezeichneten Chlodwig als geradlinig, aber Chlodwig selbst wusste, dass das nicht stimmte, denn wie gerade die Linien ihres Denkens auch verliefen, sie drehten sich doch immer um sie selbst. Rechteckig war ihre Schrift, rechteckig waren die Zahlen, die sie schrieb, wenn sie das Haushaltsbuch führte, rechteckig sah ihr Mund aus, wenn sie lachte, und sogar ihre Ohren hatten diese gewisse Form. Schon als Kind hatte sie einen entsprechenden Eindruck vermittelt, und vermutlich hatte die Hebamme, die geholfen hatte, sie auf die Welt zu bringen, zur Mutter, Gott hab sie selig, gesagt: «Glückwunsch! Es ist im rechten Winkel geboren!»

Nun war Chlodwig selbst auf dem besten Weg, ein Kind auf die Welt zu bringen, zum zweiten Mal schon. Sie drehte sich im Bett zu Fiete um, doch anstelle ihres behaarten Gatten hatte sie die rothaarige Katze in der Hand. Fiete selbst war verschwunden, was vermutlich der magnetischen Wirkung zuzuschreiben war, die eine «Verbrecherkeller» genannte Kaschemme in der Niedernstraße an Freitagabenden ausübte. Chlodwig ächzte. Schon Fiete zwei hatte sie ohne nennenswerte Hilfe durch ihre schlechtere Hälfte gebären müssen, ganz wie ihre Mutter ihre Wehen stets in Abwesenheit des Vaters durchgestanden hatte. In dieser Hinsicht gab es also ein gewisses Festhalten an der Familientradition. Aber jetzt nicht mehr, schwor sich Chlodwig, jetzt war Schluss. Sie war weder fähig noch willens, die Geburtsqualen allein zu ertragen, und so warf sie sich einen Morgenrock über und stieg, gefolgt von der rothaarigen Katze, die enge Holztreppe zur Werkstatt hinab.

Thorolf Behnecke sah kurz auf, als er Chlodwig auf der Schwelle zu seinem Arbeitsraum erblickte. Die Überraschung nahm nicht mehr Zeit in Anspruch, als er es für notwendig erachtete, schließlich war er mit Würfeln dran, und es sollte mit dem Teufel zugehen, wenn er sich ausgerechnet jetzt beim Spielen unterbrechen ließe, wo er so kurz vor einer Gewinnsträhne war.

«Zwei Sechser, du Gipsmanscher, was sagst du jetzt?», brüllte er und warf die Würfel seinem Gegenüber zu, einem langhaarigen Gesellen mit auffallender Gesichtsbehaarung.

«Ich sage Glückwunsch.» Der Mann begann, ein paar Zahlen auf den hölzernen Tisch zu schreiben. «Du bist heute ganz gut.» Er legte den Stift beiseite, griff nach dem Krug Bier, der vor ihm stand, und leerte ihn in einem Zug.

Thorolf Behnecke lachte meckernd, als er den Schaum auf der Oberlippe seines Mitspielers sah. «Du hast jetzt einen Bart!»

«Hä?» Sein Gegenüber sah an sich hinab und kraulte sich nachdenklich das Kinn. «Den hab ich doch schon seit dreißig Jahren.»

«Phhh!» Behnecke blies die Luft aus seinen Backen, wandte sich seiner Tochter zu und tippte sich an die Stirn. «Gideon versteht nie das, was er verstehen sollte. Und damit schaufelt der sich noch sein eigenes Grab. Was stehst du da eigentlich so rum, Deern? Kein Matratzenhorchdienst heute Nacht?»

«Das Blag will raus», erklärte Chlodwig und stemmte die Arme in die Hüften. «Und du wirst einem jetzt helfen, Vater. Ruf die Hebamme. Sofort.»

«Seh ich aus wie jemand, der Befehle entgegennimmt?» Thorolf Behnecke zog die Nase hoch und deutete auf die Würfel, die noch immer auf dem Tisch lagen. «Los, Gideon, du bist dran.»

Chlodwig stürmte auf ihren Vater zu und packte ihn am Arm. «Das kann doch wohl nicht wahr sein! Mutter ist noch nicht mal zwölf Stunden unter der Erde, und du sitzt hier und amüsierst dich beim Würfelspiel. Schäm dich und hol die Hebamme. Man …» Der Schmerz ließ sie zusammenzucken. Sie krümmte sich.

«Verfluchte Strenge.» Behnecke ließ ein kurzes Grinsen aufblitzen. «Das Temperament hat sie von mir. Also, Gideon, du hast gehört, was meine Chlodwig gesagt hat. Hol die Hebamme. Admiralitätsstraße, hinter der Brücke, das Haus, in dem die Juden wohnen. Klingel nach der Hexe im Erdgeschoss.»

Der Bärtige erhob sich kopfschüttelnd. «Ich weiß nicht, warum ich das immer wieder für dich tu, Thorolf.»

«Weil ich dich für deine Gipsmanscherei bezahlt hab, du Trottel. Und weil ich dir heute Abend schon wieder Bier ausgegeben hab! Hau ab, marsch.»

Chlodwig hielt sich die Seiten. Eine neuerliche Wehe flutete ihr Becken. Als sie wieder denken konnte, war der Stukkateur, mit dem ihr Vater befreundet zu sein schien, verschwunden, und sie war mit ihrem Erzeuger allein.

«Wo ist eigentlich dein Nichtsnutz von Ehegespons?», grunzte Behnecke. «Kann der sich nicht wenigstens bei dem Weiberkram hier», er deutete auf Chlodwigs Bauch, der dem Rechteckigen in ihrer Figur eine neue Geometrie verlieh, «mal nützlich machen?»

«Fiete arbeitet den ganzen Tag über, Vater», erklärte Chlodwig ungeduldig, «und jetzt ist er in der Gastwirtschaft.»

«Gut, dass uns wenigstens die Alte nicht noch die Ohren volljammert», knurrte Behnecke. «Hat mit dieser verfluchten Kotzerei der Schlafstube einen neuen Anstrich verpasst!»

Chlodwig überlegte, ob sie jetzt auch noch die Mutter verteidigen sollte, aber sie fühlte sich zu schwach dazu. Es war seltsam, aber irgendwie fehlte ihr die Mutter überhaupt nicht. Was vielleicht auch daran lag, dass die Mutter nie sonderlich präsent gewesen war. Solange Chlodwig zurückdenken konnte, war sie als dienstbarer Geist durch die Räume gehuscht, ein Schatten eher denn ein Mensch. Doch in den vergangenen Jahren war sie ihren Pflichten zunehmend schlechter und seltener nachgekommen, weil ihr angeblich die Knochen zu stark geschmerzt hatten, um den ganzen Tag auf den Beinen zu sein. Chlodwig hatte ein Dankesgebet an den lieben Gott geschickt, dass die Mutter so schnell gestorben war. Zu denken, dass sie eine Invalide hätte versorgen müssen, zusätzlich zu dem, was sie als Mutter zweier Kinder und als Tochter eines Jähzornigen ohnehin schon zu tun gezwungen war, machte ihr Angst.

Die nächste Wehe war von überraschender Heftigkeit. Chlodwig schrie auf und schlug vor Schmerzen mit der Faust auf den Tisch.

«Mach hier nich so'n Gedöns», schimpfte Behnecke und schlurfte zu dem Bierfass hinüber, das in einer Ecke der Werkstatt stand. Er hatte es sich angewöhnt, sein eigener Wirt zu sein. Das hatte den Vorteil, dass er arbeiten und trinken konnte, ohne sich zwischen Werkstatt und Kaschemme entscheiden zu müssen. «Geh nach oben in die Klappe.» Behnecke wandte sich mit dem vollen Glas in der Hand zu ihr um. «Ich will die Sauerei hier nicht aufwischen müssen, wenn es passiert!»

Chlodwig fiel auf den Stuhl, den der Bärtige verlassen hatte, und wartete, bis sie wieder sprechen konnte. «Man würde ja, wenn man könnte», brachte sie endlich hervor.

Behnecke betrachtete sie grinsend. «Obwohl – besser so als die Deern von Winterbergs. Die ist mit einundzwanzig noch immer nicht unter der Haube, und jeder weiß, dass sie zwei Kerle hat. Liederliches Weib.»

Die Wehe verhallte. An ihrer statt stieg ein anderes unangenehmes Gefühl in ihr auf. Sie sah die Tochter ihres Geschäftskonkurrenten vor sich, das liebreizende Gesicht, die schönen Haare, ihre überhaupt nicht eckige Figur.

«Lili Winterberg», hörte Chlodwig sich selbst mit neidischer und hasserfüllter Stimme sagen, «hat … zwei?»

«Kein Wunder bei dieser degenerierten Familie», knurrte

Behnecke. «Vater ’n Knasthocker, Bruder bekloppt ... he, was krümmst du dich denn schon wieder so?»

Chlodwig wimmerte vor Schmerzen. «Man möchte meinen ... jetzt geht es los!»

«Verflucht, wo bleibt nur Gideon mit diesem ollen Weib.» Behnecke trat gegen einen der Särge, die hochaufgerichtet an der Wand standen. Das geschreinerte Stück rutschte beiseite, stieß gegen einen anderen Sarg, es gab ein lautes Gepolter, und dann fielen alle Särge um. Die Katze verzog sich miauend in eine Ecke. «Kannst du nicht einmal ruhig sein?», schimpfte Chlodwig, nachdem ihre Wehe wieder abgeebbt war. «Du weckst Fiete auf.»

«Ich denk, der ist saufen?»

«Fiete zwei!»

In diesem Moment wurde die Tür aufgerissen, und der Bärtige stand im Rahmen. «Die Hebamme ist schon zu jemand anderem gerufen worden», rief er außer Atem. «Aber das macht nichts. Ihr habt ja mich.»

«Was soll das heißen?» Chlodwig riss die Augen auf. Sie hatte nicht die Absicht, einem Menschen ihre intimen Körperteile zu präsentieren, der diese allenfalls durch Zoten kannte. «Sie wissen doch überhaupt nicht, wie das geht!»

Der Bärtige setzte ein feines Lächeln auf. «Meine Mutter war Hebamme. Ich habe als Kind oft zugesehen.»

«Na, das erklärt ja einiges», dröhnte Behnecke.

«Oh, mein Gott! Sag mir bitte, Vater, dass das hier nur ein schlimmer Albtraum ist!»

«Einen Eimer heißes Wasser», forderte der Bärtige. «Und saubere Tücher. Schnell!»

«Wo soll ich denn jetzt Tücher hernehmen?», schimpfte Behnecke. «Ich weiß überhaupt nicht, wo die sind. Das war immer Fridas Aufgabe, die Tücher zu verstauen. Und Frida ist jetzt tot.»

«Dann nimm halt eines der Leichentücher. Ihr habt doch vorhin welche geliefert bekommen. Das habe ich selbst gesehen.»

«Keine Leichentücher!» Chlodwig schüttelte heftig den Kopf. «Das bringt Unglück!»

«Papperlapapp!» Behnecke zerrte eines der mit weißer Spitze gesäumten schweren, schwarzen Tücher aus dem Schrank. «Da is noch nie jemand dran gestorben! Nu hab dich nich so.»

Chlodwig konnte sich nicht mehr wehren. Sie konnte gar nichts mehr tun außer schreien, denn die Wehen hatten mit solcher Stärke eingesetzt, dass ihr schwarz vor Augen wurde und sie beinahe das Bewusstsein verlor.

«Atmen», befahl der Bärtige ruhig. Durch den Bewusstseinsnebel hindurch merkte Chlodwig, dass seine Stimme melodisch klang und dass eine Ruhe darin schwang, die überraschend wohltuend war. Sie holte tief Luft.

«Nein, nicht so», korrigierte ihre männliche Hebamme. «Atme durch die Nase, bis hinunter in den Bauch. So ist es gut. Und jetzt durch den Mund wieder aus.»

«Was ist denn das schon wieder für ein Quatsch?», hörte Chlodwig ihren Vater schimpfen.

«Thorolf, wir müssen sie nach oben schaffen. Sie muss in ihr Bett.»

In diesem Moment fühlte Chlodwig die erste Presswehe. Sie wusste das deswegen so genau, weil sie dasselbe Gefühl schon mal mit Fiete zwei erlebt hatte, es hatte sich ihr gründlich eingeprägt. «Es kommt», schrie sie.

«Gut, du zählst jetzt ganz langsam bis hundert», redete der Bärtige auf sie ein. «Wir bringen dein Kind hier unten zur Welt. Thorolf, wo kann sie liegen?»

«Guck dich doch mal um, du Esel», knurrte Behnecke. «Ich hab hier bloß die Särge stehen.»

Chlodwig schrie. «Eins, zwei, drei ...!»

«Langsam, Deern, nicht so panisch! Thorolf, du gehst jetzt raus. Wir kriegen das hier auch ohne dich klar.»

«Wie redest du eigentlich mit mir, Gipsmanscher?»

Durch die Schmerzwand, die Chlodwig von ihrer Umgebung trennte, bemerkte sie, dass der Vater schon wieder gegen irgendwelche Gegenstände trat. «Vier, fünf, sechs, um Himmels willen», flüsterte sie, «Vater, nun verschwinde schon.»

Später hätte Chlodwig nicht mehr sagen können, ob der Vater tatsächlich auf ihren Wunsch hin gegangen war oder ob ihm die ganze Sache einfach nur zu anstrengend oder laut geworden war. Sie bekam ihr kleines Mädchen nicht in einem Sarg, wohl aber auf einem Leichentuch. Und es gab tatsächlich keine Veranlassung, abergläubisch zu sein, was diese Tuchsache anbelangte, denn das Kind war kerngesund.

Der Stukkateur durchtrennte die Nabelschnur mit einem der Beitel, die ihr Vater für seine Schreinerarbeiten verwendete. Dann wusch er das Kind, wickelte es in eines der Tücher, die Chlodwig oben für diesen Fall bereitgelegt hatte, und legte es ihr in den Arm. Hinter einem der Särge kam die Katze hervor. Ihre bernsteinfarbenen Augen leuchteten. Ganz zärtlich schmiegte sie sich an Chlodwig und ihr Neugeborenes heran.

«Jetzt heißt es: Wähle ihren Namen mit Bedacht», lächelte der Stukkateur, als er sah, wie Chlodwig ihr Kleines anstarrte.

Chlodwig hob die Schultern, die mit ihren Hüften jetzt fast wieder ein sauberes Rechteck bildeten. «Joa, nu ja. Ich hab an Hildegard gedacht.»

Der Bärtige schien zu überlegen. «Hildegard, das ist … warte mal. 8+9+3+4+5+7+1+9+4, das macht in der Quersumme fünf. Nicht schlecht, die Fünf. Ja, Hildegard ist gut.»

«Wie bitte?» Chlodwig mochte noch nicht wieder ganz angekommen sein in der Wirklichkeit, aber dass dieser Bärtige wirres Zeug redete, verstand sie dann doch.

«Ich sagte», wiederholte der Mann, der ihre Tochter zur Welt gebracht hatte, «dass der Name Hildegard eine gute Wahl ist. Denn eines musst du dir merken. Es ist eine Weisheit, die dir vielleicht so manches Mal noch weiterhilft: Sag mir deinen Namen. Und ich sage dir, wer du bist!»

11. KAPITEL

Oh Gott, Magdalena, hast du mich erschreckt!» Lili presste eine Hand auf ihr hämmerndes Herz.

«Das tut mir leid», Magdalena nahm Lilis Hand in ihre. «Das wollte ich nicht.»

«Weißt du denn nicht, dass dieser Verrückte, der Jagd auf Rothaarige macht, noch immer nicht gefasst worden ist? Ich dachte schon, das wäre er.»

«Oh, Kätzchen, ich wollte dich nicht erschrecken. Ich wollte nur einen Spaß machen.» Magdalena strich ihr sanft mit dem Zeigefinger über die Wange. «Ich kann nach wie vor nicht fassen, wie ähnlich du ihr siehst …»

Lili wandte sich ab. Es gefiel ihr nicht, wie Magdalena sie noch immer mit der Ermordeten in Verbindung brachte. «Wie lange stehst du denn überhaupt schon da? Und was machst du hier mitten in der Nacht?»

Noch immer waren sie so weit von der Gaslaterne entfernt, dass Lili ihr Gegenüber nicht richtig erkennen konnte, aber sie meinte, ein kleines Lächeln in Magdalenas Gesicht zu sehen. «Die erste Frage wäre», erwiderte sie, «was machst du eigentlich zu dieser Stunde auf der Straße?»

«Ich habe nur meinen Nachbarn besucht», rechtfertigte sich Lili.

«Nachbarn, hm?» Magdalenas Zähne leuchteten hell im Mondlicht. Jetzt war das Lächeln eindeutig.

«Ja, Nachbarn. Er kümmert sich seit einiger Zeit um meinen

kleinen Bruder, weil der immer so schreckliche Kopfschmerzen hat.»

«Ich wusste es!» Triumphierend fuhr Magdalena auf. «Es ist dieser auffallend gutaussehende Arzt. Oh, ich mag ihn auch.»

«Woher kennst du ihn eigentlich?», fragte Lili.

«Ach, er ist einmal zu uns gekommen», schwärmte Magdalena. «Und da habe ich mich mit ihm unterhalten. Hab sogar ziemlich viel mit ihm gelacht.»

«Du findest also, er hat Humor?»

Magdalena kicherte. «Der Mann, der sein Brillengestell gelötet hat, der hat Humor.»

«Ach ja? Ich mag seine Brille eigentlich ganz gern.» Lili verspürte plötzlich den Drang, Christian zu verteidigen. Sie verschränkte die Arme vor der Brust. «Du hast mich also beobachtet. Darf ich bitte schön fragen, warum?»

«Vielleicht faszinieren mich ja Rothaarige.»

«Das ist nicht lustig.» Lili war verärgert.

«Nein», sagte Magdalena, und ihre Stimme schlug plötzlich um. «Das ist es auch nicht. Ich bin hier, weil ich nicht weiß, wo ich schlafen soll, Lili. Nimmst du mich heute Nacht bei dir zu Hause auf?»

«Ob ich dich … Was ist passiert?» Als Erstes dachte sie an ihre Eltern. Konnte sie das einfach tun? Eine aus dem Bordell Entlaufene bei sich im Dachzimmer unterbringen? Sie bezweifelte das.

Magdalena drehte den Kopf zur Seite und verharrte still. In der Ferne ertönten Schritte. Gleich darauf schlug es von St. Nikolai zwei Uhr. «Ich würde dir das gerne in Ruhe erklären», flüsterte sie. «Bitte, Lili. Ich warte seit Stunden hier draußen auf dich. Ich habe dich nicht gleich angesprochen, als du auf der Straße standest, weil ich nicht genau wusste, ob ich es wagen kann. Ich weiß, ihr habt schon ohne mich genug Ärger. Sibylle, die man euch vor die Tür gelegt hat … dein Vater im

Gefängnis … euer Geschäft läuft nicht gut …» Magdalena verstummte und schlug die Hände vors Gesicht.

«Komm schon mit rein.» Lili legte ihr eine Hand auf den Rücken und schob sie sacht nach vorn.

«Oh, danke, Kätzchen. Ich weiß, deine Eltern werden es sicher schrecklich finden, dass du das tust.»

Lili zögerte kurz. «Nein, meine Eltern sind gute Menschen. Sie helfen anderen Menschen in der Not.»

Sie schlichen die knarrende Stiege in Lilis Dachkammer hinauf, wo Lili fünf Kerzen an einem Kandelaber entzündete. Das flackernde Licht beschien das ledergebundene Buch, das Lili aus England mitgebracht hatte.

Magdalena nahm es vorsichtig in die Hand. «Adventures of Sherlock Holmes», buchstabierte sie mühsam den Titel. «Das ist Englisch, oder? Was bedeutet es?»

«Die Abenteuer des Sherlock Holmes», übersetzte Lili. «Sherlock Holmes ist ein Detektiv, der immer weiß, wer der Mörder ist. Es sind kolossal gute Geschichten. In England sind sie sehr beliebt.»

«Was würde ich darum geben, Englisch zu können.» Magdalena begann zu blättern. «Lernen hat mir immer Spaß gemacht. Dank Teresa durfte ich ja noch ein bisschen zur Schule gehen. Sie hat immer Wert darauf gelegt, dass wir Mädchen lesen, rechnen und schreiben können, ich weiß auch nicht, warum. Wo darf ich denn heute Nacht schlafen?»

Lili deutete auf ihr Bett. «Hier. Das werden wir uns teilen müssen. Etwas anderes habe ich leider nicht im Angebot.»

«Dann ist es ja wie bei mir», antwortete Magdalena. Zu Lilis Überraschung füllten sich ihre Augen mit Tränen. «Nein», fuhr sie leise fort. «Es ist überhaupt nicht wie bei mir. Kein bisschen ist es das.»

Lili legte einen Arm um sie. Magdalenas Schultern bebten.

Wieder hatte sie die Hände vors Gesicht geschlagen und weinte leise in sich hinein. «Ist es nicht merkwürdig», flüsterte sie endlich, als sie wieder sprechen konnte. «Dass die Leute mich mit der Liebe in Verbindung bringen und dich mit dem Tod?»

Lili strich ihr mit der Rechten über das Haar. Ihre Augen brannten. Ein merkwürdiges Gefühl erfüllte ihren Körper. Sie hätte auf der Stelle einschlafen können, aber gleichzeitig war sie schmerzhaft wach.

«Nein», sagte sie. «Ist doch klar. Ich kümmere mich um Leichen, und du arbeitest in einem Bordell.»

Magdalena zuckte leicht zusammen. «Ich hasse es, das andere Leute sagen zu hören. Es klingt, als würde ich mit den Männern diese … Dinge tun.»

Lili wickelte sich eine von Magdalenas dunklen Strähnen um die Hand. Es gab nichts, das sie mit Worten darauf erwidern konnte.

«Ich meine», fuhr Magdalena fort, «weil sich doch alles vermischt. Ihr arbeitet mit Liebe für die Toten und ihre Angehörigen. Und bei uns im Viertel gibt es so viel Krankheit, Verletzung und Tod.»

Es war das zweite Mal in dieser Nacht, dass Lili etwas Nettes über den Berufsstand ihres Vaters hörte. Sie war sich bewusst, dass sie niemals so etwas wie gesellschaftliche Anerkennung erhalten würde für das, was sie tat. Sie würde immer außen vor bleiben. All die Feste, die die Menschen in ihrer Nachbarschaft feierten, Taufen, Konfirmationen, Hochzeiten … Die Eltern, ihre Geschwister und sie würden niemals eingeladen werden, weil jeder bei ihrem Anblick an den Tod dachte. Aber von Menschen, die sie mochte und schätzte, zu hören, dass sie gleichwohl Gutes taten, reichte ihr in diesem Moment.

«Teresa hat doch diesen Kunden», fuhr Magdalena fort. «Ich habe ihn, glaube ich, neulich schon mal erwähnt.»

«Hilf mir auf die Sprünge.» Lili überlegte.

«Der Mann, der uns den Sinnspruch geschenkt hat, der jetzt in der Diele hängt: *Honig und Milch ist unter deiner empfindsamen / rollenden Zunge, cinnamonumreich der leichte Duft deiner Gewänder, wie oleandergleich der Libanon.* Erinnerst du dich?»

«Das komische Gedicht aus dem Alten Testament. Ja.»

«Er kommt regelmäßig, um sich mit den Mädchen zu unterhalten. Neulich hat er uns etwas über zwei Götter aus der griechischen Mythologie erzählt, Eros, der für die Liebe steht, und Thanatos, der den Tod verkörpert. Seitdem muss ich immer wieder darüber nachdenken. Und dann stelle ich mir dabei uns beide vor.»

Lili lächelte. «Wir beide als griechische Göttinnen! Ein hübsches Bild.»

«Ja, aber es ist mehr als nur ein Bild, weißt du. Es ist ein Symbol. Beides hängt miteinander zusammen. Ohne Liebe kein Tod, denn Liebe, das ist auch Körperlichkeit, und das sind auch Geschlechtskrankheiten, jedenfalls bei uns. Und ohne Tod, also ohne das Wissen darüber, dass wir vergänglich sind, gibt es auch keine Liebe, denn dann müssten wir uns ja nicht darum kümmern, dass unser Fleisch und Blut auf der Erde weiterlebt, wenn wir mal nicht mehr sind. Vielleicht vereinigen wir uns deshalb.»

Lili dachte daran, wie ihr vor zwei Tagen etwas ganz Ähnliches durch den Kopf gegangen war, als sie Magdalena tanzen gesehen hatte. «Und darum vereinigen wir uns?», fragte sie noch einmal nach. Der Satz hing in der Luft wie ein schweres, reizendes Parfüm.

«Natürlich nicht wir beide uns.» Magdalena lachte. «Du weißt schon, was ich meine.»

Lili überlegte. Sie hätte es nicht erwartet, dass Magdalena solche Gedanken wälzte. Geschweige denn, dass sie in der Lage war, sie so auszudrücken, wie sie es tat.

«Es ist also so weit», sagte Magdalena unvermittelt.

«Was ist so weit?» Lili fuhr zurück.

«Teresa hat mich vor die Wahl gestellt. Entweder ich komme meinen Pflichten im Bordell nach wie alle anderen Mädchen auch – oder ich habe von dort zu verschwinden.»

«Das ist doch unsinnig», schnaubte Lili. «Ohne dich würden sehr viele Männer wegbleiben. Was verspricht sich deine Teresa denn davon?»

«Einige der anderen Mädchen meutern. Sie finden es ungerecht, dass ich diese Sonderrolle spiele. Ich weiß, wie sie über mich reden. Früher hat mir das nichts ausgemacht. Da hat sich immer Sibylle schützend vor mich gestellt.»

Lili überlegte eine Weile, bevor sie etwas sagte. Von fern wehten die Glockentöne von St. Nikolai herüber. Es war halb drei. «Meinst du», fragte sie zögernd, nachdem die Schläge verklungen waren, «dass der Mord an Sibylle … hatte der vielleicht etwas damit zu tun?»

«Du meinst, dass eines der Mädchen Sibylle …» Magdalena starrte sie aus weitaufgerissenen Augen an. «Oh mein Gott. Liebe und Tod – so habe ich es noch gar nicht gesehen!»

«Traust du ihnen das zu?»

Magdalena schüttelte den Kopf. «Nein. Einige von ihnen sind verschlagen und gehässig. Aber das würden sie bestimmt niemals tun. Oder, Lili? Was meinst du? So etwas würden Frauen doch niemals tun?»

Lili dachte an einen Mann, den der Vater hatte herrichten müssen, als sie vierzehn Jahre alt gewesen war. Sie hatte den Leichnam nicht sehen dürfen, es hatte strengstes Zutrittsverbot in der Werkstatt gegeben. Dennoch war sie neugierig gewesen. Der Mann war von seiner Frau erschossen worden. Mitten ins Herz. Seither ahnte sie, was alles möglich war. Aber es gab keine Veranlassung, das an dieser Stelle zu erwähnen. Also schüttelte sie nur den Kopf und sagte: «Nein, ich denke nicht.»

Magdalena knöpfte sich langsam ihr Kleid auf. «Es tut mir leid. Du wirst es eng haben heute Nacht.»

Lili betrachtete die Pritsche, die ihr selbst für sie allein als zu schmal erschien, seitdem sie ausgewachsen war. Aber sie schüttelte abermals den Kopf. «Das ist nicht schlimm.»

In der Nacht träumte sie von zwei Wesen aus einem Fabelreich. Das eine war rot, das andere schwarz. Irgendwann waren die beiden Wesen müde. Da sagte das eine zum anderen: «Schlaf gut, meine Liebe.» Darauf antwortete das andere: «Schlaf gut, mein Tod.»

Das Ehepaar, das an diesem Morgen das Bestattungsinstitut Winterberg betrat, hatte die siebzig sicherlich schon um einiges überschritten. Basilius hatte die beiden noch nie zuvor in der Gegend gesehen, vermutlich waren sie aus einem weiter östlich gelegenen Teil der Neustadt gekommen. Noch während das Bimmeln der Ladenglocke verhallte, versuchte er einzuschätzen, um welche Art von Kunden es sich bei den beiden wohl handelte. Er fand, dass sie einander sehr ähnlich sahen, wie so viele Menschen, die sich ein Leben lang begleitet hatten. Beim Lächeln schoben sie ihren Unterkiefer vor, und sie trugen beide einen entschlossenen Zug um den Mund. Ihrem Gesichtsausdruck nach zu schließen, handelte es sich wohl um keinen akuten Trauerfall. Solide Eiche, beschloss er, als er die beiden ansah. Der Sargdeckel eher etwas verspielt geschnitzt. «Wie kann ich Ihnen helfen?», fragte er.

Die Frau sah kurz zu ihrem Mann hinüber, und der nickte ermutigend.

«Wir wollten mal wissen ... wie es so ist», begann sie stockend.

«Sie meinen, wenn Sie beide nicht mehr sind?», fragte Basilius freundlich. Täuschte er sich, oder hatten die Menschen zunehmend Probleme mit dem Tod? In seiner Jugend war jeder noch bei sich zu Hause gestorben, und die Familienangehörigen hatten den Toten gemeinsam aufgebahrt. Sicher, es hatte auch damals schon Menschen gegeben, die eine Abneigung dagegen verspürten, Verstorbene zu waschen, aber dafür waren ja die Leichenwäscherinnen da. Für alles, was die Familie selbst nicht leisten konnte, hatte es damals ein eigenes Gewerk gegeben: Schreiner für die Särge, Schneider für die Totengewänder, Steinmetze für die Grabstellen, Kutscher für den Transport. Erst in den vergangenen zwanzig Jahren waren diese Gewerbezweige allmählich unter einem Dach zusammengekommen.

Basilius Winterberg erinnerte sich, als wäre es gestern gewesen, wie er als einer der Ersten in Hamburg seine Konzession als Bestatter beantragt hatte. Lang und breit musste er vor der Behörde erst einmal erklären, was ein «Bestattungsunternehmer» überhaupt war. Das Geschäft hatte seither all die Jahre über floriert, und er wäre bestimmt der Letzte gewesen, der den Beruf kritisch gesehen hätte, aber in letzter Zeit ertappte er sich bei dem Gedanken, dass die zunehmende Versorgung von Toten durch ein einziges Dienstleistungsunternehmen nicht immer zum Besten einer Familie war.

«Ja.» Der Mann nickte energisch. «Genau.»

«Also, da kann ich Ihnen gerne einmal alles zeigen. Möchten Sie vielleicht eine Tasse Tee?»

Die beiden alten Leute blickten sich erstaunt an. Dass sie an einem Ort, der von Tod und Sterben beherrscht war, mit einer kleinen Erfrischung überrascht wurden, nahm sie für den Bestatter ein. Der Mann schob seinen Unterkiefer vor und lächelte breit. «Danke schön. Sehr gern.»

Basilius humpelte in den Hinterhof. Elisabeth stand vor dem Holzschuppen, in dem das Schnittholz für die Särge gestapelt wurde und in dem auch die Hühner ihren Unterschlupf hatten, und sammelte Eier für ein Omelett. «Elise, wir haben Kundschaft, machst du uns vielleicht einen Tee?»

Elisabeth schob sich den Eierkorb über den Arm und lächelte. Dann musterte sie ihren Mann. «Du hast heute besonders starke Schmerzen, mein Lieber, habe ich recht?»

Basilius schloss die Augen und atmete den Duft seiner Frau ein. «Mach dir keine Sorgen, mein Schatz. Übrigens, hast du Lili heute schon gesehen?»

«Soweit ich weiß, schläft sie immer noch.»

«Wie bitte? Es ist doch schon fast neun.»

«Ich weiß. Sie war gestern Abend noch bei dem Arzt gegenüber, weißt du, der unser Carlchen wieder heile macht.»

Basilius runzelte die Stirn. «Wir werden mal ein Wörtchen mit ihr reden müssen. Sie kann doch nicht zwei Männer gleichzeitig sehen.»

Elisabeth lächelte, dass sich die Haut um ihre Augen noch stärker in Falten legte. «Gleichzeitig sieht sie die jungen Männer ja wohl auch nicht ... Geh zu deinen Kunden zurück. Ich mache den Tee.»

Zurück im Laden, bemerkte Basilius, dass das Ehepaar sich neugierig an den Regalen bedient hatte. Die Frau hatte ein Totengewand hervorgeholt und hielt es sich prüfend vor die Brust. Es war eine jener aufwendigen Arbeiten, für die Elisabeth etwa eine Woche brauchte, mit aufgesetzten Epauletten, Stehkragen und Knopfleisten. Die Ärmel waren dreiviertellang und mit weißer Spitze abgesetzt, und unterhalb der Brust hatte Elisabeth eine Leiste mit Blüten aus weißem Stoff genäht. «Sag mal, Heinrich, wie steht mir das?»

Der mit Heinrich Angesprochene runzelte die Brauen und schüttelte den Kopf. «Ganz hübsch. Aber ich glaube nicht, dass ich lange das Vergnügen haben werde, dich darin anzusehen.»

Seine Frau schien eine Weile über die Worte nachzudenken, dann legte sie das Kleid wieder zurück.

Basilius humpelte zu dem Tisch hinüber, auf dem die große Ladenkasse stand, und zog eine Schublade auf. Auftragsbuch und verschiedene Listen lagen darin.

«Hier», sagte er und reichte dem Ehepaar eine Liste mit den Angeboten. «Sie können wählen zwischen einem schlichten Begräbnis und Sonderanfertigungen. Sie können auch eine Mischung aus beidem wählen. Vielleicht wünschen Sie», er blickte zur Frau hinüber, «ein besonders zartes Kleid, aber dafür einen einfachen Sarg? Oder umgekehrt? Ich bin Schreiner und auf Ornamente und Intarsien spezialisiert. Sie allein bestimmen, wie Ihr Sarg aussehen soll.»

«Kann mir gar nicht vorstellen, dass es da so viele Unterschiede gibt», brummte der Mann. «Ich meine, Sarg ist Sarg. Oder nicht?»

«Aber nein», lächelte Basilius. «Da sind zum Beispiel die Griffe. Wie viele Träger wollen Sie haben, um zu Ihrer letzten Ruhestätte getragen zu werden? So viele Träger, so viele Griffe am Sarg.»

«So sechs Träger müssten es dann wohl schon sein.» Die Frau ließ einen Blick über den wohlgerundeten Bauch ihres Mannes gleiten.

«Und dann können Sie noch unter verschiedenen Hölzern wählen.»

«Wie soll das gehen, wenn ich im Sarg liege?»

«Vorher sollst du wählen, Heinrich.» Die Frau verdrehte die Augen. «Du sollst das Holz wählen, bevor du tot bist. Jetzt zum Beispiel.»

«Und dann», erklärte Basilius bereitwillig, «können Sie natürlich auch das Plättchen für die Inschrift wählen. Soll es aus Messing sein, aus Eisen, Silber oder Gold?»

«Du kannst natürlich auch sagen, was du da alles daraufgeschrieben haben willst», sagte die Frau.

Der Mann wandte sich abrupt zu ihr um. «Wozu sind wir überhaupt hierhergekommen, wenn du sowieso schon alles weißt?»

«Alles weiß ich ja nicht», wiegelte die Frau ab.

«Außerdem redest du die ganze Zeit so, als ob ich derjenige wäre, der sterben muss.»

«Ich will dich ja nicht erschrecken, Liebling.» Die Frau strich ihm über den Arm. «Aber das wirst du irgendwann auch.»

«Also.» Basilius beeilte sich weiterzusprechen. «Auch die Innenausstattung eines Sargs kann erheblich variieren. Je nachdem, für welches Tuch Sie sich entscheiden, oder ob Sie eine Matratze wünschen.»

Jetzt wirkten beide überrascht. «Wozu brauchen wir eine Matratze im Sarg?», fragte die Frau.

Basilius lächelte. «Nun ja, brauchen ... Das ist alles relativ. Viele wünschen ihre Angehörigen so bequem wie möglich zu betten. Aber das bestimmen ausschließlich Sie selbst.»

«Meine Frau hat kein Interesse daran, mich bequem zu betten.» Der Mann schob seine Unterlippe vor. «Hat sie noch nie gehabt.»

«Also wirklich, Heinrich, jetzt übertreibst du aber.» Die Frau sah aufrichtig verärgert aus. «Ich lege dir sogar noch ein Federkissen mit hinein, wenn dich das die ewige Ruhe besser genießen lässt.»

«Ein Federkissen ist leider nicht erlaubt», wandte Basilius ein. «In Federn ist Horn enthalten, und das zersetzt sich nicht.»

«Wie sieht es mit der Grabstelle aus?» Der Mann bemühte sich, das Thema zu wechseln. Eine allzu plastische Schilderung von Verwesung und Zersetzung schien ihm nicht zu behagen. «Ich nehme an, wir kommen nach Ohlsdorf, ja? Da kommen sie ja jetzt alle hin.»

«Ja, da sind Sie richtig informiert.» Basilius legte die Papiere mit den Zeichnungen für die Sonderanfertigungen wieder beiseite. «Der Grund dafür ist eine Verordnung, derzufolge Tote außerhalb der Stadtmauern bestattet werden sollen.»

«Ich habe mir das mal angesehen. Ja, Hanne, nun guck mich

nicht so an, gewisse Dinge mache ich auch ohne dich. Die liegen da ja in Reih und Glied. Das würde mir nicht so gut passen – war ja schließlich Kaufmann und kein Soldat.»

Wieder lächelte Basilius. «Reihengräber gibt es jetzt nicht mehr nur auf Soldatenfriedhöfen. Aber ich kann Sie gut verstehen. Ein Mensch, der tüchtig was geleistet hat, möchte ja ein bisschen herausragen, auch im Tod.»

«Andererseits», mischte sich die Frau jetzt ein, «hat so ein Reihengrab auch ein paar Vorteile. Ich persönlich bin sehr für eine schlichte Ruhestätte. Wenn einer von uns beiden stirbt, muss ich ja schließlich das Grab pflegen.»

Den verblüfften Blick tauschten diesmal Basilius und der Mann. «Nun ja», nahm Basilius das Gespräch rasch wieder auf. «Sie sehen, es gibt viele Möglichkeiten, Herr ...»

«Robertson.»

«Herr ... Robertson? Sie sind nicht zufällig verwandt mit Rurik Robertson, dem Journalisten und Nachrufschreiber?»

Herr Robertson wirkte alles andere als erfreut. «Ganz bestimmt nicht. Ich werde das im Übrigen des Öfteren gefragt. Nein, mit diesem Tintenschmierer habe ich nichts zu tun.»

Basilius spürte, wie sich sein Magen zusammenkrampfte.

«Selbstverständlich nicht.» Eine Frage schoss ihm durch den Kopf. Wollte der Kaufherr Robertson mit dem Journalisten Robertson nichts zu tun haben, weil er bloß schrieb, statt sein Geld auf ehrenhafte Weise zu verdienen, oder gab es noch einen ganz anderen Grund, warum er sich von Rurik distanzierte? Ein Grund, den vielleicht auch er kennen sollte? Erneut durchzuckte ihn ein Krampf. Er starrte auf die Papiere, die vor ihm lagen, mit den Zeichnungen der Särge und Kleider, und hoffte, dass ihn der Anblick des Vertrauten wieder beruhigen würde.

«Da gibt es noch etwas, was Sie unbedingt wissen sollten.» Basilius blickte zwischen den beiden rotwangigen Alten hin und her. «Sie scheinen mir bei bester Gesundheit zu sein, und darum hat das, was wir hier besprechen, vermutlich noch zehn oder zwanzig Jahre Zeit.»

«Jetzt schmeicheln Sie mir aber», lächelte die Frau, und die Röte überzog nun ihr ganzes Gesicht. Ihr Mann blickte sie verwundert an, als sie mit koketter Geste eine Haarsträhne in ihre Hochsteckfrisur zurückdrückte, bevor sie den Bestatter anstrahlte.

Basilius erwiderte ihr Lächeln. «Wie Sie wissen, haben wir in Hamburg ein schönes Krematorium gebaut, bereits die dritte Einäscherungsanlage in Deutschland nach Gotha und Heidelberg, und ich muss sagen: Es ist ein Wunderwerk der hygienischen und ästhetischen Bestattungskunst.»

«Sie wollen uns verbrennen?», fragte Herr Robertson aufrichtig entsetzt.

«Aber nein», schmunzelte Basilius. «Ich wollte Ihnen lediglich auch diese attraktive Möglichkeit aufzeigen. Wenn Sie mögen, zeige ich Ihnen unsere wunderbaren Urnen. Wir arbeiten mit einer Porzellanmanufaktur aus dem preußischen Altona zusammen, deren Farbgebung wirklich etwas Besonderes ist.»

Frau Robertson strahlte den Bestatter weiterhin an, doch ihr Ehegespons war von der Möglichkeit, seine irdische Hülle ein Opfer der Flammen werden zu lassen, ganz augenscheinlich nicht angetan.

«Feuerbestattung kommt für meine Frau und mich nicht in Frage», erklärte er. «Aber alles andere, was Sie da so anbieten, wirkt sehr interessant, ich muss schon sagen.»

Basilius lächelte. «Ich schlage vor, dass Sie sich mein Angebot jetzt erst einmal in Ruhe durch den Kopf gehen lassen und mir dann Ihre Preisvorstellungen nennen, Herr Robertson. Danach stelle ich Ihnen eine Liste über meine Leistungen zusammen mit allen Möglichkeiten und Alternativen.»

Das war eine Sprache, wie sie Herr Robertson verstand. Er

nickte geschäftsmäßig, holte eine mit verschnörkelter Schrift verzierte Karte hervor und reichte sie Basilius Winterberg. «Schicken Sie mir die Liste an diese Adresse hier», sagte er. «Und danke. Sie waren sehr freundlich zu uns.»

Nachdem Basilius die beiden verabschiedet hatte, zog er abermals die Schublade unter der Kasse hervor. Hier verstaute er die Rechnungsbücher, um die sich seit ihrer Rückkehr Lili wieder so gut kümmerte, und den ledernen Folianten mit seinen Auftragskunden, hinter die er säuberlich das Todesdatum vermerkt hatte. Er nahm die Stahlfeder mit Gänsekiel zur Hand, mit der er immer noch schrieb, und wollte soeben das Tintenfass und die Büchse mit den Eisenspänen aus dem Fach neben der Kasse holen, als er eine Bewegung vor seiner Auslage bemerkte. Es war ein kleiner Junge. In der Hand hielt er einen Stoß Flugblätter, auf denen etwas abgebildet war, das er nicht erkennen konnte. Vor ihm stand das Ehepaar, das soeben seinen Laden verlassen hatte. Und der Junge redete aufgeregt auf sie ein.

Lili öffnete ihr rechtes Auge. Das linke konnte oder wollte nicht, der Schlaf hatte es zugeklebt. Mehrere Dinge waren nicht so, wie sie es gewöhnlich waren. Zum einen hatte sie keinen Platz im Bett, und zum anderen war jemand im Raum. Daran, dass dieser Jemand mit Kinderstimmen sprach, erkannte sie, dass es die Zwillinge waren. Sie schoss in die Höhe, wobei sie mit dem Kopf an ihre Dachschräge schlug. «Carl und Caroline! Was macht ihr mitten in der Nacht bei mir?»

Caroline, die Carls Hand fest in ihrer hielt, tat einen Schritt nach vorn. «Es ist nicht mitten in der Nacht», sagte sie. «Von St. Nikolai schlägt es gerade halb zehn.»

«Was?» Lili fuhr herum. Abermals war die Dachschräge im Weg. «Aber dann müsstet ihr doch längst in der Schule sein.»

«Waren wir auch schon», erklärte Caroline. «Aber Carl hatte

schreckliche Kopfschmerzen. Also sind wir wieder nach Haus gegangen.»

«Lili?», hörte sie jetzt Carls dünnes Stimmchen. «Warum liegt da diese Frau in deinem Bett, die uns neulich nach Hause gebracht hat?»

Ganz unterschiedliche Gefühle erfüllten Lili in diesem Augenblick: Glück und Verwunderung, weil Carl den Satz hervorgebracht hatte, ohne zu stocken; Überraschung, dass es in der Tat Magdalena war, die da neben ihr lag; und außerdem schämte sie sich, weil sie noch nie in ihrem Leben so lang geschlafen hatte, abgesehen von dem einen Mal als Kind, aber da hatte sie Fieber gehabt.

«Weil ...» Oh Gott, wie konnte sie das den beiden Siebenjährigen nur erklären? Wo Magdalena arbeitete und wohnte und was in diesem Haus sonst noch geschah, war kein Thema für Kinder.

«Weil?» Carl und Caroline blickten mit weitaufgerissenen Augen zwischen Lili und Magdalena hin und her.

«Guten Morgen.» Endlich schlug auch Magdalena die Augen auf. «Mensch, ist das voll hier in der Bude. Gibt es hier irgendwas umsonst?»

«Warum hast du hier geschlafen?», wandte sich Carl direkt an das Objekt seines Interesses.

«Weil», ging Lili schnell dazwischen, «Magdalenas Bett kaputtgegangen ist.»

«Ist das wahr?» Carl steckte sich vor Aufregung seinen Daumen in den Mund. «Und du konntest es nicht mehr heile machen?»

Magdalena blickte zu Lili hinüber. «Nein, in dieses Bett kann ich jetzt nicht mehr zurück.»

«Du könntest unseren Vater bitten, es für dich wieder ganz zu machen», schaltete sich Caroline ein. «Er macht Betten für die Toten, aber ich bin mir sicher, dass er auch Betten für die

Lebenden machen kann. Ist doch so, oder, Lili? Vater kann doch auch Betten für die Lebenden machen?»

«Vater kann alles machen», bestätigte Lili. «Er ist schließlich der beste Vater auf der Welt.»

«Er sagt, dass du sofort runterkommen sollst.» Auf einmal fiel Caroline wieder ein, warum sie von der Mutter zu Lili geschickt worden waren.

«Oh ja, selbstverständlich. Das tue ich jetzt auch.» Lili versuchte, über Magdalena hinwegzusteigen, verhedderte sich in ihrer Decke und stürzte. Carl und Caroline, die sich noch immer an den Händen hielten, kicherten laut.

«Da gibt es gar nichts zu lachen», fuhr Lili die beiden an.

«Kann ich dir irgendwie behilflich sein, Liebes?», fragte Magdalena.

«Ja. Du kannst in eine andere Identität schlüpfen und meinen Eltern weismachen, ein wohlerzogenes, unschuldiges Opfer zu sein.»

Magdalena setzte sich auf, griff nach ihrem roten Mieder und schlüpfte hinein. «Aber Herzchen, das bin ich doch auch.»

«Was ist wohlerzogen, Lili?», fragte Caroline.

«Wenn man immer schön danke und bitte sagt, anderen hilft und lesen und rechnen kann.»

«Das kann ich alles. Und das tue ich auch alles.» Magdalenas Protestrufe waren vermutlich bis ins Erdgeschoss zu hören.

«Fein. Dann kleide dich jetzt an und stell deine famosen Fähigkeiten unter Beweis.»

Magdalena grinste. «Meine famosen Fähigkeiten kamen in der Regel bislang besser zur Geltung, wenn ich mich meiner Kleidung entledigt habe.»

«Ich wäre die Letzte, die das bezweifelte.»

«Lili, Liebchen», erscholl ein Ruf vom unteren Ende der Stiege. «Was sind das für laute Stimmlein da oben? Ist alles in Ordnung bei dir?»

«Ich komme, Mutter.» Lili drehte sich mit dem Rücken zu Magdalena, die nun ebenfalls stand, und bat sie, ihr das Mieder zu schnüren.

«Was tätest du eigentlich ohne mich?», fragte Magdalena.

«Mal überlegen.» Lili legte in gespieltem Ernst Daumen und Zeigefinger an die Stirn. «Früher ins Bett gehen. Keinen Ärger bekommen, weil ich dich bei mir habe übernachten lassen. Doch, doch, da gäbe es schon so einiges.»

«Und mit dem Mieder?»

«Das mache meistens ich», schaltete sich Caroline ein.

Sie waren so beschäftigt mit sich selbst, dass sie nicht bemerkten, wie sich die Tür zu Lilis kleiner Dachstube geöffnet hatte. Die Mutter stand im Raum.

Das Gespräch war alles andere als erfreulich. Lili wurde in die Stube zitiert. Nicht in die Werkstatt, wo die Familie ihre Probleme in produktiver Gemeinschaftsarbeit löste. Sondern hoch offiziell dorthin, wo gewöhnlich nur Besucher empfangen wurden. Entsprechend steif war auch die Atmosphäre. Sogar einen Tee hatte die Mutter aufgesetzt.

Lili trank ihn in gierigen Schlucken, obwohl er deutlich weniger gut schmeckte als der indische, den sie aus London mitgebracht hatte und der nun leider alle war. Ihre Zunge fühlte sich pelzig an, und ihre Lider waren immer noch schwer.

«Wir wollten eigentlich ein Gespräch mit dir führen», begann der Vater, «weil es Gerede über dich gibt.»

«Über mich?» Lili setzte ihre Tasse ab und blickte empört zwischen ihren Eltern hin und her. «Was habe ich denn getan?»

«Das möchten wir von dir gerne hören. Wir wissen ja, dass du dich mit Herrn Robertson triffst.»

Lili fühlte, wie ihr Herz einen kleinen Satz machte. Er hatte versprochen, sie heute Abend wieder auszuführen. Der Gedanke daran war definitiv ein besserer Wachmacher als der Tee. «Ja, und?», fragte sie. «Darf ich das jetzt nicht mehr?»

«Sicher, Herzchen», schaltete sich die Mutter ein. «Aber du hast dich auch gestern Abend mit dem lieben Herrn Doktor von gegenüber getroffen.»

«Wir müssen dir wohl nicht sagen, dass der Ruf unseres Geschäfts seit meiner Verhaft... seit Mai genug beschädigt worden ist», fügte der Vater hinzu. Sein Gesicht zuckte, als jagte ein plötzlicher Schmerz durch ihn hindurch. «Wir möchten dich von daher bitten, dich für einen deiner beiden Verehrer zu entscheiden. Und dein Verhältnis zu dem Betreffenden so schnell wie möglich zu legalisieren. Wir haben ja schon vor ein paar Jahren über das Für und Wider einer Liebesheirat gesprochen. Ich bin noch immer nicht davon überzeugt, dass Liebesheiraten glücklicher sind als diejenigen, die in meiner Jugend geschlossen wurden.»

«Du sprichst von arrangierten Ehen, richtig?» Lili kam langsam in Fahrt. «Wo Mädchen weggegeben werden wie Pferde oder Särge, ja?»

«Sei nicht ungerecht, Lili. Ich würde weder meine Pferde noch meine Särge weggeben.»

«Dann eben verkaufen», rief Lili erregt. «Noch viel schlimmer, Vater. Mädchen verkaufen, das ist ja wie Zuhälterei!» Aus den Augenwinkeln bemerkte sie, wie Magdalena zustimmend nickte und lautlos in die Hände klatschte.

Der Vater hingegen wurde bleich. «Du vergleichst deinen alten Vater mit dem niedrigsten ... schäbigsten Abschaum unserer Stadt?»

«Nein, verdam... nein, Vater, das habe ich überhaupt nicht gesagt.» Eine Welle von Wut rauschte durch ihren Körper. Nun war sie endgültig wach. «Ich habe einfach noch einmal meine Meinung über arrangierte Ehen kundgetan.»

«Ich denke, deine Meinung kenne ich mittlerweile», brachte

der Vater zwischen zusammengebissenen Zähnen hervor. «Ich habe dich lediglich gebeten, zwischen den Männern, die du frequentierst, dich zu entscheiden.»

«Aber über so etwas muss ich überhaupt nicht nachdenken», rief Lili. «Die Entscheidung ist doch schon längst gefällt.»

«Das ist wundervoll, Liebchen.» Die Mutter griff nach ihrer Hand. «Ich weiß noch, wie du nach deiner Rückkehr aus England so verrückte Sächelchen behauptet hast. Dass du nicht heiraten wolltest und uns keine Enkelkindchen schenken wirst. Ich bin froh, dass du deine Meinung darüber jetzt geändert hast.»

«Aber ich habe doch gar nicht ...» Lili wusste nicht, wie sie es sagen sollte. Sie hatte nicht vor, sofort die Herstellung von Enkelkindern in Gang zu setzen, nur weil sie zum ersten Mal in ihrem Leben ihr Herz verschenkt hatte. Aber vermutlich machte man das so.

«Was diese junge Dame hier anbelangt», der Vater wandte sich Magdalena zu, «so habe ich verstanden, dass sie in großen Schwierigkeiten ist.»

«Jawoll.» Magdalena, die sich bis dahin zurückgehalten hatte, stellte schnell ihre Tasse ab. «Und ich wollte nochmal sagen, schönen Dank auch, dass ich die letzte Nacht bei Ihnen verbringen durfte. Ich hätte sonst nicht gewusst, wohin mit mir.»

«Aber Liebchen, sorgt sich denn niemand um Sie?» In Elisabeth Winterbergs Vorstellungswelt gab es keine Familien, die nicht ständig in Sorge um ihren Nachwuchs waren, selbst wenn er schon erwachsen war.

«Ich lebe bei einer Tante, sehen Sie.»

«Ja, aber diese Tante, warum hat sie Sie denn überhaupt gehenlassen? Ich verstehe das nicht.»

Magdalena leckte sich die Lippen und blickte ratsuchend zu Lili hinüber, die daraufhin das Wort ergriff. «Ja, also, diese Tante ist gestorben, und Magdalena hier ...»

«Gestorben?», ging der Vater dazwischen. «Wer bestattet sie denn?»

«Behnecke», log Lili kühn.

«Oh nein, nicht schon wieder der. Warum kommt der mir eigentlich immer zuvor?»

«Er betreibt einfach viel mehr Werbung als wir. Und er bezahlt die Hausmeister in den Häusern hier im Gängeviertel dafür, dass sie ihm Bescheid geben, sobald einer im Sterben liegt, damit er schnellstmöglich Kontakt mit den Angehörigen aufnehmen kann. Vielleicht solltest du auch einmal zu diesem Mittel greifen, Vater.»

«Nein.» Basilius wurde auf einmal weiß im Gesicht. «Zu solch unmoralischen Geschäftsmethoden werde ich mich niemals herablassen, merk dir das. Also, Sie haben Behnecke für die Bestattung Ihrer Tante ausgesucht?»

«Magdalena kann nichts dafür», rief Lili. «Ein Onkel hat das Unternehmen ausgesucht.» Ihr war extrem unwohl bei all den Schwindeleien, aber es war wohl die einzige Möglichkeit, um die Eltern nicht noch weiter gegen sich aufzubringen. Es reichte, dass sie sie für eine Bigamistin hielten.

«Ich weiß, dass die Frage, die ich jetzt formuliere, in gesteigertem Maße unverschämt klingt.» Magdalena senkte den Blick. «Aber hielten Sie es für möglich, mir weiterhin Unterschlupf zu gewähren? Ich würde jede nur denkbare Arbeit in Ihrem Geschäft annehmen.»

Basilius erbleichte noch mehr. Er stützte sich auf den Lehnen seines Sessels ab, würgte und erhob sich halb.

«Vater», schrie Lili und griff nach seinem Arm. Sie schaffte es, ihn durch die Küche nach hinten, zwischen den gackernden Hühnern hindurch, in den Hinterhof zum Abort zu zerren, aber sie hatte Mühe mit ihm wegen seines Knies. Basilius humpelte in das Bretterhäuschen, und dann hörte Lili, wie er sich erbrach.

12. KAPITEL

«Wir müssen sofort Christian holen!», schrie Lili, als sie wieder in der Stube war. Die Mutter und Magdalena standen mitten im Raum und sahen sie entgeistert an. «Mutter, du darfst Vater nicht anfassen! Magdalena, füll einen großen Kessel mit Wasser und setze ihn auf den Herd. Wir müssen alles abkochen, was mit Vater in Berührung gekommen ist.»

«Aber Herzchen, was ist denn los? Hat Vater etwas Schlechtes gegessen?»

Lili war schon halb zur Tür hinaus, um zu Buchners hinüberzugehen. Jetzt dachte sie nicht mehr darüber nach, was sie sagte. «Vater hat die Cholera.»

Draußen auf der Straße schlug ihr die Morgenhitze entgegen. Die Sonne tauchte alles in ein flirrend helles Licht. Eine Kutsche fuhr in großer Geschwindigkeit an ihr vorbei, und von der Elbe her hörte sie Arbeiterstimmen. Lili hob ihren Rock an, eilte über die Straße und sprang die Stufen zum Mietshaus der Buchners empor.

Sie klingelte, doch niemand öffnete. Natürlich, Christian war bestimmt längst zu Patienten unterwegs, und sein Bruder arbeitete ebenfalls. Lili versuchte es noch einmal. Was war mit der alten Frau Buchner? War sie taub? Sie wollte sich gerade wieder zum Gehen wenden, da hörte sie, wie sich ein Fenster öffnete. Eine elegante Erscheinung steckte den Kopf zum Fenster heraus.

«Guten Morgen», rief Lili verzweifelt. «Frau Buchner, ich bitte Sie. Ist der Herr Doktor zu Hause?»

Die alte Dame kniff die Lippen zusammen und schüttelte den Kopf. Dann schlug sie das Fenster wieder zu. Erneut griff Lili nach dem Klingelseil und schüttelte es wild. Sie war sich bewusst, dass sie in diesem Moment alles andere als präsentabel aussah mit ihren Haaren, die sich ihr unfrisiert über den Rücken ringelten, und mit einer sicher sehr aufgelösten Erscheinung. «Bitte, Madame», schrie sie heiser. «Es ist ein Notfall! Mein Vater stirbt!»

Christian Buchner war ein großer Anhänger von Bewegung an frischer Luft, aber in Anbetracht der Tatsache, dass Eppendorf vor den Toren Hamburgs lag, hatte er an diesem Morgen beschlossen, die Kutsche zu nehmen. Er brannte darauf zu erfahren, ob es den Krankenhausärzten gelungen war, die Bakterien im Stuhl der Verstorbenen aus der Niedernstraße in Reinkultur zu nehmen. Wie groß war seine Enttäuschung, als ihm mitgeteilt wurde, dass die bakteriologische Untersuchung noch nicht weit gediehen war. Zwar hatte der Leiter des Krankenhauses, Professor Theodor Rumpf, eine ganze Reihe von Mikroorganismen gefunden, darunter auch den Bacterium coli, aber was die stäbchenförmigen Teile bedeuteten, die er unter dem Mikroskop gesichtet hatte, konnte er noch nicht mit Sicherheit sagen. Auch waren die Untersuchungen immer wieder unterbrochen worden, denn im Krankenhaus war ein für August ungewöhnlich reger Betrieb ausgebrochen. Hamburger Hafenarbeiter und Auswanderer russischer Herkunft hatte in den vergangenen zwölf Stunden die geheimnisvolle Magen-Darm-Grippe gepackt, ein grenzüberschreitendes Phänomen, dessen Ursache alles andere als ersichtlich war. Immerhin, und das beruhigte Christian, nahm Professor Rumpf das Auftreten der stäbchenförmigen Organismen so ernst, dass er eine Autopsie der verstorbenen Frau angeordnet hatte. Christian bot an, seine Dienste bei der Auswertung der Autopsieergebnisse zur Verfügung zu stellen, aber weder Rumpf noch sein Assistent befanden ihn für ausreichend geschult, um eine derart komplexe Aufgabe zu lösen. Sie schickten ihn wieder fort. Kochend vor Wut und tiefverletzt zog Christian davon.

Es war etwa gegen ein Uhr Mittag, als er wieder im Cremon eintraf. Während er noch die Pferde ausschirrte, trat seine Mutter in Ausgehkleidung auf ihn zu. «Wir haben heute Mittwoch», sagte sie nur.

Christian musterte seine Mutter; die eisengraue Frisur, an der sich kein Haar bewegte, das hochgeschlossene Kleid, über dem sie trotz der Hitze eine Pelerine trug, die ganze kühle, elegante Gestalt. Er überlegte, ob sich hinter ihren Worten vielleicht eine geheime Botschaft verbarg, kam dabei jedoch nicht weit. «Ja?», fragte er vorsichtig nach.

«Und wie jeden Mittwoch treffe ich mich mit den Damen vom Wohltätigkeitsverein am Alten Wall. Ich möchte dich bitten, mich dorthin zu begleiten. Man hört ja von so allerlei Ungemach auf den Straßen in letzter Zeit. Ich möchte es nicht riskieren, überfallen zu werden. Meine Angreifer genießen zudem einen ungerechten Vorsprung. Wie du weißt, sehe ich nicht mehr so gut.»

Christian unterdrückte ein Lächeln. Mögliche Angreifer genossen sicherlich nicht nur den Vorteil, besser als seine Mutter sehen zu können. Es gab sicherlich nur wenige Menschen, die kurzsichtiger waren als seine Mutter. Auch war seine Mutter nicht gerade eine ausgewiesene Größe im Faustkampf.

«Vielleicht sollten Sie endlich einwilligen, dass ich Ihnen diesen Nasenkneifer besorge, von dem ich neulich schon einmal sprach.»

Seine Mutter betrachtete stirnrunzelnd Christians eigene Sehhilfe und schüttelte den Kopf. «Das mag einem gelehrten

Mann ganz gut zu Gesicht stehen, aber doch bestimmt nicht einer bürgerlichen, kaisertreuen Frau.»

Christian unterdrückte ein Seufzen. Dass Kaisertreue mit Eitelkeit verwechselt werden konnte, wusste er noch aus seiner Militärdienstzeit.

Seine Mutter stieß ihren Stock auf den Boden. «Also, was ist nun? Begleitest du mich jetzt?»

«Nein, Mutter», entgegnete Christian. «Ich habe keine Zeit.»

«So, so.» Seine Mutter musterte ihn aus eisblauen Augen. «Was meinst du, was ich wohl gesagt habe, als du ein Säugling warst und geweint hast?» Sie äffte seine Stimme nach. «‹Ich habe keine Zeit?› Nein, Christian, es wäre schön, wenn du einmal an etwas anderes als an dich selbst denken würdest, um einer alten Frau zu helfen, die all ihr Hab und Gut in den Flammen verloren hat und die zufällig auch noch deine Mutter ist.»

Da war sie wieder, die Allzweckwaffe – Mutters Verweis auf ihre Kindheitserlebnisse. Während der Große Brand gewütet hatte, dem Tausende von Hamburgern zum Opfer gefallen waren, hatte auch sie Schlimmes durchstehen müssen. Sowohl das elterliche Kontorhaus als auch die Kaufmannsvilla waren abgebrannt.

Christians Gesicht blieb unbeweglich. «Gedenken Sie die Kutsche zu nehmen?»

«Nein, du kannst mit dem Ausschirren fortfahren. Wir gehen zu Fuß.»

Als sie sich wenig später auf den Weg in Richtung Norden machten, spürte Christian seine Wut auf die Mutter. Er versuchte sich abzulenken und betrachtete das Geschehen auf der Straße. Wohin er auch blickte, erschienen ihm die Menschen hektisch und in Eile. Kutscher knallten mit der Peitsche, um sich ihren Weg zu bahnen, dabei war im Stadtbereich ohnehin nur Trab gestattet. Die Händler auf dem Hopfenmarkt schrien,

Kunden brüllten zurück. Kinder rannten, Kaufleute feilschten, und selbst der Pastor, der in seiner schwarzen Soutane in diesem Augenblick aus der Pforte von St. Nikolai heraustrat, schimpfte auf seinen Küster ein. Es war, als habe die sengende Sonne, die Hamburg nun schon seit zwei Monaten in ihrem Griff hielt, die Stadt in einen marokkanischen Basar verwandelt.

Christian, der sich während seines Studiums insbesondere für Tropenkrankheiten interessiert hatte, war während seines Studiums einmal zwei Monate lang durch Nordafrika gereist. Die Bilder von buntgekleideten Männern, die dem Glücksspiel unter freiem Himmel nachgingen, von Moscheen und palmenumkränzten Marktplätzen unter einer furios leuchtenden Wüstensonne hatten sich in seine Netzhaut eingebrannt. Tatsächlich schien sich Sonneneinstrahlung proportional zu Temperament zu verhalten, stellte er wieder einmal fest, während er einen Hafenarbeiter dabei beobachtete, wie der sich auf den Rücken seines Kollegen geschwungen hatte, um ihm mit Faustschlägen die Ohren zu traktieren.

«Habe ich es nicht gesagt?», bemerkte seine Mutter, die sich mit zusammengekniffenen Augen vorbeugte, um die Szene genauer in Augenschein zu nehmen. «Die Sitten in unserer Stadt verrohen immer mehr.»

«Ich würde da nicht so dicht rangehen», warnte Christian und fasste seine Mutter am Arm.

«Ja, Sohn. Aber sonst sehe ich doch nichts!»

Ein Junge mit Schiebermütze auf dem Kopf und einem Packen Zeitungen auf dem Arm pries seine Ware wie eine besonders wohlschmeckende Mahlzeit an: «Hamburger Echo! Frau ermordet! Äußerst blutrünstige Tat!»

«Pass doch auf, Junge», beschwerte sich Frau Buchner, der der plötzliche Ruck an ihrem Arm nicht gefiel. Christian achtete nicht auf sie. So rasch er es mit der alten Dame an seinem Arm vermochte, steuerte er auf den Zeitungsjungen zu und zählte ihm die Pfennige in die Hand. Dann klappte er die erste Seite auf.

Sie sprang ihm entgegen, die grausige Nachricht. «Ein Bericht von Rurik Robertson», war unter der Schlagzeile vermerkt. Christian überflog den Artikel. Eine rothaarige Frau war im Nikolaifleet gefunden worden, allerdings war sie dort nicht ertrunken, denn das Fleet war durch die Hitze ausgetrocknet gewesen. Was stattdessen zum Ableben der Frau geführt hatte, erwähnte Robertson leider mit keinem Wort. Dafür konnte er es sich nicht verkneifen, auf einen ähnlichen Fall anzuspielen, der sich im Mai nicht weit davon entfernt, im Cremon, zugetragen hatte, da auch die dort gefundene Tote rothaarig gewesen war. Überdies wurde, dem Artikel zufolge, bei beiden Frauen etwas gefunden, das dem Bestatter Winterberg zuzuordnen war. Im Fall der Cremon-Toten war es ein Beitel des Bestatters und Sargschreiners gewesen, während im Fall der jetzt Verstorbenen ein Blatt gefunden worden sei, das für die «Erd- und demnächst auch Feuerbestattung» durch das Unternehmen Winterberg warb.

Christian zitterte vor Wut, als er das Lesen beendet hatte, und warf die Zeitung gleich wieder fort. Warum tat dieser Robertson das? Wenn er es darauf anlegte, Lili näherzukommen, konnte es doch nicht in seinem Interesse sein, ihre Familie in Verruf zu bringen. War er so darauf versessen, als Journalist zu glänzen, dass er keine Rücksicht auf die Gefühle von Menschen in seinem Umfeld nahm? Oder war er schlichtweg illoyal?

Er fühlte den tadelnden Blick seiner Mutter auf sich ruhen und fuhr herum. «Was?»

«Das grenzt doch schon an Besessenheit», sagte seine Mutter kopfschüttelnd. «Diese ewige Beschäftigung mit dem Tod.»

«Ich beschäftige mich nicht mit dem Tod, weil ich das Thema so spannend finde.» Christian war ungehalten. «Sondern weil es zu meinem Beruf gehört.»

«Seit wann musst du dich damit beschäftigen, dass junge Frauen umgebracht werden», fragte seine Mutter. «Ich denke, du bist Arzt!»

Nun hätte Christian darauf erwidern können, dass er als Arzt auch forensische und pathologische Untersuchungen durchführte, aber natürlich stimmte das in diesem Fall nicht. Er fühlte sich in höchstem Maße beunruhigt durch das, was er gerade gelesen hatte. Nicht nur wegen der Morde, die in Lilis nächster Umgebung geschahen. Sondern auch weil er nicht begriff, was dieser Robertson mit den Winterbergs tat.

Sein Zorn verstärkte sich, als er wenige Meter vor sich den Langhaarigen bemerkte, der anscheinend überall dort aufzutauchen beliebte, wo er selber war. Er brachte seine Mutter zum Stehen. «Siehst du den Bärtigen mit den langen Haaren da vorn?», fragte er sie.

Die Mutter blinzelte. «Ich weiß es nicht. Kann sein.»

«Also, wenn der auf uns zutritt und mit uns reden will, dann tun wir so, als hätten wir ihn gar nicht gehört.»

Seine Mutter nickte. «Meinetwegen. Aus einem bestimmten Grund?»

«Ja. Begegnungen mit diesem Mann kosten mich stets jede Menge Nerven.»

Doch es war zu spät. Der Bärtige stand schon vor ihnen. «Sag mir deinen Namen», hob er seine alte Leier an, «und ich sage dir, wer du bist.»

«Ist das so?», fragte seine Mutter. «Das ist ja interessant.»

«Es ist in der Tat höchst aufschlussreich», antwortete der Bärtige. «Vor allem für eine so hochwohlgeborene, gebildete Dame wie Sie.»

Die Mutter wirkte sichtlich geschmeichelt. «Also, wenn das so ist», lächelte sie. «Elfriede Buchner heiße ich.»

«Mutter», zischte Christian. «Was habe ich Ihnen denn eben noch gesagt?»

«Dass ich mit einem bestimmten Herrn, der seine Haare nicht schneidet, nicht reden darf.» Sie beugte sich vor und blinzelte. «Aber dieser Herr hier ist es doch sicherlich nicht.»

«Es ist genau der, und jetzt lass uns weitergehen.»

Der Bärtige schien in der Tat von Sinnen zu sein. Er murmelte diverse Zahlen vor sich hin. «Fünf, drei, sechs, neun, neun ...»

«Lassen Sie uns weitergehen, Mutter», sagte Christian. «Das führt hier zu nichts.»

Der Bärtige starrte die Mutter fast erschrocken an. Da sie aber seinen Gesichtsausdruck nicht erkennen konnte, lächelte sie ihn bloß an.

«Sie sind eine Eins», erklärte er.

«Ich nehme an», reagierte die Mutter, «das ist ein Kompliment.»

Überraschenderweise nickte der Bärtige. «Ja. Die Eins ist die erste Zahl. Sie symbolisiert die Einzigartigkeit, aber auch die Vereinzelung. Und das ist nicht nur gut.»

«Wie bitte?», fuhr die Mutter auf. «Sie wagen es, mich zu beleidigen? Komm, Christian, wir gehen.»

«Wurde aber auch Zeit.» Christian wollte seine Mutter unterhaken und mit ihr von dannen ziehen, aber der Bärtige hielt ihn auf. «Doktor Buchner, Christian», sagte er mit verblüffend klarer Stimme, so als spräche er eine Diagnose aus. «Ihr Vorname ergibt eine Zwei, Ihr Nachname eine Acht. Zusammengenommen sind auch Sie eine Eins. Geben Sie zu, dass Ihnen meine Rechnungen gefallen. Sie sind von Zahlen fasziniert!»

Lili hatte die Mutter und die Zwillinge trotz ihrer Proteste fortgeschickt. Wenn es stimmte, was Christian ihr erzählt hatte, dann war die Krankheit in höchstem Maße ansteckend. Wer nicht unmittelbar den Vater pflegen würde, musste sich unbedingt abseits halten, und zwar so lange wie möglich.

Die Zwillinge waren in die Schule zurückgekehrt, die Mutter hingegen sollte sich um einen Toten kümmern, um den sich der Vater an diesem Vormittag hätte kümmern müssen. Lili war froh, dass sie diese Aufgabe im Auftragsbuch entdeckt hatte. Sonst wäre die Mutter sehr wahrscheinlich nicht gegangen.

Sie nahm den Eimer mit den Hobelspänen, die der Vater nach getaner Arbeit immer aufkehrte, und kippte ihn auf dem Boden der Werkstatt aus. Gemeinsam mit Magdalena trug sie den Vater, der auf dem Hinterhof bewusstlos zusammengesackt war, ins Haus hinein. Die Aktion war von mehreren Nachbarn bemerkt worden, von denen allerdings nur die alte Frau Schröder ihre Hilfe angeboten hatte.

«Und es macht dir wirklich nichts aus, dies hier mit mir zu tun?», fragte Lili Magdalena, auf deren Dekolleté sich Schweißperlen gebildet hatten.

Magdalena probierte ein winziges Lächeln. «Ich habe schon Schlimmeres gesehen.»

«Du könntest dich anstecken», wandte Lili vorsichtig ein.

«Ja. Du auch.»

Sie betteten den Vater auf die Späne, und Magdalena ging in die Küche, um nach dem Wasserkessel zu sehen. «Es kocht», rief sie zu Lili hinüber. «Was mache ich jetzt damit?»

«Bevor du irgendetwas anfasst, musst du dir die Hände desinfizieren», rief Lili zurück. Sie umfasste das Handgelenk ihres Vaters und tastete nach seinem Puls. Das Blut pochte rasend schnell. «Auf dem Bord über dem Waschstein findest du einen Tiegel mit Lysol. Damit waschen wir uns immer, wenn wir die Toten hergerichtet haben. Das tötet Leichengift und andere Keime ab.»

Sie hörte, wie Magdalena aus der Kanne Wasser in den Spülstein goss, und kurze Zeit später ihren Ruf: «Getan.»

«Dann nimm den Wasserkessel und stell ihn beiseite. Wir

müssen warten, bis das Wasser abkühlt. Und dann muss Vater trinken. Er hat viel Flüssigkeit verloren.»

Lili musterte ihren Vater, der noch immer bewusstlos auf dem Boden lag. Tränen stiegen in ihr auf. Wie verletzlich er aussah. Und wie alt! Sie hatte gar nicht mitbekommen, dass er schon so alt geworden war. Tiefe Falten hatten sich von seiner Nasenwurzel zu den Mundwinkeln hinunter gegraben, und von seinen Augen verlief ein Strahlenkranz über Wangen und Schläfen hinab. Lächelfalten. Ihr Vater hatte sein Lebtag lang gelächelt und gelacht. Auf einmal brach Lili in Tränen aus. «Nicht sterben», schluchzte sie. «Bitte noch nicht sterben. Hörst du, Vater? Das darfst du nicht!»

Auf einmal war da eine Hand auf ihrer Schulter und auf ihrem Arm. «Das wird er nicht», flüsterte Magdalena. «Dafür sorgen wir.»

«Aber was, wenn er wirklich die Cholera hat?» Lili richtete ihr tränenübersätes Gesicht zu Magdalena empor. «Mein älterer Bruder ist an der Cholera gestorben. Was, wenn jetzt auch noch mein Vater daran stirbt?»

Magdalena kniete sich neben ihr nieder. «Das ist schlimm. Aber Kinder sind viel empfindlicher. Dein Vater ist ein starker, erwachsener Mann. Ihm passiert das schon nicht.»

«Mein Vater ist alt geworden», weinte Lili. «Sieh doch nur sein Gesicht an. Und hast du gesehen, wie er gehumpelt ist? Sie haben ihn zugrunde gerichtet, damals im Mai, als sie ihn eingesperrt haben. Er ist seither nie mehr so gewesen wie früher ...» Jetzt schluchzte sie lauthals und warf sich auf ihn. «Ich habe meinen Vater so lieb! Und ich will nicht, dass er stirbt.»

«Nicht.» Magdalena zog sie sanft empor. «Du darfst ihn nicht berühren, Lili. Nicht ... so. Wenn es stimmt, dass wir uns bei ihm anstecken können, dann dürfen wir ihn überhaupt nicht berühren.»

Lili rührte sich nicht von der Stelle. Ihre Hände klammerten sich an den Schultern ihres Vaters fest. «Und ich habe mich gerade eben noch mit ihm gestritten. Was, wenn er meinetwegen krank geworden ist? Weil ich ihn geärgert habe? Oh, ich hab überhaupt nicht gemerkt, wie schlecht es ihm gegangen ist. Ich habe die ganze Zeit über immer nur an mich gedacht.»

«Er ist nicht deinetwegen krank geworden», sprach Magdalena tröstend auf sie ein. «Ganz bestimmt nicht. Wie soll das denn gehen?»

Lili schrie auf. «Ich habe ihn mit einem Zuhälter verglichen heute Morgen. Magdalena, oh Gott, wie konnte ich das nur!»

«Nein, Lili.» Magdalena bemühte sich erneut, Lili emporzuziehen. «Das hast du nicht. Das hat er nur so verstanden, aber das hast du gar nicht getan.»

Lili spürte, wie Panik in ihr aufstieg. «Ich bekomm keine Luft mehr, Magdalena», schrie sie. «Hilf mir, was soll ich denn ohne meinen Vater tun?»

Mit aller Kraft riss Magdalena die weinende Lili von ihrem Vater los. «Komm jetzt», sagte sie. «Mach dir keine Sorgen. Wir kriegen deinen Vater schon wieder hin. Und jetzt hilf mir, den Wasserkessel zu schleppen. Wir werden deinen Vater waschen und ihm zu trinken geben.» Sie führte die Freundin in Richtung Tür.

«Ja», sagte Lili und fuhr sich mit dem Ärmel über die Augen. «Ja, das werden wir tun.»

Christian war es gelungen, seine Mutter weiterzuschieben, aber die letzten Worte des Bärtigen hallten noch in ihm nach. «Geben Sie es zu, Sie sind von Zahlen fasziniert.» Wie konnte es sein, fragte er sich, während er seine Mutter geschickt um eine Gruppe von Halbwüchsigen herumbugsierte, die die Größe ihrer Taschenmesser verglich, dass dieser Mann etwas von seiner heimlichen Leidenschaft wusste? Hatte er ihm nachspioniert? Dass es sein Traum war, dereinst die Beale-Papiere zu dechiffrieren, über den Atlantik zu fahren, vielleicht mit einem dieser prächtigen Dampfschiffe der Hamburg-Amerika-Linie, und den Schatz zu heben, hatte er einzig Mathis anvertraut. Plötzlich fiel ihm Lili ein. Er hatte ihr gesagt, dass er sich für Zahlen interessierte. Stand sie mit diesem merkwürdigen Kerl in Kontakt? Arbeitete er am Ende für die Winterbergs?

Als hätte seine Mutter den Namen in seinen Gedanken gelesen, sagte sie plötzlich: «Die kleine Winterberg war übrigens vorhin bei uns. Hat nach dir gefragt. Mit einem pressierenden und, wenn ich so sagen darf, äußerst vulgären Tonfall am Leib.»

«Lili wollte mich sprechen?» Christian fuhr herum.

«Von sprechen habe ich nichts gesagt.» Die Mutter kniff missbilligend die Lippen zusammen. «Schreien trifft es da schon mehr.»

«Warum hast du mir das denn nicht gleich gesagt?»

«Oh, nun echauffiere dich doch nicht so. Sie ist ein Mädchen von sehr niederer Herkunft. Die schreien nun mal eben von Zeit zu Zeit.»

«Lili ist nicht von niederer Herkunft, nur weil sie die Tochter eines Bestatters ist.» Christian ballte die Fäuste, um nicht selbst loszuschreien. Dann schloss er die Augen und zählte innerlich bis drei.

«Bestatter sind Kaufleute wie alle anderen. Sie verdienen ihr Geld damit, dass sie Waren und Dienste verkaufen – eine Tätigkeit, die auch Mathis und ich ausüben sollten, wenn es nach dir gegangen wäre. Und jetzt sag mir bitte, Mutter: Was wollte sie?»

Die Mutter schüttelte den Kopf. «Lass dich nicht verblenden, Christian. Ich gebe zu, dass sie eine ganz attraktive Person ist. Heute Morgen sah sie allerdings überaus liederlich aus. Und sie ist wirklich nicht das, was ich mir als gesellschaftlichen Umgang für dich wünsche, Sohn.»

Christian ließ den Arm seiner Mutter los und sah sie an. Es

kostete ihn die allergrößte Überwindung, nicht einfach loszurennen. «Ich muss Sie das letzte Stück des Wegs allein gehen lassen, Mutter. Lili kommt nicht ohne Grund zu uns. Da lag ein Notfall vor.»

«Ein Notfall ist es, wenn man von der eigenen Mutter, der man Respekt und Ehrerbietung schuldet, gebeten wird, ihr Geleit zu geben», sagte sie. «Das Fräulein Winterberg hat mich angeschrien, dass ihr Vater angeblich sterben würde. Und jetzt komm weiter. Bis zum Alten Wall ist es schließlich noch ein Stück.»

Christian spürte, wie ihm das Blut in den Ohren pochte.

«Ich warne dich. Wenn du mit diesem Fräulein jemals etwas anfangen solltest, enterbe ich dich.» Eine Bemerkung, die insofern merkwürdig war, als das Erbe seines Vaters ohnehin spätestens zum Jahresende hin aufgebraucht sein würde, und es nun einzig ihm und Mathis oblag, der Mutter weiterhin ein mit Annehmlichkeiten ausgestattetes Leben zu ermöglichen. Aber die Mutter hatte sich noch nie für die geschäftlichen Belange ihres Daseins interessiert. «Über Geld spricht man nicht», so das ewige Mantra derjenigen, die sich in der Hansestadt für etwas Besseres hielten, und somit auch der Wahlspruch der Mutter. «Geld hat man.»

Als Christian das Haus der Winterbergs erreichte, stieß er mit einem dicken, schwitzenden Mann in Uniform zusammen. Christian entschuldigte sich und wollte sich an dem Uniformierten vorbei in den Laden drängen, fand die Tür aber versperrt. Auf dem im Schaufenster ausgestellten Sarg, ein Prachtexemplar in Ebenholz mit Intarsien, stand ein Schild mit der Aufschrift: «Bin gleich wieder da».

«Das soll doch wohl ein schlechter Scherz von diesem Halunken sein», brummte der Uniformierte, der nun gleichfalls an die Auslage getreten war. «Will der uns weismachen, dass seine Toten ins Leben zurückkommen können, wenn sie wollen?»

Christian beachtete ihn nicht. Stattdessen zog er an dem Glockenstrang neben der Eingangstür, und zwar sehr kräftig. Als auf sein Läuten niemand reagierte, formte er seine Hände zu einem Trichter und rief: «Lili? Kannst du mich hören? Bist du da?»

Nichts. Erneut betätigte er das Glockenseil. Immer noch keine Reaktion.

«Wat moken Se denn doa?» Der Uniformierte schwitzte stark. Der Schweiß rann ihm von der Stirn über die Nase in den Mund, und in einem schwachen Versuch, den Fluss wenn schon nicht zu stoppen, so doch zumindest umzuleiten, wischte er ihn mit dem Ärmel von der Nase fort.

«Ich versuche, jemanden zu finden, der mich wegen eines medizinischen Notfalls sprechen wollte. Wünschen Sie ein Taschentuch?»

Der Sergeant nickte erleichtert, was zur Folge hatte, dass der Schweiß von seiner Stirn herunterspritzte, und zwar auf Christians Rock. Christian versuchte, sich seinen Ärger nicht anmerken zu lassen. Es schien sein Schicksal in dieser Woche zu sein, dass er fast durchgängig mit Menschen zu tun hatte, die nicht allein krank waren, sondern auch unter starken Ausdünstungen litten. «Hier, bitte sehr.» Er reichte dem Uniformierten sein eigenes blütenweißes Taschentuch.

«Lili», rief er dann wieder. «Ich bin es, Christian. Hörst du mich?»

Eine Tür wurde geöffnet, und die alte Frau Schröder lehnte sich heraus. «Moin, Herr Doktor. Sie suchen de Deern? Die is mit ihrn Vadder da drinnen. Der Ärmste ist wohl maddelich geworden. Ick heff den vorhin in Hof gesehen.»

«Könnten Sie bitte hinten nach ihr rufen?», fragte Christian. «Sie hört mich hier vorne nicht.»

«Der olle Winterberg is krank geworden?», schnaubte der Uniformierte, der sich mit Christians Tuch weiter das Gesicht abtupfte. «Dat glöövt doch nich mal meine Oma nich. Der will sich nur davor drücken, mit mir zu schnacken. Schließlich is ja schon wieder 'n Mord passiert.»

«Und da kommt die Polizei gleich zu Winterbergs?» Christian runzelte die Stirn.

«Nu ja, recht so, is ja man schon wieder 'ne Rothaarige gewesen. Und den Werbezettel von den Winterbergs hatte sie auch dabei.»

«Und Sie sind der Meinung, wenn einer einen anderen umbringt, lässt er seine Visitenkarte da?»

«Nee, Herr Dokter, dat heff ick nich seggt. Awer komisch is dat ja schon.»

«Bei allem Respekt vor Ihrer Arbeit und Ihren Ermittlungen, Sergeant. Aber das sieht mir eher nach jemandem aus, der es darauf anlegt, den alten Winterberg noch älter aussehen zu lassen. Haben Sie darüber schon mal nachgedacht?»

«Recht so. Sicher. Ich denk man den ganzen Tach.» Der Criminal-Sergeant wischte sich ein letztes Mal über die Stirn, dann reichte er Christian den klatschnassen Lappen zurück. «Danke schön, Herr Dokter. Ick glööv, nu isses wo' erst ma' getan.»

Christian winkte ab. «Behalten Sie ihn.»

In diesem Moment wurde die Tür aufgerissen. Lili stand vor ihm, tränenüberströmt. Christians erster Reflex war es, ihr tröstend über die Wange zu streicheln, aber sie hielt ihm abwehrend beide Hände entgegen.

«Nicht berühren, Christian», sagte sie. «Wir haben die Cholera im Haus.»

Es dauerte weniger als fünf Minuten, da hatte Christian die Pferde angeschirrt. Eine junge Frau, die er auf der Cremoninsel noch nie gesehen hatte, war an Lilis Seite, während sie alles für den Transport des alten Winterberg ins Krankenhaus vorbereiteten. Der schwitzende Criminal-Sergeant hatte sich verabschiedet, nicht ohne zuvor zu bekunden, dass er diesen neuerlichen Anschlag des Bestatters auf das Wohl der Stadt der Medicinalpolizei in Abteilung 10c melden werde.

Christian wusste, dass jede Minute zählte, und so fragte er Lili knapp, ob ihr Vater genug getrunken habe und ob das Trinkwasser auch abgekocht gewesen sei. Die Ereignisse schienen sich überschlagen zu haben, denn Lili war trotz der fortgeschrittenen Stunde noch immer nicht richtig angezogen, und ihre Haare waren noch ungemacht. Er lobte sie dafür, dass sie an alles gedacht hatte, was er ihr am Vorabend über die Krankheit erzählt hatte, und dann packte er mit ihrer Hilfe den alten Winterberg an Armen und Beinen, schleppte ihn zu seinem Wagen und legte ihn auf die Polster, auf die er zuvor eine alte Pferdedecke gebreitet hatte.

«Wasch dich mit Kaliseife, Lili», rief er, als er schon auf dem Kutschbock saß. «Drei Teile Seife in hundert Teilen Wasser. Aber koch auch das Wasser vorher ab. Habt ihr Chlorkalk oder Karbol, um eure Wohnung zu desinfizieren? Dann ist es gut. Ich komme nachher vorbei und erstatte dir Bericht.»

Er knallte mit der Peitsche, und die Kutsche setzte sich in Bewegung. Da stand sie, seine Lili, mit hochroten Wangen und hängenden Armen, die Augen sehr verweint, und blickte der Kutsche hinterher. Christian war so vertieft in ihren Anblick, dass er nicht nach vorne schaute, als er die Kutsche die Straße hinauf zum Hopfenmarkt lenkte, und so preschte er ohne Umwege direkt in die entgegenkommende Kutsche hinein.

«Haben Sie denn keine Augen im Kopf, verdammte Hütte?», brüllte der Fahrer der anderen Kutsche in das Gewieher und Geschnaube der Pferde. Es war ein Mann, den Christian nicht erkannte, weil er seinen Hut tief ins Gesicht gezogen trug.

«Doch, und eine verflucht heikle Fracht im Wagen noch dazu. Machen Sie Platz da! Ich muss vorbei.»

Nun rutschte der Fahrer auch noch von seinem Kutschbock

und knöpfte sich die Manschetten seines Hemdes auf. «Willst du, dass ich dir aufs Maul schlage, oder was?», fragte er drohend. «Ich muss selber da vorbei.»

«Meine Güte, nun hab dich doch nicht so.» Christian erwiderte das unfreundliche Du seines Widersachers mit hochgerecktem Kinn. «Ich bin Arzt, und dies ist ein Krankentransport, also mach dich aus dem Weg.»

Er erwog kurz, ob er ein höfliches *Bitte* hinzufügen sollte, aber in diesem Augenblick war der andere Fahrer schon bei seinem Kutschbock angelangt. Ehe er es sich versah, hatte ihn der Mann am Arm gepackt und heruntergezerrt. Christian war so überrascht, dass er nicht schnell genug reagierte. Schon lag er auf dem Pflaster der Straße, über sich eine wütend geballte Faust.

«Dir werde ich beibringen, noch einmal anderen Leuten an den Karren zu fahren und dann auch noch Vorfahrt zu verlangen», hörte er den Mann ausrufen, aber da stand schon Lili neben ihm.

«Nicht, Rurik», hörte er sie rufen. «Das ist Doktor Buchner aus dem Haus von gegenüber. Er bringt gerade Vater ins Krankenhaus!»

13. KAPITEL

Caroline nahm Carl fest an die Hand und beugte sich vor, um an der Tür zu ihrem Klassenzimmer zu horchen. Sie hörte den festen Schritt des alten Hansen, wie er zwischen den Bänken umherwanderte, um die Arbeiten seiner Zöglinge zu kontrollieren. Sie hörte das Quietschen von Kreidestücken auf Schiefertafeln. Und dazwischen, ganz unverkennbar, Margas Katarrh. Caroline wand sich vor Ekel. Von ihrem Lauschposten hinter der Tür konnte sie hören, wie sich in Margas Brust die Brocken lösten, wenn sie hustete, wie es den gelben Schleim in ihrem Hals emporwarf, und sie stellte sich vor, wie Marga daraufhin würgend den Finger hob, um zu fragen, ob sie den Spucknapf benutzen dürfe, der neben dem Katheder stand. Caroline bemerkte, wie Carl sie mit großen Augen ansah, und schüttelte den Kopf. «Nee, Carlchen. Ich will da auch nicht rein.»

Aber es nützte nichts. Die Mutter hatte sie zurückgebracht, und wenn sie sich jetzt wieder verdrückten, gäbe es einen Eintrag in ihrem Verkehrsbuch, dem Oktavheft für kurze Mitteilungen des Lehrers an die Eltern. Caroline dachte an den Vater, der so elend ausgesehen hatte heute Morgen, und Sorge legte sich auf ihr Herz. Würde er so schlimm krank werden wie Marga? Und würden die schrecklichen Geräusche dann auch in ihrem Haus zu hören sein? Als sie es nicht länger hinauszögern konnte, ballte sie ihre Hand zur Faust und klopfte an.

«Herein», rief der alte Hansen unfreundlich, und Caroline öffnete die Tür.

«Auf einmal wieder gesund geworden, jetzt, wo das Diktat fast zu Ende ist?» Der Lehrer blickte Carl und sie drohend an. Carlchen zog den Kopf ein, um der Strafpredigt zu entgehen, aber es nützte nichts. Der alte Hansen tobte, dass sein Kopf rot wurde und das Katheder wackelte, und die Zwillinge huschten rasch auf ihren Platz. Sie teilten sich einen langgezogenen Tisch und eine Schulbank mit sechs anderen Schülern, und um ihre Ränzel zu verstauen, mussten sie darauf warten, dass die anderen ihre Schreib- und Rechentafeln herunternahmen, denn die Ränzel wurden in einem Fach unterhalb der aufklappbaren Tischplatte abgelegt. Selbst bei besserer Laune des Lehrers hätte Caroline sich nicht getraut, die Tischplatte einfach so anzuheben, denn damit hätte sie den Unwillen ihrer Nebensitzer erregt. Vielleicht wäre es dann später zu einer Keilerei gekommen, einer Pausenbeschäftigung, der keiner der Mitschüler jemals abgeneigt schien.

Sie wartete, dass der alte Hansen das Signal zum Anheben der Tischplatte gab, und nahm ihren Ranzen so lange auf den Schoß. Sie bemerkte, dass Carl, der neben ihr saß, den Lehrer überhaupt nicht mehr ansah, sondern nur in Gedanken versunken über das Ziegenfell seines Tornisters strich.

«Totenmädchen», hörte sie auf einmal Anton, ihren Tischnachbarn, in ihre Richtung zischen.

Caroline ignorierte ihn.

«Nimm schon mal die Dinge raus, die du gleich für den Unterricht brauchst», flüsterte sie ihrem Bruder in einem Moment zu, in dem Hansen sich von ihnen wegdrehte. «Deinen Griffel, die Tafel und die kleine Dose mit dem Schwamm.»

Carl schaute sie an, und sein Gesicht verfinsterte sich. Caroline spürte den Kopfschmerz, als ob es ihr eigener wäre. «Du musst durchhalten», flüsterte sie ihm zu. «Wir haben nur noch zwei Stunden. Das ist nicht mehr lang.»

«He, Totenmädchen», kam es wieder von links, dieses Mal

lauter, gefolgt von einem Stoß mit dem Ellbogen in ihre Seite. «Heute schon jemanden unter die Erde gebracht?»

«Nee, kann aber nicht mehr lange dauern.» Caroline erwiderte den Hieb.

Carl öffnete seinen Tornister und holte ein paar Gegenstände heraus. Caroline überzeugte sich davon, dass es die Dinge waren, die sie ihm genannt hatte, und packte nun ihrerseits aus.

«Aufpassen in Reihe zwei», brüllte der alte Hansen plötzlich. «Lassen wir unsere beiden Zuspätkommer ihre Ränzel einräumen. Aufklappen der Tischplatte nach Zählen! Kommando eins, Anfassen der Tischplatte mit beiden Händen.»

Caroline und Carl legten, ebenso wie die anderen in ihrer Reihe, die Hände auf die Platte, wobei sie den Daumen unter die Platte schob. Unter ihren Fingerkuppen ertastete sie die vertrauten Spuren der Holzwürmer, eingefräste Zeichen, die sie entzifferte wie Wörter einer verborgenen Schrift. Sie hatte Lust, die Muster in dem Holz zu vertiefen, mit einem Beitel darin herumzuschnitzen, wie ihr Vater es tat.

«Kommando zwei, Aufheben der Tischplatte zur Senkrechten», fuhr der alte Hansen in militärischem Befehlston fort. Caroline, Carl, die noch immer hustende Marga und alle anderen in der Reihe hoben die Platte in die Höhe. Caroline beeilte sich, Carls und ihr Ränzel in das Fach zu stopfen. Dabei passierte es. Mit einer Ecke des Ränzels stieß sie gegen Carls Griffel, der daraufhin zu Boden fiel und in zwei Stücke zerbrach. Carl verzog das Gesicht und begann lauthals zu weinen.

«Ist nicht schlimm», flüsterte Caroline ihm zu. «Lili macht ihn dir wieder heil. Hör auf zu weinen, Carl. Lili klebt dir den Griffel wieder zusammen.»

Doch Carl hörte nicht auf.

«Kommando drei, Niederlegen der Tischplatte. Winterberg,

hör mit dem Flennen auf. Kommando vier, Hände gefaltet auf den Tisch legen. Winterberg, beim Bild des Kaisers, was habe ich dir befohlen?»

Carl blickte den Lehrer aus erschrockenen, tränennassen Augen an. Der alte Hansen hatte sich vor ihm aufgebaut. «Mir reicht es allmählich mit dir!», brüllte er ihn an. «Erst bleibst du dem Diktat fern, und dann störst du den Unterricht!»

«Verzeihung, Herr Lehrer.» Caroline hob die Hand. «Aber mein Bruder hatte vorhin so starke Schmerzen, dass er ...»

«Habe ich dich aufgerufen?» Hansen funkelte sie zornig an. «Außerdem interessiert mich die werte Gesundheit deines Bruders nicht. Wenn wir ein Diktat schreiben, habt ihr gefälligst da zu sein, ist das klar?»

Caroline nickte. Sie verkniff sich eine Antwort.

«Aber vielleicht ...» Nun beugte sich Hansen zu Carl hinunter, der ein wenig zurückwich. «Vielleicht bist du dem Diktat ja nur unter vorgeschobenem Grund ferngeblieben, weil du keine Ahnung von Rechtschreibung hast?»

Caroline hob den Arm. Der Lehrer ignorierte sie.

«Was sagst du dazu, hm?»

Carl wandte seinen Blick dem zerbrochenen Griffel zu, in der Art eines Käfers, der seine Fühler ausstreckte. Schon wollte er nach dem Schreibwerkzeug langen. Caroline merkte, wie sie zitterte.

«Na, dann wollen wir doch mal sehen, wie gut du für das Diktat gelernt hast.»

«Herr Lehrer ...» Caroline konnte nicht anders.

Hansen fuhr zu ihr herum. «Du hältst dich da raus.»

«Aber –» Sie musste ihm erklären, dass Carl noch immer nicht lesen und schreiben konnte und er vermutlich niemals in der Lage sein würde, es zu lernen. Wusste der Lehrer das denn nicht? Der Vater hatte doch mit ihm gesprochen. Die Angelegenheit war doch eigentlich klar.

«Sieh mich an», befahl der Lehrer, Carl zugewandt. In der Klasse war es totenstill, sogar Margas Husten hatte aufgehört. Carl riss seinen Blick vom Griffel los. Jetzt war er es, der am ganzen Leib zitterte.

«Du weißt doch, dass deine Kameradin Marga krank ist?», fragte Hansen listig.

Carl reagierte nicht.

Hansen richtete sich auf. «Wer kann mir sagen, was Marga für eine Krankheit hat? Marga, du vielleicht selbst?»

Marga stand auf. «Ich habe einen Katarrh, Herr Lehrer.»

«Hervorragend.» Hansen lächelte über das ganze Gesicht. Aber es war kein freundliches Lächeln. «Du wirst mir dieses Wort jetzt buchstabieren, Carlchen. Also bitte: Wie buchstabiert man Katarrh?»

Caroline merkte, wie sich ein Schwindelgefühl in ihr ausbreitete. Ihr war, als stünde sie unter einer riesigen Himmelskuppel und als flögen Wolken auf sie zu. Die Wolken legten sich auf ihre Augen, sodass sie alles nur noch durch einen Schleier wahrnahm, und auf ihre Ohrmuscheln, es rauschte wie Flusswellen an einem stürmischen Tag. «Aber er kann doch gar nicht buchstabieren», kam es aus ihr heraus.

«Das werden wir ja gleich sehen», verkündete Hansen. «Carl Winterberg, steh auf.»

Carl zitterte immer noch. Caroline sah, wie sich seine roten Stirnhaare zu kräuseln begannen, wie immer, wenn ihn eine Hitzewelle durchfuhr.

«Wie buchstabiert man Katarrh? Das möchte ich jetzt von dir wissen, Carl. Nun, hat es dir die Sprache verschlagen? Das wollen wir doch mal sehen. Jakob, hol den Pedell.»

Jakob, der beste Pennäler der Klasse, Hansens Liebling und Diener in Personalunion, sprang eilfertig auf.

«Nein», schrie Caroline. «Bitte, Herr Hansen, tun Sie das nicht!»

«Du wirst keinen Ton mehr sagen, Caroline», befahl der Lehrer. «Oder du bist ebenfalls dran.»

Caroline sah zu ihrem Bruder hinüber, der noch immer stand. Er schien nicht zu begreifen, was jetzt geschehen würde, und Caroline hoffte, es würde ein Wunder sein. Vielleicht war der Pedell ja ebenfalls krank geworden, so wie der Vater, oder vielleicht wurde er gerade anderswo gebraucht. Sie faltete die Hände und schickte ein eiliges Gebet zum Himmel. Aber derjenige, der in den göttlichen Gefilden für Schülersorgen zuständig war, schien wohl nicht richtig hingehört zu haben, denn einen Augenblick später wurde die Tür aufgestoßen, und der Pedell trat ein.

Carl musste nach vorne ans Katheder treten und die rechte Hand ausstrecken. Dann zog der Pedell seine Rute hervor und züchtigte ihn. Der erste Schlag ging Caroline durch Mark und Bein, und sie schrie im selben Augenblick auf wie ihr Bruder. Weiter ging es, in immer schnellerer Abfolge, und Carl zog seine Hand zurück und versteckte sie hinter seinem Rücken. Aber der alte Hansen war schneller. Er griff nach Carls rechtem Arm und hielt ihn wie in einem Schraubstock fest. «Das wird dich lehren, dem Diktat noch einmal fernzubleiben! Begreifst du endlich, dass es dir nichts bringt, so faul zu sein?»

Aus Carls Augen sprangen Tränen. Caroline sah, wie sie auf das Katheder fielen, und sie sah sein schmerzverzerrtes Gesicht.

«Nein», schrie sie und rannte nach vorne. «Carlchen kann doch nichts dafür!»

«Na, gut», sagte Hansen und verzog sein Gesicht zu einem beifälligen Grinsen. «Dann bestraft der Herr Pedell eben dich.»

An diesem Nachmittag konnten sich Carl und Caroline auf ihrem Heimweg von der Schule nicht an den Händen fassen. Ihre rechten Hände waren stark geschwollen, und Carolines blutete sogar. Caroline beschloss, ein Stück Rhabarberkuchen zu kaufen, der verlockend im Schaufenster von Schümanns

Bäckerei auslag, um Carlchen damit zu trösten. Doch als sie vor dem Tresen standen und zu der alten Frau Schümann aufblickten, die stirnrunzelnd und von weit oben zu ihnen herabsah, verließ sie plötzlich der Mut, und sie brachte keinen Ton heraus.

«Die kleinen Totenkinder», raunzte die alte Schümann hämisch. «Haben wohl nicht genug Geld?»

Caroline kramte aufgeregt in ihrer Kittelschürze die Pfennige zusammen. Sie wusste, dass sie genügend Geld dabeihatte, die Mutter oder auch Lili drückten ihr immer wieder ein paar kleine Münzen in die Hand. Aber es war ungewohnt und schwer, mit der linken Hand nach etwas zu suchen, und am Ende packte sie den Bruder und lief einfach wieder mit ihm hinaus.

Sie wanderten zum Brunnen, der am Hopfenmarkt stand, um ihre Wunden zu kühlen. «Wir gehen noch nicht nach Hause», sagte Caroline und streichelte Carl über den schmerzenden Kopf. «Mutter und Vater sollen nicht sehen, was mit uns passiert ist. Wir bleiben einfach noch ein bisschen am Brunnen sitzen und spielen.»

«Da muss ich mich wohl entschuldigen.» Rurik streckte die Finger seiner Faust und tat, als wollte er Christian helfen, wieder aufzustehen. «Wenn das der *Herr Doktor* ist ...» Er betonte die Worte ironisch, als sei Christian ein schäbiger Titeldieb.

Christian sprang auf die Füße, wobei er Rurik anrempelte. «Hoppla! Jetzt muss ich mich wohl entschuldigen», versetzte er.

Rurik hielt Christian am Rockaufschlag fest und zischte: «Völlig unnötig.»

Christian riss sich frei, wobei er eine halbe Drehung vollführte und auf diese Weise seinen Ellbogen in Ruriks Rippen stieß. «Das sehe ich anders», brachte er zwischen zusammengebissenen Zähnen hervor. Er bemerkte, wie Lili völlig irritiert zwischen ihnen hin und her blickte.

«Aber wenn Sie mich jetzt vorbeilassen würden, Herr Robertson», er schaffte es, den Namen ebenso ironisch zu betonen wie Rurik seinen Titel, «ich würde dieses faszinierende Gespräch gern bei einer anderen Gelegenheit fortsetzen. Wie Sie eben vernommen haben dürften: Lilis Vater ist schwerkrank.»

Rurik presste seine schmalen Lippen so fest zusammen, dass sie vollkommen verschwanden. «Natürlich. Aber wir sprechen uns noch.»

«Ich freue mich drauf. Kommen Sie mich besuchen, sollten Sie gesundheitliche Probleme bekommen. In dieser Straße herrscht seit heute die Cholera.» Er sprang auf den Kutschbock und drehte sich dabei zu Rurik um, gerade rechtzeitig, um sein entgeistertes Gesicht zu sehen.

«Wenn ich Sie wäre, würde ich mich bei Lili übrigens entschuldigen. Aber Gott sei Dank bin ich ja nicht Sie.» Er knallte mit seiner Peitsche durch die Luft, und die Kutsche fuhr an.

«Auf keinen Fall mehr das Wasser benutzen», rief Christian, während er davonrumpelte. «Nicht ohne es abzukochen jedenfalls. Nicht das Wasser aus der Elbe, nicht das Wasser, das bei euch aus dem Hahn kommt, nicht das aus den Brunnen und schon gar nicht welches, das länger unter der Hitze gestanden hat!»

Als die Kutsche um die Ecke gebogen war, wandte sich Lili zu Rurik um. «Du solltest dich entschuldigen?», fragte sie. «Wofür?»

«Weiß der Henker, was der Wirrkopf meinte», lächelte Rurik. «Ich stecke ja nicht in seinem unordentlichen Kopf. Warte, ich bring die Pferde in eure Stallung. Ich bin sehr gut im Umgang mit Pferden. Erwähnte ich das noch nie? Setz du in der

Zwischenzeit Wasser auf – damit du dich ordentlich waschen kannst.»

Die Anordnung brachte Lilis Blut erneut in Wallung. «Was soll das denn jetzt heißen?», fragte sie. «Meinst du im Ernst, ich versorge meinen todkranken Vater und wasche mich danach nicht? Hältst du mich für eine Dreckschleuder oder was?»

«Immer sachte vorm Wind segeln, Lilichen», lächelte Rurik. «Das habe ich ja nie gesagt. Holla, du da! Dich kenne ich doch auch von irgendwoher.»

Lili drehte sich um und sah Magdalena aus der Haustür treten. Die Freundin sah genauso erschöpft aus, wie sie sich fühlte. Violette Schatten lagen um ihre Augen, und sie ging vornübergebeugt, was den Blick in ihr weitgeöffnetes Mieder noch erleichterte. Lili erinnerte sich daran, wie begehrlich Rurik Magdalena auf dem Spielbudenplatz angesehen hatte, und Eifersucht stieg in ihr auf. Sie konnte nichts dagegen tun – auf einmal verspürte sie den Drang, zu Magdalena gemein zu sein.

«Du solltest dich vielleicht so kleiden, dass nicht jeder sofort dein Gewerbe errät», sagte sie und ging wütend an ihr vorbei ins Haus.

Doch Magdalena hielt sie fest. «Weißt du was?», zischte sie. «Mach deinen Schiet hier doch allein.» Wütend zog sie davon.

«Sehr gern», versetzte Lili. «Dann bin ich dich wenigstens los.»

In der Küche standen noch die Eimer Wasser, die Magdalena gefüllt hatte. Lili wuchtete sie empor, leerte das Wasser in die Kessel und zündete das Feuer im Gasherd an. Die körperliche Anstrengung linderte ihre Wut ein wenig. Schließlich ließ sie sich auf einen Schemel fallen und vergrub die Hände im Gesicht.

Eine große Müdigkeit überwältigte sie. Von draußen tönten aufgeregte Rufe, dann wurde die Tür aufgerissen, und die Ladenglocke bimmelte. Absätze klackerten über die Fliesen, mit denen das Geschäft ausgelegt war, und Lili wollte aufstehen, um nachzusehen, wer dort umherlief, aber die lähmende Schwere, von der sie erfüllt war, verstärkte sich noch. Ihr war, als sei sie voller Metallplättchen, ähnlich denen, die der Vater auf die Särge hämmerte. Worte, die sie starr machten, waren in die Plättchen eingraviert: Vater wird sterben. Rurik liebt nicht mich, sondern Magdalena. Ich war ungerecht zu Magdalena, grausam sogar ... Sicher werde ich nie wieder jemanden haben, der mich beschützt und behütet. Ich bin von nun an alleine auf der Welt.

Sie ließ die Sätze auf sich wirken, und eine Welle von Trübsinn überschwemmte sie. Sie bettete ihren Kopf auf die Arme und überließ sich ganz und gar ihrer Trauer.

Sie weinte, bis sie das Wasser kochen hörte. Dann wuchtete sie die schweren Kessel vom Feuer wieder herunter, schüttete das Wasser in einen Zuber, gab Lysol und Seife dazu, entkleidete sich und stieg hinein. Die Hitze raubte ihr für einen Moment die Sinne. Dann schloss sie die Augen, und alles verschwamm.

Sie erwachte davon, dass sie direkt vor ihrem Gesicht Atem spürte.

«Oh, mein Gott!», rief sie und duckte sich ein bisschen tiefer ins Wasser. «Hast du mich erschreckt!»

Rurik lächelte. «Ehrlich? Und ich bin entzückt. Auf diesen Anblick war ich ja gar nicht vorbereitet!»

Lili bedeckte ihre Brüste, so gut es ging. «Du musst auf der Stelle hinausgehen, Rurik. Ich habe überhaupt nichts an!»

Rurik ließ seinen Blick über das klare Wasser wandern. «Das habe ich bemerkt.»

«Rurik, ich meine es ernst!» Lili fühlte eine Welle der Panik in sich aufsteigen. Was, wenn ihre Mutter von dem Kunden jetzt nach Hause käme und sie fände ihre Tochter nackt im Waschzuber in Gegenwart eines vermeintlichen Verehrers vor?

«Ich meine es ebenfalls ernst.» Rurik zog sich einen Schemel heran und legte seine Unterarme auf den Zuberrand. «Dass ich dich ansehen möchte nämlich. Dass ich in deiner Nähe sein will. Du raubst mir den Verstand, Lili. Ich hoffe, es macht dir Spaß, so mit mir zu spielen.»

«Reich mir sofort das Tuch, das dort hängt», verlangte Lili. Sie war wild entschlossen, nicht auf seine Worte zu hören.

«Nur, wenn ich dir dabei zusehen darf, wie du dich abtrocknest.» Rurik rückte noch ein Stückchen weiter vor.

Lili überlegte fieberhaft. Rurik befand sich ganz offensichtlich in einem dieser Zustände, die Männer dem Hörensagen nach mitunter befielen. Wäre dies ein gewöhnlicher Tag gewesen, wäre ihr Vater nicht plötzlich erkrankt, hätte sie sich unter Umständen sogar auf seine Avancen eingelassen. Wie oft hatte sie in den vergangenen Wochen und Monaten von seinen Zärtlichkeiten geträumt. Hatte sich vorgestellt, wie es wäre, wenn sich sein entschlossener Mund auf ihren presste oder seine Finger sie erkundeten. Doch jetzt wollte sie einfach nicht. Was hatte ihr Magdalena für Ratschläge in solchen Fällen erteilt? Sie müsste Ablenkungsmanöver ersinnen, die die Männer in eine lustlose Stimmung brächten.

«Warum hat Christian vorhin zu dir gesagt, du solltest dich entschuldigen?» Lili reckte herausfordernd ihr Kinn.

Die Worte erzielten die gewünschte Wirkung. Sofort rückte Rurik von ihr ab. «Was dieser selbsternannte Weltenretter für Sätze in die Welt bläst, ist mir herzlich egal. Und überhaupt», er kniff wütend die Augen zusammen, «wenn sich hier einer bei dem anderen entschuldigen sollte, dann ja wohl du. Ich habe deiner tanzenden Freundin einen guten Tag gewünscht, und dann bist du ihr gegenüber gleich so unhöflich. Das war für Magdalena und mich sehr unangenehm.»

Lili erkannte sich selbst nicht wieder. Eine ungeheure Wut stieg in ihr auf. Woher kannte er denn Magdalenas Namen?

Hatte er sich mit ihr unterhalten? Sie womöglich eingeladen, mit ihm einmal auszugehen? Sie wusste ja, dass er fasziniert war von ihren verführerischen Tanzkünsten. Aber dass er sich nun auch näher mit ihr einließ – das war zu viel.

«Ich werde deine Situation bedauern, wenn ich die Zeit dafür finde», sagte sie so kalt und beherrscht, wie sie nur konnte. «Und jetzt reich mir bitte das Tuch dort. Und dann scher dich hinaus!»

Aber es war zu spät. In dem Moment, in dem er sich mit zornig zusammengepressten Lippen erhob, hörte sie die Ladenglocke schon wieder bimmeln. Und dann trat die Mutter ein.

«Platz da! Aus dem Weg!» Christian ließ die Pferde auf den letzten Metern galoppieren. Die roten Steinfassaden der Krankenhauspavillons wehten an ihm vorbei. Er drosselte das Tempo der Kutsche erst, als die Epidemiestation in Sichtweite kam. Die Pferde kamen genau vor dem Haupteingang zum Stehen. Christian sprang vom Kutschbock und brüllte: «Wärter!»

Quälend langsame Momente verstrichen, dann trat ein uniformierter Mann heraus.

«Wärter», keuchte Christian. «Sie müssen mir helfen. Wir haben hier einen Cholerakranken. Packen Sie ein Ende der Bahre und tragen Sie ihn mit mir hinein.»

Der Wärter wurde bleich und hob abwehrend seine Hände. «Mit Verlaub, Herr Doktor», bat er. «Ich habe zu Hause Frau und Kinder. Ich kann keine Cholerakranken anfassen. Cholera ist doch eine Seuche, oder? Von Seuchenbehandlung wurde mir bei meiner Einstellung nichts gesagt.»

«Dann sage ich es Ihnen jetzt.» Christian biss sich auf die Lippen, um ruhig zu bleiben. «Krankenwärter haben es manchmal auch mit Kranken zu tun. Und jetzt helfen Sie mir beim Tragen dieser Bahre. Sonst bekommen Sie es nicht mit einer Seuche, sondern mit einer Entlassung zu tun.»

Der Wärter schickte einen Fluch in den Himmel und spuckte in die Hände. «Wenn ich daran sterbe, haben Sie mich auf dem Gewissen, Herr Doktor», erklärte er.

Sie öffneten den hinteren Kutschenverschlag und trugen den Bestatter in den Krankensaal.

«Was liegen hier für Fälle?», wollte Christian wissen.

Der Wärter zuckte mit den Achseln. «Zweimal Schwindsucht und einmal Syphilis. Den Rest weiß ich nicht. Seuchen sind ja nicht so mein Bereich.»

Christian blickte aufmerksam umher. Bei seinen gelegentlichen Diensten im Krankenhaus hatte er die Epidemiestation noch nie besucht. Die Wände waren weiß gekalkt, die Betten wirkten schlicht, aber stabil, mit weißen Laken, auf denen grobgewebte, braune Wolldecken lagen. «Das sieht ja so weit alles gut aus. Aber die Tuberkulose liegt hier völlig frei herum? Na ja, für unseren Patienten hier brauchen wir jedenfalls frisches Wasser. Aber nur abgekochtes, ist das klar?»

«Ist der eigentlich vornehm, den Sie da behandeln?», wollte der Wärter wissen, während sie den Bestatter auf eines der Betten hievten. Bleich und apathisch sah Basilius aus. «Irgendein hohes Tier aus dem Senat?»

Er bemerkte Christians Blick und beeilte sich hinzuzufügen: «Ich mein ja nur. Wegen der ganzen Schikanen und dem Gedöns.»

Christian legte das Laken und die Decke über Basilius und zog sie um ihn herum fest. Dabei spürte er, wie kalt er bereits war. «Dieser Mensch hier», erklärte er, «ist ein Mensch, der Dinge tut, die Sie sich niemals trauen würden. Und dabei denkt er noch nicht einmal an sich.»

Caroline wusste nicht, wie lang sie so mit dem Bruder schon am Brunnen saß und ihre Hände in das kühlende Wasser tauchte. Aber es musste eine kleine Ewigkeit sein, denn die Männer, die am Rand des Platzes auf ein Hausdach geklettert waren, um es zu reparieren, klopften mit den Händen ihre Hosen ab, so wie Männer es taten, die mit einer Arbeit fertig waren. Die Marktleute begannen allmählich, ihre Waren in Kiepen und Körbe zu verpacken. Schon trugen die Ersten das übriggebliebene Obst und Gemüse zu ihren Ewern, die sie vor der Holzbrücke festgemacht hatten. Es musste später Nachmittag oder vielleicht auch schon früher Abend sein. Noch immer konnte Caroline jeden einzelnen Striemen auf der Innenfläche ihrer rechten Hand sehen. Und noch immer sagte Carl kein Wort.

«Wir könnten spielen, dass wir Prinz und Prinzessin sind», schlug Caroline vor. «Unser Vater, der König, hat uns hinaus in die Welt geschickt, damit wir eine Mutprobe bestehen. Und jetzt sind wir in einem fremden Land.»

Sie beobachtete einen Herrn in hellem Anzug, der ein Netz in der Hand trug und einen komischen Hut auf dem Kopf. Der Herr lächelte freundlich zu ihr herüber, und sie lächelte zurück.

Carl schüttelte vorsichtig den Kopf.

«Na gut, du hast recht. Wir haben schließlich auch noch einiges zu tun.» Caroline seufzte bei dem Anblick der vielen toten Käfer und Ratten, die auf dem Pflaster herumlagen, viele von ihnen plattgetreten nach einem langen geschäftigen Tag. «Aber wir müssen erst warten, bis die Blumenfrauen abgeräumt haben. Ich hoffe, sie lassen ein paar von diesen schönen Ranunkeln liegen.»

Carls Interesse war noch immer nicht erkennbar. Das hatte Caroline auch nicht anders erwartet. Die Blumen für die Bestattung zu sammeln, war ihre Aufgabe. Sehnsüchtig flog ihr Blick über die Wunderblumen, Lilien und Gladiolen, die eines der Marktmädchen in ihren Korb zurückverfrachtete. Was gäbe sie darum, einen Tag lang Blumen auszusäen, Blumen zu begießen und an Blumen zu schnuppern. Sie stellte sich das Leben außerhalb der Stadt, wo die Bauern mit ihren Ewern nach einem Markttag hinfuhren, aufregend und geheimnisvoll vor. Duftende Felder, frische feuchte Erde, Wälder, in denen Riesen, Räuber und Prinzessinnen wohnen, all jene fabelhaften Wesen, von denen Lili ihnen erzählt hatte, bevor sie zum großen Bruder nach England gegangen war.

Sie sah, wie sich ein Wasserträger mit hohem schwarzen Hut durch die Menge drängte. Als er gegen die Gruppe der Blumenmädchen stieß, die begonnen hatte, sich gegenseitig mit verwelkten Blütenköpfen zu bewerfen, schwappte das Wasser aus seinen Eimern heraus.

Auf einmal begannen die Glocken zu läuten. Carolines Blick flog nach oben in den Turm der mächtig aussehenden Nikolaikirche. Und in diesem Moment geschah es. In Carl war Leben gekommen. Mit seiner unversehrten linken Hand griff er Caroline am Ärmel und deutete zum Dach des Hauses, das eben noch mit frischen Schindeln gedeckt worden war. Caroline blinzelte gegen die sinkende Sonne. Im Gegenlicht sah die Lawine von Schindeln, die vom Dach auf die Straße prasselte, wie ein schwarzer Sturzbach aus. Und dann hörte sie die gellenden Schreie der Blumenmädchen: «Zu Hilfe! Ein Mann ist tot!»

14. KAPITEL

Mit einem langen Rock zu laufen war etwas, was Caroline überhaupt nicht mochte. Doch sie tat, was sie konnte. Carl hielt sie dabei mit ihrer Hand am Arm gepackt. Obwohl das nicht nötig gewesen wäre, Carl wäre auch so mitgekommen.

«Ist da jemand?», rief Caroline, während sie die Tür zum Geschäft aufstieß. «Mutter, Vater, Lili, seid ihr da?» So viel war an diesem Tag passiert, angefangen mit der fremden Frau in Lilis Bett und der Züchtigung durch den Pedell, dass sie für einen Moment vergaß, dass der Vater vorhin krank zusammengebrochen war. Es fiel ihr erst wieder ein, als sie in die Küche stürmte und statt des Vaters den Raubvogel zusammen mit ihrer Mutter dort fand. Sie und Carl hatten für sich den Mann Raubvogel getauft, weil er aussah wie einer dieser Vögel mit scharfem Schnabel, die auf ihre Beute warten. Caroline war davon überzeugt, dass er Lili für seine Beute hielt. Hinten im Raum, wo das Licht aus dem winzigen Fenster nicht hineinfallen konnte, stand ein gefüllter Waschzuber. Und jetzt erst erkannte sie ihre große Schwester, die darin saß, splitternackt.

«Warum ist Vater immer noch nicht wieder da?», keuchte Caroline. Sie wunderte sich, dass Lili in Anwesenheit von Mutter und Raubvogel badete. Darüber würde sie sich nachher mit Carl beraten. Jetzt ging erst mal das andere vor.

«Macht euch keine Sorgen, Liebchen», antwortete die Mutter. «Er ist jetzt in guten Händen. Doktor Buchner von gegenüber hat ihn an einen Ort gebracht, wo die Menschen ruhen können.»

«In den Himmel?», entsetzte sich Caroline. «Er hat Vater in den Himmel gebracht?»

«Nein, Süße, in ein Krankenhaus. Wir wollen gleich für ihn beten, damit er wieder gesund wird. Warum bist du denn so verschwitzt?»

«Auf dem Hopfenmarkt ist ein Mann erschlagen worden», erklärte Caroline. «Darum sind wir gerannt.»

«Ist das wahr?» Der Raubvogel drehte sich ruckartig zu ihr um. «Habt ihr gesehen, wer es getan hat? War die Polizei schon da?»

«Nein, und die Polizei muss auch nicht kommen. Eine Schindel von einem kaputten Dach hat ihn getroffen. Er war wohl auf der Stelle tot.»

«Könnt ihr die Angelegenheit nicht draußen diskutieren?», drang Lilis Stimme aus dem Waschzuber in der Ecke. «Ich würde jetzt wirklich gern diesen Badezuber verlassen und mich abtrocknen. Und zwar ohne Zeugen. Und schnell!»

«Auf dem Hopfenmarkt, sagst du?», fragte der Raubvogel. Caroline bemerkte, dass seine Augen glitzerten. «Dann will ich mal dorthin.»

«Ja, Herr Robertson, mein Lieber, aber nicht so schnell», sagte die Mutter. Aus ihrer Stimme war das Besorgte und Liebende verschwunden, was für Caroline höchst seltsam klang. «Ich verstehe nämlich immer noch nicht, was Sie bei meiner Lili gemacht haben, wo sie doch gebadet hat. Und du, Liliane», sie wandte sich an den Waschzuber, «wie konntest du Herrn Robertson denn nur hereinlassen, wenn du so wenig bekleidet bist?»

«Ich denke, wir klären das ein anderes Mal», sagte Lili mit zusammengebissenen Zähnen. «Mein Badewasser ist inzwischen kalt.»

«In Anbetracht der Hitze draußen», lächelte der Raubvogel, «sei froh.»

Er stülpte sich den Hut auf den Kopf und tippte leicht dagegen. «Liebe Frau Winterberg, ich habe arglos die Küche betreten, weil ich nicht ahnen konnte, was Ihre liebreizende Tochter hier tut. Ich bin nur wenige Sekunden vor Ihnen hier gewesen und wollte natürlich auf der Stelle wieder gehen. Frau Winterberg, Lili, liebe Kinder. Ich verabschiede mich jetzt.»

Caroline überlegte kurz, ob sie sich tatsächlich in Begleitung eines Raubvogels auf den Markt begeben wollte, aber die Neugier siegte. «Wir kommen mit», erklärte sie.

«Nein, Liebchen», widersprach die Mutter. «Ihr bleibt jetzt hier.»

«Geht, wo ihr hinwollt.» Lilis Stimme klang jetzt bedrohlich laut. «Aber verlasst endlich die Küche!»

Caroline wartete, dass die Mutter sich wieder Lili zuwandte, und fasste Carl am Arm. «Los», zischte sie.

Carl öffnete staunend seine Augen. «Lass uns laufen», wisperte er.

Sie erreichten den Raubvogel kurz hinter der Biegung der Straße, dort, wo der Cremon auf den Platz mündete. Es war nicht schwer, den Ort auszumachen, an dem der arme Mann erschlagen worden war. Eine Menschentraube hatte sich gebildet, die nach einem langen Arbeitstag gierig auf Sensationen war. Caroline schlüpfte zwischen zerschlissenen Hosenbeinen in blauer Baumwolle und den bunten Röcken der Marktfrauen hindurch. Jetzt entdeckte sie den Raubvogel, der mit einem gebundenen Notizbuch und einem Bleistift vor dem erschlagenen Mann hockte und sich seine Nachrichtenbeute erschlich. Dann sah sie das Opfer.

Der Erschlagene lebte. Er sah verwirrt aus und rieb sich den Schädel, und gleichzeitig lächelte er. Sie erkannte in ihm den Mann, den sie vorhin vom Brunnen aus beobachtet hatte, den

Ulkigen mit dem komischen Hut und dem Schmetterlingsnetz.

«Ihr Name ist also Eckart, und Sie sind Afrikaforscher, sagen Sie», stellte der Raubvogel fest und ließ sein Notizbuch sinken. «Aber dann kenne ich Sie ja.»

«Dat is gut mööchlich.» Der Mann lüpfte sein Schmetterlingsnetz. «Bin ja wohl auch 'ne Berühmtheit. Wenn ich so sagen darf.»

«Habe ich nicht schon mal über Sie geschrieben?», fragte der Raubvogel.

Der Angeschlagene lächelte. «Ich wäre beleidigt, wenn nicht. Meine zahlreichen Reisen durch tropische Länder, meine Forschungen an der Gattung Krokodil ...»

«Nein, ich meine, sind Sie nicht vor ein paar Monaten noch für tot erklärt worden? Hätte man Sie nicht fast bestattet? Und waren Sie nicht schon beim Leichenphotographen?»

«Ach das.» Der Krokodilforscher lächelte bescheiden. «Das ist mein Schicksal, wissen Sie. Ich bin in meinem Leben schon so oft dem Tod von der Schippe gesprungen. Ich bin ein Phänomen.»

«Schildern Sie mir jetzt bitte in allen Einzelheiten», Rurik nahm sein Notizbuch wieder auf, «was Sie erlebt haben, als Sie im Reich des Todes waren. Vertrauen Sie mir, ich werde Ihre Schilderungen in den besten Worten wiedergeben, dafür bin ich bekannt.»

Ein Raunen ging durch die Menge. Caroline blickte sich um und musterte die Umstehenden. Die wiederum hatten nur Augen und Ohren für den seltsamen Mann.

«Ich ... ich kann mich nicht erinnern», brachte der Afrikaforscher zögerlich hervor. «Aber ich kann Ihnen die Geschichte von all meinen Unfällen erzählen. Als ich klein war beispielsweise, da war ich in einem brennenden Haus gefangen. Es ist bis auf die Grundfesten abgebrannt. Aber ich habe es überlebt.» Was folgte, war eine wahnwitzige Aufzählung von Krankheiten, Unfällen, Attacken durch Mensch und Tier, wie sie Caroline noch nie zuvor gehört hatte, selbst in den Gesprächen nicht, die der Vater mit trauernden Angehörigen führte. Die für den Forscher selbst wohl unvergesslichsten Beinahe-Sterbefälle waren dabei durchaus unterschiedlich. Am besten gefiel Caroline die Schilderung seiner Forschungsreise durch das Nildelta, bei der die Rolle des zupackenden, aber am Ende doch glücklosen Sensenmanns einem Löwen zugefallen war.

«Ja, aber was haben Sie erlebt, während Sie starben oder fast starben?», insistierte Rurik. «Haben Sie Kontakt zu befreundeten oder verwandten Toten aufgenommen?»

Caroline wartete ungeduldig auf eine Antwort. Sie hatte schon so manches Mal darüber nachgedacht, was die Menschen beim Sterben erlebten, und sich dann diese Frage gestellt.

«Oh, beim Sterben betritt man eine Pyramide», erklärte der Afrikaforscher, der sein großes Publikum genoss. «Die Pyramide ist weit verzweigt, und man muss sich dauernd neu für einen Gang entscheiden. Ich bin aber bislang immer nur zweimal abgebogen.» Er machte eine dramatische Pause. «Weiter kam ich nicht.»

Caroline spürte, wie ihr der Bruder die Hand drückte. Es war zwar nicht so besonders ergiebig, was der Afrikaforscher über den Tod erzählte. Aber aufregend war es schon.

Lili starrte entgeistert auf die Titelseite der Zeitung, die Christian vor sie hingelegt hatte. Die Buchstaben tanzten vor ihren Augen, und sie fühlte, wie vor Entsetzen die Hitze durch ihren Körper schoss. «Aber das kann doch nicht wahr sein», flüsterte sie. «Warum sollte er das tun?»

«Ich weiß es nicht.» Christian ließ sich auf einen Schemel in der Werkstatt sinken. Er sah bleich aus und sehr erschöpft. «Ich wollte dich auch nicht noch mehr beunruhigen. Ich möchte nur, dass du es weißt.»

Lili strich sich eine nasse Strähne aus dem Gesicht und starrte nachdenklich in den Raum. Die Nachricht, dass es ihrem Vater besserging und er im Krankenhaus gut versorgt wurde, war eine große Erleichterung für sie gewesen. Aber diese neue Nachricht wühlte sie völlig auf.

Überhaupt war alles so verwirrend. Magdalena war gegangen, ohne ihr zu sagen, wohin. Und jetzt musste sie auch noch damit rechnen, dass Rurik sie nur benutzt hatte, um sie auszuhorchen. Erneut nahm sie die Zeitung zur Hand. Unter der Überschrift «Frau ermordet! Äußerst blutrünstige Tat!» stand nicht nur unzweifelhaft Ruriks Name. Er hatte in seinem Artikel auch über Dinge geschrieben, die er nur von ihr wissen konnte. Zum Beispiel, wann sie die Werbeblätter in Auftrag gegeben hatten und dass dies als Reaktion auf die blühenden Geschäfte des Konkurrenzunternehmers Thorolf Behnecke geschehen war. An keiner Stelle hatte Rurik geschrieben, dass er Basilius Winterberg verdächtigte, an den Morden beteiligt zu sein. Aber die Art, wie er die Geschichte der beiden Morde erzählte, ließ nur diese Schlussfolgerung zu.

Sie hob den Kopf, und ihr Blick fiel auf einen Sarg vor dem Fenster, an dem der Vater bis heute Morgen gearbeitet hatte, ein edles Stück mit einem fast fertig geschnitzten Katzenkopf. Die Abendsonne malte diesem einen orangefarbenen Schimmer auf die spitzen Ohren und verlieh ihnen so etwas Lebendiges. Vater hatte den Sarg für einen Kaufherrn aus der Neustadt gefertigt, der sich nach dem Tod seiner Frau eine Katze zugelegt hatte. Vor kurzem war nun auch die Katze gestorben, und gleich darauf er. Übermorgen schon sollte die Beerdigung stattfinden, aber wer nun auf die Schnelle den Sarg zu Ende schnitzen konnte, das wusste wohl nur der Herrgott.

«Ich danke dir», sagte sie zu Christian. «Vor allem für das, was du heute für Vater getan hast. Ich weiß nicht, wie ich das jemals wiedergutmachen kann.»

«Ich hätte da eine Idee.» Christian sah sie durchdringend an.

Lili wagte nicht zu atmen. «Und die lautet?»

«Komm morgen Abend zu uns zum Essen.»

«Ich …? Gerne.»

«Und bring dein Faible für Zahlen mit.»

Das Licht draußen hatte sich von Orange zu Kobaltblau gewandelt. Doch es war so warm wie am helllichten Tag. Immer noch waren Scharen von Menschen unterwegs. Lili beobachtete eine Gruppe von Hausmädchen in bodenlangen weißen Schürzen mit vollbeladenen Körben am Arm, die offensichtlich erst jetzt vom Markt zurückkehrten. Die Zwillinge waren nun glücklicherweise daheim. Caroline hatte ihr eine wirre Geschichte erzählt, in der es um einen Mann ging, der niemals sterben konnte, eine ihrer kindlichen Phantastereien. Lili hatte ihr nicht recht zuhören können, so sehr brummte ihr der Kopf. Die Sorge um den Vater, Ruriks Verrat, die Einladung für den nächsten Tag, Magdalenas Weglaufen – das alles war mehr, als sonst in einem viel längeren Zeitraum geschah.

Lili sah zu, wie Tobias die beiden Rappen anschirrte. Und da hatte sie geglaubt, sie hätte in den sechs Monaten in London genug Erlebnisse für ein ganzes Leben gesammelt! Doch was war schon der Anblick von Victoria aus dem Hause Hannover, Königin von England und Kaiserin von Indien, im Vergleich zu den lavagleichen Gefühlseruptionen der vergangenen Wochen und Monate?

Tobias fuhr mit der Kutsche vor und beugte sich zu ihr herunter. «Und Sie sind sicher, Fräulein Winterberg, dass Sie den Ausflug zu dieser Stunde machen wollen?»

«So sicher wie nur irgendwas», erklärte Lili, umfasste den

Gegenstand in ihrer Rocktasche fester und schwang sich neben Tobias auf den Kutschbock hinauf.

Die Schreie des Esels aus dem Alten Steinweg drangen schon bei St. Michaelis an ihr Ohr. In Anbetracht der Abendstunde waren noch immer viele Menschen unterwegs. Lili lauschte dem Geklapper von Melchiors und Kaspars Hufen auf dem Kopfsteinpflaster, die sich in das Eselsgebrüll mischten, und vermied dabei Tobias' Blick. Noch immer wusste sie nicht genau, warum sie diesen Weg auf sich nahm und was sie Magdalena bei einem möglichen Treffen sagen würde. Sie wusste nicht einmal, ob die neue Freundin in ihr altes Zuhause zurückgekehrt war. Aber sie würde es sicherlich nicht herausfinden, indem sie untätig in ihrem Zimmer saß.

Als sie an einem zweigeschossigen Gebäude mit Giebel und Erker vorüberfuhren, aus dem Licht fiel und Musik erklang, legte sie Tobias eine Hand auf den Arm. «Halte hier, bitte», sagte sie. «Und warte auf mich.»

«Nein», stieß Tobias hervor. «Das tue ich nicht!»

In ihrem ganzen Leben hatte Lili noch kein Wort des Widerspruchs von dem treuen Gesellen gehört. «Und warum nicht?», fragte sie überrascht.

Tobias stieß ein Geräusch aus, das sie nicht recht deuten konnte, und blickte sie aus zusammengekniffenen Augen an. «Ich weiß Bescheid mit damals», brummte er.

«Ja?», drängte Lili. Sie hatte keine Ahnung, was er meinte, und verlor allmählich die Geduld.

«Als Sie bei der alten Frau Kuhlmann waren», sagte Tobias langsam. «Ich hätt' Sie da abholen sollen, aber Sie haben mich nach Haus geschickt. Sie mussten zurück, als es schon sehr duster war. Und der Physikus, unser Herr Nachbar ...» Er riss sich den Hut vom Kopf und knetete drauflos.

«Was hat Christian dir erzählt?», fragte Lili. «Etwa, dass ich in Schwierigkeiten war?»

«Jo nu … Und da wüllt ick nu besser oppassen don.»

Lili verzog den Mund. «Und was heißt das? Etwa, dass du mit reinkommen willst?»

«Jo. Dat wüll ick gerne don.»

«Das ist sehr freundlich von dir, Tobias, aber du weißt, dass ich kein Kind mehr bin. Ich komme sehr gut allein zurecht. Also, ich werde in dieses Haus da hineingehen und dann komme ich wieder heraus. Mir droht in gar keiner Weise Gefahr. In Ordnung?»

In diesem Moment ertönten wütende Rufe. Peitschenknallen erfüllte die Luft. Lili rutschte vom Kutschbock und blickte hinter sich. «Da will jemand vorbei, wir verstellen die Straße, Tobias. Also, bis gleich.»

Im Licht der Laterne, die links neben der Eingangstür angebracht war, erkannte sie einen schweren Türklopfer aus Messing in Form einer nackten Frau. Lili versuchte sich nicht vorzustellen, was die Männer, die diesen Türklopfer normalerweise betätigten, sonst noch alles anfassten, und nahm ihn mit spitzen Fingern in die Hand. Der Klopfer schlug schwer auf der metallenen Unterseite auf. Kurze Zeit später hörte sie Schritte, und ein aufreizend gekleidetes Mädchen öffnete die Tür. Als sie bemerkte, dass sie es nicht mit einem Kunden zu tun hatte, stockte sie.

«Was willst du denn hier?», fragte sie widerwillig.

«Ich suche Magdalena», erklärte Lili, «eure Tänzerin.»

«Unsere Tänzerin», wiederholte das Freudenmädchen, wobei sie das Wort betonte, als handele es sich dabei um etwas äußerst Anstößiges. «Du meinst die, die sich hier für was Besseres hält.»

Lili spürte, wie schon wieder die Wut in ihr aufstieg. Sie *ist* etwas Besseres, du zahnfauliges, missgünstiges Weib, dachte sie. Doch sie beherrschte sich. «Also. Ist sie da?»

Ihr Gegenüber musterte sie von oben bis unten. Ihr Blick

streifte Lilis ungeschminkte Lippen und ihr hochgeschlossenes Kleid. «Wer bist denn du eigentlich?» Doch dann weiteten sich ihre Augen plötzlich. «Du bist … Moment mal … aber das kann doch nicht wahr sein! Du bist Sibylle! Habe ich recht?»

«Na, endlich», murmelte Lili und schob sich an der Dirne vorbei. Die Klänge einer Geige umwehten sie. Gläserklirren und laute, streitende Stimmen mischten sich darin. Lili sah sich in der Diele um, in der sie noch vor so wenigen Tagen Magdalena dabei zugesehen hatte, wie sie ihr Gesicht für ihre Vorstellung schminkte. Wie lange her kam ihr das jetzt vor! Sie sah sich selbst im Spiegel, der in der Diele hing, und während sie sich betrachtete, erschien das Gesicht der Zahnfäuligen hinter ihr.

«Bist 'ne feine Dame geworden, was?», grinste diese, während sie Lili im Spiegel betrachtete. «Und wir dachten, du wärst tot!»

Lili beachtete sie nicht. Wieder fiel ihr Blick auf den gerahmten Spruch mit dem Honig und der Milch neben dem Spiegel, und wieder wunderte sie sich über die seltsamen Sätze darin.

«Bist du zum Quatschen oder zum Lesen gekommen?», wurde sie von dem Mädchen gefragt. «Zum Arbeiten in diesem Aufzug ja wohl sicherlich nicht!»

«Willst du unseren Gast nicht hereinbitten?», erklang eine bekannte Stimme.

Lili wandte sich um und sah Teresa. Die Bordellmutter trug ein Kleid mit einem Ausschnitt, der an einer Dreißigjährigen vielleicht reizvoll gewirkt haben würde. Tiefe Furchen wiesen den Weg in ihr Dekolleté.

«Sieh an», sagte Teresa, und ihre Stimme wurde noch süßer. «Die kleine Freundin unserer Magdalena. Die unserer Sibylle – Gott hab sie selig – so ähnlich sieht. Bist du gekommen, um uns etwas auszurichten? Wir suchen nämlich Magdalena. Wohnt sie jetzt bei dir?»

Zum ersten Mal, seit Lili das Haus betreten hatte, wurde sie unsicher. «Nein», sagte sie. «Ich dachte, ich fände sie hier.»

«Das ist eine Lüge.» Teresa stürzte auf sie zu und ergriff ihren Arm. «Du bist bestimmt gekommen, um ihre Sachen abzuholen. Sie hat dich geschickt.»

Lili versuchte, sich herauszuwinden. Sie hätte nicht gedacht, dass diese Frau, die ja nun schon etwas länger jung war, noch so viel Kraft besaß.

«Das hat sie überhaupt nicht», protestierte sie. Dann verfluchte sie sich selbst. Vielleicht hätte sie doch besser Tobias vorschicken sollen? Der Totengräber hätte in dieser Situation viel überzeugender gewirkt.

«Ach nein?», schrie die Bordellmutter sie an. Lili wandte den Kopf zur Seite. Dem Mund der Alten entwich ein übler Geruch. «Und warum hat sie mir dann gesagt, dass es ihr egal ist, was ich von ihr verlange? Dass sie schon ein neues Zuhause hat? Wo sollte das sein, wenn nicht bei dir?»

«Das hat sie gesagt?», fragte Lili. Sie schluckte.

Auf einmal kam es ihr vor, als würde eine Art Wolkenschleier in ihrem Kopf aufreißen. Die Situation lag auf einmal klar vor ihr: Magdalena hatte auf sie gezählt. Auf sie, Lili, und auf ihre Familie. Wenn sie Teresas Verhalten Glauben schenken konnte, hatte Magdalena niemand anderen in der Stadt. Sie war es, Lili, die Magdalena vertrieben hatte. Mit ihrem Misstrauen und mit ihrer Eifersucht.

«Sag ihr, dass ich einen Mann für sie habe, der sehr viel Geld für sie geboten hat», keuchte die Alte. «Wenn sie zurückkommt, werde ich sie nicht bestrafen. Sag ihr das!»

«Aber ...» Lili suchte nach einem Ausweg. «Ich weiß doch gar nicht, wo sie jetzt ist.»

«Und sag ihr», fuhr Teresa unbeirrt fort, «dass sie die Hälfte, nein, was sage ich, ein Dreiviertel der Summe behalten kann. Ich darf dir den Preis nicht sagen. Nur so viel: Er ist sehr hoch!»

«Darauf wird sich Magdalena nicht einlassen», erklärte Lili und tastete sich rückwärts zur Tür.

«Doch, das wird sie. Wenn sie den Preis erst kennt.»

«Niemals», wiederholte Lili. Sie war bei der Tür angelangt.

«Such sie», befahl die Alte. Hinter ihr stand immer noch das Mädchen, das ihr geöffnet hatte. Ihr Mund stand offen, und Lili erkannte die schwarzen Zahnstümpfe darin. «Und wenn du sie gefunden hast, dann bring sie mir.»

Lili öffnete die Tür. Frische Luft schlug ihr entgegen. Erleichtert drehte sie sich um und rannte auf die Straße zu. Noch im Laufen hörte sie, wie die Tür hinter ihr wieder zugeschlagen wurde.

Und dann erstarrte sie. Dort, wo die Kutsche mit dem Himmelswagen gestanden hatte, war die Straße jetzt leer. Im gleichen Moment fühlte sie, wie sie von hinten grob an den Haaren gepackt wurde. Eine Zunge schlängelte sich heiß an ihr Ohr. «Hab ich endlich mal wieder eine von euch», hörte sie eine versoffene Stimme, und eine ekelhafte Alkoholfahne drang in ihre Nase. «Wurde auch Zeit!»

«Nichts sagen, gleich habe ich es!» Mathis, der mit einem Stapel Papieren an dem Sekretär im Salon saß, hielt Daumen und Zeigefinger an seine Stirn gepresst.

Christian zog seinen Rock aus und hängte ihn an einem Haken auf. «Keine Angst. Ich werde schweigen wie ein Grab.»

«Ein Wort, das mit H anfängt …», murmelte Mathis. «Und es sollte lang sein. Möglichst zwölf Buchstaben.»

Christian ließ sich auf das Sofa fallen und schloss die Augen. Der Tag steckte ihm in den Knochen. Er fühlte sich müde und schwer.

«Christian? Hörst du mich?»

Christian hielt seine Augen weiterhin geschlossen. «Ich darf vielleicht nichts sagen, aber deswegen bin ich ja nicht taub.»

«Du darfst jetzt doch etwas sagen, du musst sogar. Bitte nenne mir ein Wort aus eurem erfinderischen medizinischen Wortschatz, das mit H anfängt. Zwölf Buchstaben lang.»

Christian dachte an den Patienten, den er noch vor einer Stunde behandelt hatte. «Wie viele Buchstaben hat ‹Hämorrhoiden›?»

«Hämorrhoiden», strahlte Mathis und begann zu schreiben. «Das ist wunderbar. Erste Klasse, ein Traum von Wort.»

«Sag das mal den Leuten, die so etwas haben. Ich bin nicht sicher, ob sie deiner Meinung sind. Darf ich erfahren, was du da tust?»

«Moment noch. Liege ich richtig mit der Anzahl von Rs und Hs in diesem Wort? Die Schreibweise dieser Krankheit hat es ja wirklich in sich.» Mathis blickte lächelnd auf.

Christian hob eine Augenbraue. «Nicht nur die Schreibweise. Also, heraus mit der Sprache. Was tust du da?»

«Ich erfinde ein Spiel, das die Gazetten und Journale revolutionieren wird.»

«Nicht du auch noch», seufzte Christian. «Ich würde mir wünschen, wenn diejenigen, die Nachrichten schreiben, weniger aufs Spielen als auf die Wahrheit aus sind.»

«Ach Quatsch, Wahrheit!» Mathis wischte das Wort wie einen lästigen Schmutzfleck fort. «Wer interessiert sich schon für die Wahrheit, wenn er auch Spaß haben kann. Also, hör zu: Dein dauerndes Zahlenraten hat mich auf eine Idee gebracht.»

«Ich rate keine Zahlen», widersprach Christian. «Ich versuche sie zu entschlüsseln, damit ein vernünftiger Text daraus entsteht.»

«Auch sehr erbaulich», nickte Mathis. «Nun habe ich mir ebenfalls etwas überlegt.»

«Was da endlich wäre?»

«Ich formuliere Fragen», erklärte Mathis mit bedeutungsschwangerer Stimme. «Und die Leute müssen antworten.»

Christian lächelte. «Ich will dich nicht gleich enttäuschen. Aber mir scheint, dass es dieses Spiel schon gibt.»

«Ja, aber nicht so, wie ich es mir ausgedacht habe», erklärte Mathis und hob den Finger. «Die Antworten dürfen nämlich nicht länger als eine bestimmte Anzahl von Kästchen sein. Die Kästchen wiederum sind abwechselnd horizontal und vertikal angeordnet, wobei sich einzelne Buchstaben kreuzen. Die verschiedenen Kästchen werde ich mit Zahlen versehen, und die Buchstaben, die darin geschrieben stehen, ergeben so etwas wie das Lösungswort. Verstehst du? Das Lösungswort herauszufinden wäre doch eine tolle Abendbeschäftigung.»

«Lieber Bruder, ich habe gerade zehn Stunden Krankenbehandlung hinter mir, andere Menschen haben in diesen Stunden im Hafen Fässer gerollt oder Schiffe beladen. Ich bin mir nicht sicher, ob man nach so einem Tag noch Lust hat, Kästchen zu zählen, um an ein Lösungswort zu kommen, das du dir ausgedacht hast und das die Welt nicht weiterbringt.»

«Ha!» Mathis hielt triumphierend seinen Stift in die Höhe. «Hier denkst du ausnahmsweise falsch. Die Beschäftigung mit Zahlen und Buchstaben kann im Gegenteil sehr entspannend sein. Ich frage: Was tust du denn immer, wenn du abends nach Hause kommst?»

«Hoffen, dass mein kleiner Bruder mich nicht belästigt.»

«Eine witzige Antwort, aber leider ist sie falsch. Du beschäftigst dich mit den Beale-Papieren.»

«Ja, aber nicht, um mich zu entspannen», wandte Christian ein. «Ich hoffe, eines Tages einen Schatz zu heben. Einen Schatz, der so groß ist, dass wir uns nie mehr Sorgen machen müssen, was der nächste Tag bringt.»

Mathis zwinkerte. «Ich werde mir immer Sorgen darüber machen, was der nächste Tag bringt. Zumindest, solange ich als Photograph arbeite. Denn das werde ich weiter tun, selbst wenn du mich mit Gold aus deinem sagenhaften Schatz versorgst. Die Sachen, die ich dabei erlebe, sind mit Gold nämlich nicht zu bezahlen. Stell dir vor, heute wurde ich zu einer Kaufmannsfamilie am Rondeelteich gerufen. Eine Villa, in der man sich verlaufen kann, Kristalllüster in jedem Zimmer und – jetzt wirst du staunen – ein Wasserklosett.»

«Ich habe von dieser Erfindung bereits gehört.» Christian lächelte ironisch. Im Krankenhaus gehörten Wasserklosetts bereits seit einigen Jahren zur Grundausstattung, und in den Haushalten wohlhabender Bürger war dies ebenfalls der Fall.

«Also, die Dame des Hauses begrüßt mich, nachdem ich vom Dienstmädchen in Empfang genommen werde», fuhr Mathis fort. «Und stell dir vor: Am Ärmel trägt sie einen Trauerflor.»

Christian schüttelte den Kopf. «Und ich dachte, jetzt käme etwas Lustiges. Warum haben eigentlich selbst deine Geschichten ständig mit dem Tod zu tun?»

«Haben sie doch gar nicht alle», widersprach Mathis. «Gerade in den vergangenen Tagen habe ich eine Hochzeitsgesellschaft, eine Tauffeier und eine Konfirmation photographiert. Im Übrigen kann ich nicht behaupten, dass das wirklich lustiger war. Also, ich drücke der Dame des Hauses gegenüber mein Beileid aus, und sie fängt an zu erzählen. Ihr verstorbener Mann sei Mediziner gewesen. Du siehst, euch kann das auch passieren.»

«Danke, dass du mich daran erinnerst. Ich hatte es erfolgreich verdrängt.»

«Und dann fängt sie an zu schwärmen. Ihr Mann sei ja ein so gründlicher, wissenschaftlich arbeitender Mann gewesen. Und ein wohlhabender dazu.»

Christian hüstelte. «Ich nehme an, dass das eine in keinerlei Zusammenhang mit dem anderen steht.»

«So weit sind meine Nachforschungen noch nicht gediehen. Jedenfalls will mich die Dame nicht sofort zum Verstorbenen führen, auf dass ich sein Antlitz der Nachwelt erhalte, sondern als Erstes mit mir ins Badezimmer gehen.»

«Du hattest dir ganz offensichtlich nicht die Hände gewaschen?»

Mathis zeigte sich entrüstet. «Hast du mich jemals anders als mit blütenweißem Hemd und sauber geschrubbten Pfoten aus der Haustür treten sehen, Christian? Ich meine, seitdem ich im Erwachsenenalter bin.»

Christian zuckte mit den Schultern. «Bist du das etwa schon?»

«Ich höre gleich auf zu reden», schnaubte Mathis.

«Ich nehme nicht an, dass das eine Drohung sein soll.» Christian stand auf, um von der Anrichte eine Flasche Rum zu holen. Dann ging er zum verglasten Wandschrank hinüber, öffnete ihn und zog ein paar Gläser hervor.

«Also, ich ab zum marmornen Spülbecken und drehe an den vergoldeten Hähnen, aus denen das Wasser fließt. Die ganze Zeit steht die Dame hinter mir und beobachtet mich dabei. Danke, Bruder.» Mathis nahm sein gefülltes Glas entgegen. «Und weißt du, was sie auf einmal zu mir sagt?»

Christian hob sein Glas und stieß mit Mathis an. «Nein. Aber ich werde es ohne Zweifel gleich erfahren.»

«Sie sagt: Vielleicht könnten Sie mich ja auch einmal photographieren. Im Liegen. Auf dem Bett.»

«Au weia.» Christian biss sich auf die Lippe. «Was hast du ihr darauf geantwortet?»

«Dass ich im Liegen auf gar keinen Fall arbeiten kann. Wegen des Stativs.»

Christian warf den Kopf in den Nacken und lachte. Es war eine Gefühlsregung, die ihm schon ganz fremd geworden war. Es tat unendlich wohl.

Christian füllte die Gläser auf, und sie stießen erneut miteinander an. «Leute gibt's, ganz ehrlich», seufzte er. «Ich habe da in den vergangenen Tagen auch einiges erlebt.» Und er begann zu erzählen.

Es wurde ein langer Abend, den die beiden Brüder miteinander verbrachten. Und obwohl sie nichts anderes taten als reden und sich betrinken, hatte Christian das Gefühl, er hätte schon lange nicht mehr so etwas Angenehmes erlebt. Er wusste natürlich, woher seine gute Laune wehte. Für den morgigen Abend hatte er eine Verabredung. Und zwar mit der schönsten Frau der Welt.

15. KAPITEL

Lili versuchte, nicht zu atmen. So sehr schwanden ihr die Sinne bei dem Gestank, den der Mann hinter ihr verströmte, dass sie im ersten Augenblick nicht einmal Angst bekam.

«Du wirst nix tun, was du hinterher bereuen könntest, meine Schöne, ist das klar?» Die Stimme ihres Angreifers drang wie durch einen dichten Nebel an ihr Ohr. Lili rührte sich nicht von der Stelle. Wo zum Teufel war Tobias? Warum war weit und breit überhaupt kein Mensch zu sehen? Sie riss den Mund auf, um zu schreien. Aber vor Panik brachte sie keinen Ton heraus.

«Du wirst jetzt schön mit mir mitkommen, Rotschopf.» Jetzt war wieder die heiße Zunge an ihrem Ohr. «Ich hab nämlich noch einiges mit dir vor.»

Wieder öffnete Lili den Mund, um zu schreien, aber jetzt legte ihr der Mann eine Hand auf den Mund. Augenblicklich begann sie vor Ekel zu würgen. Seine Hand roch fürchterlich. Sie war schwielig und grobrissig, und obendrein fühlte sie sich klebrig an.

«Nun hab dich nicht so, du kleine Schlampe», keuchte der Mann und begann sie vor sich herzuschieben, zur Straße hin. «Du willst es doch auch!» Da er ihr nun den Mund zuhielt, hatte er ihren linken Arm losgelassen. Warum um Gottes willen nicht den rechten? In ihrer rechten Rocktasche hatte sie den Beitel eingesteckt. Sie hatte nicht ernsthaft damit gerechnet, sich verteidigen zu müssen an diesem Abend, als sie den Beitel in ihre Tasche geschoben hatte. Aber immerhin hatte sie an die Möglichkeit gedacht.

«Und jetzt schlagen wir beide schön brav diese Richtung hier ein.» Der Mann zog mit einem ekelerregenden Geräusch die Nase hoch und schob sie in den Neuen Steinweg. Ohne den Kopf zu bewegen, der sich im Schraubstockgriff der schmutzigen Hand befand, schaute Lili nach links und rechts. Immer noch lag die Straße wie ausgestorben da.

Sie gelangten an ein Gefährt, das länglich und merkwürdig aussah. Der Unbekannte fuhr zu ihr herum und schlug ihr mit voller Kraft ins Gesicht. «Nicht, dass du mir noch auf die Idee kommst, hier Alarm zu schlagen», raunzte er. «Ein Ton von dir, und ich schlag dir alle deine Zähne zu Brei.» Er öffnete den Seitenschlag und stieß sie auf das Polster. Mit einem raschen Griff packte er ihre Hände, zerrte sie auf den Rücken und fesselte sie.

In diesem Moment geschah etwas Seltsames mit Lili. Ihre Angst verebbte, und an deren Stelle trat eine nie erlebte Klarheit. Ich werde nicht sterben, dachte Lili. Eher töte ich ihn. Da sie auf dem Bauch lag, konnte sie den Beitel in ihrer Rocktasche auf dem Oberschenkel fühlen. Leider hatte sie keine Möglichkeit, ihn hervorzuziehen. Sie versuchte sich aufzurichten, um einen Blick durch die Scheibe nach draußen zu werfen, aber zu ihrem Entsetzen bemerkte sie plötzlich, dass sie in vollkommener Dunkelheit gefangen war. Dann setzte sich das Gefährt mit einem mechanischen Surren in Bewegung, und da wusste sie wieder, was das für ein Fortbewegungsmittel war. Es gab keine Pferde, es war eines dieser Automobile, die aussahen – wie ihre Mutter zu sagen pflegte – wie von Geisterhand bewegt. Der Gedanke an ihre Mutter ließ sie plötzlich in Tränen ausbrechen. Größer als der Wunsch, nicht sterben zu wollen, war der Wille, ihrer Mutter nicht noch ein weiteres Unglück aufbürden zu müssen. Ich will nicht sterben, dachte Lili verzweifelt. Nicht jetzt. Nicht hier. Nicht so.

Sie versuchte, sich auf das Gesicht des Mannes zu besinnen, als er sich ihr zugewandt und sie geohrfeigt hatte. Aber das Ganze hatte nur eine Sekunde gedauert, und der brennende Schmerz in ihrem Gesicht war stärker gewesen als ihr Verstand. Lili bemühte sich, ihren Atem zu kontrollieren. Wenn sie nur ruhig ein- und ausatmete, ebbte vielleicht auch die Panikwelle wieder ab. Jetzt sah sie ihren Angreifer erneut vor sich. Nein, sein Gesicht hatte sie tatsächlich nicht erkennen können. Er trug seinen Hut tief im Gesicht.

Auf einmal durchfuhr sie ein eisiger Schauer. Der Mann, der bei ihrer Ankunft am Venloer Bahnhof ihre Koffer getragen hatte – hatte der sein Gesicht nicht genauso verdeckt? Was, wenn dieser Mann sie nun seit Mai verfolgte? Und nur auf eine Gelegenheit gewartet hatte, um zuzuschlagen? Was war mit dem Betrunkenen gewesen, der sie nach ihrem Besuch bei der Witwe Kuhlmann überfallen hatte? Auch dieser Angreifer hier war betrunken – ob es vielleicht derselbe war? Und sie erinnerte sich wieder an seine ersten Worte: «Hab ich endlich mal wieder eine von euch. Wurde aber auch Zeit.» Wen meinte er mit *euch*? Leichte Mädchen oder Rothaarige?

Eines schien auf jeden Fall sicher: Es gab keinen Ausweg aus dieser Situation. Schon hatten sie sich weit von dem Freudenhaus im Alten Steinweg entfernt. Tobias, wo auch immer er eben gesteckt hatte, würde sie nicht mehr finden. Auch die Wahrscheinlichkeit, dass Christian Buchner wieder einmal aus dem Nichts auftauchte, um sie zu retten, tendierte gegen null. Lili biss die Zähne zusammen. Sie musste einfach eine Möglichkeit finden, an den Beitel zu gelangen, das war ihre einzige Chance.

Das Automobil schlenkerte leicht. Sicher, der Mann, der es lenkte, war von Alkohol betäubt. Wusste er überhaupt, wohin er fuhr? Nach einer Fahrt, die Lili endlos erschien, kamen sie schließlich zum Stehen. Sekunden später wurde der Verschlag aufgerissen, und die gierigen Hände griffen erneut nach ihr. Für den Bruchteil eines Augenblicks schoss es Lili in den Sinn, die Hand, die sie packte, zu beißen. Vielleicht würde dieses Stück Dreck, das sie festhielt, erschrecken, sie loslassen, vielleicht konnte sie dann ihre Fesseln lösen und nach ihrer Waffe fassen. Aber dann ekelte es sie so sehr vor dem Kontakt mit der stinkenden, schmierigen Haut, dass sie es nicht über sich brachte, es zu tun.

Der Mann, dessen Gesicht sie noch immer nicht sehen konnte, stieß sie zu Boden. Da sie mit ihren Händen den Sturz nicht abfedern konnte, schlug sie hart auf. «Das gefällt dir, was, du schmutzige kleine Nutte?», grölte ihr Angreifer. «Dich im Dreck zu wälzen, das hast du richtig gern? Aber eins sag ich dir, Schlampe. Auf Geld von mir brauchst du nicht zu hoffen. Du verdienst im Puff doch schon genug.»

Lili nahm ihre geballte Kraft zusammen. Abrupt zog sie ihr rechtes Bein an und ließ es vorschnellen. Der Absatz ihres geschnürten Halbschuhs landete dabei am Schienbein des Mannes, und das brachte ihn einen Moment lang aus dem Takt. Vor Schmerz krümmte er sich zusammen, aber nicht lange, dann richtete er sich wieder auf. «Das wirst du mir büßen», brüllte er und warf sich auf sie. Lili rollte zur Seite, direkt in einen Stapel Bretter hinein. Der vertraute Duft der frischen Hölzer brachte ihr neue Kraft zurück. Wieder kam diese seltsame Klarheit über sie. Sicher, sie hatte es mit einem größeren und stärkeren Mann zu tun, und sie war gefesselt. Aber der Mann war betrunken, und sie selbst war bei Verstand.

Noch einmal warf sich der Mann auf sie. Diesmal packte er sie so, dass sie auf den Rücken fiel. Die gefesselten Hände drückten ihr dabei in die Nieren, und sie versuchte, ihre Arme auszustrecken, doch sie waren in einem schmerzhaften Winkel verzerrt.

«Willst du wohl stillhalten, du Luder?», brüllte der Mann und schlug ihr abermals ins Gesicht.

Jetzt nahm sie nicht mal mehr seinen Gestank wahr. Ihr Körper war nur noch ein einziger brennender Schmerz. Wieder versuchte sie, sich unter ihm wegzuschieben. Zu ihrer Linken bemerkte sie eine Laterne, ein Hoffnungsschimmer! Wo Licht war, mussten auch Menschen sein. Und dann bemerkte sie ein Emailleschild, direkt unter der Laterne: «Behnecke, erstklassiger und unbescholtener Bestattungsunternehmer. Pompes funèbres. Hinterhof erste Tür links».

In diesem Moment erscholl Babygeschrei. Ein Weinen, das so hilflos klang, wie sie sich fühlte. Lange, verzweifelte Schreie aus einer schmerzenden Brust. Kurz darauf öffnete jemand ein Fenster, und die Schreie wurden noch lauter. Dann eine Frauenstimme: «Vater? Bist du das da unten?»

Der Mann hielt nur für den Bruchteil eines Augenblicks inne. Doch Lili nutzte den Moment. Sie rollte sich zur Seite, sprang auf die Füße, und bevor ihr Angreifer auch nur reagieren konnte, rammte sie ihm ihren spitzen Absatz ins Gemächt.

Sie brauchte eine Weile, um sich in der nachtdunklen Stadt zurechtzufinden. Doch der Geruch, der vom ausgetrockneten Fleet zu ihrer Rechten aufstieg, und die Brücke nur wenige Meter vor ihr wiesen ihr den Weg. Sie war in der Düsternstraße am Herrengrabenfleet, und das da vorne war die Ellerntorbrücke. Wenn ihr Orientierungssinn sie nicht täuschte, musste sie an der nächsten Ecke links in die Straße hinein und von da an geradeaus laufen, immer am Hafen entlang. Es war ein Weg, den sie unter normalen Umständen in einer geschätzten Viertelstunde zurücklegen konnte. Aber jetzt in der Dunkelheit, mit gefesselten Händen, mit diesen Schmerzen und der Angst im Nacken war alles anders, jetzt zerdehnte sich die Zeit zu einer quälenden Ewigkeit. Hinter dem Brückengeländer meinte sie einen Schatten zu sehen, doch es war nur eine Katze, die laut aufmaunzte, als sie vorüberging. Ein Plätschern im Fleet ließ sie zusammenfahren. Sie blieb stehen und lauschte, sie meinte glucksende Schritte zu hören, die sich im Morast festsaugten und wieder lösten, um sie einzuholen. Ihr Herz machte einen Satz, als neben ihr ein Fenster aufflog, doch es war nur ein Mensch, der nicht schlafen konnte. Er hatte eine weiße Haube auf dem Kopf.

Endlich erreichte sie die Hafengegend, aber hier klangen die Geräusche noch beunruhigender. Fender aus alten Reifen rieben sich an der Kaimauer, ihr Quietschen drang Lili aufreizend ans Ohr. Aus einer Spelunke drang Gesang in einer Sprache, die Lili nicht kannte, dann wurde die Tür aufgerissen, und ein paar Männer taumelten heraus. Lili duckte sich hinter einer Wand aus aufgetürmten Fässern. Wenn die Männer entdeckten, dass sie als Frau allein unterwegs war und noch dazu mit gefesselten Händen, gab es für sie kein Entrinnen mehr. Lili spürte, wie ihr Herz raste, während sie die Geräusche der Männer verfolgte. Sie hörte, wie einer auf den anderen einhieb, sie hörte laute Stimmen in der fremden Sprache und dazwischen eine leise, klägliche.

Ist es das, worum sich alles dreht im Leben, dachte Lili. Wer Sieger ist und wer Verlierer? Sie spürte, wie die Tränen in ihr hochschossen und ihr über die Wangen liefen. Das Salz brannte auf ihrer geschundenen Haut.

Endlich hatten die Männer ihren Kampf beendet und gingen wieder hinein. Lili beeilte sich aufzustehen. Sie lief um den Kerl herum, der besinnungslos am Boden lag, und kam schließlich am Cremon an. Erst als sie vor ihrer Haustür stand, bemerkte sie, dass sie alles verloren hatte: neben Tobias und der Kutsche auch ihren Schlüssel und ihr Geld. Die Nacht war fast vorüber. Am Himmel zeigte sich der erste helle Streifen, eine Mischung aus Hellblau, Gelb und Türkis.

Rurik Robertson trank seinen Morgenkaffee am liebsten draußen, dort, wo die Menschen und die Neuigkeiten waren. Über die Wahl seines Kaffeehauses entschied dabei ein ungeschriebenes, aber einfaches Gesetz: je übler die Kneipe, die Rurik am Vorabend besucht hatte, desto nobler der Ort für den Morgen danach. Die vergangene Nacht hatte er im «Verbrecherkeller» verbracht, der Spelunke in der Niedernstraße, die trotz ihrer Enge genügend Raum für Fässer, Raufereien und die eine oder andere haarsträubende Geschichte bot, und so kam an diesem Tag nur das prächtigste aller Hamburger Gasthäuser in Frage, der Alsterpavillon.

Die Droschke brachte ihn bis zum Eingang. Rurik drückte dem Kutscher ein paar Münzen in die Hand, öffnete den Verschlag und stieg aus. Einer dieser Lebensmüden auf zwei Rädern, von denen das Vorderrad absonderlich groß war, fuhr an ihm vorbei. Rurik murmelte einen Fluch. Sosehr er sich auch für moderne Erfindungen erwärmen konnte, diese Zweiräder hatten es ihm überhaupt nicht angetan.

Es war um die elfte Stunde an diesem Augusttag und das Treiben auf der Terrasse schon ausgelassen und bunt. Ein goldbetresster Lakai fegte das Pflaster vor dem Pavillon, auf dass die seidig raschelnden Kleidersäume der Damen sauber blieben. Rauchende Herren saßen allein und in Gruppen an ihren Tischen und sahen sich wahlweise ihre Zeitung oder die vorbeiflanierenden Mädchen an.

Der Alsterpavillon war im Stil eines griechischen Tempels mit Portalverdachung und Säulen gebaut. Wer seine heilige Halle und die dazugehörige Terrasse betrat, huldigte dem Tee, Kaffee und anderen Importen von Übersee, sowie rund achtzig Zeitungen aus Deutschland und aller Welt. Rurik ließ seinen Blick über die Auswahl wandern. Da lag die Londoner *Times* einvernehmlich neben dem *Pester Lloyd*, das *Vaterland – Zeitung für die österreichische Monarchie* zwischen der *Kölnischen*

Volkszeitung und der *St. James' Gazette*. Keines der Nachrichtenblätter machte sich seinen Platz streitig hier im Alsterpavillon, alle sahen sie hübsch friedliebend aus.

Rurik beschloss, sich an einem strategisch günstigen Platz nahe dem Jungfernstieg niederzulassen, und orderte einen starken, schwarzen Kaffee und die Hamburger Gazetten. Während er trank, las er die Neuigkeiten im *General-Anzeiger*, wobei er mit den kürzesten und unterhaltsamsten begann:

«Gestern Abend gegen 9 Uhr entstand auf dem Valentinskamp zwischen halbwüchsigen Jungen eine Schlägerei, die sich bis zur Dammtorstraße hinzog, wo sie durch das energische Einschreiten einiger Kraftmeier dadurch ein Ende fand, dass die Erzedenten verwundet wurden. – Gegen 1 Uhr heute Nacht belästigte ein angetrunkener Mensch gleichfalls in der Dammtorstraße einen harmlosen Passanten und besaß noch die Frechheit, sich der Verhaftung dadurch zu entziehen zu versuchen, dass er dem Schutzmann einen Faustschlag ins Gesicht versetzte, was jedoch nicht den gewünschten Erfolg hatte.»

Rurik ließ die Zeitung sinken und schmunzelte. Das war genau die Art von Morgenlektüre, die ihn angenehm in den Tag gleiten ließ. Er wollte gerade sein Notizbuch hervorziehen, um die Geschichte vom unsterblichen Afrikaforscher in schöne Worte zu kleiden, da setzte sich ein Herr, den er nicht kannte, zu ihm an den Tisch.

«Gestatten Sie die Störung», sagte der Fremde ohne eine Spur von Frage in der Stimme, «Doktor Wichmann ist mein Name, vom Medizinal-Kollegium. Gehe ich recht in der Annahme, dass Sie Rurik Robertson sind?»

Rurik lüftete andeutungsweise seinen Hut.

«Sie sind gerade auf der Suche nach einer interessanten Geschichte, oder?»

Rurik lächelte leicht. «Gerade? Die Suche nach Geschichten ist ein Dauerzustand bei mir.»

«Dann habe ich da vielleicht etwas. Ober, für mich auch einen Kaffee, aber stark gesüßt, mit viel Milch und Zimt- und Nelkengewürzen dazu. Darf ich Ihnen noch etwas bringen lassen, Herr Robertson? Das Gleiche vielleicht?»

«Noch einen schwarzen Kaffee, bitte. Ihre Variante klingt mir etwas zu gesund.»

Sein Gegenüber lachte. «Ich will gleich zum Punkt kommen. Es gehen Gerüchte um, eine neue Cholera-Epidemie stünde unserer Stadt bevor. Wie Sie sich vorstellen können, wird der Pöbel auf solcherlei Nachrichten panisch reagieren, mit unvorstellbaren Folgen für unsere tapfere Polizei. Schlägereien, Plünderungen, Vergewaltigungen, Sie kennen das ja.»

Rurik kniff die Augen zusammen. Er wusste genau, worauf dieser komische Doktor abzielte, aber er beschloss, dass ihn das einiges kosten sollte. Gratis stellte er sich in niemandes Dienst.

«Tut mir leid», sagte er. «Gewaltausschreitungen sind nicht wirklich mein Betätigungsfeld.»

Doktor Wichmann lachte erneut. Für jemanden, der sich gerade mit der Möglichkeit einer Epidemie beschäftigte, wirkte er auf Rurik auffällig gut gelaunt.

«Nicht Ihr Betätigungsfeld, natürlich, Gott bewahre», lächelte er. «Aber Sie schreiben doch darüber, nehme ich an.» Er deutete mit dem Kopf auf den *General-Anzeiger*, der aufgeschlagen vor ihnen lag.

«Ich lese diese Nachrichten, so wie ich alles lese, was in dieser Stadt passiert», erklärte Rurik. «Sie zu verfassen überlasse ich allerdings den weniger erfahrenen Reportern. Ich betätige mich lieber investigativ.» Dies war ein Wort, das in letzter Zeit recht häufig in den englischen Gazetten auftauchte, zweifelsohne weil sich viele englische Journalisten mit einem Detektiv namens Sherlock Holmes identifizierten, dessen Erlebnisse die Seiten der Tagespresse und neuerdings auch Buchseiten füllten. Natürlich waren die Geschichten ganz und gar ausgedacht.

«Investigativ? Von *investigare*?» Der Mediziner schien sein Wissen aus dem Lateinunterricht zu aktivieren. «Verstehe. Dann passt das, was ich Ihnen sagen will, ausgezeichnet. Was für ein glücklicher Zufall, dass wir beide hier heute Morgen aufeinandergetroffen sind.»

Rurik war sich sicher, dass das Treffen alles andere als zufällig war. Es war bekannt, dass er häufig im Alsterpavillon frühstückte, vor allem an Wochenenden.

Die Getränke kamen, und sein Gesprächspartner zückte seine Börse, um sogleich zu zahlen, auch für den Kaffee, den Rurik allein getrunken hatte.

«Wo waren wir stehengeblieben?», fragte er, nachdem der Kellner abgezogen war. «Richtig, bei der Massenpanik, die nicht im Sinne des Erfinders sein kann. Außerdem – denken Sie an die Signalwirkung, die Gerüchte von einer Epidemie nach außen haben können. Hamburg ist eine Stadt, die wie kaum eine andere mit sehr vielen Städten Handel treibt.»

«Das ist mir bekannt», nickte Rurik und fügte mit wohlkalkulierter Bescheidenheit hinzu: «Doch was kann denn ich gegen das Streuen von Gerüchten tun?»

«Ich denke, das ist offensichtlich.» Doktor Wichmann klappte ein silbernes Etui auf, in dem zehn feingedrehte Zigarillos steckten. «Bitte, Herr Robertson, bedienen Sie sich.»

Es war Caroline, die Lilis Rufe gehört hatte. Sie hatte ihr die Tür geöffnet und ihr dann ins Haus geholfen. Mit ihren kleinen, geschickten Händen hatte sie die Fesseln gelöst, Lili nach oben in ihr Zimmer geführt und sie voller Fürsorge zu Bett gebracht. Mit einem nassen Lappen hatte sie die Schrammen in Lilis Gesicht gesäubert. Lili hatte während der ganzen Zeit keinen Ton gesagt, nichts erklärt, nichts beschwichtigt und nicht einmal geweint. Erst als die kleine Schwester zum zweiten Mal aufstand, um den Lappen mit kaltem Wasser zu tränken, öffnete sie den Mund. «Erzähl bitte unserer Mutter nichts davon», flüsterte sie. «Jetzt, wo Vater krank ist, hat sie genug Sorgen.»

Caroline schüttelte den Kopf und reckte zwei nasse Finger in die Höhe. «Mach ich nicht. Ehrenwort. Aber Tobias muss ich davon erzählen. Er hat dich die ganze Nacht gesucht.»

Tobias, richtig. Seine Kutsche war verschwunden gewesen, als Behnecke sie in sein pferdeloses Gefährt gedrängt hatte …

Lili spürte, wie ihr schwindelig wurde. «Ich habe ihn auch gesucht. Wo ist er denn gewesen?»

«Er hat mir gesagt, dass er nur einmal um den Block gefahren ist. Dann hat er an die Tür von dem Haus geklopft, in das du gegangen bist. Aber du warst wohl nicht mehr da.» Caroline unterstrich die Worte mit ihren Händen.

Lili betrachtete erschrocken die Striemen. «Um Gottes willen, Linchen. Was hast du denn da?»

Die Kleine wandte den Blick ab. «Carl und ich sind in der Schule geschlagen worden. Vom Pedell.»

«Mein kleiner Liebling. Und das sagst du mir jetzt erst?»

«Carl und ich haben nicht mehr daran gedacht.»

«Wenn ich euch nicht in die Schule zurückgeschickt hätte, wäre das nicht geschehen, oder?»

Lili fühlte, wie sich ihr Magen zusammenzog. Die Tränen stiegen mit einer solchen Kraft in ihr auf, dass sie sie nicht mehr zurückhalten konnte. «Oh, Linchen», schluchzte Lili. «Es tut mir so entsetzlich leid.»

Caroline streichelte Lili über die Haare und wischte ihr über das nasse Gesicht. «Du kannst doch nichts dafür, Lili», sagte sie.

«Ihr sollt nicht mehr in diese Schule gehen», brachte Lili hervor. «Ich werde mit Vater reden, dass er euch von dort abmeldet. Ich unterrichte euch von jetzt an. Und dann werden wir es hinbekommen, dass Carlchen endlich lesen und schreiben lernt. Und wir machen zusammen Ausflüge! Es gibt da diesen Platz, Linchen, da werden echte, lebende Tiere gezeigt, da könnt ihr viel lernen. Wir werden zusammen da hingehen. Und du wirst sehen, es wird alles wieder gut.»

Das war vor einigen Stunden gewesen. Lili musste dann eingeschlafen sein. Als sie wieder erwachte, war Caroline nicht mehr da. Lili brauchte einen Moment, um sich zu erinnern, warum ihr alles wehtat. Und plötzlich empfand sie nichts als nackten Zorn.

Thorolf Behnecke erwachte davon, dass ihm der Schädel vor Schmerzen schier explodierte. Eine weibliche Stimme redete auf ihn ein.

«Du musst aufstehen, Vater. Da ist Besuch für dich.»

«Sag ihm, er soll sich zum Teufel scheren», knurrte Thorolf und holte aus, um Chlodwig eine zu langen. Aber sie war schneller als er.

«Wage es nicht, mich anzufassen», warnte Chlodwig ihn. «Ich hab die kleine Hildegard im Arm.»

«Und vor der soll ich Angst haben, oder was?» Thorolf zog die Nase hoch. «Ihr Weiber solltet mal alle die Klappe halten. Hab schon genug Scherereien mit euch.»

«Wenn du auf die Frau anspielst, mit der ich dich gestern erwischt habe», Chlodwig erhob ihre Stimme, «dann sei du besser still. Du solltest dich wirklich schämen, Vater. Mutter liegt noch nicht mal eine Woche unter der Erde, und du holst dir schon die Nächste ran.»

«Das war bloß 'ne kleine Nutte», maulte Thorolf. «Wenn nicht mal das mehr erlaubt sein darf ...»

«Du bist echt ekelig, Vater, weißt du das?», schnaubte Chlodwig und rauschte hinaus.

Thorolf grunzte und fuhr sich über seine buschigen Haare. Wann war ihm seine Tochter eigentlich so aus dem Ruder gelaufen? Das war doch nicht der Ton, in dem man mit seinem

Vater sprach! Was mischte sie sich überhaupt in seine Angelegenheiten ein? Es war sein gutes Recht, sich ein Mädchen aus dem Angebot im Alten Steinweg zu schnappen, wenn er es wollte. Seitdem Teresa ihm Hausverbot erteilt hatte, hatte er eben auf andere Wege sinnen müssen. Schließlich zahlte er ja auch dafür, meistens zumindest.

Er überlegte, ob er einfach weiterschlafen sollte, aber seine Nase lief, und das irritierte ihn. Er blickte sich um auf der Suche nach einem Taschentuch, fand aber nur die rothaarige Katze, die es sich neben ihm auf der Matratze bequem gemacht hatte. Kurz entschlossen packte er sie und schnäuzte sich in ihr Fell. Die Katze raste miauend von dannen, und Thorolf überlegte weiter. Besuch bedeutete meistens Kundschaft. Die wiederum verhieß Geld.

Er wankte zu der Spiegelscherbe, die er sich über der Waschschüssel aufgehängt hatte, und starrte sich an. Er sah überhaupt nicht gut aus. Seine Augen waren blutunterlaufen, und die Tränensäcke darunter sahen aus, als transportiere er eine Last darin. Seine Wangen waren von schwarzgrauen Stoppeln übersät, das Kopfhaar stand ihm in alle Richtungen.

An das, was in der vergangenen Nacht geschehen war, konnte er sich nur bruchstückweise erinnern. Irgendetwas Aufregendes war geschehen. Richtig, er hatte eine süße, junge Nutte abgeschleppt. Und dann? Er kniff die Augen zusammen. Aus irgendeinem Grund hatte das verfluchte Weib nicht so gewollt wie er. Mit einem Pinsel schäumte er die Seife zum Rasieren auf. Dann setzte er das Messer an und schor sich die Wangen sauber. Den trauernden Kunden gegenüber versuchte er immer noch korrekt aufzutreten. Das gehörte sich leider so für das Geschäft.

Die Kundin sah aus wie eine Zigeunerin. Sie trug große goldene Kreolen und ein buntes Kleid. Doch als sie ihn begrüßte, hörte er in ihrer Stimme keinerlei Akzent. Thorolf kramte seine

Standardsätze hervor, das heißt, soweit er sich in Anbetracht seines berstenden Schädels daran erinnerte.

«Wenn es sich um eine Vorsorge für den Ernstfall handelt», sagte er und musterte das von tiefen Falten durchzogene Gesicht vor ihm, «dann darf ich Sie beglückwünschen. Bei uns liegen Sie richtig.»

Die Zigeunerin musterte ihn aus ruhigen, dunklen Augen. «Nicht ich möchte begraben werden», erklärte sie, «einer aus meiner Truppe ist tot.»

«So. Fein.» Thorolf rieb sich den Schädel.

«Ich brauche einen Sarg. Ungefähr achtzig Zentimeter lang. Bei dem Verstorbenen handelt es sich um einen Zwerg.»

Thorolf kitzelte es auf der Zunge. Er kannte mindestens sieben Zwergenwitze, die wirklich hervorragend waren. Aber dies war ja eine Kundin, und Geschäft war Geschäft. «Kein Problem», sagte er deshalb knapp.

«Ich nehme an, dass Sie mir Rabatt gewähren», fügte die Zigeunerin hinzu.

«Rabatt?», fragte Thorolf verblüfft. «Wofür?»

«Na, mein Zwerg war ja nur halb so groß wie ein normaler Mensch. Da muss ich doch wohl nur die halben Bestattungskosten bezahlen.»

Thorolf fühlte, wie die Ader an seiner Stirn anschwoll und zu pochen begann. «Was redest du da, du Hexe?», stieß er hervor. «Demnächst verlangt ihr wohl auch noch, wir sollen es umsonst machen, weil eure Toten keine Seele haben, was?»

Die Zigeunerin wich einen Schritt zurück und prallte dabei gegen einen Mann, der unbemerkt hinter ihr ins Geschäft getreten war. Es war Rurik Robertson. Er lächelte und deutete eine Verbeugung an. «Aber nein. So etwas würden seelenlose Menschen doch nicht verlangen. Nicht wahr – Herr Behnecke?»

Die Zigeunerin fuhr herum. «Sie kenne ich doch.»

«Sicher. Wir sind uns vor einiger Zeit auf dem Spielbudenplatz begegnet, als ich in Begleitung eines rothaarigen Fräuleins unterwegs war. Übrigens die Tochter eines Bestattungsunternehmers, dessen Geschäft so schlecht geht, dass er bestimmt mit sich verhandeln lässt, was Ihren Zwerg anbelangt.»

«Wie heißt dieser Unternehmer?»

«Winterberg.»

«Wie bitte?» Die Zigeunerin wurde blass. «Winterberg?»

«Ja, sicher. Darf ich fragen ...?»

«Das war sie, nicht wahr? Ich war mir nicht ganz sicher ... Aber ja, sie ist es. Die Tochter dieses ... dieses ...»

«Ja, er ist ein übler Geselle», hackte Thorolf in dieselbe Kerbe und rieb sich die Hände. «Machen Sie bloß keine Geschäfte mit dem.»

Aber die Zigeunerin hörte schon gar nicht mehr hin. Im nächsten Augenblick war sie zur Tür hinaus.

«Wie geht es Ihnen, Vater?» Robertson trat mit einem strahlenden Lächeln auf ihn zu. «Sie sehen ein wenig leidend aus, wenn ich das bemerken darf. Mit der werten Gesundheit alles in Ordnung? Andernfalls kenne ich einen hervorragenden Arzt.»

«Lass das Geschwafel», brauste Thorolf auf. «Mit mir ist alles in Ordnung, halt mir bloß die Quacksalber fern. Und nenn mich nicht Vater, wenn Chlodwig in der Nähe ist. Wie oft hab ich dir das schon gesagt?»

«Wie Sie wünschen.» Robertson ließ sich in einen der Sessel gleiten, die im Empfangszimmer standen, zog sein Jackett aus und hängte es über den Stuhl. Dann zückte er ein silbernes Etui. «Zigarillo, Vater? Dies ist feinster kolumbianischer Stoff.»

«Arm scheinst du jetzt also nicht mehr zu sein, wenn du dir so was leisten kannst.» Thorolf schritt wie ein eingesperrter Tiger durch den Raum. Dieser Sohn, der vor wenigen Monaten aufgetaucht war wie eine Ratte aus dem Sielkanal, hatte ihm bislang nur wenig Freude gemacht. Thorolf mochte gar nicht daran denken, wie viele Blagen er im Lauf seines Lebens in die Welt gesetzt hatte. Allein bei dem Gedanken daran schwindelte ihn. Dieser hier war immerhin gut erzogen worden. In einem Internat. Was ihn nicht weiter verwunderte, als er erfuhr, wer seine Mutter war.

Robertson, natürlich. Hätte er gleich draufkommen können.

Eigentlich hatte er bei ihrem ersten Treffen alles abstreiten wollen. Aber Robertson war ihm wie aus dem Gesicht geschnitten. Er sah genauso aus wie Thorolf, als dieser im Alter des jungen Mannes gewesen war. Und als hätte seine eigene Erinnerung daran nicht genügt, hatte ihm Robertson auch noch ein etwa siebenundzwanzig Jahre altes Gemälde mitgebracht. Es gab nur eine Person, die dieses Bild besitzen konnte. Thorolf erinnerte sich gut daran, wie sie sich damals hatte malen lassen. Und er wusste immer noch, wie diese Person hieß.

Bestimmt forderte der Bastard wieder Geld. Wenn Thorolf es sich recht überlegte – und das war jetzt ein schwieriger Vorgang, schließlich hämmerte ihm noch immer der Schmerz gegen die Schädeldecke –, hatte Robertson bei jedem ihrer Treffen Geld gefordert. Für all die Jahre, in denen sich Thorolf nicht um ihn gekümmert hatte, für angeblich verlorene Vaterliebe und ähnlichen Quatsch. Thorolf hatte gezahlt unter der Bedingung, dass er dafür etwas wiederbekam. Und das erhielt er auch. Robertson versorgte ihn regelmäßig mit Informationen über seinen Rivalen Winterberg und spielte ihm auch sonst den einen oder anderen Auftrag zu. Und doch empfand Thorolf diesen hergelaufenen Sohn als Plage. Er war sicher, dass Rurik sich für jemand Besseren hielt. Dabei war aus ihm nichts Besseres als ein armer Schreiberling geworden. Das konnte bekanntlich jeder. Thorolf hätte das auch gekonnt. Schade eigentlich, denn Robertson sah nach jemandem aus, der tüchtig arbeiten könnte. Er war groß und athletisch gebaut. Aber vermutlich bildete er sich zu viel auf sein Wissen ein, um ein wirklich guter

Handwerker oder gar Kaufmann zu werden. Angeblich hatte er im Internat sogar Latein gelernt.

In diesem Augenblick stürmte der kleine Fiete zur Tür herein. Er hatte offenbar Ruriks Stimme gehört.

«Mein tapferer kleiner Bote.» Rurik tätschelte Thorolfs Enkel, wobei sein Jackett vom Stuhl rutschte. «Ist sogar neulich bis nach St. Pauli rausgelaufen, als Sie mich gesucht haben, Vater ... Behnecke. Sie wissen schon, als Sie mir die Nachricht von dem Tod der zweiten Rothaarigen zukommen lassen wollten.»

«Ganz nach St. Pauli?», knurrte Thorolf und blickte Fiete zwei aus zusammengekniffenen Augen an. «Wie hast du das denn angestellt?»

Fiete streckte die Brust ein bisschen heraus. «Bin zu der Wirtin des Herrn Robertson gegangen», erklärte er. «Und die hat mir erklärt, wo er ist.»

«Ist offenbar ganz allein durch das Tor hinausgekommen», grinste Rurik.

«Ja, aber sag das besser nicht meiner Tochter.» Thorolf gab Fiete einen Klaps auf den Hintern. «Wenn Chlodwig wüsste, dass wir Fiete über die Grenzen der Stadt hinaus umherschicken, um dich suchen zu lassen, keift sie mir gleich das Haus zusammen. Und jetzt hau ab, Lütter. Lass mich mit dem Herrn allein.»

Fiete knallte seine Kinderhacken zusammen und sauste wieder hinaus. Bevor die Tür hinter ihm zuknallte, zwängte sich die Katze durch den Spalt herein. Ohne Umwege marschierte sie auf Ruriks Jackett zu, das noch immer auf dem Boden lag, und hockte sich darauf, um ihre Blase zu erleichtern. Rurik sprang fluchend auf.

Thorolf hielt sich seinen schmerzenden Schädel. «Was echauffierst du dich denn so über dieses Mistvieh, Jung?»

Rurik scheuchte das Tier mit seinem Fuß weg. «Ich schenke

Ihnen demnächst ein Haustier mit mehr Verstand. Dieses Exemplar hier scheint ja nicht mal zwischen der Bekleidung Ihrer Gäste und einem Haufen Sägespäne unterscheiden zu können.» Er schleuderte das durchnässte Jackett in eine Ecke. «Hier, können Sie behalten. Übrigens bin ich gekommen, um Ihnen mein Beileid zu bekunden», sagte er schwer atmend, nachdem er sich wieder hingesetzt hatte. «Habe es eben erst erfahren.»

«Beileid? Jemand gestorben, den ich persönlich kenne?» Thorolf kratzte sich den Schädel. Wenn nur dieser Schmerz endlich aufhören würde.

«Aber ich bitte Sie, Vater!» Robertson ließ sein Feuerzeug schnappen und zündete sich einen Zigarillo an. «Ihr ehrenwertes Ehegespons.»

«Ach, die vertrocknete Alte.» Thorolf machte eine wegwerfende Handbewegung. «War sowieso zu nix mehr gut. Und sonst? Irgendwelche Neuigkeiten von meinem Konkurrenten, dem Schwachkopf? Hat er seinen Laden immer noch nicht dichtgemacht?»

Robertson schüttelte den Kopf. «Wird er aber bald, schätze ich. Er ist gestern ins Krankenhaus gekommen. Ein halbfertiger Sarg wartet auf Vollendung. Den Kunden habe ich ausfindig machen können – ja, was sehen Sie mich denn so an? Ich glaube, Sie unterschätzen mich immer noch. Ich hab ihm jedenfalls Ihr Werbeblatt gegeben. Er wird sich vermutlich noch heute bei Ihnen melden. Es gibt da bloß ein Problem.»

Thorolf hasste dieses Wort. «Und das wäre?»

«Der Kunde hat darauf bestanden, dass seinem Vater, der ein großer Katzenliebhaber war, ein Sarg mit einem Katzenkopf darin geschnitzt wird. Winterberg ist fast fertig mit der Arbeit. Allein die Ohren fehlen noch. Kriegen Sie das hin?»

«Was glaubst du denn?», bellte Thorolf. «Ich bin Sargschreiner. Und zwar der beste in der Stadt.» Er überlegte einen Augenblick. «Aber wie komme ich jetzt an die Kiste?»

«Winterbergs werden sie Ihnen wohl kaum liefern», grinste Robertson. «Ärgerlich genug für sie, dass sie ihren Kunden verlieren. Nein, ich werde den Sarg da rausschaffen lassen. Da ich mit der Tochter auf gutem Fuß stehe», er zwinkerte seinem Vater zu, «wird mir das ein Leichtes sein. Ich habe übrigens beschlossen, großzügig zu sein und Ihnen bloß zwanzig Prozent zu berechnen für die Transaktion.»

«Was?», hustete Thorolf. Er konnte geradezu fühlen, wie der Zigarilloqualm seinen Kopfschmerz noch verstärkte. «Zwanzig Prozent von was?»

«Zwanzig Prozent von dem, was Sie dem Kunden berechnen werden für Ihre Dienste, Vater. Dafür, dass Sie so großmütig in letzter Sekunde eingesprungen sind. Die Bestattung des Katzenfreundes kann damit reibungslos über die Bühne gehen.»

Thorolf hustete, dann grinste er. «An dir ist ein Geschäftsmann verlorengegangen», sagte er. Dann hielt er inne. Fast hätte er «Sohn» hinzugefügt.

Rurik schüttelte den Kopf. «Da ist nichts verlorengegangen, Vater. Ich bin in diesen Dingen gut.»

16. KAPITEL

«Ich muss auf der Stelle mit dir reden.» Lili schoss in den Salon, die roten Haare wehten ihr hinterher, einem glühenden Schweif gleich, ihre Augen loderten.

Christian fühlte sein Herz rasen. Er schob die Papiere beiseite und stand auf. «Lili, was ist passiert?», fragte er.

Lili blickte zu Mathis hinüber, der soeben dabei war, eine Katze so hinzusetzen, dass er sie photographieren konnte. «Es ist vertraulich», stieß sie hervor.

«Ich bin sozusagen nicht mehr da», murmelte Mathis und schlüpfte unter das schwarze Tuch, um die Kamera zu betätigen. «Einen Moment noch – oh, verflixt!»

Die Katze war von ihrem Tisch gesprungen. «Dieses Tier treibt mich in den Wahnsinn, es hält überhaupt nicht still. Willst du da wohl sitzen bleiben?»

Mathis hechtete nach vorne, erwischte die Katze und hielt sich im nächsten Moment das Gesicht. «Das darf ja wohl nicht wahr sein. Diese Katze hat es wirklich auf mich abgesehen.»

«Wir können in die Küche gehen, Lili», sagte Christian, ohne auf seinen Bruder zu achten. «Da sind wir ungestört.»

«Sicher, tut das», murrte Mathis und wischte sich über die Wange. Sie blutete leicht. «In der Zwischenzeit verblute ich hier. Na los doch, geht nur.» Er wedelte theatralisch mit der anderen Hand. «Achtet einfach nicht auf mich und meinen Tod.»

Lili lachte, dass die kleine Lücke zwischen ihren Schneidezähnen aufblitzte. Christian blickte sie überrascht an. Plötzlich ging ihr Lachen in Weinen über. Sie klappte übergangslos in sich zusammen und presste die Hände vors Gesicht.

«Mathis, würdest du jetzt bitte hinausgehen?», fauchte Christian. «Du siehst doch, dass du hier mit deinen Witzen störst.»

«Nein, lass ihn.» Lili blickte mit tränenfeuchten Augen auf. «Eigentlich kann er auch ebenso gut zuhören. Verdammt, Mathis, diese Katze hat dich wirklich verletzt.»

Christian war von diesem plötzlichen Du überrascht. Aber noch mehr verwirrte ihn der Umstand, dass Lili jetzt wieder aufsprang und eilig den Raum durchmaß. Mit wenigen Schritten war sie bei Mathis, zog ein Taschentuch aus ihrer Rocktasche und tupfte ihm die Wange – zärtlicher, als es in dieser Situation unbedingt nötig gewesen wäre, wie Christian fand. Er versuchte, Mathis mit den Augen verständlich zu machen, er möge von Lili irgendwie abrücken, aber Mathis' Gesicht war von Lilis Lockenkopf verdeckt.

«Katzen scheinen jetzt aber sehr in Mode zu sein», erklärte Lili, während sie sich die Wunde von nahem besah. So als sei Mathis nicht irgendein Fremder, mit dem sie zuletzt als Kind geredet hatte, sondern ein lieber, alter Freund. «Wir bestatten auch gerade einen Katzenfreund. Vater schnitzt dem Mann sogar einen passenden Sarg.»

«Ist das wahr?», fragte Mathis. Endlich bemerkte er Christians Versuche und wandte sich von Lili ab.

«Danke, meine Liebe. Den Rest erledigt bestimmt mein aufmerksamer und medizinisch bewanderter Bruder. Euer Toter ist vermutlich derselbe, dessen Antlitz ich der Nachwelt erhalten soll. Sein Leichnam wird übrigens gleich geliefert, auf dass ich ihn zusammen mit diesem unfreundlichen Wesen hier», er deutete auf die Katze, die ihn mit gerecktem Schwanz und zusammengekniffenen Augen anstarrte, «photographieren kann.»

«Seltsam», sagte Lili. «Herrn Petersens Katze war doch auch gestorben, dachte ich. Dann ist es wohl nicht derselbe Mann.»

«Doch, das ist er. Mein Kunde heißt ebenfalls Petersen. Aber es handelt sich bei diesem Exemplar hier in der Tat nicht um seinen verstorbenen Liebling.» Er blickte das Fellbüschel zu seinen Füßen missbilligend an. «Diese Katze hier ist bloß ein unbedeutender Ersatz.»

Erneut schlug Lili die Hände vors Gesicht. «Mein Vater hat den Sarg für Herrn Petersen geschnitzt», weinte sie, «mit einem Katzenkopf. Er ist so wunderschön geworden, und jetzt ist mein Vater selber krank.»

«Dein Vater wird bald wieder gesund werden.» Christian stand auf, setzte sich neben Lili und legte eine Hand auf ihren Arm. «Mach dir keine Sorgen um ihn, Lili. Ich tue alles, damit es ihm schnell wieder bessergeht. Und jetzt erzähle endlich, warum du so verzweifelt bist.»

«Ich bin gestern überfallen worden», erklärte Lili leise. «Von diesem Mann, der Rothaarige hasst.»

«Um Gottes willen!» Christian trat einen Schritt auf sie zu. «Warum hast du das nicht gleich gesagt?»

Er betrachtete sie genauer. Erst jetzt bemerkte er, dass die Flecken auf ihren Wangen frische Schürfwunden waren. Sein Herz zog sich zusammen. «Hat er dir etwas zuleide getan?»

Lili lachte trocken auf. «Er hat mich geschlagen und mich mit zu sich nach Hause geschleift. Und jetzt ratet mal bitte, wer das war.»

«Verflucht, ich habe keine Ahnung», antwortete Christian. Sein Mund wurde trocken vor Angst.

«In der Düsternstraße. Der Mann war Thorolf Behnecke. Christian, begleitest du mich zur Polizei?»

Christian krallte sich die Fingernägel in seine Hände. Die Vorstellung, dass der alte Bestatter ihr etwas angetan hatte, erfüllte ihn mit ohnmächtiger Wut. In wenigen Schritten war er am Garderobenständer. «Natürlich», sagte er, «wir gehen sofort. Und unterwegs erzählst du mir genau, was passiert ist.»

Er wollte gerade nach seinem Hut greifen, als mehrere Dinge gleichzeitig geschahen. Mathis, der sich wieder der Katze zugewandt hatte, stieß erneut einen lauten Fluch aus. Von der Straße unten erklangen Hilferufe. Und dann klingelte es an der Tür.

Magdalena hatte sich auf die Stufen vor St. Petri gehockt und starrte vor sich hin. Ihre Füße schmerzten wie nach einer durchtanzten Nacht. In den vergangenen dreißig Stunden hatte sie die Stadt mit allen ihren Quartieren durchwandert. Vom Sandtor im Süden bis zum Ferdinandstor im Norden war sie unterwegs gewesen, immer auf der Suche nach einer Antwort auf die Frage, wie es mit ihrem Leben nun wohl weitergehen sollte. Sie hatte prächtige, stuckverzierte Villen gesehen, hinter deren Fenstern Bedienstete hantierten. Sauber gescheitelte Kinder in Spitzenkleidern und Matrosenanzügen waren an ihr vorübergelaufen, Männer mit gezwirbelten Bärten, Frauen ohne jede Spur von Geschmeidigkeit am Leib. In einer Buchhandlung am Pferdemarkt hatte sie einen Roman gestohlen, dessen Titel sie an Lili erinnerte, «Rot und Schwarz» von einem gewissen Stendhal. Das dicke Buch beschwerte ihr Bündel, und sie ging nun langsamer. Als ihre Füße irgendwann zu arg schmerzten, hatte sie sich für ein paar Pfennige eine Fahrt mit der Pferdebahn geschenkt. Später war sie ausgestiegen, in einer neuen, unbekannten Gegend, an einem unordentlichen und schmutzigen Zipfel der Stadt. Die Nacht hatte sie in einem Schuppen verbracht, und hier hatte sie sogar ein paar Stunden schlafen können, eingehüllt in den Geruch von warmen Pferdeleibern und duftendem Stroh. Am Morgen hatte sie ihre Wanderung wieder aufgenommen. Ohne die Menschen, die ihr vertraut waren, ohne Hoffnung, ohne Ziel.

Sie legte das Bündel mit ihren Habseligkeiten neben sich und zerrte an den Bändern ihrer Schuhe. Ihre Füße konnte sie nur mit Mühe aus dem engen Leder befreien, so unangenehm waren sie angeschwollen. Eine große Traurigkeit überkam sie, und ihre Sehnsucht nach Sibylle und nach der, die der geliebten toten Freundin so ähnlich sah, wuchs schmerzlich. Sie hatte geglaubt, dass die Bestatterstochter ihre Freundin werden könnte. Noch gestern Morgen war es ihr möglich erschienen, bei den Winterbergs zu arbeiten und zu wohnen. Sie legte den Kopf auf die Arme, Tränen rollten ihr über das Gesicht.

«Bist du in Bedrängnis, mein Kind?» Die Stimme einer Frau riss sie aus ihrer Versunkenheit, und Magdalena blickte auf.

Nur wenige Zentimeter vor sich erkannte sie ein von Falten umzogenes Augenpaar, und sie wich unwillkürlich zurück. Die Augen hatten etwas Seltsames an sich, das sie zunächst nicht benennen konnte, bis sie bemerkte, dass sie nicht blinzelten.

«Nein.» So schnell sie konnte, stopfte Magdalena ihre aufgequollenen Füße in ihre Schuhe zurück. «Ich ruhe nur ein wenig aus.»

«Das kannst du auch», sagte die Alte, «denn du befindest dich hier im sicheren Schoß der Kirche. Du musst dich nicht mehr sorgen. Der Herr wird dir helfen, wenn du zu ihm sprichst.»

Auf einmal erkannte Magdalena, dass sie nicht etwa mit einem alten Weiblein, sondern mit einem Pastor sprach. Der Kirchenherr hatte eine fraulich hohe Stimme, und er wirkte eher schmächtig, aber er trug einen Backenbart und war eindeutig ein Mann. Magdalena überlegte, ob es ihr Herz erleichtern würde, sich einem Herrn Gottes zu öffnen. Sie war getauft worden und Teresa hatte sie konfirmieren lassen, und überhaupt war ihr der Glaube nicht fremd. Hin und wieder war sie mit Sibylle und den anderen evangelischen Mädchen sonntags zu St. Michaelis gegangen. Leider nur waren gerade die Samstagabende und die anschließende Nacht die anstrengendsten Stunden der ganzen Woche. Bis vier oder fünf Uhr morgens musste sie tanzen, Getränke servieren und mit den Herren plaudern, sodass sie am Sonntagmorgen, wenn die Glocken zum Gottesdienst läuteten, fast nie die Kraft dazu fand, sich aus den Federn zu schwingen.

«Es ist so», begann sie zögerlich. «Ich habe mein Zuhause verloren ...»

Sie sah, wie sich die Augen des Pfarrers bei diesen Worten weiteten. «Zuhause verloren?», wiederholte er erschrocken. «Etwa bei einem Brand?»

«Nein, einen Brand hat es nicht gegeben», antwortete Magdalena und blickte ihr Gegenüber erstaunt an.

«Dann ist es gut.» Der Pastor lächelte begütigend. «Wenn du willst, mein Kind, kannst du mir alles erzählen, und ich sehe, ob ich dir helfen kann. Am besten, wir gehen hinein.»

Magdalena blickte umher. Auf einmal erschien ihr der Platz vor der Kirche laut, aufdringlich und voll. Kutschen ratterten auf dem Pflaster an ihr vorüber, und eine Gruppe junger Männer, die gerade aus einem Kontorhaus auf der gegenüberliegenden Straßenseite getreten war, starrte sie aufdringlich an.

«Ja, Vater», sagte Magdalena. «Das würde ich gern.»

Sie ließ sich von dem Pastor aufhelfen, griff nach ihrem Bündel und folgte ihm durch das Portal in die Kirche. Der Kirchenmann kam ihr bekannt vor. Ob sie ihm schon einmal begegnet war? Wie auch immer, sie beschloss, ihm zu vertrauen.

Der Mann, der vor Christians Tür stand, schwenkte ein Werbeblatt, das in großen schwarzen Lettern verkündete:

«Photographische Leichen-Porträts
werden billig und in größter Ähnlichkeit gefertigt bei
Mathis Buchner, Cremon 17, Hamburg-Neustadt.»

«Guten Tag», sagte der Mann, der verwirrt zwischen Christian mit seinem Arztkoffer und der verweinten Lili hin und her blickte. «Bin ich hier richtig im Photo-Atelier?»

«Natürlich», sagte Christian und deutete auf den hinteren Teil des Raumes, in dem sich Mathis seine blutende Hand leckte. «Mein Bruder wartet bereits auf Sie.»

«Herr Petersen», rief Lili, die ihren Kunden plötzlich erkannte. Der junge Mann, der vor ihr stand, war der Sohn des Katzenfreunds. «Wie geht es Ihnen?»

Der Mann zwinkerte. «Verzeihung, kennen wir uns?»

«Oh, entschuldigen Sie bitte.» Lili strich sich die Tränen aus den Augen und rückte ihren Kragen zurecht. «Sie haben mich vermutlich nicht wiedererkannt, was den schlimmen Ereignissen», sie schob sich hastig ein paar Locken aus dem Gesicht, «der letzten Tage geschuldet ist. Ich bin Lili Winterberg, die Tochter des Bestatters, der den Sarg mit dem Katzenmotiv für Sie gefertigt hat.»

«Oh ja, was das anbelangt», der junge Mann räusperte sich, «so muss ich den Auftrag wieder zurückziehen. Ich habe gehört, dass Ihr werter Herr Vater an einer ansteckenden Krankheit leidet und den Sarg nicht fertigstellen konnte. Darum habe ich umdisponiert.»

«Was soll das heißen?» Christian sah, wie Lilis Wangen sich röteten. «Der Sarg ist so gut wie fertig, die Einladung für die Trauerfeier ist bereits in Druck gegeben, wir haben alles für das Begräbnis vorbereitet, von uns aus geht es sofort los.»

Der junge Herr Petersen ließ seinen Blick über Lilis funkelnde Augen, ihre wilden Haare und das zerknitterte Kleid schweifen. «Ist das so? Dann lassen Sie sich sagen, dass ich es nicht so eilig habe, meinen Vater unter die Erde zu bringen. Offenbar im Gegensatz zu Ihnen.»

«Oh.» Lili fasste Herrn Petersens Arm. «Das habe ich nicht so gemeint. Ich wollte damit nicht sagen, dass wir es eilig hätten, Ihren Vater zu bestatten. Ich meinte nur, dass von uns aus alles vorbereitet ist. Bitte, Sie können uns den Auftrag nicht einfach wieder wegnehmen, das ist doch bestimmt auch nicht in Ihrem Interesse. Sie haben doch schon dafür bezahlt.»

«Nein, das habe ich nicht», erklärte Herr Petersen und befreite sich von Lilis Griff. «Jedenfalls nicht bei Ihnen. Ich habe einen anderen Bestatter bezahlt, der das Begräbnis in die Wege leiten wird, nämlich Thorolf Behnecke. Für die bereits geleistete Arbeit in Ihrer Sargtischlerei werde ich natürlich einen Ausgleich leisten. Und jetzt lassen Sie mich bitte in Ruhe. Oder gehört die Belästigung von trauernden Angehörigen zu Ihrer Unternehmensphilosophie?»

Christian sah, wie Lili erblasste und zurückwich. Er wollte gerade die Hand auf ihren Arm legen, als von der Straße erneut Hilferufe schollen. Mathis beugte sich aus dem geöffneten Fenster. «Um Himmels willen», stieß er hervor.

«Was ist da los?» Christian war in wenigen Schritten bei ihm. «Wird jemand überfallen?»

«Von schrecklicher Übelkeit, wie es scheint.» Mathis verzog angewidert den Mund.

In der Tat. Ein Mann in blau-weiß gestreiftem Hemd und blauer Hose hielt einen Laternenpfahl umklammert und spuckte sich die Seele aus dem Leib. Christian drehte sich auf dem Absatz um, griff erneut zu seinem Arztkoffer und eilte zur Tür hinaus.

«Warte auf mich, Lili!», rief er, während er schon die Treppen hinunterlief. «Ich werde mich rasch um diesen Mann kümmern, dann fahren wir zur Polizei!» Doch er hörte schon Lilis klappernde Absätze, die ihm auf den Stufen folgten. «Nein», rief sie ihm hinterher. «Ich komme auch ohne dich zurecht.»

Lili spürte, wie die Wut in ihr loderte. Da tat Christian immer so, als sei er der heilige Samariter, aber wenn es darauf ankam!

Wenn sie ihn einmal bat, für sie da zu sein! Dann war auf ihn überhaupt kein Verlass! Sie drängte sich an ihm vorbei, als sie aus der Eingangstür stürmte, und stieß ihn versehentlich dabei an. Für einen winzigen Moment war ihr, als sähe er sie verwundert an und als läge in dieser Verwunderung auch Trauer, aber das war ihr egal. Sie lief zu ihrem eigenen Haus hinüber und trat so heftig gegen die Tür, dass die Glocke läutete und immer weiter läutete, wie bei einem Feueralarm. Die Zwillinge standen auf einmal vor ihr und starrten sie überrascht an.

«Ist etwas passiert, Lili?», fragte Caroline, aber Lili lief an ihr vorbei. «Wo ist Tobias?», rief sie. «Wir müssen sofort zum Criminal-Sergeanten fahren.»

«Fräulein Winterberg?» Tobias tauchte aus der Werkstatt auf, mit einer Feile in der Hand und einer staubigen Schürze vor dem Bauch. «Gott sei Dank, da sind Sie ja endlich. Ich habe Sie überall gesucht.»

«Ich dich auch, Tobias. Mach die Kutsche fertig. Wir müssen wieder los.»

«Schon wieder?» Tobias erbleichte. «Fräulein Winterberg, wenn Sie wüssten, was für eine Nacht ich hinter mir habe! Außerdem mache ich gerade den Katzensarg für Herrn Petersen, Gott hab ihn selig, fertig. Sein Sohn taucht gleich hier auf.»

«Der Sohn soll zur Hölle fahren», stieß Lili wütend hervor. «Dort schmore er tausend Tage im Fegefeuer, anschließend kette ihn der Teufel mit Giftschlangen an die Wand! Doch bevor er daran stirbt, wünsche ich dem Herrn Petersen, dass ihn die Werwölfe zerfleischen. Er soll alle Qualen dieser Welt erleiden! Oh Verzeihung, Kinder, das meine ich nicht so.» Sie bemerkte Carolines und Carls entsetzte Blicke.

«Ich wünsche Herrn Petersen selbstverständlich einen normalen Tod. Schmeiß das Werkzeug hin, Tobias, Herr Petersen wird den Sarg nicht kaufen. Und wir haben nicht mal Vorkasse gemacht, was allein meine Schuld ist, denn ich bin schließlich diejenige, die sich um die Bücher hier kümmern sollte. Die Ereignisse der letzten Tage haben das einfach nicht erlaubt.» Sie griff nach ihrer Tasche, die an der Wand hing. «Auf zur Polizei.»

«Fräulein Winterberg!» Tobias, der tatsächlich die Feile beiseitegelegt hatte, knetete verlegen an seiner Schürze herum. «Wenn wir zur Polizei gehen – ich weiß ja nicht, warum wir das tun – aber es wird sicherlich einen gewichtigen Grund dafür geben, einen Grund, der erfordert, dass Sie, nun ja, etwas anders aussehen ...»

«Lili, Tobias meint, dass du noch etwas ... unordentlich wirkst.» Caroline deutete auf Lilis Kleid, an dem sich ein Knopf gelöst hatte, und auf ihren linken Schnürsenkel.

«Für modischen Schnickschnack ist jetzt nicht die Zeit.» Lili drehte sich auf dem Absatz herum. «Tobias, ich möchte jetzt losfahren, komm.»

Sie nahmen den Hinterausgang über den Hof zur Stallung. Minuten später hatte Tobias die beiden Rappen angeschirrt und öffnete das Tor. Als sie mit der Kutsche auf die Straße rollten, bemerkte Lili, dass Christian sich noch immer um den erkrankten Mann auf der Straße kümmerte. Er blickte nicht zu ihr auf, als sie mit der Kutsche an ihm vorüberfuhr. Aber das war Lili in diesem Augenblick egal.

Sie erreichten das Verlagsgebäude an den Großen Bleichen, als die ersten Expeditionskutschen den Hof verließen, um die Abendausgabe auszuliefern. «Hamburger Fremdenblatt» prangte es riesengroß auf den Wagen. Tobias lenkte das ausladende Bestattungsgefährt zur Seite, um die Droschken vorbeizulassen. Während sie warteten, trommelte Lili ungeduldig mit den Fingern auf das Polster. Dann holte sie tief Luft und schloss die Augen. Geduld, Lili, ermahnte sie sich. Ich werde ihn hier finden, und dann gehe ich mit ihm zur Polizei.

Sie öffnete die Augen wieder und spähte ins Innere des Hofs.

Er war mit Mettlacher Fliesen gepflastert, und in seiner Mitte sprudelte Wasser aus einem Brunnenkandelaber. Einige der Kutschen, bemerkte sie, hatten auf ihren Dächern Fahrräder angebracht, um auch in den engen Gassen des Gängeviertels ausliefern zu können. Sie wollte vom Wagen herunterspringen, aber es kamen immer mehr Kutschen aus dem Innenhof gezuckelt, sodass kein Durchkommen möglich war. Während sie ungeduldig wartete, nahm sie den langgezogenen Bau in Augenschein. Eine Figurenskulptur zierte den Eingang, die das Buchdruckerwappen mit dem Wahlspruch der Zeitung «Viribus unitis – Mit vereinten Kräften» enthielt. In diesem Moment trat eine Gruppe schwarzgewandeter Herren mit hohen Hüten und eindrucksvollen Bärten aus dem Haus. Lili versuchte, Rurik unter ihnen zu entdecken. Sie wusste überhaupt nicht, wo sie Rurik finden konnte. Schließlich stand auf der Karte, die er ihr damals überreicht hatte, bloß die Adresse seines Verlags, einen anderen Anhaltspunkt als den Ort, an dem er arbeitete, hatte sie nicht.

Endlich hatte auch die letzte Auslieferungskutsche den Hof verlassen, und sie ging über die Straße ins Haus hinein. Der erste Eindruck, der sich ihr bot, als sie das Haus betrat, war der einer bestandenen Schlacht. Druckerburschen lehnten schwarz und abgekämpft an den Walzen, Zigaretten im Mundwinkel, ein müdes Siegerlächeln im Gesicht. Aus dem oberen Stockwerk drangen Geräusche, die wie Schüsse klangen. Ihr Besuch in der Criminal-Abteilung fiel ihr wieder ein. «Mit Worten lässt sich scharf schießen», hatte Rurik damals die Ähnlichkeit eines Schreibwerkzeugs mit einem Revolver erklärt, und dass Schreibmaschinen in Amerika von einem Waffenhersteller gefertigt würden – um die Causa mortis in einem Falle wie dem anderen möglichst treffsicher in den Kopf der Leute zu befördern. Mittlerweile hatte sie das lateinische Wort zu Hause nachgeschlagen. Und so wusste sie jetzt auch, was es war, nämlich etwas Tödliches oder eine Todesursache, und sie sollte verdammt sein, wenn es ihr nicht gelänge, den, der für den Tod oder Beinahetod mehrerer Frauen in der Stadt verantwortlich war, noch heute ins Gefängnis zu bringen.

Sie öffnete eine Tür mit der Beschriftung «Materialverwalter» und nannte Ruriks Namen, doch der Mann, der hier hinter seinem Schreibtisch hockte, winkte sie nur mit dem Hinweis, dass die Kolporteure woanders säßen, mit abschätzigem Blick schnell wieder hinaus.

Da die Schussgeräusche von oben kamen, hob sie ihre Röcke an und stieg die Treppe empor. Oben angekommen zögerte sie kurz. Zu ihrer Linken glänzte picobello ein Messinggeländer, zu ihrer Rechten hingegen schien das wilde Leben zu toben. Sie öffnete eine Tür, in der ein einsames Männchen saß und seine Bleistiftschrift auf Papiere malte. «Guten Tag», sagte Lili. «Sind Sie ein Kolporteur?»

Das Männchen schüttelte den Kopf, ohne aufzusehen. «Ich bin der Korrektor», murmelte es, und in dem Moment begriff Lili, warum das Männlein keine Tinte benutzte, denn der Wasserhahn über dem Becken, an dem sich eine Gruppe von Männern die Hände wuschen, spritzte bis zu ihm an den Tisch.

«Kolporteure eine Tür weiter», sagte einer der händewaschenden Männer und deutete nach nebenan.

Doch Lili musste den Fingerzeig falsch verstanden haben, denn im Nebenraum saß wieder eine einzelne Person, nur in Gesellschaft eines Telephongeräts. Der Einsame stenographierte die Worte eines unsichtbaren Gesprächspartners, wobei er das Gesagte laut wiederholte: «Robert Koch von der preußischen Gesundheitsbehörde kündigt seinen Besuch in Hamburg an.» Als er Lili wahrnahm, wedelte er sie ungeduldig hinaus.

Die dritte Tür war die richtige. Hier standen in Reih und Glied die Schreibtische aufgestellt. Der Raum war voller Männer, die kreuz und quer liefen, hinter ihren Schreibtischen saßen und sich über ihre Notizbücher beugten oder vor den ausladenden Schreibmaschinen hockten und wie wild auf die Tasten einschlugen. Lili schnappte nach Luft. Hier oben hatte sich Sommerhitze mit Tabakqualm geballt.

Plötzlich hörte sie einen Mann neben sich Ruriks Namen nennen. Lili fuhr herum. «Können Sie mir sagen, wo Herr Robertson hin ist?», fragte sie.

«Ist eben hinausgegangen», antwortete der Mann.

«Wissen Sie, wohin?» Doch der Mann schüttelte nur den Kopf und wandte sich von ihr ab.

So schnell wie möglich eilte Lili wieder hinunter und kletterte den Kutschbock hinauf. «Er kann nicht weit sein, Tobias», sagte sie, noch außer Atem. «Bieg links ab in Richtung Alster, vielleicht finden wir ihn ja noch.»

«Wenn Sie mir sagen würden, wen wir eigentlich suchen, Fräulein Winterberg», erklärte Tobias. «Ich meine, ich weiß gar nicht, nach wem ich Ausschau halten soll.»

«Oh, entschuldige bitte, Tobias. Wir suchen Rurik Robertson.»

Lili ließ ihren Blick über die Straße schweifen, während sich die Rappen in Bewegung setzten. Eine Gruppe von Jungen schien sich einen Spaß daraus zu machen, die Fassade des Elektrizitätswerkes zu berühren, das hier vor ein paar Jahren eröffnet hatte. Warnhinweise auf Papier pflasterten die Außenwand. Gegen ihren Willen musste sie lachen, als sie einen der Bengel dabei beobachtete, wie er die Klingel drückte und so tat, als würde er einen elektrischen Schlag erhalten. Der Junge rollte übertrieben mit den Augen und verzog das Gesicht. Was die Männer, die drinnen an der Schaltwand arbeiteten, dazu sagten, würde sie nie herausfinden, denn sie waren in der Poststraße angelangt. Lili atmete auf. Der Mann, der sich entschlossenen Schrittes seinen Weg durch die Menge bahnte, war nicht zu verwechseln. «Rurik», rief sie.

Er drehte sich um, und als er Lili erkannte, hellte sich sein Gesicht auf. «Lili! Was führt dich denn hierher?»

Tobias riß an den Zügeln, und die Rappen blieben abrupt stehen, sehr zum Unwillen des Kutschers, der das Gefährt hinter ihnen lenkte.

«Kommst du mich begleiten?», rief Lili durch das Fluchen, Schnauben und Wiehern hindurch. «Wir fahren ins Stadthaus, zur Polizei-Behörde.»

Sie sah, wie sich Ruriks hellgrüne Augen verengten. «Interessant», bemerkte er. «Und was wollt ihr da?»

Lili beugte sich verschwörerisch vor, und Rurik drehte sich halb zu ihr um, sodass sie ihm ins Ohr sprechen konnte. «Ich habe herausgefunden, wer der Mörder ist», raunte sie ihm zu, «der die rothaarigen Frauen umgebracht hat. Wenn du eine wirklich gute Geschichte hören willst, dann komm mit uns mit.»

Sie rutschte vom Bock, Rurik öffnete den Schlag und half ihr hinauf. In dem Moment, in dem sie neben ihm saß, geschah etwas Seltsames. Sie hatte die schwarzen Vorhänge aufgezogen, und die Fahrtluft wehte kühlend über ihre Haut. Selbst hier, im schattigen Dunkel des Himmelswagens, in dem sonst die Hinübergegangenen ruhten, leuchteten Ruriks Augen seltsam klar. Wenn er den Kopf wandte, erkannte sie sein scharfes Profil. Doch zum ersten Mal, seit sie ihn kannte, verursachte es ihr kein Herzklopfen mehr. Was war es nur, was sie all die Wochen über an ihm so aufregend gefunden hatte? Auf einmal wusste sie es nicht mehr.

«Hattest du einen guten Tag heute?», fragte sie schließlich als Versuch, die alte Nähe wiederzufinden.

Rurik lächelte. «Einen anstrengenden. Doch ich bin sehr zufrieden. Habe einen hervorragenden Artikel geschrieben, der die Hamburger beruhigen wird. Und Ruhe ist oberste Bürgerpflicht. Nicht nur im Sarg.»

Auf einmal dachte Lili an Christian. Wie viel lieber hätte sie jetzt ihn an ihrer Seite gehabt. Sie empfand Ruriks Scherz als geschmacklos. Aber bevor sie ihm das erklären konnte, waren sie schon da.

Tobias, dem sein letzter Besuch hier vermutlich noch allzu schmerzlich in den Knochen hing, bat darum, in der Kutsche warten zu dürfen, und Lili, die nun Rurik an ihrer Seite wusste, gestattete es ihm.

Zu ihrer großen Überraschung fand sie, nachdem sie die Stufen in das Zimmer des Criminal-Sergeanten hinaufgelaufen war, einen völlig Unbekannten vor.

«Sind Sie angemeldet?», fragte der Unbekannte sie.

«Mein Name ist Rurik Robertson», vernahm Lili Ruriks ruhige Stimme an ihrer Seite. «Wir kommen in der Angelegenheit der ermordeten rothaarigen Frauen. Bitte sehr.» Er zückte seine Adresskarte mit der Anschrift seines Zeitungsverlags. «Wir haben, glaube ich, schon einmal miteinander zu tun gehabt. Sie sind Criminal-Inspector Bender, habe ich recht?»

Der Angesprochene nickte und blickte auf die Karte in seinen Händen. «Rurik Robertson», las er laut. «Ja, ich glaube, ich kenne Sie auch.»

«Zunächst einmal vielen Dank, dass Sie sich der Sache höchstselbst annehmen», sagte Rurik.

Der Inspector zeigte keine Regung. «Sergeant Marquardt ist heute Morgen erkrankt. Ich übernehme einfach nur seine Arbeit. Sprechen Sie.»

«Ja, Inspector. Diese Frau hier», Rurik deutete auf Lili, «Liliane Winterberg, Tochter des Bestattungsunternehmers Winterberg, ist gekommen, um Ihnen etwas Wichtiges mitzuteilen.»

Der Polizeibeamte wandte seinen wachen, konzentrierten Blick nun Lili zu. Er ähnelte so wenig dem schwitzenden Sergeanten, dass Lili Hoffnung schöpfte. Dieser Mann hier in seiner tadellosen schwarzen Uniform mit den glänzend polierten Knöpfen würde die Sache mit der gebotenen Sorgfalt angehen.

«Ich bin gestern Abend überfallen worden», begann sie.

«Wann war das?», unterbrach sie der Inspector.

In dem Moment brach ein Höllenlärm los. Erst jetzt bemerkte Lili, dass sie nicht allein im Raum waren. Der Polizeischreiber hieb mit seinen Fingern auf die Tasten der wuchtigen Schreibmaschine ein.

«Nicht doch, Rohrbeck», tadelte der Inspector sanft. «So können wir doch unser eigenes Wort nicht verstehen. Nehmen Sie Tinte und Papier und tippen Sie die Aussage anschließend ab.»

«Es war wohl gegen neun Uhr», sagte Lili. «Im Alten Steinweg.» Sie spürte, wie Rurik sie neugierig von der Seite ansah. Vermutlich sprach ihm der Inspector aus dem Herzen, als der sie fragte: «Was haben Sie dort gemacht?»

Einen Moment lang überlegte Lili. Würde sie ihren guten Leumund in Frage stellen, wenn sie erklärte, dass sie in einem Bordell gewesen war? Sicherlich. Aber andererseits musste sie die Wahrheit sagen. Darum kam sie nicht herum.

«Ich habe eine Frau gesucht, die uns um Arbeit angegangen war. Sie war von uns fortgelaufen, und ich habe mir große Sorgen um sie gemacht.» Sie räusperte sich. «Die Frau heißt Magdalena, ich weiß nicht, wie weiter, und sie wohnt in einem, ähm, Etablissement.»

Der Inspector nickte. «Ich weiß wohl, von welchem Etablissement Sie sprechen, Fräulein Winterberg. Aber waren Sie nicht etwas unvorsichtig, es alleine aufzusuchen?»

«Ich hatte unseren Gehilfen Tobias Buhrmann mitgenommen. Seine Passpapiere kennen Sie. Er hat hier neulich eine Zeugenaussage gemacht.»

Wieder wandte der Inspector sich an den Schreiber. «Marquardt wird über diesen Fall doch etwas notiert haben», sagte er. «Sehen Sie doch einmal in unseren Akten unter B nach wie Bestattungsunternehmen oder W wie Winterberg und bringen es mir bitte her.»

«Ich bin hineingegangen», fuhr Lili fort. «Und als ich herauskam, war Tobias plötzlich fort. Und dann bin ich von diesem Mann überfallen worden.»

«Was bringt Sie zu der Annahme, es wäre derselbe, der die rothaarigen Frauen ermordet hat?», fragte der Inspector.

«Er hat versucht, sich an mir zu vergehen», stammelte Lili. «Wenn ich mich nicht gewehrt hätte, hätte er mich umgebracht. Und ich weiß einfach, dass er der gesuchte Mörder ist, denn er hat mich an den Haaren gepackt, hier», sie griff sich in die roten Locken, «und dann hat er gesagt: ‹Hab ich endlich mal wieder eine von euch!›»

«Mhm.» Der Inspector sah aus, als überlegte er. «Das ist leider noch kein Beweis. Aber wenn wir wüssten, wer der Mann wäre, könnten wir ihn vernehmen. Dann käme die Wahrheit heraus.»

«Aber ich habe doch seinen Namen gelegten», rief Lili. «Er hat mich doch mit zu sich nach Hause genommen!»

Auf einmal war die Spannung im Raum so stark, dass es spürbar knisterte. Sowohl Rurik als auch der Inspector starrten sie an.

Lili blickte von einem zum anderen. «Er ist ebenfalls Bestattungsunternehmer», sagte sie. «Und er heißt Thorolf Behnecke.»

In diesem Moment geschah etwas, das Lili nicht für möglich gehalten hätte. Rurik schüttelte den Kopf und lächelte. «Das ist unmöglich», sagte er. «Ich war mit Herrn Behnecke die ganze Nacht zusammen unterwegs.»

17. KAPITEL

Magdalena badete ihre schmerzenden Füße im Brunnen auf dem Hopfenmarkt und bemühte sich dabei, die gelben Strumpfbänder zu verbergen, die sie als Unsittliche immer hatte tragen müssen. Aber damit war es ja jetzt Gott sei Dank vorbei. Sie wusste zwar immer noch nicht genau, was an die Stelle ihres Lebens als Tänzerin bei Teresa treten würde, aber das Gespräch mit dem Pastor, in dem es um die ungeheuren Verlockungen Christi ging, hatte sie in ihrem Beschluss bestärkt. In ihrem Lederbeutel trug sie noch ein paar Markstücke, mit denen sie sich für die kommenden Nächte eine Schlafstatt in einer Gaststube erkaufen konnte. Und bis das Geld aufgebraucht sein würde, hatte sie ja vielleicht eine neue Idee.

Sie zog ihr Buch hervor. Die Geschichte würde sie bestimmt auf andere Gedanken bringen. Nachdem sie die ersten drei Seiten gelesen hatte, hörte sie plötzlich eine vertraute Stimme in ihrem Rücken.

«Sag mir deinen Namen.»

«Und Sie sagen mir, wer ich bin?»

Magdalena drehte sich lächelnd zu dem Numerologen um. Sie mochte diesen merkwürdigen, kleinen Mann, von dem sie wusste, dass er als Stukkateur arbeitete. Er hatte so manchen Abend mit den Mädchen und ihr verbracht, ohne jemals deren Dienste in Anspruch zu nehmen. Jetzt fiel es ihr wieder ein. Der Mann hieß Gideon Weber, und er hatte eine Schwäche für Zahlen und griechische Mythologie. In den Wochen vor

Sibylles Tod hatte er häufig mit ihr gesprochen. Dies war der Mann, den sie Lili gegenüber erwähnt hatte. Der Mann, den sie hatte wiederfinden wollen. Weil er vielleicht etwas über Sibylle wusste, das ihr unbekannt war.

Jetzt lüftete er seinen Hut. «Kleiner Scherz, Magdalena», lächelte er. «Ich weiß ja, mit wem ich es hier zu tun habe. Der besten Tänzerin, die die Stadt je gesehen hat. Besser ausgedrückt: die jener Teil der Stadt gesehen hat, der den menschlichen Körper als zusätzliches Musikinstrument absolut nicht zu würdigen weiß. Weil man glaubt, dass Musik nur in Partituren steht.»

«Dabei ist Musik überall.» Magdalena klappte ihr Buch zu, zog die Füße aus dem Wasser und tupfte sie an einem ihrer Unterröcke ab. «Das haben Sie mir doch einmal erklärt, Herr Weber. Ich habe es mir genau gemerkt.»

Wie nur konnte sie jetzt die Sprache auf Sibylle bringen, ohne dass es auffiel? Wie konnte sie ihn ermuntern, ihr vielleicht ein Geheimnis zu erzählen?

«Musik ist überall, das stimmt.» Weber drehte den Kopf so, dass sein linkes Ohr zum Himmel wies. Magdalena versuchte zu erlauschen, was der Numerologe in diesem Moment hörte, aber sie vernahm nur das Kreischen der Möwen, die über dem Hopfenmarkt ihre Kreise zogen, und das klang nicht besonders melodiös.

Weber kratzte sich den Bart. «Du musst mein etwas nachlässiges Aussehen entschuldigen, Magdalena. Ich war schon seit geraumer Zeit nicht mehr beim Barbier. In dieser Zeit muss uns das große Ganze interessieren. Es finden gewaltige Umwälzungen statt.»

«Ist das so?», fragte Magdalena und musterte den Numerologen aufmerksam. Nicht zum ersten Mal fragte sie sich, ob der Mann verrückt war oder erleuchtet oder einfach nur auf eine etwas versponnene Weise klug.

«Ja», sagte der Numerologe und deutete auf den Platz neben dem Brunnen. «Darf ich mich setzen, oder bist du mit deinen Gedanken lieber allein?»

«Erzählen Sie mir von Sibylle», platzte es aus ihr heraus.

«Wie bitte?» Der Numerologe richtete seinen Blick wieder auf sie. Er wirkte völlig erstaunt.

«Sibylle», wiederholte Magdalena erregt. «Meine ehemalige Kollegin im Alten Steinweg. Sie haben sich oft mit ihr unterhalten, wissen Sie das denn nicht mehr?»

Weber starrte auf einen Punkt am Horizont, von dem Magdalena nicht wusste, was es war. Lange saß er einfach nur so da und schwieg.

«Das arme Mädchen», sagte er schließlich. «S-i-b-y-l-l-e. Eine Drei. Sie stand für die Dreifaltigkeit und war zu Höherem geboren. Leider hatte sie auch die Neigung, impulsiv zu handeln und jedem zu vertrauen. Ihr Tod hat mir den Verstand geraubt.»

«Ich muss Sie jetzt mal etwas fragen, Herr Weber. Sie haben sich doch in den Wochen vor Sibylles Tod oft mit ihr unterhalten, das habe ich als ihre Zimmergenossin ja mitbekommen. Ist Ihnen irgendetwas an Sibylle aufgefallen? Hat sie von jemandem erzählt?»

Wieder schwieg der Numerologe lange. Magdalena beobachtete, wie er die Augen schloss und ruhig ein- und auszuatmen begann. Sie befürchtete schon, dass er eingeschlafen sein könnte, als er sich plötzlich zu ihr umwandte. «Sie hat angefangen, im Buch der Bücher zu lesen!», stieß er hervor.

Das war nun keine Neuigkeit. Teresa hatte allen Mädchen eine Bibel in ihr Zimmer gelegt, und schließlich waren Sibylle und sie, sofern es ihr Wachheitszustand und ihre körperliche Verfassung erlaubten, stets in die Kirche gegangen. Magdalena wollte gerade noch ein wenig weiterbohren, da sah sie, wie eine gewaltige Kutsche am Rande des Platzes vorüberzog. Schwarze Pferde zogen das Gefährt, dessen Bock von schwarzen Laternen flankiert war. Einen Moment lang hatte Magdalena das Gefühl zu träumen. Denn auf dem Bock dieser Kutsche, die doch eindeutig dem Transport von Särgen und Leichnamen diente, saß Sibylle, ihre tote Freundin, und winkte mit dem Arm.

Auch Gideon Weber hatte sich neben ihr aufgerichtet. «Eine Auferstehung! Nun gnade uns Gott!»

Die Kutsche kam zum Stehen. Und dann rannte eine Gestalt, in weiße Baumwolle gekleidet, auf Magdalena zu, so schnell, dass sie kaum wusste, wie ihr geschah. Im nächsten Augenblick hatten sich zwei Arme um ihren Hals gewunden, und sie hörte eine Stimme an ihrem Ohr.

«Es tut mir so schrecklich leid», sagte die Stimme. «Kannst du mir verzeihen?»

Lili hielt Magdalena so fest, wie sie nur konnte. Die Ereignisse der letzten Tage zogen noch einmal an ihr vorüber. Sie sah ihren Vater wieder vor sich, wie er zusammengebrochen war. Die Hände ihres Angreifers spürte sie auf ihrem Körper, und sie roch seinen widerlichen Gestank. Und dann dachte sie an Rurik. Dass er der Polizei versichert hatte, die Nacht über mit Thorolf Behnecke zusammen gewesen zu sein, konnte ja nur bedeuten, dass sie sich geirrt hatte. Der Widerling, der sie überfallen hatte, konnte somit nicht der Bestatter von der Ellerntorbrücke sein. Sie hatte versucht, mit Rurik über ihren Geschäftsrivalen zu sprechen, weil sie wissen wollte, woher er ihn kannte. Doch er war ihren Fragen ausgewichen, unter dem Vorwand, er könne sich jetzt nicht weiter mit ihr unterhalten, er hätte noch einen dringenden Termin.

Aber zumindest hatte sie jetzt die Freundin wieder, und so wie Magdalena ihre Umarmung erwiderte, spürte sie die Erleichterung wohl nicht allein. Mit ihrer rauen Stimme hörte sie die Freundin an ihrem Ohr sagen: «Ich weiß schon, Herzchen. Du hattest es nicht so gemeint.»

Da erst traute Lili sich, sie loszulassen, und Magdalena rückte ein wenig von ihr ab.

«Das ist Gideon Weber», deutete sie auf den haarigen Mann zu ihrer Rechten. «Er ist Numerologe und verrät dir dein Schicksal anhand von Zahlen.»

«Ich glaube, du hast mir von ihm erzählt.» Lili ignorierte den Mann. Sie wollte jetzt mit Magdalena allein sein, sich wieder richtig mit ihr aussöhnen, ihr alles erzählen. Verstand dieser selbsternannte Chiffrenkünstler nicht, dass sie beide jetzt ungestört sein wollten?

«Herr Weber ist derjenige», lächelte Magdalena, «der uns den Spruch aus Salomons Hohelied geschenkt hat.»

Der Numerologe legte den Kopf schief. *«Honig und Milch ist unter deiner empfindsamen / rollenden Zunge»*, zitierte er salbungsvoll, *«cinnamonumreich der leichte Duft deiner Gewänder, wie oleandergleich der Libanon. Aus dir entspross ein Lustgarten von Granaten nebst edlen Früchten, Zyperblumen nebst Narden; Narde und Safran.»* Dann richtete er seinen Blick direkt auf Lili. «Merken Sie sich diese Sätze, mein Fräulein. Sie könnten wichtig sein für Sie.»

Lili bemerkte ein dickes Buch und ein Bündel, das neben Magdalena auf der steinumfassten Brunnenöffnung lag. Obenauf musste sie Käthe, ihre Puppe, gelegt haben, denn ein geflochtener und mit Schleifen umkränzter Zopf ragte dort heraus. «Sind das deine ganzen Sachen, Magdalena? Mehr hast du nicht?»

«Nein.» Magdalena schüttelte trotzig den Kopf. «Und mehr brauche ich auch nicht.»

«Da magst du recht haben. Denn bei uns», lächelte Lili, «findest du alles andere Lebensnotwendige.»

Magdalena zwinkerte. «Und das sagt mir ausgerechnet jemand, der sich mit Leichen beschäftigt.»

«Über deine Vorbehalte wird schon noch Gras wachsen.» Lili zwinkerte zurück.

«Du bringst mich noch unter die Erde mit deinen Sprüchen.»

«Ja. Aber vorerst sollten wir die Streitaxt begraben.»

«Sie sehen, verehrter Herr Numerologe», Magdalena wandte sich an den Herrn, der ihrem verbalen Schlagabtausch amüsiert folgte, «meine Tage unter Teresas Obhut sind gezählt.»

«Drei, zwei, eins und aus», grinste Lili. «Du kommst jetzt mit zu uns.»

«Du scheinst es todernst zu meinen.»

«Tod ist mein Geschäft.»

Später, als sie alle um den runden Tisch in der Stube saßen, kam zum ersten Mal seit dem Ausbruch von Vaters Krankheit etwas Lebensfreude auf. Die Mutter hatte akzeptiert, dass Magdalena für eine Weile bei ihnen arbeiten würde, schließlich tat jede Art von Hilfe in dieser Situation bitter not. Caroline, die zuvor ihre eigene Puppe geholt und sie mit der von Magdalena verglichen hatte, erzählte lebhaft von der neuen Garderobe, die sie für ihren strohgefüllten Liebling mit dem Gesicht aus Porzellan nähen wollte, und sogar Carl brachte sich mit einigen gutplatzierten Worten ein. Es hätte möglicherweise jeder sein können, der die Angststarre der Winterbergs mit seiner bloßen Anwesenheit bei Tische durchbrach, denn die Höflichkeit, die die Familie einem Gast entgegenbrachte, lenkte sie ab; aber Magdalena mit ihrem fröhlichen Lachen und ihren geschmeidigen, warmen Gesten war dafür ganz besonders gut geeignet.

Die Mutter hatte Bohnen, Birnen und Speck gekocht. Es gab nur einen Augenblick an diesem Abend, der Lili in Erinnerung brachte, wie sehr auch die Mutter unter allem litt, was ihnen in diesen Tagen widerfuhr, und das war, als sie erwähnte, dass der Katzensarg abgeholt worden wäre, weil die Bestattung nun Thorolf Behnecke übernähme. Sie hatte nichts gesagt, war nur minutenlang auf einen Schemel gesunken. Die Hände vors

Gesicht geschlagen, hatte sie tonlos geweint. Erst als Lili sie in die Arme nahm und sie ganz fest an sich presste, hatte sie sich beruhigen können. Danach tat sie freilich so, als wäre nichts gewesen, und schickte betont munter die Zwillinge ins Bett.

«Willst du mir irgendwann erklären, wo du letzte Nacht gewesen bist, Liebchen?», fragte sie und schaute ihre Älteste ernst und nicht ohne Vorwurf an.

«Ich habe Magdalena gesucht», erwiderte Lili nach einigem Überlegen. Das immerhin war ein Teil der Wahrheit. Mit dem Rest wollte sie ihre Mutter nicht belasten. «Weil sie uns wirklich einen Dienst erweisen kann.»

Sie wollte nicht hinzufügen, dass der Beistand Magdalenas sich nicht nur auf das Nähen von Bahrtüchern und Totenkleidern oder das Waschen von Verstorbenen bezog.

«Wir machen eine Liste.» Lili zog im Schein der Petroleumlampe die Schublade an ihrem kleinen Schreibtisch auf. Neben alten Rechenheften und ihrer Mathefibel bewahrte sie hier auch ein Notizheft auf. Sie zog ihren Füllfederhalter hervor, schraubte das Tintenfass auf, tauchte die Feder ein und betätigte die Pumpe. Der Halter füllte sich mit schwarzer Flüssigkeit.

«Ja?» Magdalena hatte einen Handspiegel aus ihrem Bündel geholt und betrachtete sich darin. «Und was schreiben wir auf diese Liste? Die Besorgungen für morgen? Was wir an uns selbst am liebsten mögen? Und welche Männer für uns schwärmen? Übrigens, Lili, warum kann man sich bei euch eigentlich nirgendwo im Haus so richtig angucken? Man möchte meinen, ihr hättet was gegen Eitelkeit.»

Lili lächelte. «Wir haben alle Taschenspiegel, ähnlich deinem. Wenn jemand tot ist, und Menschen in diesem Zustand sieht unser Hause ja öfter, müssen freihängende Spiegel sofort verhängt werden, sonst verfängt sich die Seele des Toten darin.»

«Ich bin auch oft abergläubisch», nickte Magdalena. «Das gefällt mir irgendwie.»

«Aber ich habe bestimmt nicht vor, Listen von Männern zu machen, von Männern habe ich fürs Erste genug.» Sie erzählte Magdalena, was sie in der vergangenen Nacht erlebt hatte, und die Freundin hörte ihr erschrocken zu. Ebenso berichtete sie von ihrem Verdacht gegen Thorolf Behnecke und wie Rurik ihr und der Polizei versichert hatte, dass er die Nacht mit dem alten Bestatter verbracht hätte. Und dass Behnecke somit wohl unschuldig war.

«Dieser Rurik», sagte Magdalena langsam. «Ich kenne ihn vom Sehen aus der Kirche. Er saß manchmal in der Reihe vor Sibylle und mir. Aber er hat nie gebetet. Irgendwie ist das ein seltsamer Vogel. Ich wette, er ist nicht einmal religiös.»

«Und ob er religiös ist.» Lili lachte verächtlich. «Er hält sich für Gott.»

«Höre ich da kritische Töne?»

«Er hat so eine Art, die mich zu nerven beginnt. Ständig muss er herausstellen, was er Tolles macht.»

«Du meinst, er ist ein alter Angeber?»

Lili lächelte. «So kann man es wohl nennen, ja.» Sie überlegte eine Weile. «Als ich ihn kennenlernte, damals vor vier Monaten, war er der perfekte Gentleman. Hilfsbereit, formvollendete Manieren, aufmerksam. Aber je länger ich ihn kenne, desto mehr erlebe ich auch die andere Seite. Dieses: ‹Seht her, was ich kann und mache! Ich bin ja so schlau!›»

«Hast du noch immer zärtliche Gefühle für ihn?»

«Ich weiß es nicht. Er ist schwer zu durchschauen. Und von daher finde ich ihn interessant. Ich mag Menschen, die nicht auf einer einfachen geraden Straße durchs Leben gehen.» Leise fügte sie hinzu: «Ich bin wohl selber so ein Mensch.»

«Ja, das bist du», lächelte Magdalena. «Du suchst dir gern auch mal unwegsame Pfade aus. Also, wenn du nicht mehr in diesen Gecken verliebt sein möchtest, ich kenne da einen Trick», erklärte Magdalena. Ihre Augen funkelten im Licht. «Den benutzen die Mädchen bei Teresa, wenn sie sich mal in einen der Männer verlieben, mit denen sie schlafen. Du weißt, viele Kunden kommen regelmäßig, einige haben auch ihr bestimmtes Mädchen, und manchmal bahnt sich da fast so etwas wie eine Affäre an. Aber für die Mädchen ist das natürlich blödsinnig, schließlich sind die Männer zumeist verheiratet und wollen nichts anderes von ihnen als ihren Körper. Als Mensch, als Frau, als ein Wesen mit Gedanken und Gefühlen sehen sie sie jedenfalls nicht.»

«Und?» Lili trommelte ungeduldig mit den Fingern auf ihr Notizheft. «Was kann man gegen die Verliebtheit tun?»

«Du musst ein Glas Wasser mit ganz viel Salz darin trinken. Danach gehst du auf den Abort und steckst dir den Finger in den Hals. Und während du kotzt, stellst du dir den Mann vor – wieder und wieder. Glaub mir, spätestens wenn du dich dieser Prozedur zum dritten Mal unterziehst, hast du Ekelgefühle, wenn du den Kerl auch nur riechst.»

«Aha?» Lili war skeptisch. «Hast du so etwas schon einmal persönlich mitbekommen? Oder ist das jetzt nur so eine Geschichte von dir?»

Magdalena stand auf und drehte eine kleine Pirouette. «Nur meine Beine denken sich Geschichten aus. Mein Mund niemals.»

Dann wurde sie plötzlich ernst und setzte sich wieder hin. «Sibylle hat es ausprobiert», erklärte sie düster.

Lili fuhr auf. «Sibylle hatte also einen Mann, in den sie verliebt war und der nicht gut für sie war?»

Magdalena nickte.

«Wie hieß der Kerl?»

«Seinen Namen weiß ich nicht mehr. Er ist auch schon seit Mai nicht mehr bei uns gewesen. Aber ich würde ihn wiedererkennen.»

«Seit Mai?» Lili nahm erneut die Feder zur Hand. «Dann setze ich ihn als Ersten auf die Liste.»

«Was für eine Liste wird das denn nun?»

Lili schrieb schnell, mit schwungvollen Außenbögen: «Die Liste der Verdächtigen». Eine zitternde Aufregung war in sie gefahren.

«Also erstens», sagte sie, während ihre Feder über das Papier flog, «dieser Mann, wir nennen ihn Sibylles Geliebten. Wir wissen, dass Sibylle meine Uhr hatte, die ich ja in England trug und die mir dort gestohlen wurde. Aus dem Umstand, dass Sibylle nie in England war, folgere ich, dass ihr Gentleman sie mir entwendet hat. Oder meinetwegen auch ein Bekannter oder Händler dieses Gentlemans. Zweitens – ah, tut das gut, das alles in Reihen zu bringen, ich liebe Zahlen – zweitens kommt Thorolf Behnecke.»

Sie blickte auf und reckte anklagend ihr Schreibgerät in die Luft. «Die Reihenfolge sagt nichts über die Größe der Wahrscheinlichkeit aus. Wir sammeln erst mal – später sortieren wir.»

Magdalena schwieg und nickte.

«Drittens – was ist mit diesem Numerologen?»

«Mit Herrn Weber? Ausgeschlossen, das ist ein ganz lieber Mensch.»

«Ja, aber er ist schon ein bisschen seltsam, oder? Mit seinen Schicksalszahlen, dass er euch diesen Bibelspruch geschenkt hat und mit seiner ganzen komischen Art. Außerdem kannte er Sibylle. Wir müssen alle aus ihrem Bekanntenkreis auflisten.»

«Dann könntest du mich auch aufschreiben», sagte Magdalena leise. Sie hatte sich so weit zurückgesetzt, dass ihr Gesicht im Schatten lag.

Lili hob langsam ihren Kopf. «Warum sagst du das?»

«Weil ich Sibylle ja auch gekannt habe. Gut gekannt sogar.»

Lili ließ langsam ihre Feder sinken und starrte Magdalena

an. Konnte es sein, dass Magdalena …? Beherbergte sie eine Mörderin im Haus?

«Was siehst du mich so an?», fragte Magdalena beunruhigt. «Du glaubst doch wohl nicht etwa, dass ich fähig gewesen wäre, Sibylle so etwas anzutun?»

«Nein», erwiderte Lili langsam. «Natürlich nicht.»

Ein ungemütliches Schweigen breitete sich zwischen ihnen aus.

«Du sagtest, dass du Sibylle gut gekannt hast», nahm Lili nach einer Weile das Wort wieder auf. «Wie war sie denn so?»

«Sibylle», Magdalena lächelte, «Sibylle war ein Wirbelwind. Ein richtiges Wetterphänomen. Mal hart und eisig, mal wüstenwarm. Sie war immer in Bewegung, hat immer irgendwas getan. Ihre Mutter und ihre Großeltern waren gestorben, als sie zu Teresa kam, sie hatte keine Familie mehr, genau wie ich. Sie muss eine seltsame Kindheit gehabt haben, ist mit Gauklern umhergezogen, in Buden und Zelten, auch auf dem Spielbudenplatz.»

Magdalena beugte sich vor, und jetzt konnte Lili sie wieder sehen. «Ihre Mutter war nur siebzehn Jahre älter als sie. Sie war Akrobatin und wie eine große Schwester, hat Sibyllchen mir erzählt. Vater unbekannt. Die Großeltern haben Reptilien zur Schau gestellt, und Sibylle hat immer behauptet, sie hätte als Kind ein Krokodil als Haustier gehabt. Sie hat oft gelächelt, aber sie war selten froh. Doch einmal, da haben wir einen Ausflug gemacht. Das war erst im letzten Sommer.» Magdalena lächelte. «Wir Mädchen, alle zusammen, haben eine Kutsche gemietet, Teresa hat es uns erlaubt. Wir sind aufs Land gefahren, nach Eppendorf. Sibylle meinte, sie wäre zum ersten Mal überhaupt auf dem Land gewesen, und sie hat den ganzen Tag über gelacht.»

Lili legte die Feder beiseite und stand rasch auf. «Nicht weinen, Kleines», flüsterte sie und nahm Magdalena in den Arm.

«Doch», schluchzte die Freundin. «Das Weinen tut mir gut.»

Lili streichelte Magdalena immer weiter, aber ihre Gedanken wanderten wieder fort. «Wir müssen auch die Möglichkeit in Betracht ziehen, dass Sibylle ihren Mörder nicht gekannt hat», sagte sie. «Christian meinte, es könnte auch jemand getan haben, der einfach keine Rothaarigen mag.»

«Ein Perverser, meinst du?», fragte Magdalena erschrocken.

Lili wusste nicht, was das Wort bedeutete, aber das traute sie sich Magdalena nicht zu sagen. Für ihre Ermittlungen schien es nicht wichtig zu sein, also nickte sie einfach.

«Lili.» Magdalena trocknete ihre Tränen. «Es könnte alles auch noch ganz anders sein.»

«Was meinst du?»

«Der Mord an Sibylle – vielleicht war es ein Versehen!»

«Du meinst ein Unfall?»

«Nein, ein Versehen. Der Mörder wollte vielleicht nicht Sibylle, sondern dich umbringen. Oder es geht um deine Eltern. Schließlich ist Sibylle an einem unbekannten Ort ermordet worden, und der Mörder hat sie dann vor eure Haustür geschleppt. Gibt es jemanden, der euch schädigen, der euch ruinieren will?»

Lili sprang auf, schnappte sich ihr Notizheft und pochte darauf. «Und ob es jemanden gibt. Verdächtiger Nummer zwei.»

«Aber dieser furchtbare Mensch war doch woanders, als du überfallen wurdest», rief Magdalena. «Das hat doch dein Rurik bezeugt.»

«Er ist nicht *mein* Rurik», widersprach Lili. «Ich will dieses Wort in Zusammenhang mit Rurik nie wieder hören. Außerdem kann es ja sein, dass er gelogen hat. Zumindest aber pflegt er Umgang mit Behnecke. Vielleicht sollten wir uns dessen Bestattungsunternehmen mal aus der Nähe ansehen. Bestimmt erkenne ich den Mann dann auch. Aber jetzt lass uns ins Bett gehen. Wir brauchen unsere ganze Kraft für morgen.»

Sie zeigte Magdalena ihr Zimmer, das früher Wilhelms gewesen war. Wilhelm. Lili dachte an ihren Bruder in der großen Metropole, und das ganze verregnete, grau aquarellierte London tauchte vor ihren Augen wieder auf.

Sie kuschelten sich unter ihren Decken zurecht. Schön war es in London gewesen, sie hatte vieles gelernt. Quersummen und Wurzeln ziehen hatte ihr Wilhelm beigebracht, auch Prozentrechnung und Stochastik, höhere Mathematik. Der kleine Junge auf der Rückfahrt in der Eisenbahn fiel ihr wieder ein, seine Hilflosigkeit und sein Rechenheft. Deutlich und klar stand ihr all das jetzt vor Augen, selbst die Zahlen auf seinem Papier. Und plötzlich war sie beunruhigt: Konnte es stimmen, was Magdalena gesagt hatte? Hatte der Mörder vielleicht die ganze Zeit sie und niemand anderen im Visier? Und konnte das auf irgendeine Weise mit ihrer Zeit in England zusammenhängen? Auch der Unbekannte vom Venloer Bahnhof fiel ihr wieder ein.

In dieser Nacht schlief sie nicht gut. Sie hatte Angst.

Blitze flammten gelb in den Himmel, gezackte Leuchtspuren in einer schiefergrauen Welt. Drei Pulsschläge später kam der Donner krachend hinzu. Christian lief ans Fenster, um es zu schließen, und noch während er an den Haken nestelte, brach ein tosender Regensturm los. Die Hitze, die seit Wochen über Hamburg lastete, löste sich auf. Mit Wucht warfen sich die Wassermassen draußen über das Pflaster, rauschten durch die Rinnsteine, zerrten an den Wäscheleinen über der Straße und an den Kleidungsstücken daran. Die Dachrinne bei den Winterbergs ächzte unter der plötzlichen Last. Dampf wallte von der eben noch warmen Straße, Wärme, die nun zischend gelöscht wurde, und hüllte den Boden in milchiges Weiß. Durch die langen Striche hindurch, die der Wolkenbruch zog, meinte Christian jemanden in Lilis Zimmer zu erkennen, aber es war unmöglich zu sagen, wer von den rothaarigen Winterbergs es war. Erneut schlug ein Blitz sein Zeichen in den Himmel. Das Gewitter musste noch dichter herangezogen sein, denn diesmal folgte der Donner fast im selben Augenblick.

«Christian?» Die herrische Stimme seiner Mutter drang aus dem Salon. «Komm und setz dich zu mir, auf der Stelle. Du weißt, bei Gewitter habe ich immer Angst.»

«Ich kann nicht, Mutter.» Christian eilte zu ihr und reichte ihr die Morgenzeitung, auf der die Schlagzeile prangte: «Unbewiesene Gerüchte über vermeintliche Cholera-Epidemie im Umlauf. Ein Bericht von Rurik Robertson.»

«Sie können sich stattdessen von dieser Lektüre hier beruhigen lassen. Ich muss ins Krankenhaus.» Er hatte am Vortag einen Express-Arbeitsvertrag unterschrieben. Ausgerechnet Theodor Rumpf, der von der Seuchengefahr bis vor kurzem nichts hatte hören wollen, hatte ihn nun eingestellt. Inzwischen konnte auch der Krankenhausleiter nicht mehr an der Sache vorbeisehen. Die Krankensäle platzten aus allen Nähten, neues Personal war dringend notwendig.

Die Nähe seiner Mutter machte Christian zunehmend gereizt. Erst als er endlich auf dem Kutschbock saß und die Pferde aus dem Cremon heraus in Richtung Norden lenkte, beruhigte er sich wieder. Der Regen kam ihm erfrischend vor. Die Schwüle hatte auf Hamburg wie ein schweres, viel zu warmes Bahrtuch gelastet. Auf einmal schien die Stadt wiederaufzuerstehen, Menschen rannten aufgeregt in alle Richtungen, Marktfrauen bedeckten eilig den Inhalt ihrer Körbe, Pferde verfielen in Trab. Von oben strömte es immer weiter, und die Kutschen mit ihren Rädern taten ein Übriges und spritzten vorübereilende Passanten nass. Jetzt war das Gewitter in Richtung Süden abgezogen, das Donnergrollen war so leise, dass es wohl schon von jenseits des Sandtores kam.

Als Christian die Kutsche gerade auf den Alten Jungfernstieg lenkte, rissen urplötzlich die Wolken auf und gaben die gleißende Sonne frei. Sofort verlangsamte sich das Treiben wieder. Wer eben noch über das Pflaster gehastet war, blieb stehen und blickte nach oben zum jetzt wieder strahlenden Blau. Und auf einmal fühlte Christian ein Glücksgefühl in seinem Herzen: Über dem glitzernden Wasser der Alster stand mächtig geschwungen ein Regenbogen. Wenn Lili das hier sehen könnte, dachte er und strahlte in sich hinein. Undankbare und untreue Lili, die mit Rurik statt mit ihm zur Polizei gegangen war. Er verwünschte sie ein wenig dafür, dass sie so unberechenbar war, aber gleichzeitig liebte er sie auch.

Als er am Alsterpavillon vorbeifuhr, hatten sich die Gäste draußen auf der Terrasse wieder in ihre Zeitungen und Getränke vertieft. Die alte Hitze und Schwüle war zurück. Er verließ die Stadt durch das Dammtor und steuerte durch die grüne Ländlichkeit in Richtung Krankenhaus. Dampf wallte von den Wiesen, und von den glitzernden Bäumen tropfte es.

Das Hochgefühl füllte immer noch Christians Herzen, auch als er die Stallungen im Krankenhaus aufsuchte und dort erstaunlich viele Karren und Kutschen sah, was bei Krankenhäusern selten Gutes verhieß. Er lief hinüber zur Epidemiestation. Hier herrschte ein noch größerer Auftrieb. Pausenlos wurden Menschen auf Bahren hineingetragen und, was noch schlimmer war, auch hinaus, dann ganz unter weißen Tüchern verdeckt. Winterberg, durchfuhr es Christian, und er lief die letzten Meter.

Ohne die Träger um Erlaubnis zu fragen, ohne sie gar zu bitten anzuhalten, zog er den Toten das Leinen vom Gesicht. Schlagartig stieg Verzweiflung in ihm auf. Es war, als würden sich alle gleichen, überall eingefallene, ausgedörrte Züge, eine spitz herausragende Nase, blaue Haut – der Choleratod. Und dann stand Heinrich vor ihm, sein guter, alter Kommilitone. Er hörte kaum hin, was Heinrich zu ihm sagte, er sah nur sein angestrengtes, weißes Gesicht, und er schob ihn ein wenig beiseite, um so rasch wie möglich in die Station zu gelangen, auf der Suche nach dem Bestatter, der am Vortag in der Nähe des dritten Fensters rechts gelegen hatte. Sein Bett war leer. Jetzt erst bemerkte er, dass Heinrich ihm gefolgt war. Er drehte sich um und packte ihn am Kragen seines Kittels. «Wo habt ihr einen Patienten namens Basilius Winterberg?»

«Ich weiß es nicht», antwortete Heinrich, und seine Stimme klang gepresst. «Hier sind so viele, und seit heute Morgen werden es immer mehr. Jede Stunde kommen ungefähr zehn neue. Christian», er löste mit erschöpftem Ausdruck dessen Hände von seinem Revers, «wir haben ein Unterbringungsproblem.»

Doch Christian war schon losgerannt, von Bett zu Bett eilte er weiter. Und dabei blickte er als Erstes jedem der Unglücklichen auf die Haare, in der Hoffnung, das Rot von Winterberg zu sehen. Als er so an einem Bett vorbeilief, auf dem ein walfischdicker Mensch gestrandet war, fühlte er eine Hand nach seinem Arm greifen. Erst da erkannte er, dass es der Criminal-Sergeant war.

«Dokter», stöhnte der Sergeant heiser. «Sie sind de Dokter vun de Straat, wo de Schietschüffler wohnt. Ick mutt nu dootblieven. Helpen Se mir!»

«Meinen Sie den Bestatter?» Christian wandte sich dem Mann zu.

«De Oosgeier, de Liekendräger.»

Christian musste sich zusammenreißen, um den Dicken nicht anzuherrschen, dass Winterberg keineswegs Schmutzschaufler, Aasgeier oder Leichenträger sei. Stattdessen fragte er: «Haben Sie Herrn Winterberg hier im Saal gesehen?»

«Recht so. Ick wüll den ...» Der Kopf des dicken Sergeanten rollte beiseite, und er begann zu würgen.

«Wat wüllt Se den?» Christian schob die Emailleschüssel, die neben dem Bett stand und in der schon Erbrochenes schwamm, dem Sergeanten zu.

«Recht so. Ick wüll …» Der Sergeant starrte Christian an. Und noch während er ihn so ansah, wurde sein Blick starr und brach.

18. KAPITEL

Die Krankheit tobte in der Stadt wie der Feuersturm beim großen Feuer. Criminal-Sergeant Marquardt war der Erste, den Christian an diesem Morgen sterben sah, und als der Tag sich dem Ende zuneigte, waren dreiundzwanzig weitere Menschen tot. Jede Stunde karrten Fuhrunternehmer, Droschkenfahrer oder einfach nur Angehörige neue Patienten ins Eppendorfer Krankenhaus. Gegen Mittag errechnete Christian, dass sich die Zahl der Erkrankten ständig verdoppelte und die Epidemiestation somit zu klein war, um die noch zu erwartenden Cholerakranken aufzunehmen.

Noch immer war es Rumpf und seinem Assistenten nicht gelungen, eine Reinkultur der Bakterien zu züchten, um den Erreger bestimmen zu können. Doch jeder wusste, dass etwas Gewaltiges, für den Moment Unaufhaltsames auf sie zurollte. Alle Ärzte, die in der Stadt verfügbar waren, wurden in die Krankenhäuser von Eppendorf und St. Georg abkommandiert.

Christian arbeitete schweigend und verbissen. Gegen die Cholera war kein Kraut gewachsen, aber er konnte ein paar Dinge tun, um den Kranken zu helfen. Das Erste war, dass sie genug zu trinken bekamen, weil sie so viel Flüssigkeit verloren. Mit der Flüssigkeit wurde zudem der Körper von dem Krankheitsgift gereinigt. Außerdem achtete er darauf, dass die Kranken warm gehalten wurden. Doch bereits am Nachmittag verfügte das Krankenhaus über keine Decken mehr. Daraufhin ließ Christian Waschzuber und Wannen mit exakt 36 Grad heißem Wasser füllen, um die Kranken darin zu baden. Im Studium hatte er gelernt, dass die Cholera asiatica mit schmerzhaften Muskelkrämpfen einherging und sich die Patienten wie nackt im schlimmsten Hamburger Winter vorkamen. Seine Idee mit den Bädern war offenbar richtig, denn sobald die Kranken in das warme Wasser eintauchten, hörte ihr Zittern auf. Wenn es doch nur mehr Ärzte und Pfleger gegeben hätte. Er wusste, dass sich einige der Symptome lindern ließen, indem die Patienten massiert und gerieben wurden, am besten mit wärmenden Ölen oder Ammonium. Aber dafür fand er nur bei den Alten und Kindern Zeit.

Es gelang ihm kaum, den fiebernd Delirierenden Getränke einzuflößen, also verpflichtete er ein paar Pfleger, den Kranken einen Einlauf von jeweils zwei Litern Gerbsäurelösung zu verabreichen – eine Aufgabe, die bei dem Personal auf erkennbar geringe Begeisterung stieß. Eine andere Methode, an die sich Heinrich und er allerdings erst im Laufe des Tages erinnerten, bestand darin, warme Kochsalzlösung zu spritzen. Das zeitigte zumindest einen äußeren Erfolg. Die erste Frau, der Christian die Lösung intravenös verabreichte, begann nur wenige Minuten später wieder tief zu atmen. Kurz darauf verschwand das bläuliche Grau, mit dem ihre Haut verschleiert gewesen war, und ihre tief eingesunkenen Augen wurden wach. Doch kurz darauf erbrach sie sich umso heftiger, und alle Mühe war dahin.

Zwischen den Waschungen, Einläufen und Einreibungen hielt Christian immer wieder Ausschau nach Basilius Winterberg, allerdings erfolglos. Je weiter der Tag voranschritt, desto weniger klar konnte er denken, die Luft in der Epidemiestation vernebelte ihm das Hirn. Es stank nach einer Mischung aus Desinfektionsmitteln und zugleich süßlich schwer nach Durchfall und Erbrochenem. Durch den Flüssigkeitsmangel war den Kranken die Stimme gebrochen, raue, heisere Schreie erfüllten den Raum. Gegen Abend dachte Christian, er habe sich nun selbst infiziert, denn beim Anblick eines Patienten wölbte sich sein Magen empor, und er erbrach in einem heftigen Schwall.

Irgendwann, es war schon dunkel draußen, aber immer noch strömten die Toten hinaus und die Lebenden hinein, fühlte er, wie jemand die Hand auf seine Schulter legte und ihm sagte, es sei genug für heute und er solle nach Hause gehen. Wie er in den Waschraum gekommen war, hätte er später nicht mehr sagen können, aber als er die kalten Fliesen unter seinen Füßen fühlte, brach er zusammen. Er hatte nicht gewusst, dass er noch so weinen konnte, und er war froh, dass niemand es sah.

Dann waren da nur noch der nachtblaue, mondhelle Himmel und das Schreien und Rufen hinter ihm. Er fuhr den Weg, den er gekommen war, Dammtor, Alster, in der sich der Mond spiegelte, Jungfernstieg. Die Straßen waren ihm so vertraut wie sein eigener Körper. Und dennoch. In diesem Moment war es nicht mehr seine Welt.

«Diejenigen, die auf dem Weg der Besserung waren, sollten gehen. Wir wurden nach Hause geschickt.» Basilius Winterberg lächelte alle an. Lili krampfte die Hände ineinander, als sie ihren Vater daliegen sah. Er hatte bestimmt die Hälfte seines Gewichts verloren, und seine Haut sah alt aus und grau. Sie legte sich wie eine zu große Decke um seinen ausgemergelten Körper, warf Falten, wo sie noch vor drei Tagen alles umspannt hatte, Knochen und Muskeln und den ganzen lebenszugewandten Mann.

Die Mutter hatte sich einen Stuhl ans Ehebett gerückt und streichelte dem Vater immerfort die Hand. «Du wirst wieder werden, Liebchen, du wirst wieder werden.» Sie sang ihre Worte wie einen Refrain, und in ihrer Stimme lag ein Glauben, der Lili rührte, so rein und melodiös klang er.

Die Zwillinge standen am Kopfende und hielten sich stumm an der Hand.

Lili befühlte mit ihrer Rechten die Stirn und Wange des Vaters. Sie hatte keine Ahnung von medizinischen Dingen, aber es schien ihr zumindest, als sei die Haut warm und fieberfrei. «Möchtest du etwas trinken, Vater?», fragte sie, und zu ihrer Verwunderung lächelte Basilius.

«Kindchen», sagte er, «die haben mich in den letzten Tagen gezwungen zu trinken, als gäbe es kein Morgen mehr. Aber wenn ihr mich so fragt: Ich hätte gerne mal wieder einen Tee von meiner Frau. Hat Wilhelm vielleicht welchen aus London geschickt?»

Elisabeth lächelte und erhob sich. «Nein, Liebchen. Aber ich mach dir gern einen Tee von unserem Höker am Baumwall.»

Als sie hinaus war, beugte sich der Vater vor und flüsterte in Lilis Richtung. «Wilhelm hat vor ein paar Wochen geschrieben. Er macht sich große Sorgen um uns.»

«Ich weiß», sagte Lili leise. «Aber ich kann ihm nicht antworten, Vater. Es gehen keine Briefe mehr raus. Keine Stadt der Welt nimmt mehr Briefe oder Pakete aus Hamburg entgegen. Es ist ja alles verseucht.»

«So viel wird in der Stadt gestorben», sagte der Vater resigniert, «wie schon seit neunzehn Jahren nicht mehr.»

«Seit der letzten Epidemie.»

«Ja. Aber die Toten nützen uns gar nichts. Nicht, solange wir nicht das Krematorium benutzen dürfen. Wir müssten die Leichen der Kranken verbrennen. Alles andere bewirkt, dass es nur noch schlimmer wird. Lili, mein Kleines, wir müssen dringend eine neue Versammlung einberufen.» Er schluckte und hustete. «Du weißt schon. Vom Feuerbestattungsverein.»

Lili nickte. «Wenn du möchtest, sende ich eine Nachricht an die Mitglieder und bereite alles für dich vor.»

Erneut hustete der Vater. Diesmal dauerte es ein paar Minuten. Sein Gesicht färbte sich rot, und in seinen Augen standen Tränen. Lili streichelte ihm unbeholfen über den Arm.

«Nicht für mich bereitest du das Treffen vor», keuchte er, «sondern für dich. Du musst für mich da hingehen. Du siehst doch, in welchem Zustand ich bin. Ich kann das nicht.»

«Ja, aber ich –?» Lili fühlte, wie ihr Herz schneller zu schlagen begann. Als Stellvertreterin eines Gründungsmitglieds eine Versammlung leiten? Konnte sie so etwas tun?

«Wilhelm ist in London, und Robert ist tot. Du musst bald die Geschäfte führen, Lili. Du bist bald dran.»

«Sag das nicht so, Vater.» Jetzt schossen Lili die Tränen in die Augen. «Du tust ja geradewegs so, als ob du bald sterben müsstest.»

Der Vater lächelte. «Kinder», wandte er sich an die Zwillinge. «Geht eurer Mutter mit dem Tablett helfen. Sie kann das nicht allein.»

Als Caroline und Carl das Zimmer verlassen hatten, beugte er sich vor. «Lilikind. Das mit dem Sterben – das muss ich vielleicht auch bald.»

Lili ließ sich auf sein Bett sinken und drückte seine Hand an ihre Wange. «Aber nein, Vater. Du bist doch schon auf dem Weg der Besserung. Und außerdem wirst du noch gebraucht.»

Basilius lächelte schwach. «Das ist lieb, dass du das sagst, Lilichen. Aber so eigennützig das jetzt auch klingen mag – sterben ist für mich nicht schlimm.»

Lili wollte protestieren, doch Basilius unterbrach sie sanft. «Weißt du, als ich da die letzten Tage auf meiner Liege im Krankenhaus lag, da dachte ich wirklich, dass es jetzt für mich vorbei wäre mit dem Spiel auf Erden. Dass ich hingehen würde, Schlafes Bruder treffen. Nein, Lili, sag jetzt nichts. Das Einzige, das ich bedauert habe, ist, dass ich nicht verbrannt werden würde. Weil doch das Krematorium noch immer nicht arbeiten darf. Ich habe in meinem Testament verfügt, dass ihr mich im Fall meines Ablebens nach Gotha überführen sollt, damit sich meine Hülle im dortigen Krematorium verabschieden kann. Aber wenn ich ein Seuchenopfer geworden wäre, hättet ihr meine Hülle gar nicht transportieren dürfen. Darum bin ich froh, erst einmal wieder zu Hause zu sein.»

Elisabeth betrat den ehelichen Schlafraum, ein vollbeladenes Tablett in ihrer Hand.

«Danke, Liebchen.» Basilius richtete sich in seinen Kissen auf und nahm seine Tasse entgegen. «Lässt du mich noch einen Augenblick allein mit unserer Großen? Ich muss etwas mit ihr besprechen. Es geht um die Versammlung des Feuerbestattungsvereins.» Er wartete, bis die Mutter sich wieder entfernt hatte. «Sie soll nicht wissen, was wir uns hier sagen, Lili», sagte er. «Sie macht sich schon genug Sorgen um mich.»

Ich mache mir auch schon genügend Sorgen, wollte Lili am liebsten ausrufen, aber sie schluckte die Worte herunter. In ihrem Bauch spürte sie, was alle erwachsenen Kinder fühlen: dass sich die Rollen eines Tages verkehren, dass nicht sie mehr umhegt oder beschützt werden würden, sondern die Eltern, die ihrem Lebensende entgegengehen.

«Aber wie kannst du nur sagen, dass das Sterben nicht schlimm ist?» Lili wünschte sich, sie würde ruhiger und vernünftiger klingen, aber sie fühlte sich überhaupt nicht so. «Sterben ist das Schlimmste auf der Welt.»

«Das sagst ausgerechnet du?», fragte der Vater und lächelte. «Die du mit dem Tod aufgewachsen bist? Nein, sterben ist nicht das Schlimmste, Lili. Sondern wenn Menschen sich gegenseitig wehtun. Gewalt, Schmerzen und Dummheit, das wiegt wirklich schwer.»

«Aber wir haben doch immer nur die Hüllen, wie du es nennst, behandelt», wandte Lili ein. «Wir wissen doch gar nicht, was nach dem Tod ist.»

«Glaubst du nicht an die Auferstehung?», fragte der Vater und trank einen Schluck Tee.

Lili überlegte. Sie war in dem Glauben erzogen worden, dass auf den Tod ein unumkehrbarer Übergang in einen anderen Seinszustand folgen würde, das Weiterleben in einem Totenreich, sei es nun die Hölle oder das Paradies. Aber wenn sie in sich blickte, in ihre eigene Gedankenwelt, war sie sich nicht so sicher. Alles konnte passieren im Jenseits. Es hatte ja noch nie jemand davon erzählt.

Sie bemerkte, wie der Vater sie beobachtete. «Du weißt es also nicht», sagte er nach einer Weile. «Gut, dann geht es dir wie mir. Du weißt, dass die Kirche bestreitet, dass Menschen, die verbrannt werden, nach ihrem Tod wiederauferstehen können. Was also passiert dann mit ihnen? Darüber habe ich nachgedacht.»

«Und mit welchem Ergebnis?» Auch Lili schenkte sich jetzt eine Tasse ein.

«Mit keinem endgültigen. Aber ich glaube, dass alles, was wir tun, Folgen hat. Ob im Leben oder nach dem Tod, das kann ich dir nicht sagen. Jedenfalls habe ich an Thomas Edison gedacht.»

«An wen?» Lili durchforschte ihr Gedächtnis. «Ist das auch ein Bestattungsunternehmer?»

Jetzt lachte der Vater, ein Ton wie aus einem Instrument, das schon lange nicht mehr in Gebrauch gewesen war. «Thomas Edison ist ein amerikanischer Erfinder», erklärte er. «Er hat Licht aus elektrischem Strom erfunden und außerdem ein Gerät, mit dem man Töne messen kann, einen sogenannten Phonographen.»

«Und was ist das?» Lili betrachtete ihren Vater zweifelnd. Was er sagte, klang unverständlich und hatte nichts mehr mit ihrem ursprünglichen Thema zu tun.

«Das ist ein Gerät, das Schallwellen aufzeichnet. Ich habe

neulich in der Zeitung eine Abbildung davon gesehen. Es hat so einen Zylinder und einen Trichter und eine Nadel ...»

«Ja?» Das ausufernde Gespräch brachte Lili zunehmend zur Verzweiflung. Was hatte diese amerikanische Erfindung mit dem Tod zu tun?

«Ich erkläre es dir ja schon», lächelte der Vater. «Seit ich dieses Bild gesehen habe, weiß ich, glaube ich, Bescheid. Unser Denken und Handeln ist wie die menschliche Stimme. Je lauter du sprichst, umso weiter trägt es auch. Singst du eine schöne Melodie, kannst du deine Zuhörer verwandeln. Wenn du sie anschreist, beschimpfst oder verleumdest, auch. Nichts im Leben bleibt ohne Folgen. Das ist mir jetzt klargeworden. Und darum habe ich keine Angst mehr vor dem Tod.»

«Weil du den Menschen Gutes tust.» Jetzt wusste Lili, worauf er hinauswollte.

«Das ist nett, dass du das so ausdrückst. Ja, zumindest versuche ich es.»

«Aber was ist mit einem selbst? Es ist ja schön und gut, wenn wir angenehme Schallwellen im Raum hinterlassen. Aber vermutlich hilft das beim Sterben nicht.»

«Das kommt auf das Sterben an.» Basilius schloss die Augen, und Lili ahnte, dass er Hunderte von Kunden irgendwo im Inneren seines Kopfes sah. Den alten Kuhlmann, sanft entschlafen, zu Hause, im Beisein seiner Frau. Den Kaufmann aus der Deichstraße. Den Mann, der von seiner Frau erschossen worden war. Sibylle, von einem Beitel erdolcht.

«Und dann leben wir ja auch nicht nur in unseren Taten weiter. Ich lebe ja auch in Wilhelm, Caroline, Carl und dir.»

Lili blickte auf seine spärlich gewordenen roten Haare, griff nach dem Ende ihres geflochtenen Zopfes und lächelte. «Da hast du eindeutig recht.» Versonnen rührte sie in ihrer Tasse. «Aber aus dem, was du sagst, folgt doch, dass ein Weiterleben nur möglich ist, solange es Menschen gibt. Wie ist das mit unserem Glauben von der Wiederauferstehung zu vereinbaren?»

«Ach, Kindchen.» Basilius seufzte. «Darauf kann ich dir leider keine Antwort mehr geben. Ich glaube ... nein, ich weiß nicht mehr, was ich glaube. Mein ... mein Glaube ist unsicher geworden.» Er schwieg und schloss die Augen. «Wer weiß denn schon, was im Jenseits passiert und ob es tatsächlich diesen einen Gott gibt, an den die Protestanten glauben?», fuhr er endlich leise fort. «Wer gibt uns die Gewissheit, dass wir recht haben, ausgerechnet wir? Um die große Unsicherheit auszugleichen, die die Fragen nach Gott und Leben und Tod aufwerfen, helfen nur Bräuche und Rituale. Nur das gibt uns Sicherheit. Egal, was wir glauben und was wir uns fragen, wenn ein geliebter Angehöriger verschieden ist, wir wissen doch eins: Bestatter wie wir werden uns nach festen Regeln um den Toten kümmern. Wir öffnen die Fenster, damit seine Seele entschweben kann. Wir legen ihn mit den Füßen zur Tür, damit er nicht zum Wiedergänger wird. Wir sehen zu, dass er ordentlich ausschaut, wenn er im Sarg verschwindet. Und wir passen auf, dass er ins Grab kommt mit aller gebotenen Würde und großem Respekt.»

«Und du glaubst nicht mehr, dass das richtig ist?» Lili beschlich eine kleine Angst.

«Ich glaube daran, dass es wichtig ist, dass wir unsere Toten gut behandeln. Ebenso wie die Lebenden. Aber mit welchen Bräuchen wir das tun, ist egal. Hauptsache, wir können uns an etwas festhalten. An irgendetwas. Denn das meiste im Leben», der Kopf des Vaters fiel zur Seite, «ist fürchterlich ungewiss.»

Vorsichtig löste Lili die Tasse aus seiner Hand. Sein regelmäßiger Atem zeigte ihr, dass er schlief. Sie rückte die Decken um ihn zurecht und betrachtete ihn lange. Dann verließ sie leise den Raum.

Der Tod trieb seltsame Blüten. Zu manchen kam er so plötzlich, dass nicht mal mehr Zeit zum Kranksein blieb. Ein Tuchfabrikant aus dem Holländischen Brook, der sich berstend vor Gesundheit und Tatendrang zu seinem Mittagstisch niederließ, erlebte nicht mehr, was es zum Nachtisch gab. Einen Lateinlehrer am Johanneum erwischte es mitten in der Deklination des Verbes *leben*. Vor allem in der Nähe des Hafens fielen die Menschen um wie die Fliegen. Andere wiederum siechten qualvoll lange Tage dahin. Nichts war mehr so, wie Lili es kannte. Was noch vor wenigen Tagen vertraut war, wirkte jetzt angsteinflößend und fremd.

Alle Bahnhöfe waren von Menschen belagert, die versuchten, aus der Stadt herauszukommen. Angst und Hoffnung hielten sich hier die Waage. Die Straßen und Plätze waren voll von Menschen, Schlangen vor den Fahrkartenschaltern, Schlangen vor den Apotheken, sogar Schlangen vor fliegenden Händlern auf dem Markt, denn in der alten Kaufmannsstadt witterten die bis dato Erfolglosen jetzt ihre Stunde und verkauften, was das Zeug hielt: Desinfektionsmittel, Wunderheilsames, selbst unsichtbare Arzneien in Form von Beschwörungsformeln und Meditation. Auf dem Hopfenmarkt priesen wandernde Pillendreher Terpentin, Opium und frischen, warmen Kuhdung an, der die Cholera durch den hinteren menschlichen Ausgang hinauspressen sollte, eben weil er schon verdaut und schlammig war. Ein anderer betonte die Wunderwirkung von Tees, die mit Schwarzpulver gemischt waren, doch es stellte sich heraus, dass er mit jenem Kaufherrn unter einer Decke steckte, der der Stadt den Vorschlag unterbreitet hatte, Kanonen abfeuern zu lassen, um die Luft in Bewegung zu setzen und so die Erreger abzutöten. Dann wurde publik, dass beide Männer Inhaber eines sich im Niedergang befindenden Geschäfts für Munition und Waffen waren. Anhänger modernerer Verfahren schworen hingegen darauf, elektrischen Strom durch die Badezuber von Patienten zu jagen oder Kohlenmonoxid in ihre Körper zu pumpen, was zwar die Keime tötete, aber leider ebenso den Erkrankten. Das landläufigste Mittel allerdings bestand darin, sich schlichtweg volllaufen zu lassen, und so hatten Weinhändler, Bierbrauer und Schnapsbrenner eine Gewinnsteigerung gegenüber dem Vorjahr um mehrere Millionen Mark zu verzeichnen. Vor allem in den Desinfektionskolonnen, die nun die Straßen und Gassen bevölkerten, erfreute sich dieses Mittel großer Beliebtheit, und so geschah es, dass so manch eine Desinfektionsspritze ihr Ziel gehörig verfehlte.

Eine gewaltige Unruhe hatte sich Lilis bemächtigt, die sie nachts nicht schlafen ließ. Sie träumte, dass ein Mann, dessen Gesicht halb rot und halb schwarz war, sie wieder und wieder überfiel. Auch tagsüber schien sie unter Verfolgungswahn zu leiden, denn immer, wenn sie zu Fuß allein unterwegs war, hörte sie Schritte hinter sich. Ein paarmal meinte sie, von jemand Kleinem beobachtet zu werden, einem Kind oder einem Zwerg vielleicht, der etwas Blitzendes in der Hand hielt, aber immer, wenn sie sich umdrehte, war niemand zu sehen.

Schon bald war sie mit Magdalena zum Behnecke'schen Haus in die Düsternstraße gegangen, dort hatte sie ihren Angreifer aus der Ferne gesehen und zweifelsfrei als den Bestattungsunternehmer identifiziert. Ihr Denken drehte sich wie das Rad einer Kutsche, das sich in Sand eingräbt. Tiefer und tiefer lief es um, bis es in einem Berg aus Angst feststeckte. Sie wusste kaum, wie sie all das, was auf sie einstürmte, bewältigen sollte – die Suche nach Hinweisen, dass der Mörder Thorolf Behnecke war, die Vorbereitungen auf das Vereinstreffen, der versprochene Unterricht für Carl und Caroline, die sie nach einem langen Gespräch mit den Eltern von der Schule abgemeldet hatte, die Sache mit Rurik, der Vater, der nur allzu langsam genas, die tägliche Angst vor der Ansteckung, es war alles, alles, alles zu viel. Christian Buchner bekam sie überhaupt nicht mehr zu sehen, er fuhr im Morgengrauen ins Krankenhaus, und Mathis, den sie einige Male auf der Straße traf, erzählte ihr, dass er sogar manchmal über Nacht dort blieb.

Inzwischen war die Nachricht von der Cholera-Epidemie amtlich geworden. Diejenigen, die nicht aus Hamburg hinausgekommen waren, mussten nun innerhalb der Stadtmauern bleiben, die gesamte Stadt wurde unter Quarantäne gestellt. Wer wie Christian jeden Tag aufs Land oder in die Vorstädte fuhr, musste sich ausweisen, den Grund seiner Ausreise nennen, und dann wurde er gründlich desinfiziert. Eine Geruchsglocke hatte sich über die Stadt gelegt, bestehend aus Karbol, Lysol und Kreolin. Auch die Hitze drückte immer noch schwer.

Mitten in den Schrecken hinein geschah ein kleines Wunder: Die Winterbergs bekamen eine Kundin, die Tochter einer unscheinbar und ganz normal an Altersschwäche gestorbenen Frau. Es handelte sich um die Bäckerin Schümann, eine Nachricht, bei der die Zwillinge das Gesicht verzogen.

«Sie hat uns immer geärgert», erklärte Caroline, aber ihr Vater mahnte sie, dass sie nicht schlecht über Tote sprechen dürfe, und so malte Caroline der in ihrem irdischen Leben mürrisch Gewesenen ein Bild mit einem Blumenstrauß. Vorlage waren die Abbildungen aus dem Pflanzenbuch, das Lili ihr geschenkt hatte, damals bei ihrer Ankunft aus England. Ganze Zeitalter schien das nun her zu sein.

Die alte Frau Schümann hatte wohl nicht nur mit den Zwillingen geschimpft, auch andere Zeitgenossen hatte sie mit lebhaftem Unmut bedacht, wie ihre Tochter berichtete, ein mausgraues Wesen mit winzigen Zähnen und dunklen Knopfaugen, das eigens aus dem fernen Sachsen angereist war und nun mit raschelnden Röcken durchs Kontor und die Werkstatt huschte und dabei an allem herumnörgelte, was nicht in ihrem Sinne war. Der Vater nahm ihre Verbesserungsvorschläge lächelnd zur

Kenntnis. Er war jetzt jeden Tag für ein paar Stunden auf, aber sein Blick war abwesend und leer.

Lili begleitete die Mausgraue ins Schümann'sche Zuhause, um für die Sargherstellung an der Verstorbenen Maß zu nehmen. Tatsächlich war die alte Schümann klein gewesen, viel kleiner, als ihre Jahrzehnte währende Autorität in Sachen Brot und Moral es vermuten ließ.

Doch was viel seltsamer und für das Winterberg'sche Geschäft einigermaßen enttäuschend war, zeigte sich, als sie die winzige Wohnstube betrat. Hier stand ein mit Rosen bemalter hölzerner Wandschrank, der sich bei genauerer Betrachtung als Sarg erwies. Die Mausgraue klatschte daraufhin freudig in die Hände. «Oh, das ist schön», fiepte sie. «Da haben mein Mann und ich aber viel Geld gespart.» Auf dem Boden, unter den Schürzen der alten Bäckerin, lag der Bestellschein einer Tischlerei: «Geordert durch Gertrud Schümann, anno 1868, im Falle plötzlichen Dahinscheidens, auch als Schrank nutzbar.»

«Dieser Text ist zweideutig», versuchte Lili die Tochter von einem neuen Sarg zu überzeugen. «Er könnte auch bedeuten: Sollte ich plötzlich dahinscheiden, kann man diesen Sarg auch als Schrank nutzen.»

«Wir werden ihn aber als Sarg nutzen, und damit ist die Angelegenheit erledigt», erklärte die Hinterbliebene mit frisch geerbter Autorität.

Und so kam es, dass Gertrud Schümann, die zeit ihres Lebens allen Tand verachtende Frau, in einem Sarg begraben wurde, der mit rosafarbenen Blumen bemalt war, auf ihrer Brust ein Blumenbildchen von Caroline, begleitet von einer Tochter in einem blaugeblümten Kleid.

Als es zur Beerdigungsfeier in Ohlsdorf kam, war das sonst so ruhige Friedhofsgelände angefüllt mit Sargträgern und Männern, die schwitzend und mit hochgekrempelten Ärmeln Gräber aushoben. Die heiße Luft schwirrte von Wehklagen und

Rufen und dem Ächzen der Träger und Gräber. Weiß stäubte der Kalk auf, mit dem die Gräber der Choleratoten bedeckt wurden, bevor die Totengräber sie wieder zuschaufelten. Der Auftrieb ließ die kleine Trauerfeier der hingeschiedenen Bäckerin noch bescheidener erscheinen.

Lili und Elisabeth gaben der Tochter Geleit, während ein Pfarrer das Wort aus Hebräer 13,14 sprach: «‹Wir haben hier keine bleibende Stadt, sondern die zukünftige suchen wir.› Lasst uns nun zum Acker Gottes gehen und die Verstorbene zu ihrer Ruhestätte bringen. Der Herr behüte unseren Ausgang und Eingang von nun an bis in Ewigkeit.»

Nachdem er die Worte gesprochen hatte, setzte sich der Trauerzug in Bewegung. Die Tochter hatte aus Kostengründen lediglich vier Träger ordern lassen, was angesichts der Körpermassen der Bäckerin für Tobias und die drei anderen nicht leicht zu handhaben war. Von der Kapelle zum Grab war es ein langer Weg. Doch wohin sie auch kamen, überall bot sich ihnen das gleiche Bild. Billig und eilig gezimmerte Särge, die in die Erde gesenkt wurden.

«Mein Gott», brachte Elisabeth hervor, die das Treiben mit Tränen in den Augen verfolgte. «Wie viele sind es denn?»

«Gestern sind knapp neunzig Menschen an der Cholera gestorben», flüsterte Lili. «Das hat zumindest einer der Totengräber unserem Tobias erzählt.»

Endlich blieb ihr kleiner Zug vor dem geöffneten Grab stehen. Die vier Träger ließen den Sarg der Bäckerin an Seilen in die Erde hinab. Der Pfarrer vollzog die Einsegnung, indem er drei kleine Schaufeln voll Erde auf den Sarg warf. Die Mausgraue schnüffelte. Lili und Elisabeth kondolierten. Und dann war es vorbei.

Als sie eine halbe Stunde später nach Hause fuhren, meldete sich bei Lili das Gewissen. Da hatte sie noch im Mai gedacht, wie schlecht es dem Geschäft ging und wie wenig gestorben wurde. Und jetzt wuchs die Zahl der Toten jeden Tag! Einen Moment lang überlegte sie, ob es wohl sein könne, dass ihr Schöpfer (oder wer auch immer die himmlische Oberaufsicht führte) sie erhört habe? Ob die Epidemie ein übertriebenes Ergebnis ihrer Wunschgebete war? Nur dass sie von dem Sterben jetzt überhaupt nichts hatten, weil sie kaum noch normale Bestattungen durchführten, denn die Toten wurden von der Stadt entsorgt, rasch und beamtlich unzeremoniell. Dann schalt sie sich für diesen letzten Gedanken. Was für eine Krämerseele sie doch manchmal war.

Sie wusste nicht, ob es an dem Geruch von Desinfektionsmitteln lag, der die Straßen durchwehte, oder an den ganzen Sorgen und der Unordnung in ihrem Leben, aber während die Kutsche so über das Kopfsteinpflaster ruckelte, wurde ihr richtig schlecht. Ein oder zwei Mal war ihr sogar, als müsse sie würgen, und sie schloss die Augen und versuchte, an etwas Angenehmes zu denken. Doch auf der Suche nach den schönen Dingen in ihrem Leben fiel ihr einfach nichts mehr ein. Sicher, sie hatte ihre Familie, doch der Vater war immer noch kränklich, und auch die Mutter brauchte Trost und Kraft. Magdalena hatte sich in den vergangenen Tagen zwar als große Hilfe erwiesen, und ihrem Wesen nach war sie ein Sonnenstrahl. Doch auch Magdalena brauchte ihre Hilfe, denn sie war mittlerweile überzeugt davon, dass Teresa sie suchen ließ. Und dann war da noch Rurik. Den Trick mit dem Salzwassertrinken hatte sie nicht angewendet, auch so waren ihre Gefühle für ihn versiegt. Rurik war ein Blender, ein Angeber und vielleicht sogar ein Betrüger. Nein, auch Rurik brachte keine Schönheit in ihr Leben.

Tobias lenkte die Kutsche so temperamentvoll um die Ecke, dass sie fast gegen ihre Mutter fiel. Sie öffnete die Augen und sah Christian aus der Stallung seines Häuserblocks treten, in der Rechten den Arztkoffer, tiefe Erschöpfung im Gesicht. Sie beugte sich aus dem Kutschenfenster, um zu winken, woraufhin Christian in seiner ihm eigenen Art zu strahlen begann. Es war, als würde jemand einen kleinen Kandelaber aus lauter Lichtern anzünden, dort, wo er stand. Als wäre das Leben leicht und hell.

Auf einmal begriff sie. Und sie fragte sich, wie sie die ganze Zeit über so blind hatte sein können. Das Blut pochte ihr in den Schläfen, während die Kutsche immer weiter zu ihm heranrollte. Jetzt konnte sie in seine nussfarbenen Augen sehen. Nein, es gab keinen Zweifel. Sie mochte Christian. Sehr.

19. KAPITEL

Die Gastwirtschaft «Zum ältesten Hause Hamburgs» war bis auf den letzten Platz belegt. Lili ließ ihren Blick über die Tische schweifen. So weit sie sehen konnte, waren sie und die Kellnerin, ein hübsches, blondes Persönchen, die einzigen Frauen hier. Sie spürte, wie sich ihr der Hals zusammenschnürte. Ihre Hände wurden feucht. Das Abendlicht warf seine schrägen Strahlen durch die Butzenscheiben, sodass die Gesichter und Kragen der Herren in allen Farben der Welt leuchteten. Da hinten saß der Vorsitzende des Berliner Feuerbestattungsvereins, ein Mann, dessen Wangen nun in glühendes Grün getaucht waren. In der Aufregung vergaß sie seinen Namen, aber sie wusste, dass der Vater sie früher einmal mit ihm bekanntgemacht hatte. Am Nebentisch saß ein kleiner, schmaler Mann, der auch schon einmal ihre Wege gekreuzt hatte, sie wusste nur nicht, wo. Der Herr neben ihm war ein Verwirrspiel aus Violett und Rot. Unwirklich sah es aus, wie sie hier alle in bunte Töne getunkt waren.

Es war laut. Jeder schien hier mit jedem zu sprechen, Gläser klirrten, vereinzelt brandete Gelächter auf. Wie um Himmels willen sollte sie sich hier Gehör verschaffen? Christian, der ihre Unruhe zu bemerken schien, legte vorsichtig eine Hand auf ihren Arm. Die Berührung entfachte ein Kribbeln auf ihrer Haut, als würde sich dort ein langer Zug von Ameisen in Gang setzen. Rasch zog sie ihren Arm fort. Sie wollte Christian auf keinen Fall spüren lassen, wie es um sie stand.

«Ich hoffe, du bist jetzt nicht aufgeregt», sagte er leise und lächelte sie an.

Da war es wieder. Seine strahlenden Augen, die weißen Zähne, die ganze Helligkeit seines Wesens.

«Wenn du ein Geheimnis bewahren kannst», gab Lili zurück: «Ich sterbe gleich.»

Christian lächelte weiter. «Ich denke, meine gefürchtete Geschwätzigkeit müsste in diesem Fall gar nicht zum Einsatz kommen. Ein Todesfall fiele in dieser Runde auch von alleine auf.»

Normalerweise würde Lili wohl gelacht haben, jetzt aber nahm sie kaum wahr, was er sagte. Sie starrte ihn fasziniert an. In seinen braunen Augen tanzten gelbe Punkte, bemerkte sie auf einmal. Und er hatte einen wirklich ungewöhnlichen Mund, mit Winkeln, die sich nach oben bogen, sodass es immer ein bisschen aussah, als lächelte er. Selbst wenn er ernst war, so wie jetzt.

«Ist etwas mit dir?», hörte sie ihn wie durch einen Nebel fragen. «Bist du böse auf mich? Du siehst mich so an.»

«Ich dich ... böse ... nein.» Nun schien sich auch noch ihr Sprachzentrum zu verabschieden. Das konnte ja heiter werden bei der Rede, die sie gleich ...

Sie zog ihre silberne Taschenuhr hervor und klappte sie auf. Oh weh, in fünf Minuten würde sie beginnen müssen. Vor dem gesamten Hamburger Feuerbestattungsverein zuzüglich der Neugierigen, die an diesem Abend dazugekommen waren. Sie musste ihren Vater vertreten. Vollkommen verwirrt sah sie auf, Christian hatte sie offenbar etwas gefragt, denn er blickte sie merkwürdig prüfend an.

«Ich bin nicht böse, ich ... mir ist nur gerade aufgefallen, dass du um deine Augen herum lauter Lachfältchen hast.»

Einen Moment lang wirkte Christian überrascht, dann irritiert. Und dann fing er laut zu lachen an. «Welche Apotheke hast du heute geplündert?», fragte er. «Und wie heißt die Droge? Die will ich auch.»

Lili bemühte sich, das Lächeln zurückzugeben. «Die Wirkung ist nicht unbedingt erheiternd», stellte sie sachlich fest. «Verflixt, ich habe das Gleiche, das Magdalena vor ihren Tanzauftritten hat.»

«Lampenfieber», diagnostizierte Christian.

«Ganz genau, Herr Physikus.»

«Du machst das schon», versicherte Christian. «Sie werden dir gleich an den Lippen hängen. Und das nicht nur, weil du so umwerfend aussiehst.»

War es das wandernde Sonnenlicht, das seine Strahlen nun durch eine rote Fensterscheibe warf, oder wurde Christian von selbst rot? Lili spürte, wie ihr Herz noch schneller schlug.

«Danke, dass du mitgekommen bist», flüsterte sie. «Und wenn du merkst, dass ich zu stottern beginne oder ... oder ...»

«Das wird nicht passieren», sprach Christian ihr Mut zu.

In diesem Augenblick wurde eine Glocke geläutet. Lili erkannte den Ersten Schriftführer des Vereins. Das blonde Persönchen stellte ein paar letzte Bierhumpen auf den Tisch, dann wurde es still.

Der Erste Schriftführer erhob die Stimme: «Liebe Vereinsmitglieder, liebe Mitglieder des Verbands der Vereine deutscher Sprache für die Reform des Bestattungswesens und der fakultativen Feuerbestattung, liebe Krematisten. Ich freue mich, dass Sie heute Abend so zahlreich erschienen sind. Wie die meisten von Ihnen wissen, ist unser Erster Vorsitzender Basilius Winterberg leider erkrankt. Doch die Umstände in der Stadt machen es unabdingbar, dass wir uns rasch über die weitere Vorgehensweise verständigen. Herr Winterberg hat uns als seine Vertreterin seine Tochter, Liliane Winterberg, geschickt, die ich herzlich begrüße. Ich darf Sie bitten, Frau Winterberg, zu uns zu sprechen.»

Ein Raunen ging durch die Menge, als Lili langsam aufstand.

In ihren Ohren brauste ein Wildbach, und ihr war schwindelig, sodass sie ein paar Sekunden brauchte, um sich daran zu erinnern, was sie hier überhaupt tat. Alle im Raum Anwesenden musterten sie, die meisten überaus erstaunt. Es war in der ganzen Geschichte des Feuerbestattungsvereins noch nie vorgekommen, dass eine Frau überhaupt dabei war. Und nun hielt sie sogar die Eröffnungsansprache und sollte das Gespräch leiten, das war des Neuen fast zu viel. An den Tischen erhob sich Getuschel, hier und da wurde sogar ein Protestwort laut. Ihr Blick fiel auf Christian, der ihr lächelnd zunickte. Und so begann sie einfach.

«Liebe Anwesende, ich freue mich, dass Sie gekommen sind. Wie jeder von Ihnen habe auch ich in der Schule zahlreiche Verse auswendig gelernt. Manche von ihnen haben mir gefallen, berührt haben mich nur wenige. Das hat sich geändert, als mein Vater mir vor ein paar Jahren ein Gedicht von Justinus Kerner zu lesen gab, das ich hier wiederholen will:

Glaubt, am schönsten wär' noch heut
Das Verbrennen alter Zeit,
Feuer lässt zurücke keine
Totenköpf' und Totenbeine,
Was als Asche kam zur Welt,
Flugs als Asche niederfällt.
Und zum Trotz dem kalten Tod
Glüht ein heißes Morgenrot.
Solches trägt in Himmels Lüfte
Über Moder, über Grüfte
Eines Menschen letzten Rest –
Das ist Tod nicht, – ist ein Fest.

Verblüfftes Schweigen hing im Raum. Lyrische Rezitationen waren vermutlich das Letzte, was die anwesenden Ärzte, Ingenieure, Urnenhersteller und Totenbestatter bei ihrem außerordentlichen Vereinstreffen erwartet hatten. Auf einmal war es vollkommen still.

«Wir haben das Treffen heute auch für interessierte Nichtmitglieder und Journalisten geöffnet», fuhr Lili fort, «um der Öffentlichkeit zu zeigen, wie wichtig die Feuerbestattung angesichts der Choleraseuche geworden ist. Einer derjenigen, der den Verlauf der Seuche aus nächster Nähe miterlebt hat und miterlebt, ist Doktor Christian Buchner. Ich möchte ihm hiermit das Wort erteilen.»

Erneut überraschtes Schweigen. Dass ein Nichtmitglied gleich an zweiter Stelle reden durfte, war auch noch nie geschehen. Am Tisch des Ersten Schriftführers wurde es unruhig. Doch als Christian zu sprechen begann, hörten ihm die versammelten Männer aufmerksam zu. Christian berichtete von seinen Tagen im Krankenhaus. Er erzählte, wie er gemeinsam mit den anderen Ärzten versucht hatte, den Kranken zu helfen, und wie er dennoch jeden Tag Menschen sterben sah. Er erklärte, dass die Stadt einen Nachrichtendienst eingerichtet habe, um die gemeldeten Erkrankungs- und Sterbefälle durch das Kaiserliche Gesundheitsamt bekanntzugeben, dass diese Zahlen aber nicht in der Zeitung zu lesen wären. Und dann nannte er die Zahlen. Zwei Choleratote am 17. August, acht Tote am 19., vierundzwanzig Tote am 20., siebzig Tote am 21., einhundertsieben am 24. Er schilderte das Ausheben eines Massengrabs auf dem Ohlsdorfer Friedhof, und er berichtete von den Mühen, die Erdbestattung so durchzuführen, dass die Cholerabakterien nicht Luft und Erde verseuchten. Er schloss mit den Worten: «Fräulein Winterberg hat vor einiger Zeit versucht, mich von den Vorteilen der Feuerbestattung zu überzeugen. Aus Sicht eines Arztes, der mitunter auch die Todesursache bei Gewaltverbrechen feststellen muss, habe ich mich für die Erdbestattung ausgesprochen, weil bei der Leichenverbrennung forensische Spuren vernichtet werden. Als Arzt, der täglich Cholerapatienten sterben sieht, spreche ich mich jetzt für die Bestattung durch das Feuer aus.»

Heftiger Applaus brandete auf. Lili spürte ihre Erleichterung geradezu körperlich. So weit ging alles gut.

«Es ist eine Schande», rief ein älterer Herr, der sich jetzt von seinem Platz erhob. «Unser Hamburger Krematorium ist fertig gebaut und betriebsbereit. Wann gedenken die Herren Senatoren eigentlich was zu unternehmen? Wann erwacht Hamburgs Regierung endlich aus ihrem Winterschlaf?»

«Was a Schmäh!» Ein Mann mit unverkennbar wienerischem Dialekt in der Stimme ergriff nun das Wort, um in teilweise unverständlichen Formulierungen seine Abneigung gegen das bis dahin Gesagte kundzutun.

«Ist vielleicht ein Übersetzer im Raum?», rief Lili, was einen wütenden Ausbruch des Sprechers auslöste.

Es fand sich in der Tat ein Sprachbegabter, der sowohl des Österreichischen als auch des Nieder- und Hochdeutschen mächtig war. «Was der Wiener sagen will», berichtete er, «ist Folgendes: Die Allianz zwischen Krematisten und Wissenschaftlern ist ein Zeichen des sittlichen Verfalls.» Er horchte auf das, was der Wiener heftig gestikulierend hinzufügte. «Leichenverbrennung ist totenschänderische Barbarei. Menschenfleisch zu rösten ist unwürdig. Die Toten werden nicht wiederauferstehen. Gott im Himmel wird euch alle bestrafen. Und der Bau der deutschen Krematorien wird den Untergang des preußischen Kaiserreiches nach sich ziehen. Aber ich muss doch sehr bitten, mein Herr!» Er wandte sich an den Mann zu seiner Linken, der aufgesprungen war und ihm die geballten Fäuste zeigte. «Das habe doch nicht ich, das hat der Wiener gesagt.»

«Föhr doch wedder nah Huus», rief ein Mann, von dem Lili wusste, dass er Schlosser war. «Wenn dir dat her nich passen dod!»

Der Wiener brach erneut in wüstes Geschimpfe aus. «Er

würde ja gern wieder nach Hause», erklärte der Übersetzer. «Aber wegen der Seuche fahren keine Züge mehr.»

Warum er denn überhaupt an diesem Treffen teilnehmen würde, wollten jetzt einige wissen, was der Wiener damit beantwortete, dass seine Heimat die Stadt mit dem ältesten Bestattungsgewerbe sei und er als Bestatter sei an allem Todesrelevanten interessiert.

Der Erste Schriftführer klingelte mit seiner Glocke. «Ruhe, Herrschaften, lassen wir uns von den Ausländern doch bitte nicht mehr provozieren.»

Lili nutzte die kurzfristige Stille, die dieser Aufforderung folgte, um einen weiteren Arzt einen Vortrag über Scheintod halten zu lassen und die Vermeidung desselben durch Verbrennung im Krematorium. In der Tat hätten auch wieder jüngere Ausgrabungen gezeigt, so der Vortragende, dass Leichen mit verdrehten Gliedern und dem Ausdruck unermesslicher Panik im Gesicht in ihren Särgen aufgefunden worden seien.

Nachdem er geendet hatte, meldete sich erneut der Sprecher aus der k. u. k. Monarchie zu Wort. Er führte aus, dass die Wiener auch in diesem Punkt schon weiter wären, schließlich wüssten sie den Scheintod dadurch zu verhindern, dass sie ihren Toten seit 1824 ein Seil um das Handgelenk bänden, das zu einer Glocke führen würde, die beim Friedhofswärter im Wohnzimmer hinge, sodass dieser bei der leisesten Regung eines vermeintlichen Toten seine sofortige Ausgrabung veranlassen könne.

Der Übersetzer, der all dies wiedergab, sah sich allerdings gezwungen, am Ende seine eigene Meinung kundzutun. «Ich war mal auf so einem Wiener Friedhof», erklärte er. «Da klingelte es die ganze Zeit. Weil natürlich auch Spaziergänger, die Gärtner, Totengräber und anderes Friedhofspersonal ständig über die Seile stolpern. Die Friedhofsgärtner nehmen das ständige Geläute schon gar nicht mehr ernst.»

«Dann eben die Dolchstichmethode. Sagen Sie ihm das, Herr Übersetzer», rief der Österreicher in seinem für alle anderen unverständlichen Dialekt. «Mit dieser amtlichen Methode sind wir Wiener ebenfalls vor dem Scheintod gefeit.»

«Klingelseil un' Dolchstich», der Schlosser zeigte dem Wiener mit heftigen Gebärden einen Vogel. «De Dösbaddel tüdelt wohl!»

Ein allgemeiner Tumult brach aus, den Christian zu schlichten bemüht war, indem er erklärte, dass der Scheintod, Krematorium hin und her, immer ausgeschlossen werden müsse, da die Vorstellung, den Feuertod zu erleiden, auch nicht sehr erquicklich sei.

Lili ordnete an, zum nächsten Redner zu kommen, und das war der Vertreter des Gothaer Krematoriums. Der Vertreter hatte ein Gefäß mitgebracht, das die Asche eines Kremierten enthielt. Er ließ dieses herumgehen, damit sich jeder der Anwesenden selbst ein Bild davon machen könne, wie sauber und hygienisch die sterbliche Hülle aussehe, wenn sie nicht dem unwürdigen Prozess des Verwesens ausgesetzt sei.

Der Wiener verließ daraufhin unter lautem Gegrantel den Raum.

Als es an Lili war, das Glas in die Hand zu nehmen, zuckte sie unwillkürlich zusammen. Hier ruhte ein Mensch in ihrer Hand, ein richtiger Mensch, der auch einmal gelebt, geliebt, gelacht und gelitten hatte. Und jetzt passte alles, was diesen Menschen ausgezeichnet hatte, in dieses kleine Glas. Sosehr sie auch in dem Glauben erzogen worden war, dass Verbrennung Fortschritt und Zivilisation bedeutete, dass «Asche und Urne Ausdruck eines Gefühls der Gebildeten» waren, wie es der Gothaer Krematist und Vorkämpfer der Totenverbrennung, Friedrich Küchenmeister, einmal ausgedrückt hatte, so sehr bedrückte sie auch der Gedanke, dass es unwürdig war, diesen Menschen hier in ihren Händen zu halten.

«Der Tote war ein Landstreicher», erklärte der Mann aus Gotha, der ihren Gesichtsausdruck sah. «Ein Mann ohne Namen und Gesetz.»

Lili betrachtete die Knochensplitter. Was sie da sah, wirkte eher wie etwas Geschreddertes, nicht wie etwas Verbranntes. Sie war immer davon ausgegangen, dass Menschenasche der Asche von Holz oder Kohle ähnelte, aber jetzt stellte sie fest, dass menschliche Überreste viel größer waren.

«Ja und», sagte sie. «Ist er damit etwa weniger wert?» Sie verstaute das Glas unter ihrem Sitz und wandte sich dem verblüfften Gothaer zu. «Wir werden den Mann in Hamburg ordentlich bestatten.» Und ein bisschen pathetischer, als sie eigentlich wollte, fügte sie hinzu: «Das gebietet uns der Respekt.»

Sie beschloss die Versammlung mit der Aufforderung im Namen ihres Vaters, bis zum nächsten Tag ein Schreiben an Bürgermeister Johann Georg Mönckeberg aufzusetzen, in dem dieser gebeten werden sollte, die möglichst rasche Inbetriebnahme des Krematoriums zu genehmigen. Der Brief sollte von möglichst vielen Hamburger Ärzten unterzeichnet werden, die zu finden dem an diesem Abend anwesenden medizinischen Kollegium aufgetragen wurde.

Christian fuhr Lili nach Hause. Von St. Petri schlug es zehn, und der Himmel war dunkel, doch noch immer erfüllte reger Betrieb die Stadt. Kranken- und Totenwagen rollten durch die Straßen, Menschen wanderten wehklagend umher. Die Apotheken hatten noch immer geöffnet. Nach wie vor standen lange Schlangen von Menschen davor. Lili sah, wie Christian mit den Zügeln hantierte, und betrachtete seine Hände. Zum ersten Mal fragte sie sich, wie sie sich wohl anfühlten, wenn sie über ihre Arme strichen oder ihre Schultern …

«Es ist alles sinnlos», sagte Christian in ihr anhaltendes Schweigen hinein.

«Was meinst du damit?» Lili fühlte sich ertappt. Gut, dass er in der Dunkelheit ihr Gesicht nicht sehen konnte.

«Das, was die Leute da draußen kaufen. Die Zeitungen sind voll mit Inseraten, die Wundermittel gegen die Cholera anpreisen. Ist dir das auch aufgefallen?»

Lili überlegte. «Ja, aber weil ich nicht weiß, wie wirksam oder unwirksam die Sachen sind, rege ich mich nicht darüber auf. Heute habe ich von Krawinkels Kräuterelixier gelesen.» Sie ahmte eine muntere Stimme nach. «Der beste Bitter gegen Durchfall und Cholera.»

«Oder Creolin-Pearson, das neueste Heilmittel», ergänzte Christian. «Hat sich bei Cholera glänzend bewährt!»

«Und wenn das nicht hilft, kaufen Sie die elektro-magnetische Leibbinde», fiel Lili ein.

«Für nur 3 Mark 20 Pfennige.» Christian schüttelte den Kopf. «Die binden Sie sich um, und schon sind Sie geheilt!»

Sie bogen um die Ecke und verloren die Apotheke aus den Augen. «Die traurige Wahrheit ist, dass die Seuche nicht aufgehalten werden kann», sagte Christian leise. «Das Einzige, was wir tun können, ist, uns extrem sauber zu halten und alles zu desinfizieren. Sag mal, Lili», er wandte sich ihr erschrocken zu. «Ihr esst doch kein ungewaschenes Obst?»

«Wir waschen alles ab», bestätigte Lili. «Mit zuvor abgekochtem Wasser. Ganz so, wie du es uns gesagt hast.»

Sie bogen in den Cremon ein. Die Gaslaterne an der Ecke schien ihnen ins Gesicht. Mit einem plötzlichen Ruck drehte sich Christian zu ihr um. «Ich muss dich etwas fragen.»

Lili spürte, wie ihr Herz schneller zu schlagen begann. Das war es, dachte sie. Er hat gemerkt, dass ich ihn inzwischen anders sehe, und jetzt will er wissen, was der Unsinn soll.

«Erinnerst du dich daran, dass ich dir von den Beale-Papieren erzählt habe?»

Lili überlegte. Das Wort rief eine leise Erinnerung in ihr

wach. «Ja», machte sie zögerlich, weil sie nicht wollte, dass er sie für vergesslich hielt.

«Und dass ich deine Hilfe dafür benötige, weil ich kein Englisch kann?»

«Ja, natürlich», sagte Lili. «Jetzt weiß ich es wieder. Und natürlich helfe ich dir. Bei allem, wo du willst!» Sie bemerkte sein überraschtes Gesicht und versuchte sich zu bremsen. Er sollte schließlich nicht wissen, wie es um sie stand. «Na ja, natürlich nicht bei *allem* …» Dann wurde sie rot.

Christian wurde ebenfalls rot. «Würdest du mir denn jetzt helfen? Bei … bei Englisch, meine ich?»

«Oh, jetzt?» Lili biss sich auf die Lippen. «Jetzt muss ich erst mal nach Hause. Wie ich meinen Vater kenne, wartet er schon auf mich. Ich muss ihm von dem Abend berichten. Dieser Feuerbestattungsverein ist für ihn sehr wichtig, weißt du.»

«Natürlich weiß ich das.» Christian versuchte, sich seine Enttäuschung nicht anmerken zu lassen.

«Morgen Abend», fragte Lili, «geht das auch?»

«Ich weiß nicht, wie lange ich im Krankenhaus arbeiten muss», entgegnete Christian. «Aber wenn ich zurückkomme und bei euch noch Licht sehe, dann melde ich mich vielleicht.»

Es war nicht angenehm, Lili hinterherzulaufen. Christian überlegte, wie oft er die heimlich angehimmelte Nachbarin jetzt schon zu sich eingeladen hatte, und beschloss, die Zahl, die dabei herauskam, nicht noch zu vergrößern. Überhaupt entschied er, dass es besser war, einer Frau, deren Herz für einen anderen schlug, fernzubleiben.

Dass er sie am nächsten Tag wiedersah, daran war nicht zu denken, denn er kehrte so spät aus dem Krankenhaus zurück, dass bei Winterbergs schon alles dunkel war. Der Tag darauf war noch schlimmer. Die Seuche hatte ein solches Ausmaß erreicht, dass er die ganze Nacht in Eppendorf verbringen musste.

Aus Berlin war Geheimrat Professor Doktor Robert Koch mit medizinalbehördlichem Gefolge angereist, um die hygienischen Bedingungen vor Ort selbst in Augenschein zu nehmen. Er hatte die choleraverseuchten Auswandererbaracken am Hafen inspiziert, war durch die Gänge, Twieten und Gassen in der Neustadt gelaufen und hatte einzelne Wohnungen untersucht. Sein Urteil war vernichtend.

Von der dreckigsten Stadt, die er je gesehen habe, sprach er, und dass ihn der Anblick des Gängeviertels vergessen lasse, dass er in Europa sei. Doch in den Zeitungen war von all dem nichts zu lesen. In seiner Ausgabe vom 25. August berichtete der *Generalanzeiger Hamburg-Altona* auf der ersten Seite über ein Treffen mit dem Fürsten von Bulgarien, ferner über eine Zusammenkunft des Kaisers mit dem Kriegsminister und dem Chef des Militärkabinetts. Es folgte der fünfte Teil des neuen Fortsetzungsromans «Ein Vorurtheil».

Erst auf Seite drei, unter der Rubrik «Lokales», fand Christian die Nachricht über den Besuch von Geheimrat Robert Koch. Der Redakteur jenes Besuchs musste entweder taub, blind oder von krankhafter Beschönigungssucht getrieben sein, urteilte er. Jedenfalls war das Entsetzen von Robert Koch und den anderen Berlinern folgendermaßen wiedergegeben: «Um ½ 5 Uhr landeten die Herren mit der dazu beorderten Barkasse am Amerikaquai. Der Gesundheitszustand der in den Räumen lebenden russisch-israelitischen Auswanderer ist durchweg als ein guter zu bezeichnen.»

Darunter hatte ein nichts denkender Kollege einen Bericht über die Eröffnung der Herbstausstellung des Gartenbauvereins gesetzt. Der Rest der Zeitung, der fast ausschließlich aus Inseraten bestand, sprach jedoch Bände, was die Befürchtungen der Bürger anging. Da wurden Heilmittel angepriesen, die imstande sein sollten, die Cholera auch im fortgeschrittenen Stadium auf der Stelle und restlos zu bekämpfen, oder auch «praktische Spritzen zur Desinfection, bequem von Jedermann zu handhaben, billigst zu liefern für 35 Mark. Man kann mit derselben in einer viertel Stunde ein geräumiges Haus gründlich desinfizieren, besser, wie die Desinfection sonst durchgeführt werden kann».

Christian schlussfolgerte aus seiner Zeitungslektüre, dass Werbung doch mehr Wahrheit enthielt, als man es der Branche gemeinhin zugestand, und die Redakteursberichte im Vergleich dazu sehr viel verlogener waren.

Noch immer veränderte die Stadt ihr Gesicht. In den Augusttagen mit extrem wenig Schlaf kam es Christian mitunter vor, als bewege er sich in einem Traum, der ihn durch alle Höllen der Welt führte. Er quittierte den Dienst im Krankenhaus Eppendorf, um den Choleraopfern in ihren Häusern zu helfen, von denen die meisten nicht einmal wussten, dass es so etwas wie ein Krankenhaus und ärztliche Hilfe gab.

Mit dem Tod so vieler Menschen hielt eine neue religiöse Begeisterung in Hamburg Einzug. Die Kirchen veranstalteten nun täglich Sondergottesdienste, die von Menschen aller Stände und jedes Alters besucht wurden, vor allem aber von den Angehörigen derer, die erkrankt waren. Immer wieder geschah es, dass ein Wanderprediger schon vor ihm in einer Wohnung gewesen war, um mit den Erkrankten zu beten, ob die es nun wollten oder nicht. Auf der Straße wurden religiöse Flugblätter verteilt. Im gleichen Umfang, wie die Anzahl der Toten zunahm, wuchs auch die Zahl der christlichen Anhänger.

In einer Stube, in der Christian einer Schar von frischverwaisten Kindern begegnete, traf er einmal auf einen strahlenden Prediger. «Ich habe die Eltern bekehrt heimgehen sehen», schwärmte der. «Das ist für mich als Pastor und Jünger Jesu eine wunderbare Stärkung und ein süßer Lohn. Fürchtet euch nicht, Kinder», wandte er sich sodann an die verweint dreinblickenden Kleinen. «Denn eure Eltern sind zum Heiland gegangen. Der Tod hat keine Macht mehr über euch. Ihr müsst immer daran denken, dass euer Herr Jesus Christus ist.»

Der Borstelmannsweg in Hamm war eine Straße, in der viele Sozialdemokraten und Kommunisten lebten. Hier klagte einer der Arbeiter: «Jetzt wollen sie uns wohl mit Gewalt zur Religion führen!» Christian gegenüber erklärte er, dass es für ihn nur einen Gott gebe, und das wäre der vor neun Jahren im englischen Exil verstorbene Karl Marx.

Von der Kanzel in St. Katharinen predigte ein Pastor, dass Hamburg die Seuche verdient habe, weil die Stadt so weltlich geworden sei. Junge Menschen, so seine erleuchtete Behauptung, seien voller Selbstsucht und jagten bloß irdischen Genüssen nach. Und weil Arbeitgeber so geringe Löhne zahlten, dass kein Familienvater damit auskomme, müssten jetzt die Frauen ihren angestammten Platz an Heim und Herd aufgeben und arbeiten gehen. Die Cholera sei für sie alle die Strafe.

Am 23. August veranlasste der Senat, sämtliche Litfaßsäulen der Stadt mit Plakaten zu bekleben, um die Bürger zu einer zweckmäßigen Anti-Cholera-Diät anzuregen. Im Gängeviertel zeitigte das jedoch nur wenig Wirkung, da hier besonders viele des Lesens und Schreibens unkundig waren.

Ungewaschene Früchte standen in dem Ruf, die Cholera zu übertragen, also traute sich kaum einer, frisches Obst zu essen, was der Gesundheit nicht zuträglich war. Das Obst zu waschen, trauten sich allerdings auch nur wenige, da dem Wasser genauso wenig zu trauen war. So kam es, dass das vitaminreichste aller Nahrungsmittel von Woche zu Woche billiger wurde, bis es am 25. August nur noch anderthalb Pfennige kostete – pro Pfund wohlgemerkt.

Der 26. August kam, und mit ihm 313 Tote, und der 27. August brachte sogar noch einmal 414 Todesfälle mehr. Das Gesundheitsamt verzeichnete für diesen Tag 1024 Neuerkrankungen, und auf 900 bis 1000 Erkrankungen täglich pendelten sich die Meldungen auch in der folgenden Woche ein.

Im Hafen kursierten abenteuerliche Geschichten über Schiffe, die den Hamburger Hafen in Richtung Atlantik verlassen hatten. Da war zum Beispiel das Schicksal der Menschen auf dem Personendampfschiff «Moravia» zu beklagen, das Elbwasser zum Trinken aufgenommen hatte, mit der Folge, dass während der Überfahrt nach New York die Cholera an Bord ausbrach. Die Leichen von zweiundzwanzig Zwischendeckpassagieren mussten auf hoher See bestattet werden. Den Passagieren der «Normannia» erging es nur unwesentlich besser. Auch an Bord ihres Schiffes hatte das Erbrechen nichts mit Seekrankheit zu tun. Als die Überlebenden der Seuche endlich amerikanischen Boden betreten wollten, traten ihnen dreihundert Fischer mit Revolvern, Bootsriemen und dem grimmig geäußerten Ratschlag entgegen, sich auf der Stelle wieder dorthin zurückzubegeben, von wo sie gekommen waren. Daraufhin entbrannte ein Streit zwischen den Auswanderern und den Behörden, in den diverse Anwälte verwickelt wurden, was eine schmerzhafte Verschärfung der amerikanischen Einwanderungsgesetze nach sich zog.

Christian fühlte, wie er mit jedem Tag, der dahinging, alterte. Mit nur fünfundzwanzig Jahren bekam er die ersten grauen Haare, und seine Kniegelenke schmerzten. Noch immer erklomm die Sommerhitze neue Höchststände. Er war den ganzen Tag über unterwegs und draußen. Das grelle Licht dörrte seine Haut aus.

Weil so viele Arbeiter der Seuche zum Opfer fielen, kamen auch die Arbeiten am Hamburger Rathaus nicht recht voran. Da stand er immer noch, der Rohbau in der Nähe der Alster, und reckte seine nackten Balken in die Luft. Seit dem Richtfest im Mai hatte sich hier kaum etwas verändert, und das Schlimmste war: Es focht niemanden an.

Am 30. August hatte es die Cholera-Epidemie im *Generalanzeiger* immerhin schon auf Seite zwei geschafft, aber auch nur deshalb, weil Protest aus Berlin laut wurde, die Seuche mutiere zu einer Gefahr für das gesamte Reich.

Jetzt reagierte auch die Jüdische Gemeinde. Der Hamburger Oberrabbiner ordnete an, dass in allen Synagogen jeden Morgen und jeden Abend die Psalmen 27, 38 und 91 gebetet werden sollten – eine seltene Übereinstimmung mit der evangelischen Kirche, denn auch die Pfarrer sprachen den 91. Psalm.

Der September brachte keine Erleichterung. Doch dann, eines Abends, als Christian schon nicht mehr daran glaubte, dass noch etwas Gutes passieren könnte, stand Lili vor seiner Tür.

20. KAPITEL

Du siehst müde aus», sagte Christian, wobei er Lili ansah. Sie lächelte vorsichtig. «Du auch.»

Er entgegnete nichts und schaute nur. Um ihn herum starb die Stadt, doch er nahm nichts mehr davon wahr. Nichts mehr von den Totenglocken, nicht die rumpelnden Wagen, die rund um die Uhr dem Norden zustrebten, zum Friedhof hin, nicht das Wehklagen. Er hörte nur Lili, die Luft holte. Obwohl sie doch direkt gegenüber wohnte, musste sie gerannt sein, denn ihr Atem ging schnell und flach. Er bemerkte, wie sie den Mund zu einer Frage öffnete und ihn wieder verschloss. Die kleine Lücke zwischen ihren Schneidezähnen blitzte auf.

«Ich bin gekommen, um dir zu helfen», erklärte sie. «Mit diesen Papieren, von denen du mir erzählt hast. Diesen englischen.»

Christian starrte sie ungläubig an. «Das ist … wie soll ich sagen?»

Wie sollte er ihr sagen, dass er dermaßen erschöpft war, dass er nicht mehr klar denken konnte, geschweige denn eine kryptographische Aufgabe lösen? Dass er sie am liebsten nur mit zu sich nach oben nehmen würde, ohne irgendwelche Zahlen und Buchstaben zu kombinieren, anstatt förmlich mit ihr im Salon zu sitzen?

«Ich glaube, das Wort, das dir gerade nicht einfällt, lautet *wunderbar.*» Lili lächelte ihn an. «Komm, Christian, tu zumindest so, als würdest du dich freuen, mich zu sehen.»

«Ich bin nicht besonders gut darin, Gefühle zu zeigen. Ich bin ein Mann.» Christian hatte die Erfahrung gemacht, dass Frauen einem vieles verziehen, wenn man seine Schwäche von vornherein eingestand.

Jetzt warf Lili den Kopf zurück und lachte. Er betrachtete sie entzückt. Sie trug ein Kleid, das sicherlich schon bessere Zeiten gesehen hatte, und ihre Haare sahen aus wie eine Schar von Aufständischen. Dennoch: Wie hübsch sie war!

Also gut, wenn ihr Zusammensein einen Vorwand brauchte, dann spielte er eben mit. «Wir müssen allerdings leise sein», warnte er. «Meine …»

«… Mutter schläft», vollendete Lili schelmisch den Satz.

Auf einmal war nur noch ihr gemeinsamer Atem und das Ticken der Standuhr zu hören. Christian wurde bewusst, dass sie allein miteinander waren. Mathis hielt sich noch bei seinen sozialdemokratischen Brüdern auf, denen er sich jüngst angeschlossen hatte. Ein neuerlicher Versuch von ihm, verwandte Seelen zu finden, wo es nur ihn, Christian, und die im Herzen kalte Mutter gab.

«Möchtest du ein Glas Rum?», fragte er.

Lili schüttelte den Kopf. «Gib es zu, du willst mich nur wieder auf dem Tisch tanzen sehen.»

Christian schloss die Augen. Die Vorstellung, wie sich Lilis Körper auf seinem Wohnzimmertisch wand, war mehr, als er verkraftete.

«Können wir uns nicht einen kräftigen schwarzen Tee kochen?», fragte Lili. «Andernfalls könnte es nämlich sein, dass du nicht sehr lange von meiner Hilfe profitierst.»

«Ja, komm mit. Wir gehen in die Küche.» Christian fasste sie sanft am Arm. Die Berührung machte ihn schlagartig wach.

Während er das Wasser in einen Kessel schüttete und die Eisenringe aus der Herdstelle nahm, um die Gasflamme zu vergrößern, begann er zu erzählen. Wie er es schon als kleiner

Junge geliebt hatte, Zahlenrätsel zu entschlüsseln. Und wie er süchtig nach Glücksspielen geworden war.

«Irgendwann habe ich in Göttingen so viel Geld verloren, dass ich fast meine Existenz – und die meiner Mutter und meines Bruders – aufs Spiel gesetzt hätte. Aber ich hatte einen Freund, und der hat mich auf die Beale-Papiere gebracht. Das sind verschlüsselte Schatzkarten von einem Amerikaner namens Thomas Beale. Seit es diese Papiere in meinem Leben gibt, denke ich nur an die Schatzsuche, so bin ich vom Glücksspiel abgelenkt.»

Lili betrachtete ihn aufmerksam. Ihr Blick ruhte ein bisschen länger auf ihm, als es ihm in diesem Moment unbedingt notwendig erschien.

«Erzähl mir von diesen Papieren. Wie muss ich mir die vorstellen? Als Landkarten, in die etwas eingezeichnet ist?»

«Warte, ich zeige sie dir.» Christian ging zurück in die Wohnstube und öffnete die Schublade des Sekretärs.

«Hier», sagte er und reichte Lili die mit Zahlen beschriebenen Bögen. «Das sind die Chiffren eins, zwei und drei. Die erste Chiffre enthält die Beschreibung des Ortes, an dem der Schatz begraben liegt. Die zweite wurde entschlüsselt, sie enthält die Beschreibung des Schatzes. Chiffre drei ist für uns von geringerem Interesse. Sie zählt die Männer auf, die einen Teil des Schatzes erhalten sollen.»

Lili nahm die Blätter und studierte sie. «Und woher hatte dein Freund diese Chiffren?», fragte sie.

«Diese Blätter wurden vor sieben Jahren veröffentlicht. Zusammen mit der Geschichte von Thomas Beale. Komm, wir gehen zurück in die Küche, und ich erzähle dir alles, was ich darüber weiß.»

Aus einer Dose schaufelte er Teeblätter in die Kanne. «Die Geschichte hat sich vor 72 Jahren ereignet», begann er. «Damals ist Beale nach Virginia gereist. Er wohnte in einer Dorfschenke bei einem Wirt namens Morriss, mit dem er sich oft unterhielt. Als er zwei Jahre später nach weitläufigen Reisen erneut zu ihm zurückkehrte, händigte er ihm ein Kästchen aus.»

Christian wandte sich um und betrachtete Lili, die sich auf einen Schemel gesetzt hatte und ihm aufmerksam zuhörte. Im Schein der Petroleumlampe leuchteten ihre Locken feuerrot.

«Das Kästchen enthielt wichtige Papiere, die Thomas Beale dem Gastwirt Morriss anvertraute. Für den Fall, dass er und seine Kameraden von ihrem nächsten Ritt in die Prärie nicht zurückkehren würden, sollte Morriss die Papiere sorgfältig aufbewahren. Beale meinte, dass Morriss erst nach Ablauf von zehn Jahren das Kästchen öffnen dürfe. Allerdings seien die Papiere chiffriert, aber im Jahr 1832 würde Morriss einen Schlüssel erhalten, mit dessen Hilfe die Papiere zu entziffern wären.»

Lili sprang auf. «Die Chiffrierscheibe», rief sie aus.

«Richtig, der Schlüssel hätte in Form einer Chiffrierscheibe geliefert werden können», sagte Christian, «aber was ...»

«Du verstehst nicht!» Lili packte ihn so heftig am Ärmel, dass es aus dem Kessel schwappte, den er gerade vom Feuer hob.

Er schnaufte. «Mich mit kochendem Wasser zu übergießen ist der Sache aber auch nicht gerade förderlich.»

«Verzeihung.» Lili ließ ihn keinen Millimeter los. «Aber ich spreche von der Chiffrierscheibe, die du in Sibylles Strumpfband gefunden hast. Im Strumpfband der toten Rothaarigen, die mir so ähnlich sah. Da ist doch ein Zusammenhang!»

Christian goss das kochende Wasser über die Teeblätter. «Das glaube ich nicht. Verschlüsselung und Entschlüsselung, egal ob mit Chiffrierscheibe, mit Textschlüsseln oder anderen Mitteln, ist so etwas wie ein Volkssport geworden. Vor allem seit der Veröffentlichung der Beale-Papiere. Jeder Hanswurst beschäftigt sich damit. Vielleicht war die Tote sogar selbst Entschlüsselungskünstlerin.»

«Ja, und vielleicht hat sie sich ebenfalls mit den Beale-Papieren beschäftigt. Vielleicht war sie sogar auf dem besten Weg, das Rätsel zu lösen, und ist deshalb von einem Rivalen aus dem Weg geschafft worden?»

Christian runzelte die Stirn. «Aber wer könnte das gewesen sein? Wer geht so weit, jemanden umzubringen, nur weil er sich mit demselben Rätsel beschäftigt wie man selbst?»

«Ja, du hast recht, ich rede kompletten Unsinn. Vermutlich habe ich zu viele Sherlock-Holmes-Geschichten gelesen.»

Lili stand auf und ließ ihren Blick über die Schränke schweifen. «Und ich dachte, wir hätten endlich einen Anhaltspunkt gefunden. Sag mal, wo versteckt ihr eigentlich eure Milch?»

Christian hob bedauernd die Schultern. «Ich fürchte, in der Kuh.»

«Noch so eine Enttäuschung.» Lili ließ sich wieder auf ihren Schemel fallen. «Egal, erzähl weiter. Der Schlüssel ist also nicht angekommen, nehme ich an, sonst würdest du dich nicht mit der Dechiffrierung beschäftigen. Was hat Morriss also unternommen?»

«Der treue Morriss hat gewartet. Die ersten zehn Jahre auf Beales Rückkehr, und dann nochmal dreizehn Jahre lang auf den Schlüssel, mit dem er die Papiere würde lesen können. Dreiundzwanzig Jahre insgesamt.»

«Dreiundzwanzig? Ist das nicht eine besondere Zahl? Magdalena, die mit einem seltsamen Numerologen befreundet ist, hat das gerade heute erwähnt.»

Christian goss nachdenklich den Tee in die Tassen. «Anhänger von Verschwörungstheorien denken das, ja. Für mich ist die Dreiundzwanzig aber bloß die einzige Primzahl, die sich wiederum aus zwei Primzahlen zusammensetzt, nämlich zwei und drei. Aber man könnte auch sagen, dass zwei geteilt durch drei die Teufelszahl ergibt, nämlich 0,666.»

«Zahlenspiele sind was Feines, ich mag sie auch.» Lili setzte ihre Tasse an den Mund. «Oh, der ist gut, schön stark. Meine Lebensgeister wachen langsam wieder auf. Also, was hat dieser Morriss getan, nachdem er so viele Jahre gewartet hat?»

«Das, was jeder in seiner Situation getan hätte. Er hat das Kästchen geöffnet. Und dabei eine überraschende Entdeckung gemacht.»

«Ja?» Lili beugte sich gespannt vor.

«Ja.»

«Überraschend im erfreulichen Sinne?»

Ihre Augen waren nicht vollkommen braun, wie er immer geglaubt hatte, sondern gelbe Pünktchen funkelten darin, stellte Christian fest. «Überaus erfreulich», lächelte er.

«Besteht vielleicht eine Chance darauf, dass du diese wundervolle Geschichte weitererzählst, oder muss ich erst dafür bezahlen?»

Christian riss sich zusammen. «Entschuldige bitte, ich war gerade woanders mit meinen Gedanken. Also, Thomas Beale hat den chiffrierten Papieren ein Schreiben an Morriss beigefügt, in dem er ihm von einem Goldschatz berichtete, den er vergraben hatte. Nun, Morriss verwandte den Rest seines Lebens darauf, die Chiffren zu knacken, allerdings ohne Erfolg. Im Alter von 84 Jahren wurde ihm klar, dass es mit ihm bald zu Ende ging und er besser jemanden in die Geheimschriften einweihen sollte, wenn er Beales Wünsche erfüllen wollte, und so vertraute er sich einem Freund an. Dieser Freund glaubte wie Morriss, dass die Zahlenfolgen auf den Papieren Buchstaben entsprechen, aber gleichzeitig stellte er fest, dass die Gesamtzahl der Chiffren die 26 Buchstaben im Alphabet weit übertraf. Also nahm er an, dass es sich bei der Verschlüsselung um eine sogenannte Buchverschlüsselung handelt. Die geht so.»

Christian begann sich in Rage zu reden und stand auf, um in der Küche hin und her zu wandern, was nicht ganz einfach war, da die Küche – Schränke und Herd nicht mit eingerechnet – nur drei mal drei Meter lang war.

«Du nimmst einen Text aus einem Buch und nummerierst jedes Wort durch. Also, angenommen, ich habe den Satz: Lili ist eine schöne Frau, dann steht L für die 1, I für die 2, E für die 3, S für die 4 und F für die 5. Kannst du mir so weit folgen?»

Lili nickte scheu. Ihre Wangen hatten auf einmal einen dunklen Farbton angenommen.

«Der Morriss-Freund, der es im Übrigen vorzieht, anonym zu bleiben, hat schließlich den Buchschlüssel zur zweiten Chiffre geknackt. Es ist der Text der amerikanischen Unabhängigkeitserklärung.»

«Und somit ist klar, woraus der Schatz besteht?»

«Ja. Aus einer Menge Gold, Silber und Juwelen.»

«Alter Schwede.» Lili sah ehrlich beeindruckt aus.

«Du sagst es. Aber die Chiffren eins und drei sind bis heute ungelöst. Der anonyme Freund hat die Geschichte mitsamt der dazugehörigen Zahlenreihen vor ein paar Jahren veröffentlicht. Und jetzt», Christian lächelte schwach, «verbringen ein paar hundert Idioten überall in der Welt, mich eingeschlossen, ihre Zeit damit, die Standortangabe des Schatzes zu entschlüsseln.»

Lili lächelte. «Ich finde, das klingt aufregend, was du da tust. Ich möchte auch so eine Idiotin sein!»

«Lass uns drüben im Wohnzimmer Idioten sein.» Christian nahm die Teekanne in die Hand und erhob sich. «Da ist es gemütlicher.»

Lili griff nach ihren Tassen und folgte ihm. Als sie das Geschirr auf dem Tisch absetzte, nahm sie ein Stück Papier zur Hand, das dort inmitten einer Packung mit Karbolpulver, einem ledernen Brillenetui, einem Bleistiftstummel und ein paar Münzen mit dem vertrauten Konterfei des Kaisers lag.

«Und was ist das für eine Zahlenreihe?», fragte sie, während sie das Papier mit gerunzelten Brauen las. «Inwiefern gehört die dazu?»

«Gar nicht. Das ist bloß so ein Schrieb, den ich hin und wieder zugeschoben bekomme. Schmeiß ihn weg.»

«Ein Zettel, den du zugeschoben bekommst?» Lili musterte die Zahlenreihe. «9, 1, 16, 11, 7, 7, 19. Komisch. Was bedeutet das wohl?»

«Denk nicht einmal darüber nach. Ich habe so einen Irren, der mir nachstellt und mich damit offensichtlich verwirren will.» Christian nahm ihr den Zettel aus der Hand und zerknüllte ihn. «Viele Ärzte ziehen solche Irren auf sich, Verrückte fühlen sich von Ärzten wie magnetisch angezogen. Mein alter Kommilitone Peter zum Beispiel ...»

«Vielleicht ist die Zahlenreihe ja auch eine Chiffre?», unterbrach Lili, ein wenig unfreundlich, wie es Christian schien. «Oder vielleicht sollen dir die Zahlen selbst etwas sagen? Für Magdalenas Numerologen ist jede Zahl schicksalhaft.» Sie imitierte Gideon Webers tiefe Stimme. «Also, Kleine, sage mir deinen Namen – und ich sage dir, wer du bist.»

Christian spürte, wie es ihn durchzuckte. «Sag das noch mal.»

«Also, Kleine ...», begann Lili zögerlich mit der tiefen Stimme.

«Nein, das danach.»

«Sage mir deinen Namen ... und ich sage dir, wer du bist?»

«Das gibt's doch nicht!» Christian sprang auf und durchmaß den Raum abermals mit seinen großen Schritten. Dieses Mal war das Unternehmen für ihn erquicklicher, da das Wohnzimmer um einiges größer war als die Küche. «Den Kerl kenne ich doch! Ist das so ein Langhaariger mit langem Bart und stechenden schwarzen Augen?»

«Also, auf seine Augen habe ich noch nicht geachtet, aber es stimmt, dass er lange Haare hat und ein bisschen irre wirkt.»

«Irre …» Christian nahm sein Brillengestell ab und wischte über die Gläser, wie er es immer tat, wenn er in großer Erregung war. «Irre ist, dass ich seit einigen Wochen immer diese Zahlenreihe erhalte, immer dieselbe. Ja, jetzt ergibt das einen Sinn, denn kurze Zeit darauf oder davor begegne ich diesem Verrückten mit dem Bart. Lili, da besteht ein Zusammenhang. Der Kerl, der mir diese Zahlen schickt, ist derselbe, der mich mit seinem Sprüchlein nervt. Und ich habe schon alles versucht, um dieser Reihe auf den Grund zu gehen, hab die Zahlen addiert, multipliziert, die Quersumme gezogen …»

«Quersumme», murmelte Lili. «Die Quersumme ist sieben.»

«Ja, genau. Aber was bedeutet sie, diese Zahl?»

Lili zog die Brauen zusammen. «Das siebte Werk der Barmherzigkeit, die Bestattung der Toten …»

«Die Bestattung der Toten …» Christian ließ sich neben Lili auf dem Canapé nieder und blickte ihr ins Gesicht. «Meinst du, die Sache hat etwas mit euch zu tun? Lili, was weißt du über diesen Numerologen? Hat er irgendetwas zu dir gesagt?»

Er fühlte, wie Lilis Nähe auf seiner Haut kribbelte, und rückte vorsichtshalber ein wenig von ihr ab.

In Lilis Augen trat ein Ausdruck, den er nicht deuten konnte. «Ich weiß nur», sagte sie leise, «dass er oft mit Magdalena geredet hat. Er war ein häufiger Besucher in ihrem … Etablissement.»

«Schon gut, ich weiß, dass sie in einem Bordell getanzt hat.» Christian wedelte mit der Hand. «Die ganze Straße weiß das schon. Es ist auch müßig, darüber zu reden, da wir nicht davon ausgehen können, dass dieser Numerologe philosophische Gespräche mit Bordsteinschwalben führt.»

«Aber das hat er getan», wandte Lili ein. «Er ist nicht in dieses … Etablissement gegangen, um mit den Mädchen zu … Du weißt schon, was.»

«Nein?» Christian musste ein Lächeln unterdrücken.

«Nein. Ganz im Gegenteil, er hat mit Magdalena und den anderen Mädchen philosophiert. Hat mit ihnen über die Verwandtschaft von Eros und Thanatos gesprochen, hat ihnen Bibelsprüche geschenkt ...»

«Bibelsprüche?» Christian ging zum Schrank hinüber, in dem die Rumflasche und die Gläser standen. «Im Tempel der teuflischen Versuchung? Offensichtlich hat der Mann Humor.»

«Na ja, es war ein Auszug aus dem Hohelied der Liebe. Insofern macht es wieder Sinn.»

Christian stellte die Gläser ab und öffnete die Flasche. Es war seltsam und aufregend, Lili das Wort Liebe aussprechen zu hören. Wieder breitete sich dieses eigentümliche Gefühl in ihm aus. Er versuchte sich an seine eigenen Bibelkenntnisse zu erinnern. Bis zu seinem Umzug nach Göttingen hatte er mit der Mutter und Mathis regelmäßig die Kirche besucht. Aber in den vergangenen Jahren war die Religion in weite Ferne gerückt.

«Prost», sagte er und reichte Lili ihr Glas, die es, ohne zu protestieren, entgegennahm. Christian stürzte die brennend scharfe Flüssigkeit mit einem Zug herunter. Wärme und Gelassenheit erfüllten ihn, er rezitierte mit geschlossenen Augen. *«Er küsse mich mit Küssen seines Mundes, denn deine Liebe ist köstlicher als Wein. An Duft gar köstlich sind deine Salben; ausgegossenes Salböl ist dein Name.»*

Als er wieder aufblickte, sah er, dass Lilis Gesicht mit Röte übergossen war. «Entschuldige», sagte er schnell. «Ich hatte nicht vor, dich zu inkommodieren. Das ist aus dem ersten Kapitel von Salomons Hohelied.»

Lili stürzte ihr Glas nun gleichfalls rasch hinunter. «Mir ist nur dieser Auszug aus dem vierten Kapitel bekannt», sagte sie. *«Honig und Milch ist unter deiner empfindsamen/rollenden Zunge, cinnamonumreich der leichte Duft deiner Gewänder, wie oleandergleich der Libanon. Aus dir entspross ein Lustgarten von Granaten nebst edlen Früchten, Zyperblumen nebst Narden; Narde und Safran.»*

«Oh!» Christian ließ sein Glas sinken. «So blumig erinnere ich das gar nicht mehr.» Er stand auf und wanderte zum Bücherschrank hinüber. «Hier, die Bibel. Da haben wir es. Salomons Hohelied.»

Er blätterte und kehrte zum Canapé zurück, wo er im Schein der Petroleumlampe zu lesen begann. «*Honig und Milch ist unter deiner Zunge, der Duft deiner Gewänder wie der Libanon.* Das ist irgendwie nicht das Gleiche, oder? Muss an der Übersetzung ins Deutsche liegen. Jeder hat das wohl auf seine Weise übersetzt. Was machst du, Lili?»

«Ich suche Papier, damit ich etwas aufschreiben kann.»

Christian stand auf und ging zum Schreibtisch hinüber. Mathis' ehemalige Briefbögen lagen da, die er nicht mehr benutzte, weil seine Dienste als Leichenphotograph noch nicht auf dem Briefkopf vermerkt waren. «Falls du ein Schreiben an jemanden aufsetzen willst, streich den Briefkopf einfach durch.»

Lili riss ihm den Bogen fast aus den Händen. Er sah zu, wie sie nach dem Bleistiftstummel griff, sich über das Papier beugte und draufloszuschreiben begann. «Hier», sagte sie endlich und reichte ihm das Blatt.

«Honig 1 und 2 Milch 3 ist 4 unter 5 deiner 6 empfindsamen / rollenden 7 Zunge 8», las er vor. «Du meinst ...?»

«Einen Versuch ist es wert, oder?» Lilis Augen strahlten. Die Müdigkeit war aus ihren Zügen verschwunden. «Nach allem, was du mir über diese Buchverschlüsselung gesagt hast und dass Tausende von Menschen sich damit beschäftigen, bin ich neugierig. Dann kennt Magdalenas zahleninteressierter Bekannter das Verfahren vielleicht ja auch?»

Christian beugte sich erneut über das Blatt. Angenommen, dieser merkwürdig verunstaltete Text aus Salomons Hohelied wäre tatsächlich der Schlüssel für die Zahlenreihe, dann ergäbe die Chiffre … 9 für C, 1 für H, 16 für O, 11 für L, 7 für E … aber was zum Teufel hatte es mit diesem Schrägstrich auf sich, der zwischen *empfindsamen* und *rollenden* stand? Als er das sechzehnte Wort, *oleandergleich*, für O angezählt hatte, war er davon ausgegangen, dass *empfindsamen* und *rollenden* als ein Wort galt.

«Du hast die beiden Wörter hier zu einem zusammengefasst», wandte er sich an Lili. «Zählen die nicht als zwei?»

«Was ergibt das Wort denn bis dahin?», fragte Lili zurück und beugte sich so dicht neben ihm über das Blatt, dass ihn ihr Duft ganz verwirrte.

Er spürte, wie sie neben ihm erstarrte und sich aufrichtete. «Chole», formten ihre Lippen.

Christian erwiderte ihren Blick. «Cholera», flüsterte er.

«Die zweite 7 für *rollenden*», fügte Lili leise hinzu. «Dann die 19 für A.»

«Ich bin solch ein Dummkopf.» Christian schlug sich vor die Stirn. «Die letzte Cholera-Epidemie war vor 19 Jahren! Die davor war 1866, also wiederum 7 Jahre vor der letzten. Und die davor …» Er stand auf, riss Bücher und Ordner aus dem Schrank, blätterte darin herum und warf sie zu Boden. Ein wütender Protestschrei drang aus der Schlafstube. «Junge, nu mach doch nich so'n Krach!» Doch Christian beachtete seine Mutter gar nicht. Immer mehr Bücher und Hefte holte er hervor. Er riss die Schubladen auf und wühlte weiter. Endlich hatte er das, wonach er gesucht hatte.

«Hier sind sie», stieß er hervor. «Die Cholera-Epidemien in Hamburg im neunzehnten Jahrhundert: 1822, 1831, 1832, 1848, 1859, 1866, 1873 und jetzt … 1892! Mein Gott!»

«Es macht alles Sinn», flüsterte Lili. «Cholera. Eine Krankheit mit sieben Buchstaben. Sieben Epidemien in diesem Jahrhundert. Die Bestattung der Toten als siebtes barmherziges Werk. Die Quersumme aus der Zahlenreihe: sieben.»

«Und der Kerl hat die ganze Zeit über versucht, mich darauf aufmerksam zu machen, dass uns die Seuche erneut überrollt. Dieser Dummkopf. Warum hat er mir das nicht direkt gesagt, ohne den Umweg über die Zahlen zu gehen.»

«Weil er vielleicht in Zahlen denkt?» Lili trank ihr Glas leer und stellte es zurück auf den Tisch.

«Und woher», Christian schenkte ihnen nach, «wusste euer Numerologe überhaupt davon, dass eine Seuche droht? Ich meine, er hat diese Zettel ausgeteilt, als überhaupt noch nichts von dieser Krankheit zu sehen war.»

Lili starrte vor sich hin. «Vielleicht war die Epidemie ja geplant.»

Christian schüttelte den Kopf. «So etwas lässt sich nicht planen. Außerdem – wozu? Wer profitiert davon? Niemand. Allenfalls jemand, für den der Tod ein Geschäft bedeutet.»

«Da gibt es doch ein paar Leute in der Stadt», meinte Lili bitter. «Und wir alle gehören dazu.»

«Wen meinst du mit *wir*?», fragte Christian.

«Na, uns alle!» Lili machte eine vage kreisähnliche Geste, die den Tisch, den gläsernen Wandschrank und das Canapé umfing. «Bestatter, Ärzte mit der Befugnis, Totenscheine auszustellen, Leichenphotographen, Krematisten, Totengräber, Nachrufschreiber, Floristen, Requiemkomponisten, Grabsteinmetze, Leichenhausaufseher, sogar Pastoren …»

«Du meinst, jemand aus diesen Berufsgruppen könnte geholfen haben, das Cholera-Vibrio unter die Menschen zu bringen?»

«Ja, nur dass es bei dem Ausmaß, das diese Epidemie angenommen hat, nicht mehr vielen Leuten wirklich nützt.» Lili kaute nachdenklich an ihrem Bleistiftstummel herum. Dann nahm sie erneut den Briefbogen zur Hand und drehte ihn um.

«Was machst du?», fragte Christian.

«Eine Liste. Hilf mir mal: Wer hat ein Interesse daran, dass der Tod in der Stadt wütet?»

«Also wir, die wir die Totenscheine ausstellen, schon mal nicht. Daran verdienen wir so gut wie nichts. Außerdem sind wir mehr mit den Kranken als mit den Toten beschäftigt. Und das ist überhaupt kein Spaß.» Christian fühlte, wie ihm der Rum allmählich zu Kopf stieg. Es war ein schönes und befreiendes Gefühl.

«Uns Bestattern bringt das auch überhaupt nichts.» Lili ließ den Stift in der Luft schweben und blickte ihn an. «Manchmal habe ich ein schreckliches Gefühl», bekannte sie.

«Das kenne ich», nickte Christian. «Das habe ich auch.»

«Du weißt vielleicht, dass wir jedes Jahr im Mai unter großen Geschäftseinbußen leiden, weil es dann traditionell nicht so viele Tote gibt?»

Christian schüttelte den Kopf. «Nein, das war mir noch nicht so bewusst.»

«Egal. Jedenfalls habe ich mir damals gewünscht, dass es schnell anders werden soll. Meine Eltern hatten so eine schwierige Zeit wegen dieses Widerlings Behnecke, weil mein Vater als Mörder verdächtigt wurde und weil überhaupt das ganze Geschäft so ungünstig lief. Und da habe ich gebetet, es möge bald mehr Kundschaft für uns geben. Und Kundschaft bedeutet nun mal», sie holte tief Luft, «dass gestorben wird.»

Christian griff nach ihren Händen. «Das darfst du nicht einmal denken, dass du an dieser Seuche irgendeine Schuld trägst, Lili.»

«Nein?»

«Nein! Ich meine, wie soll das denn gehen? Meinst du, da oben», er deutete zur Zimmerdecke, auf der ein braunumrandeter Wasserfleck zu sehen war, «sitzt jemand, der all die Gebete der Millionen von Menschen, die auf unserer Erde leben, aufschreibt und sie dann Wirklichkeit werden lässt?»

«Nein, aber wenn man sich etwas nur fest genug wünscht und glaubt ...» Lilis Stimme war auf einmal leise geworden.

«Lili, ganz ernsthaft. Du glaubst doch nicht wirklich, dass die Cholera in die Stadt gekommen ist, weil du dir gewünscht hast, dass euer Geschäft ein paar mehr Kunden hat.»

Lili erwiderte seinen Blick und schüttelte endlich den Kopf.

«Ich halte es nicht mehr aus, Christian», sagte sie mit Tränen in den Augen. «Wir kommen nicht mehr hinterher. Die Särge, die wir zimmern, sind roh und ohne Schnörkel. Wir bestatten die Toten nicht mehr. Wir entsorgen sie nur noch wie Müll.»

Christian nahm Lili wortlos in die Arme und streichelte ihr Haar. Sie legte ihren Kopf an seine Schulter und weinte hemmungslos.

«Ist bei euch alles in Ordnung?», fragte Christian nach einer Weile. «Ihr haltet euch doch an das, was ich euch gesagt habe, oder? Bei euch wird mir doch keiner mehr krank?»

«Um uns brauchst du dich nicht zu sorgen», sagte Lili leise, immer noch an seine Schulter gelehnt. «Ich habe Carl und Caroline eingeschärft, ja nichts anzufassen, was sie nicht kennen, und Hygiene halten wir bei uns von jeher hoch. Nein, von uns bekommt keiner mehr die Cholera, Christian. Mach dir keine Gedanken.»

«Das ist die Hauptsache, dass dir und deiner Familie nichts zustößt», sagte Christian. «Das ist für mich alles, was zählt.»

«Lass uns diese Liste aufstellen.» Lili richtete sich wieder auf. «Also, die klassischen Totengewerke haben kein Interesse an der Epidemie, weil sie uns so dermaßen überschwemmt, dass wir unser Handwerk überhaupt nicht mehr ausführen können. Aber wie wäre es mit einer anderen Gruppe? Dazu müssten wir uns überlegen, woher die meisten Toten stammen. Welches Viertel hat es denn besonders hart erwischt?»

«Viele der Erkrankten haben im Hafen gearbeitet. Warum sie dort infiziert wurden, wissen wir mittlerweile: Das Elbwasser ist mit dem Vibrio verseucht.»

«Die Cholera hat sich dann also besonders stark in den Hafenarbeitervierteln und in Elbnähe ausgebreitet?»

«Ganz so kann man das nicht sagen. In Altona ist die Zahl der Infizierten wesentlich geringer. Das liegt aber auch daran, dass Altona ein anderes Sielsystem hat als wir. Die arbeiten mit viel moderneren Anlagen.»

«Also stammen die Kranken vor allem aus dem Hamburger Elbgebiet? Wie sieht es mit den Straßen um die Alster aus? Ist die Lage dort ähnlich schlimm?»

Christian überlegte. «Ganz genau kann ich es natürlich nicht sagen. In den letzten Tagen war ich vor allem in den Wohnungen der Ärmsten unterwegs. Sie können sich keinen Arzt leisten und rufen folglich auch keinen. Und bevor du jetzt fragst: Nein, ich habe es nicht aus Nächstenliebe getan. Es ist einfach nur mein bescheidener Versuch, diese verflixte Flut aufzuhalten, die uns am Ende alle vernichten wird, wenn wir nichts tun. Der Versuch, diejenigen aufzuklären, die die Anschläge auf den Hausmauern und den Litfaßsäulen nicht lesen können, so wie euer Tobias. Weil ihnen irgendjemand zeigen muss, wie sie sich vor Ansteckung schützen können, und um die Kranken so schnell wie möglich rauszuholen und ihnen zu sagen, dass sie ihr Wasser abkochen müssen. Wo die Leute dicht gedrängt aufeinanderwohnen, da breitet sich die Krankheit am schnellsten aus.»

«Im Gängeviertel also.»

«Genau.»

«Hältst du es für möglich ...», Lili wehrte ab, als Christian ihr noch einmal nachschenken wollte, «dass jemand ein Interesse daran haben könnte, die Bevölkerung im Gängeviertel ein bisschen zu ... reduzieren?»

«Oh, sicherlich. Das allergrößte Interesse daran haben natürlich die Bewohner selbst. Du weißt ja, wie hier gewohnt wird. Ihr und wir, die wir am Rande leben und das Glück haben, nicht zu den Allerärmsten zu gehören, wir haben eigene Schlafräume. Aber sieh dir nur die Situation der meisten anderen an. Als der Freihafen errichtet wurde, hat die Stadt Zehntausende von Wohnungen abgerissen, und viele der Wohnungslosen haben ihr neues Obdach im Gängeviertel gesucht.»

«Die Witwe eines Mannes aus der Baubehörde, den wir vor einiger Zeit bestattet haben, erzählte uns, dass das Gängeviertel abgerissen werden soll, aber dass es mit der Genehmigung noch schwierig sei. So eine Seuche – wäre das nicht ein schöner Grund?»

Christian betrachtete Lili lange, bevor er antwortete. Das Fieber verwegener Gedanken flackerte in ihren Augen.

«Du willst doch nicht etwa sagen», flüsterte er endlich, «dass die Seuche vorbereitet wurde? Dass die Baubehörde oder aber Grundstücksspekulanten ins Labor gegriffen hätten auf der Suche nach einem besonders verwerflichen Trick?»

Lili hob stumm die Schultern. «Ich habe keine Ahnung. Ich versuche nur, meine Gedanken nicht mehr zu zensieren.»

«Vielleicht sollten Sie das aber besser tun», ließ sich eine Stimme hinter ihnen vernehmen. Christians Mutter, die weißen Haare zu einem Zopf geflochten, stand in ihrem langen weißen Nachthemd in der Tür. «Denn was Sie da sagen, ist sträflich und sehr, sehr ungezogen. Aber dafür weiß ich jetzt sicher, dass das Totenmädchen von gegenüber einen schlechten Einfluss auf meinen Sohn hat. Fräulein Winterberg, verlassen Sie auf der Stelle unser Haus!»

21. KAPITEL

Lili konnte sich nicht entsinnen, jemals in ihrem Leben so wütend gewesen zu sein. Obwohl sich hilflose Wut in den vergangenen Monaten zu einer wohlbekannten Begleiterin entwickelt hatte, war sie in diesem Augenblick von der Intensität des Gefühls doch überrascht. Mit der rechten Hand umklammerte sie ihre linke, denn alles in ihr schrie danach, ihr Glas zu Boden zu schleudern oder sich der selbstzufriedenen alten Dame entgegenzustellen, die ihren Zeigefinger in Richtung Tür gestreckt hielt.

«Hinaus!», wiederholte Christians Mutter.

Totenmädchen. Das Wort weckte endlose Verletzungen. Sie sah sich als kleines Mädchen, die Haare zu strengen, juckenden Zöpfen geflochten, fühlte die Schubser, wenn sie über den Schulhof nach Hause ging. Sie hörte die hämischen Stimmen ihrer Klassenkameradinnen, die von Striemen übersäten Händchen von Carl und Caroline fielen ihr wieder ein. Tausende Bilder sprangen ihr in den Kopf, angefangen mit dem Abtransport des Vaters in die Fronerei, bis hin zu der qualvollen Zeit mit Thorolf Behnecke.

«Wie können Sie es wagen», wollte sie sagen, doch die Worte waren da, ohne dass ihre Lippen sie formte.

Christian sagte sie.

Einen Moment lang sah Frau Buchner aus, als habe Christian sie geohrfeigt, dann öffnete sie erneut den Mund.

«Gehen Sie in Ihr Schlafzimmer zurück, Mutter», sagte

Christian. «Lili Winterberg hilft mir bei einer wichtigen Angelegenheit.»

«Sie hat dich verhext, Christian», sagte die Mutter leise und blickte zwischen Christian und Lili hin und her. «Dieses rothaarige Biest hat dich verhext.»

«Es ist gut, ich gehe ja schon.» Lili sprang auf und rannte zur Haustür. Mit wenigen Schritten war sie im Treppenhaus. Sie hörte, wie hinter ihr erneut die Tür geöffnet wurde, und dann war Christian bei ihr. Sie war so voller Wut, dass sie sich von ihm losmachte, als er nach ihrem Arm griff. Hier draußen war alles dunkel, und doch nicht ruhig. Droschken ratterten über das Kopfsteinpflaster, ihre schwankenden Laternen erhellten verängstigte Gesichter. Für einen kurzen Moment konnte Lili zusammengekrümmte Leiber auf den Sitzen erkennen, dann war der Spuk wieder fort, doch schon rumpelte das Gefährt eines Brauereikutschers heran, nur dass sich auf seiner Ladefläche nicht Bierfässer, sondern in Decken gehüllte Menschen befanden, von denen einige weinten und vor sich hin jammerten. Aus der Ferne drangen sogar die Rufe von Plünderern, die die leeren Häuser nach verborgenen Schätzen durchsuchten.

«Lili», hörte sie Christians Stimme neben sich. «Sei nicht albern. Komm zurück!»

«Ist das dein Ernst?» Lili warf sich zu ihm herum. «Ich werde beschimpft, gehe, und du sagst, ich soll nicht albern sein?»

«Ja, das sage ich», gab Christian zurück. «Und es ist mein gutes Recht. Nicht ich habe dich schließlich beschimpft.»

«Aber deine Mutter!» Lili stampfte mit dem Fuß auf.

«Ja, na und?» Christian packte sie erneut und beugte sich zu ihr hinunter. Für einen Sekundenbruchteil waren seine Lippen ganz dicht vor ihren, und sie schloss die Augen, aber dann riss sie sich von ihm los.

«Ich gehe nach Hause», sagte sie. «Gute Nacht.»

Ein großes Gefühlsdurcheinander tobte in ihr, als sie die Treppe nach oben in Wilhelms altes Zimmer stürmte. Ein Lichtschein drang unter der geschlossenen Tür hervor. Gott sei Dank – Magdalena war also noch wach.

«Wir müssen zu deinem Numerologen-Freund», stieß sie hervor, während sie sich atemlos auf Magdalenas Bett fallen ließ.

«Ich wünsche dir auch eine angenehme Nachtruhe», murmelte Magdalena und strich sich verschlafen die Haare aus dem Gesicht.

«Habe ich dich geweckt? Das tut mir leid. Ich dachte, bei dir ist noch Licht an, also …»

«Ich schlafe immer bei Licht. Schreckliche Verschwendung, ich weiß. Aber ich habe sonst Albträume.»

«Du kannst so viel Licht haben, wie du willst, Lena. Aber wir müssen morgen früh gleich zu deinem Numerologen gehen. Hast du mich gehört?»

«Ja, und das ist nicht besonders schwer. Du brüllst wie 'n Hafenschlepper.»

Lili legte sich erschrocken die Hand auf den Mund. Dann fuhr sie im Flüsterton fort: «Dein Numerologe, was macht der eigentlich so im Leben? Der verdient sich doch nicht mit seiner Zahlenrätselei sein Geld?»

Magdalena richtete sich auf. «Er ist Stukkateur. Mit deiner Art zu flüstern kannst du übrigens Tote aufwecken, hat dir das schon mal jemand gesagt?»

«Das heißt, er arbeitet in Wohnungen? Vergipst Wände, macht schönen Stuck?»

Magdalena spreizte Zeigefinger und Daumen ab und warf sich in Denkerpositur. «Das ist gemeinhin die Definition des Stukkateur-Berufs.»

«Hm.» Lili starrte vor sich hin. «Und sonst? Was weißt du sonst noch über ihn?»

«Eigentlich nur das. Und dass er klug ist und sich für jede Menge Dinge interessiert.»

«Dir ist also nie etwas Besonderes an ihm aufgefallen?»

Magdalena überlegte. «Wenn ich so darüber nachdenke, nun ja. Er hat eine Eigenschaft, die mich immer wieder erstaunt.»

«Und die wäre?»

«Er kann irgendwo auftauchen und genauso plötzlich wieder verschwinden. Manchmal denke ich, der Kerl weiß, wie man sich unsichtbar macht. Aber was ist eigentlich los, Kätzchen? Warum schläfst du nicht schon längst?»

«Ich glaube, ich bin verliebt.»

Magdalena riss die Augen auf. «In den Numerologen? Ist nicht dein Ernst!»

«Natürlich ist das nicht mein Ernst. Ich meine, natürlich nicht in *den*.»

«Oh, mein Gott, der Trick mit dem Salzwasser hat nicht funktioniert.»

Lili grinste. «Schon wieder falsch. Ich habe ihn nicht mal angewendet.» Sofort umwölkten sich ihre Züge wieder. «Aber das werde ich wohl bald müssen, denn ich habe mir schon wieder den Falschen ausgesucht. Ich meine, nicht dass er es nicht wert wäre. Er ist der beste, liebste, klügste, schönste Mann, dem ich je begegnet bin ...»

«Du sprichst in Rätseln, Deern.»

«Aber es gibt keinen Grund, warum er meine Gefühle erwidern sollte, und deshalb ...»

«Ist da jemand?» Magdalena beugte sich vor, um gegen Lilis Stirn zu klopfen. «Dann bitte ich um Antwort: Von wem redest du?»

«Von Christian.» Lili senkte die Augen.

«Ich hab's gewusst!» Magdalena klatschte in die Hände. «Herzlichen Glückwunsch, das ist eine vorzügliche Wahl.»

«Meine eigene Begeisterung hält sich in Grenzen. Das

schöne Unterfangen wird nämlich auch diesmal zum Scheitern verurteilt sein, denn für seine Mutter bin ich bloß das ‹Totenmädchen›, und ein kommunistisch inspiriertes dazu …»

«Du liest auch Marx?» Magdalena blickte sie neugierig an. «Das hat Sibylle ebenfalls getan.»

«Ist das wahr?» Das kam Lili nun doch sehr unwahrscheinlich vor. In ihrer Vorstellung hatte der Mann mit dem Rauschebart, der vor ein paar Jahren gestorben war und so komplizierte Sachen wie «Zur Kritik der politischen Ökonomie» geschrieben hatte, seine Leserschaft eher im studentischen Bereich als im Milieu der professionellen Mannesbeglückerinnen gehabt.

«Nicht wirklich.» Magdalena kicherte. «Sie besaß den Einband von einem Buch namens ‹Das Kapital›. Darin hat sie immer ihre Liebeskugeln aufbewahrt.»

Mit einem Seufzen stellte Lili wieder einmal fest, wie unwissend sie war. Weder hatte sie jemals etwas von diesem Marx gelesen, noch wusste sie, was Liebeskugeln waren. Aber das war wieder etwas anderes.

«Hör zu», sagte sie. «Ich bin keine Politische. Ich hatte zwar einen Lehrer, der mir ein bisschen was von der Philosophie dieses Marx erzählt hat, aber damit hat es sich dann auch schon. Ich habe überhaupt noch viel zu wenig gelesen, von diesen Sherlock-Holmes-Geschichten einmal abgesehen, aber dafür habe ich mich immer für Zahlen interessiert. Und in dieser Nacht interessiere ich mich ganz besonders dafür.»

Und sie erzählte Magdalena, was sie entdeckt hatten. Wie Christian und sie die Zahlenreihe dechiffriert hatten und was sie bedeutete, und wie sie sich fragten, wie es sein konnte, dass der Numerologe von der Seuche gewusst haben konnte, bevor sie ausgebrochen war.

«Und jetzt glaubst du, dass das Ganze irgendwie mit dem Mord an Sibylle zusammenhängt?», fragte Magdalena. «Weil sie diese Chiffrierscheibe besessen hat?»

Lili nickte.

«Wo ist diese Scheibe eigentlich?»

«Christian hat sie immer noch.»

«Das ist ein bisschen merkwürdig», sinnierte Magdalena. «Findest du nicht auch?»

Lili hob die Schultern. «Christian ist von Chiffrierkünsten und allem, was damit zusammenhängt, besessen», erklärte sie. «Ich finde das nicht schlimm.»

«Wie auch immer, wir können gerne morgen zu Herrn Weber gehen. Ich weiß nur nicht, wo er wohnt.»

«Aber da wird es doch Wege geben, das herauszufinden», sagte Lili.

«Sicherlich», antwortete Magdalena. «Aber die führen alle an Teresas Bordell vorbei.»

«Und damit bringen sie uns nicht weiter.»

«Nein.» Magdalena schüttelte heftig den Kopf. «Wohl kaum.»

Lili dachte an ihren eigenen Besuch bei Teresa, damals, als sie auf der Suche nach Magdalena gewesen war. Wie die Bordellmutter ihr gedroht hatte, und an das Schreckliche, das danach geschehen war. Auch sie wollte unter keinen Umständen dorthin zurück.

Sie grübelte und grübelte, während Lenas Kerze zu einem Stummel herunterbrannte, bis die Flamme nur noch ein mickriges blaues Leuchten war. Mit einem Zischen erlosch sie endlich. Und in diesem Moment hatte Lili eine Idee.

In der Stadt hatte eine organisierte Geschäftigkeit eingesetzt, wie nur Gemeinden in Not sie entfalten können. Seitdem das Erzbistum Hammaburg im Jahre 831 gegründet wurde, hatten die Menschen, die hier lebten, für ihren Schutz gesorgt. Sie waren Überlebenskünstler, an Kälte, Feuchtigkeit und marodierende Banden gewohnt. Nicht immer waren dabei Dinge herausgekommen, die sich mit den Errungenschaften der blühenden Metropolen an Adria, Mittelmeer oder Ostsee messen konnten, doch manches davon erwies sich im Nachhinein als gut. So hatte der Hamburger Rat im Jahre 1230, nach der wenig erquicklichen Belagerung durch die Dänen, beschlossen, eine Mauer um seine Stadt zu ziehen, was der Hansestadt während des Dreißigjährigen Krieges das Überleben sichern sollte. Der Große Brand von 1842 brachte eine Handvoll gewiefter Kaufleute dazu, eine Feuerversicherung ins Leben zu rufen, die erste weltweit. Doch was die Seuchenbekämpfung anbelangte, gab es noch immer erheblichen Verbesserungsbedarf.

Zwischen den Senatoren war ein Streit darüber entbrannt, wie mit den zahlreichen Depeschen aus dem kaiserlichen Gesundheitsamt umzugehen sei. Während die einen die Schreiben als unzulässige Einmischung aus Berlin empfanden, plädierten andere dafür, die Anweisungen und Ratschläge zu befolgen, da die Cholera ja in der Tat höchst unangenehm war, sodass selbst die Großkaufleute ihre Villen in Trutzburgen verwandelten und sich nicht mehr auf die Straße trauten, um ihren Geschäften nachzugehen.

Es war Senator Versmann, dessen in Ehren ergrautes Haar in den vergangenen Wochen einem strahlenden Schlohweiß gewichen war, der die Sache seinen jüngeren Kollegen aus der Hand nahm. Anfang September bestimmte er, 68 Wasserdroschken durch Hamburg fahren zu lassen, um abgekochtes Wasser unter das Volk zu bringen, außerdem verfügte er, dass 43 öffentliche Abkochstellen errichtet werden sollten, auf denen ein jeder sein Wasser aus den in diesem Jahr installierten Rohren selbst entseuchen möge. Kurz darauf ließ er die Märkte schließen und verbot öffentliche Ansammlungen aller Art, um die Ansteckungsgefahr einzudämmen. An den Bahnhöfen und im Hafen ließ er die hygienischen Kontrollen verschärfen. Doch sein Hauptanliegen war die Einrichtung weiterer mobiler Desinfektionskolonnen. Die sollten in die befallenen Häuser einrücken, um sie von Keimen zu befreien. Dabei gab es allerdings ein Problem: Die Aufgabe war alles andere als angenehm, und entsprechend fand sich niemand dazu bereit.

Um eine große Zahl von Arbeitern kurzfristig zusammenzubekommen, gab es in Hamburg eigentlich nur eine Gruppe, und das waren die Sozialdemokraten. Seit dem Außerkrafttreten des Bismarck'schen Sozialistengesetzes zwei Jahre zuvor waren sie wieder in der Öffentlichkeit präsent. Auf Anfrage des Senats gelang es der Partei, vierhundert Mitglieder zu mobilisieren, von denen keineswegs jeder ein einfacher Arbeiter war. Einer von ihnen war auch Photograph mit der Zusatzqualifikation, Tote abzubilden, und zwar so, dass sie lebendig aussahen. Für diese spezielle Fähigkeit gab es im Verlauf der fortschreitenden Seuche kaum noch Nachfrage, sodass Mathis Buchner sich entschloss, etwas für die sozialistische Sache zu tun und seine Einnahmen anderweitig zu erhöhen, auch wenn die sechs Mark Tagegeld zugegebenermaßen lumpig waren.

Der Erste, den er in der Gruppe wartender Männer erkannte, war der Werbeschildmaler mit seinen Hundeaugen, die wie immer ergeben in die Gegend sahen.

«Genosse», strahlte Mathis und schlug dem Werbeschildmaler leicht auf die Schulter. «Wusste gar nicht, dass Sie sich ebenfalls für unsere Sache engagieren. Wie läuft das Geschäft?»

«Nicht gut», klagte der Werbeschildmaler. «Es will ja niemand mehr etwas gezeichnet haben. Jetzt drucken sie nur noch diese Plakate. Dafür nehmen sie nichts als Bleilettern. Unsereins brauchen sie überhaupt nicht mehr.»

«Na, es kommen auch wieder andere Zeiten», versuchte Mathis zu trösten. «Und in der Zwischenzeit verdienen wir hier ein wenig Geld.»

Das Stadthaus, vor dem die Arbeiter zusammengekommen waren, glänzte weiß in der Morgensonne, und Mathis pfiff fröhlich eine Melodie. Natürlich war ihm bewusst, wie schlecht die Zeiten waren, aber für sein Empfinden machte es auch keinen Sinn, pausenlos darüber nachzudenken, das vergrößerte die Trübsal nur.

«In einer Reihe aufstellen», befahl ein Polizist, der in diesem Augenblick vor die Tür getreten war. «Minderjährige können gleich wieder abziehen, die beschäftigen wir nicht. Arbeitspapiere bereithalten! Und es geht los.»

Mathis wartete geduldig, bis er an der Reihe war. Seinem geübten Kameraauge entging kein Motiv. Da war die junge Hausdienerin mit dem Kinderwagen, die selbstvergessen vor sich hin lächelte, während sie zwischen zwei Leichenwagen über die Straße ging. Ein Stück weiter sah er zwei junge Marktfrauen, die kichernd auf einen gutaussehenden Arbeiter in der Schlange deuteten. Aus den Blumenkörben, die sie trugen, hatte der Septemberwind ein paar Blütenblätter gezerrt. Gelb und blau tanzten sie in der Luft, als wäre es der Tag wert, geschmückt zu werden. Und vielleicht war er das auch. Vielleicht konnte ihm das Glück noch heute begegnen, inmitten des großen Sterbens, vielleicht gab es das ja: das Versprechen eines Neuanfangs.

«Na, du scheinst mir aber noch ein ganz Junger zu sein», sagte der Polizist, als er Mathis in Augenschein nahm. Mathis war so in seine Gedanken versunken gewesen, dass er nicht gemerkt hatte, wie er bereits an den Anfang der Schlange aufgerückt war. «Geburtstag?»

«Nein», antwortete Mathis lächelnd.

«Wann dein Geburtstag ist, will ich wissen.»

«Oh, Verzeihung. Am vierten März.»

Der Polizist rollte entnervt mit den Augen. «Welches Jahr?»

«Jedes natürlich.»

«Oh mein Gott, ein Einfaltspinsel. Zeig mal deine Papiere. Ist gut, du bist dabei.» Der Polizist notierte etwas auf seiner Liste, und Mathis schob ab.

Eine Stunde später tauchte er in eine neue Welt ein, einen Kosmos voll von ungekannten Motiven, mit Männern, deren Leben seinem eigenen diametral entgegengesetzt war. Die meisten Kollegen in seiner Kolonne waren ehemalige Straßenhändler, die die Epidemie brotlos gemacht hatte, aber auch Ewerführer, Korbmacher und Schauermänner waren darunter. Gut die Hälfte von ihnen konnte weder lesen noch schreiben, aber eine Karbolspritze halten konnten alle, wenn auch mit zuweilen unangemessener Tatkraft, denn sie durchnässten sämtliche Wände und jedes Möbelstück in den kontaminierten Häusern, sodass sich nach ihrem Abzug die Tapeten wellten und ablösten und die Matratzen schwammen.

Der erste Einsatz erwies sich gleich als Fehlalarm. Hier wohnte ein Mann, von dem die Nachbarn behauptet hatten, er wäre an Cholera erkrankt. Tatsächlich verhielt es sich aber so, dass der vermeintlich Erkrankte, ein weitgereister Afrikaforscher, vor den Augen seines Neffen hatte beweisen wollen, dass Schlange ebenso lecker schmeckte wie Aal. Das Verspeisen einer schon etwas länger toten Königskobra hatte der Afrikaforscher mit starkem Erbrechen bezahlt. Weil er anschließend in eine Art Starre verfallen war, hatte der Neffe geglaubt, dass sein Onkel den Löffel abgegeben hatte. Wenige Minuten bevor die Kolonne in der Wohnung des Afrikaforschers eintraf, war dieser allerdings wieder erwacht. Mathis traute seinen Augen nicht, als er den Mann sah. Das war doch tatsächlich sein ehemaliges Motiv, sein vermeintlich totes Modell!

Am Nachmittag ging es im Zwölfertrupp mit der Desinfektionsanlage in die Springeltwiete. Hier hatte die Cholera besonders heftig gewütet. In einer Wohnung, die noch am Vortag von einer Witwe namens Kuhlmann, ihrem Sohn, dessen Frau und zwei Kindern bewohnt gewesen war, hatte nur ein Mensch überlebt, und das war ein etwa fünfjähriges Mädchen, das seine Puppe an sich drückte und den Männern folgte, wohin sie auch gingen. Die Leichen waren noch nicht abgeholt worden, sodass die Kolonne gut eine halbe Stunde lang untätig bleiben musste. Eine Zeit, die einer der Straßenhändler dazu nutzte, die Schränke nach wiederverkaufbaren Wertsachen durchzusehen. Neben Geschirr und Silber fand er das hölzerne Modell eines Gebäudes, das Mathis als Miniaturausgabe des frischerrichteten, aber noch nicht in Betrieb genommenen Krematoriums erkannte. Er führte das Mädchen hinunter auf die Straße und fragte den Polizisten, der das Desinfektionsgerät und die Spritzen überwachte, ob das Mädchen wohl einen Platz im Waisenhaus bekäme, aber es sagte leise, es wolle zu einer Nachbarin namens Astrid gehen.

Daraus wurde nichts, denn besagte Astrid war selbst von der Cholera infiziert. Mathis, der in der darüberliegenden Wohnung nachsah, fand die Nachbarin bewusstlos auf dem Boden in einer Lache von Erbrochenem vor, die Haut bläulich verfärbt. Eines der Kinder, die sich in der Stube aufhielten, ein etwa zwölfjähriger Junge, erzählte ihm, dass der Vater am Vortag gestorben sei.

«Lauf zum Pferdemarkt», forderte Mathis ihn auf, «und treib einen Krankenwagen auf. Deine Mutter muss sofort ins Krankenhaus.»

Nachdem sie die Wohnung der Witwe Kuhlmann desinfiziert hatten, machten sie sich ein Stockwerk höher an die Arbeit. Weil die Cholera offenbar auch ins Nachbarhaus übergegangen war, blieb die Kolonne vor Ort.

Sieben Stunden waren mittlerweile verstrichen und der Knabe schon längst zurückgekehrt, doch noch immer war kein Krankenwagen für Astrid und die anderen Seuchenopfer aufgetaucht. Der Polizist erklärte Mathis, dass es immer noch zu wenige Kutschen für den Abtransport der Infizierten gebe. Beim Ausbruch der Epidemie hatte die Stadt nur über vier Krankenwagen verfügt, zwei sogenannte «Pocken-Droschken», die aber für den Transport von Cholerakranken ungeeignet gewesen seien, und zwei Hauptwagen, die allerdings jeweils nur einen Patienten fassen konnten. Mittlerweile wurden zwar schon mehr Wagen eingesetzt, aber noch immer reichte deren Zahl bei weitem nicht aus.

Endlich, als es in der Stadt bereits zu dämmern begann, hielt eine Mietdroschke vor dem Haus, mit hinten herausgerissenen Polstern. Der Kutscher und sein Begleiter, ein aschfahler Krankenträger, ließen sich erschöpft vom Sitz gleiten. «Wo sind sie?», fragte der Kutscher tonlos.

Mathis deutete zur Hausmauer, wohin sie die Kranken gesetzt hatten. Der Schmerz, den er im Rücken und in den Beinen vom stundenlangen Halten der Spritze fühlte, betäubte seine Gedanken, und so spürte er zunächst nur einen leichten Schwindel, als er bemerkte, dass sowohl die Nachbarin Astrid als auch die kleine Enkelin der Witwe Kuhlmann gestorben waren. Das Mädchen hielt noch im Tod ihre Puppe umklammert, und ihre Augen sahen ihn blicklos an. Ein Geräusch ließ ihn zusammenzucken. Der Träger, der hinter ihm gestanden hatte, weinte, ohne seinen Schmerz zu verbergen, mit baumelnden Armen. Dicke Tränen rollten ihm über sein fahles Gesicht.

«Sie müssen einen anderen Wagen rufen», sagte der Kutscher. «Leichen nehmen wir nicht.»

Es war tiefe Nacht, als sie mit den Häusern in der Springeltwiete schließlich fertig waren. Die letzte Wohnung hatten sie im Schein von Petroleumlampen ausgespritzt. Mathis kassierte seine sechs Mark und unterschrieb dafür auf der Liste mit seinem Namen und seinem Geburtstag. Ihm tat alles weh.

Im «Verbrecherkeller» in der Niedernstraße war der Teufel los. Tabakschwaden wallten gleich Nebel an den rußgeschwärzten Wänden entlang, Flaschen klirrten, denn Buckelhannes schenkte grundsätzlich nichts in Gläsern aus, ein Schifferklavier erklang. Gideon Weber war es gelungen, einen strategisch günstigen Platz zu ergattern, von dem aus er alle genau betrachten konnte. Straßenhändler Totenseppel, der sich mit den Gegenständen brüstete, die ihm während seiner Arbeit bei einer Desinfektionskolonne offenbar so stark ins Auge gestochen waren, dass er sie unmöglich hatte stehenlassen können; Indianer-Albert, der diesen Namen aufgrund seiner eigentümlichen Frisur erhalten hatte und dessen Kopfhaut mit Warzen bedeckt war, und natürlich Husaren-Berta, die in ebendiesem Augenblick mit ihrer mächtigen Fleischhauerhand ausholte, um Totenseppel eine zu scheuern, der trunken von seinem räuberischen Erfolg in Husaren-Bertas Ausschnitt wühlte, ohne dafür bezahlt zu haben. Gideon nahm noch einen Schluck Bier und betrachtete eingehend Totenseppels Schlitzaugen und seine abstehenden Ohren. Totenseppels Totenmaske würde sich prächtig machen, sehr ausdrucksstark. Es gehörte viel Geschick dazu, den Gips so anzurühren, dass Totenmasken an den lebenden Menschen erinnerten. Und Schnelligkeit. Denn eine Sekunde Zögern während des falschen Augenblicks ließ den Gips klumpen oder, schlimmer noch, hart werden. Doch Gideon beherrschte diese Schwierigkeit. Gideon war ein außergewöhnlicher Stukkateur.

T-o-t-e-n-s-e-p-p-e-l. Im Kopf addierte er die Zahlen seines Namens. Genau wie bei Sibylle: eine Drei.

Auch Thorolfs Schwiegersohn, Grabsteinmetz Fiete, war an diesem Abend wieder da. Und Thorolfs Sohn. Gideon beobachtete den Journalisten, wie er Buckelhannes eine Münze reichte. Dieser schloss daraufhin den angeketteten Schinken los, um eine Scheibe davon abzusäbeln. Mit seinem edlen Tuch am Leib wirkte der Journalist seltsam deplatziert inmitten der Menschen, die sich hier von Tag zu Tag tranken und am Abend feierten, wieder einmal überlebt zu haben. Die Armut, Ungemach und Seuche von sich abprallen ließen, als trügen sie einen

Zauberschild. Rurik Robertson war inmitten dieser Gestalten nicht in Gefahr. Gideon wusste, dass man den Schreiberling aufgrund seines glatten Wesens für einen ausgebufften Delinquenten hielt, einen besonders dicken Fisch.

Plötzlich entstand Bewegung am Tresen. Angelockt von dem Geruch des Fleisches warf sich die Gelbe Hyäne nach vorn. Das Mädchen bleckte ihre spitzen Zähne, wohl in der Hoffnung, den Feingezwirnten mit ihrem Lächeln zu bezirzen, doch der scheuchte sie über seinem Schinken wie eine lästige Fliege fort.

Gideon Weber trank ungerührt weiter. Wie viele derjenigen, die ihm später ihr totenstarres Gesicht darboten, hatte er hier zuvor aufblühen gesehen. Wer würde wohl der Nächste sein? Sein Blick wanderte von den Schauerleuten, die sich Zoten zuriefen, bis hin zur Gelben Hyäne. Das Mädchen trollte sich schmollend vom Tresen fort. Ihre Kolleginnen, Mädchen mit mangelhaftem Gebiss und fehlendem Hymen, schauten ihr derweil von den nikotinbraunen Gardinen her zu. Vielleicht war schon morgen eine von ihnen an der Reihe. Fast taten sie Gideon leid.

Ein schmaler, kleiner Kerl, den Gideon noch nie im «Verbrecherkeller» gesehen hatte, rückte vorsichtig näher. «Gemütlich hier», nuschelte das Männlein mit Fistelstimme und hob, ihm zuprostend, sein Glas.

Gideon beobachtete, wie Indianer-Albert mit gesenktem Kopf auf die Mädchen vor den Gardinen zurannte, geradewegs so, als hätten seine Warzen Aufspießpotenzial. Die Mädchen kreischten und stoben auseinander, direkt auf Totenseppel zu, der mit ausgebreiteten Armen und stieren Schlitzaugen auf sie wartete. Das Ganze war natürlich ein abgekartetes Spiel, um ihnen unter die Röcke zu greifen, einer der derben Scherze hier.

«Schon lange in der Stadt?», fragte Gideon das Männlein, da dieser sein Gesprächsbedürfnis so offen bekundet hatte.

Sein Gegenüber nickte und schob dabei die Unterlippe vor.

«Und jetzt kommst du nicht mehr raus?» Gideon wusste, dass die Bahnhöfe und der Hafen abgesperrt waren. Nicht nur die Verbrecher saßen fest.

«Ich will gar nicht raus.» Die schwarzen Augen des Männleins funkelten im Schein der Fackeln, die Buckelhannes in Lücken im Mauerwerk gesteckt hatte. Gideon bemerkte, dass er nicht blinzelte. «Ich habe hier Wichtiges zu tun.»

Das Männlein schien darauf zu warten, dass Gideon ihn fragte, was das Wichtige denn sei, aber Gideon tat ihm diesen Gefallen nicht. Stattdessen sagte er ihm das, was er zu allen sagte: «Sag mir mal deinen Namen.»

Das Männlein blickte ihn lange und nachdenklich an. Am Tresen begann unterdessen eine Keilerei. Totenseppel, der sich seines Hemdes entledigt hatte, trommelte sich auf die breite, behaarte Brust, was die Mädchen zum Kreischen brachte. Der Akkordeonspieler, angefeuert von Kampf und Fusel, bearbeitete sein Gerät immer schneller.

Inmitten dieses Lärms hörte Gideon die hohe Stimme des Männleins. «Ich bin der christliche Prometheus», fistelte das Männlein. «Ich bin gekommen, das Feuer zu stehlen.»

Und auf einmal konnte Gideon es nicht mehr ertragen. Der «Verbrecherkeller», normalerweise einer der Orte, mit denen er seine Nächte würzte, war mehr denn je mit Irren angefüllt. Er stand auf, griff sich eine Fackel und ging, ohne sich zu verabschieden.

Es gab nur einen Weg nach Hause, der es ihm erlaubte, sich einigermaßen sicher zu fühlen, denn Gideon musste mit wachen Augen gehen. Einer wie er war leichte Beute, er sah älter und schwächer aus, als er in Wirklichkeit war. Dieser Weg führte durch das Hinterhofzimmer der Kaschemme, in dem all jene, die von der Nacht angespült wurden, für zehn Pfennige übernachten konnten.

Jetzt, um Mitternacht, waren erst zwei gestrandet, Zimmermanngesellen auf Wanderschaft. Gideon musste über sie hinwegsteigen, um zur rückwärtigen Tür zu gelangen, von der er wusste, dass sie in einen Gang führte, der mit dem Keller einer Stallung am Fischmarkt verbunden war. Totenstill war es hier unten. Und feucht. Der Schein seiner Fackel beleuchtete die steinernen Wände, von denen das Wasser tropfte. Die Fleete mussten Hochstand haben, denn nach nur wenigen Schritten waren seine Schuhe nass.

Theoretisch konnte Gideon den Weg mit geschlossenen Augen zurücklegen, so gut kannte er sich aus. Daher war er verwundert, als er nach etwa zweihundert Metern feststellte, dass sich der Gang hier gabelte. Gideon zögerte, aber seine Neugier siegte, und er schlug den neuen Weg ein. Hier war es noch feuchter und obendrein abschüssig. Er musste sich an der Wand abstützen, um nicht auszurutschen, und dann ließ er vor Schreck fast seine Fackel fallen. Eine Ratte war an ihm vorbeigelaufen, doch als er den Boden vor sich mit der Fackel absuchte, bemerkte er ein pelziges Gewusel. Mindestens zehn, vielleicht sogar zwanzig Ratten huschten an ihm vorbei.

Gideon prallte vor Schreck zurück gegen die Mauer. Ein knarzendes Geräusch in seinem Rücken verriet ihm, dass er gegen Holz geprallt war. Und in der Tat: Die Flamme seiner Fackel beleuchtete eine Tür, die in die Wand eingelassen war. Gideon drückte dagegen, doch sie öffnete sich nicht. Vermutlich der Keller eines anderen Hauses, dachte Gideon, dessen Besitzer schlechte Erfahrungen mit der Kundschaft gemacht hatten, die mitunter aus der Kneipe kam.

Schlagartig hatte er genug davon, in dieser Unterwelt den Entdecker zu spielen. Vorsichtig, um nicht noch mehr Ratten aufzuschrecken, machte er sich auf den Weg zurück zu dem Korridor, den er kannte. Er öffnete die Tür an dessen Ende und atmete in tiefen Zügen den Geruch von Stroh und Pferden ein. Draußen auf dem Fischmarkt hallte das Geklapper von Hufen.

Als er vom Fischmarkt aus das Fleet in Richtung Brandstwiete überquerte, bemerkte er, dass hier irgendetwas anders war. Natürlich, es waren die Plakatierungen, die jetzt überall an den Wänden hingen. Sie forderten dazu auf, nur abgekochtes Wasser zu trinken, und enthielten weitere Diätvorschläge.

Doch dann stutzte er. Auf einigen Plakaten standen keine Buchstaben, sondern Zahlen. Nein, da war kein Zweifel möglich. Im Schein seiner Fackel erkannte er ganz deutlich, welche Zahlen das waren. Nur – was bedeutete der Pfeil darunter? Er zögerte, dann folgte er der Richtung, in die der Pfeil wies. Auf dem Platz vor St. Katharinen verlor er kurz die Spur. Aber er wusste auch so, in welche Straße ihn die Pfeile bringen sollten. Nur die Hausnummer war ihm noch nicht klar.

22. KAPITEL

Lili hörte, wie unten an der Tür geläutet wurde. Verschlafen öffnete sie das Fenster und blickte hinaus. Von oben konnte sie den Besucher nicht richtig erkennen, zumal das Licht der Laterne ihn nur schwach beleuchtete, aber als der Mann sich zur Seite drehte, erkannte sie, dass lange Haare unter seinem Hut hervorquollen. Mit einem Schlag war sie wach. Sie hatte wohl gehofft, dass der Numerologe kommen würde, aber mitten in der Nacht? Während sie noch überlegte, ob sie zu dieser Stunde einen fremden Mann ins Haus bitten konnte, hörte sie, wie die Treppe knarrte und jemand den Türknauf zu ihrem Zimmer drehte. Magdalena stand mit weitaufgerissenen Augen im Zimmer. «Gideon steht draußen, und es ist zwei Uhr früh.»

Lili nickte. «Ich nehme an, er hat unsere Fährte eben erst entdeckt.»

«Du kannst ihn jetzt doch nicht hereinlassen», flüsterte Magdalena.

«Nein, aber wir können zu ihm hinaus.»

«Ich nicht!» Magdalena knetete ihre Hände. «Wenn Gideon herausfindet, dass ich bei euch wohne, sagt er es vielleicht Teresa, und dann ist es mit meinem Leben hier vorbei.»

Lili runzelte die Stirn. «Das würde er tun? Ich denke, er ist dein Freund.»

«Freundschaft!» Magdalena schnalzte mit der Zunge. «Was bedeutet Freundschaft, wenn es um Geld geht. Und Teresa bietet für mich Geld.»

Sie zuckten zusammen. Erneut ertönte die Klingel im Haus.

«Wenn ich ihm jetzt nicht öffne, kommt er vielleicht nicht mehr wieder», überlegte Lili.

«Oder er klingelt immer weiter und weckt dabei das ganze Haus.»

Lili nickte. «Ich weiß nicht, welche dieser beiden Möglichkeiten mir schlechter gefällt.» Sie beugte sich aus dem Fenster und rief leise: «He!»

Der Mann legte seinen Kopf in den Nacken und sah zu ihr hinauf.

«Warten Sie», zischte Lili. «Ich bin gleich da.»

Es war etwas unwirklich, mitten in der Nacht mit jemandem zu sprechen, der einem so gut wie unbekannt war. Lili überlegte, wohin sie mit dem Numerologen gehen sollte, ohne Aufsehen zu erregen und um dennoch in Sicherheit zu sein. Schließlich entschied sie, Gideon Weber in den Hinterhof zu bitten. Magdalena, deren Fenster nach hinten öffnete, sollte das Treffen als unsichtbare Dritte bewachen und ihr zu Hilfe eilen im Fall einer Notsituation.

Der Numerologe roch stark nach Qualm und feuchten, ungelüfteten Räumen. Olfaktorisch gesehen konnte er es jedenfalls gut mit den gepflasterten Quadratmetern zwischen den Fachwerkhäusern aufnehmen, die sich hinter dem Bestattungsunternehmen erstreckten. Hier duftete es ebenfalls nicht nach Blumenwiese. Die Erkrankungen in der Nachbarschaft hatten ihre Spuren hinterlassen, das war vor allem hier, in der Nähe des Aborts, nicht zu übersehen. Lili deutete auf zwei abgesägte Baumstümpfe, die vor dem Holzschuppen als Hackklotz dienten, und sie setzten sich.

«Magdalena hat uns neulich bekanntgemacht», sagte sie anstelle einer Begrüßung.

Weber lächelte. «Ich kannte Sie vorher schon.»

«Ach ja?» Lili runzelte die Brauen. «Wie kann das sein?»

«Ich habe damals bei Ihrer Ankunft am Venloer Bahnhof Ihren Koffer getragen, junge Frau.»

Ein Schauer durchfuhr Lili. Das also war der unheimliche Kofferträger, der aus dem Nichts aufgetaucht und ebenso plötzlich verschwunden war. Magdalenas Worte über Gideon Webers angebliche Fähigkeit, sich in entscheidenden Situationen unsichtbar zu machen, fielen ihr wieder ein.

«Woher wussten Sie damals von meiner Ankunft?», fragte sie.

Weber lachte heiser. Es klang eher wie ein hässliches Geräusch. «Ich war nicht Ihretwegen am Bahnhof, junge Frau.»

Lili überlegte, ob sie weiterfragen sollte. Im Grunde ging es sie nichts an, warum dieser merkwürdige Mann am Gleis aufgetaucht war, aber der Tag ihrer Ankunft war ein besonderer gewesen. An diesem Tag war der Mord geschehen.

«Darf ich fragen …?»

«Sicher. Ich habe einen Freund zum Zug gebracht. Und anschließend habe ich einer jungen Frau mit einem Koffer geholfen, der reichlich schwer aussah.»

Lili sah den Numerologen mit zusammengekniffenen Augen an. Die Funzel, die sie mitgenommen hatte, beleuchtete sein Gesicht von unten, was ihm etwas Unheimliches verlieh. Sie war sich nicht sicher, ob sie ihm glauben konnte. Seine Erklärung klang zu glatt, um überzeugend zu sein.

«Ich bin jedenfalls froh, dass Sie kommen konnten», sagte sie, als sie das Schweigen nicht mehr ertrug.

Weber neigte den Kopf. «Die Einladungen waren ja nicht zu übersehen.»

«Sie wundern sich, dass ich auf Sie gekommen bin?»

«Ich wundere mich, dass es so lange gedauert hat. Wo ist eigentlich der Doktor, Ihr Freund? Ehrlich gesagt, hätte ich gedacht, dass mich die Zahlenreihe zu ihm führt und nicht zu Ihnen.»

Lili spürte, wie Hitze in ihre Wangen schoss, und ärgerte sich sogleich darüber. «Er ist nicht mein Freund, er ist unser Nachbar», sagte sie.

Der Numerologe schüttelte den Kopf. «Sie müssen wissen, Lili, ich habe ihm diese Zahlenreihe Woche um Woche zugesteckt. Ich habe ihn sogar angesprochen. Warum reagiert er so spät?»

«Weil Sie es vielleicht auch etwas direkter hätten sagen können?» Der Mangel an Schlaf machte Lili zunehmend gereizt. «Ich meine: CHOLERA. Das Wort lässt sich doch wohl auch buchstabieren.»

«Ja, sicher. Aber nicht für mich.»

«Was soll das heißen? Sie sind doch kein Analphabet, wenn Sie Texte verschlüsseln. Haben Sie lieber Ihr kleines Spiel gespielt?»

Der Numerologe betrachtete sie einige Sekunden nachdenklich, bevor er antwortete. «Sie erinnern mich an die Katze eines Bekannten von mir», sagte er, ohne auf ihre Frage einzugehen. «Rote Haare, scharfe Krallen. Sind Sie immer so impulsiv?»

«Beantworten Sie erst meine Fragen, dann werde ich zusehen, ob ich Ihre beantworten mag.» Lili ballte die Fäuste. Was in drei Teufels Namen fand Magdalena an diesem selbsternannten Wissensquell? Er mochte über die Verbindung von Eros und Thanatos mit der Freundin diskutiert haben, Bibeltexte umgeschrieben und komplizierte Verschlüsselungstechniken entwickelt haben – für sie war er jedoch lediglich ein arroganter, alter Geck.

«Nun gut.» Der Numerologe strich sich über seinen Bart. «Ich habe dieses ‹kleine Spiel›, wie Sie es zu nennen belieben, nicht aus Gründen des Amüsements gespielt. Die Wahrheit ist, dass ich relativ früh erkannt habe, dass Hamburg diese Epidemie bevorsteht, aber ich …»

Lili hob die Hand. «Woher wussten Sie das?»

«Viele wussten das. In Russland grassiert die Cholera schon seit Monaten. Hunderte dieser Menschen, viele infiziert, machen hier jede Woche halt. Sie wollen auf ein Schiff, das über den Atlantik dampft. Es war nur eine Frage der Zeit, bis sich die Krankheit aus den Auswandererbaracken auf die Stadt ausweitet. Für mich war klar, dass das noch in diesem Jahr passieren würde. Einige maßgebliche Leute in der Gesundheitsbehörde wussten das übrigens auch.»

«Und warum haben die nichts unternommen?»

Der Numerologe hob die Schultern. «Die Diagnose asiatische Cholera zu stellen, hat sich keiner der Ärzte getraut. Die Behörden haben ja auch Druck auf sie ausgeübt, damit sie das nicht tun. Einfach deshalb, weil die Stadt sonst stillgelegt werden würde. Kein Handel, keine Einreise, kein Hinauskommen mehr. Sie sehen das ja.»

Lili musterte ihn im zuckenden Licht der Funzel. «Wer sind Sie eigentlich?», brach es plötzlich aus ihr heraus.

«Was auch immer Sie in mir sehen möchten», antwortete er. «Ich bin vieles. Suchen Sie sich etwas daraus aus.»

Lili seufzte entnervt auf. «Und Gespräche sind nicht Ihre spezielle Stärke, oder? Sie halten sich lieber an Zahlen.»

«Das haben Sie richtig erkannt.»

«Und warum tun Sie das?»

Der Numerologe zögerte. Etwas Gequältes trat in seine Züge. «Zahlen können einen nicht verraten», antwortete er. «Zahlen sind berechenbar.»

Es war das erste Mal, dass der Numerologe so etwas wie eine menschliche Regung durchscheinen ließ. Lili war ihm dankbar dafür.

«Ist Ihre Familie wenigstens so weit verschont geblieben?», fragte er schließlich leise.

«Mein Vater ist erkrankt, aber im Krankenhaus haben sie ihn Gott sei Dank wieder gesund gepflegt. Wir halten uns hier streng an die hygienischen Vorschriften, was wir als Bestatter ohnehin zu tun gezwungen sind, und von daher ist die Gefahr, was uns anbelangt, hoffentlich gebannt.»

Der Numerologe betrachtete prüfend ihr Gesicht. «Das freut mich für Sie.»

Lili schwieg ein paar Minuten und ließ die Worte auf sich einwirken. In der Ferne hörte sie das Weinen einer Frau.

«Verzeihung», sagte sie schließlich leise. «Ich habe Sie vorhin unterbrochen, Herr Weber. Sie wollten sagen, dass Sie die Epidemie vorhergesehen haben, aber …?»

Weber versuchte zu lächeln, doch der Gesichtsausdruck misslang. «Ich wollte sagen, dass ich mich nicht öffentlich dazu äußern konnte, weil ich mit meinen Forschungen auf dem Gebiet der Numerologie ohnehin schon so etwas wie ein komischer Vogel bin. Weniger wohlmeinende Kollegen halten mich für einen Spiritisten, der die Zukunft weissagt. Spiritismus ist in Hamburg aber verboten. Er fällt in die Kategorie Unsittlichkeit.»

«Kann es Ihnen denn nicht egal sein, was andere Stukkateure von Ihnen denken? Ich meine, solange sie Ihnen nichts nachweisen können.»

Der Numerologe schnalzte mit der Zunge und lachte. «‹Andere Stukkateure›», kicherte er. «Ich arbeite für die Polizei, mein Fräulein. Da fällt die Sache schon ein bisschen mehr ins Gewicht.»

«Sie arbeiten für die …?» Lili war verblüfft.

«Ich fertige Totenmasken an», erklärte der Numerologe. «Von den Guillotinierten. Jemand, der Totenmasken herstellt, ist von Haus aus Stukkateur, das ist schon richtig. Aber Wände zu verschönern ist nicht mehr mein Metier.»

«Totenmasken», wiederholte Lili leise. «Wozu das?»

«Die Polizei geht davon aus, dass Menschen mit bestimmten Gesichtszügen eher dazu neigen, kriminell zu werden, als andere. Die Totenmasken – also eine bestimmte Nasenform, angewachsene Ohrläppchen, der Augenschnitt – werden wissenschaftlich ausgewertet. Ich für meinen Teil ergänze die Forschung um die numerologische Komponente. So hoffe ich, dass wir Verbrecher schneller finden oder schon im Vorfeld ausschalten können.» Er nickte nachdenklich. «Persönlich finde ich Verbrecher sehr, sehr interessant.»

Lili schüttelte es innerlich. «Warum haben Sie Ihre Zahlenreihe aber ausgerechnet Doktor Buchner geschickt?», fragte sie rasch.

Wieder kicherte der Numerologe. «Kindchen, das ist doch offensichtlich. Er ist einer der wenigen Ärzte in Hamburg, der an die Ansteckungstheorie glaubt. Nur jemand, der davon ausgeht, dass sich diese Krankheit von Mensch zu Mensch ausbreitet, ist in der Lage, etwas dagegen zu tun. Außerdem interessiert er sich für Zahlen. Das wissen Sie so gut wie ich.»

Jetzt fühlte sie, wie sich ihr die Haare im Nacken aufrichteten. Woher nahm der Mann all seine Informationen? Es war unglaublich, was er alles wusste. Verfolgte er sie?

«Sie haben Ihre Nachricht an Doktor Buchner verschlüsselt», sagte sie leise. «In diesem Fall haben Sie eine Buchverschlüsselung gewählt. Aber wie steht es mit Chiffrierscheiben? Interessieren Sie sich dafür auch?»

Der Numerologe nickte. «Sie sprechen jetzt wohl von der Chiffrierscheibe, die Sibylle besaß.»

«Woher wissen Sie davon?»

«Ich war derjenige, der Sibylle diese Scheibe gegeben hat», antwortete der Numerologe. «Sibylle hat immer gern damit gespielt.»

Ein Schauer fuhr Lili über den Rücken. «Sie … haben Sibylle diese Scheibe gegeben? Warum?»

Der Numerologe sah sie aufmerksam an. «Es gab mal eine

Zeit», begann er, «da habe ich mich im Salon im Alten Steinweg wohlgefühlt. Ich bin dort täglich ein und aus gegangen.»

«Das hat mir Magdalena schon erzählt», platzte Lili heraus. «Nur was hat das –?»

«Mit meiner Leidenschaft für Verschlüsselungen zu tun?», lächelte der Numerologe. «Ich interessiere mich für die Beale-Papiere. Genauso wie Ihr Freund. Sibylle hat mir manchmal über die Schulter geschaut, wenn ich mit den Papieren und Chiffrierscheiben hantiert habe. Und wenn sich wieder einmal eine Scheibe als nutzlos herausstellte, habe ich sie ihr geschenkt.»

«Ich verstehe das nicht.» Lili beugte sich vor. «War Sibylle ... eine Freundin von Ihnen? Und was wissen Sie über sie?»

«Die Frage lautet wohl eher», flüsterte der Numerologe, «was wissen Sie von Sibylle? Haben Sie überhaupt eine Ahnung, wer sie war?»

«Ich weiß zumindest, wo sie gearbeitet hat. Und ich weiß, mit welchem Mädchen im Haus sie befreundet war.»

Der Numerologe musterte sie lange. Als er endlich sprach, klang seine Stimme verändert. «Sie wissen überhaupt nichts», sagte er.

Ein erstickter Schrei aus einem der Nachbarhäuser ließ Lili zusammenzucken. Sie blickte nach oben, von wo der Schrei gekommen war, konnte aber nichts erkennen. Als sie sich Augenblicke später wieder ihrem Gesprächspartner zuwenden wollte, war sein Platz leer. Sie hielt die Funzel in die Höhe, um den Hof zu erhellen. Doch von dem Numerologen war nichts mehr zu sehen.

«Der Kerl ist total irre!» Lili atmete stoßweise. «Einen Moment lang hält er wissenschaftliche Vorträge, dann ist er unvermutet freundlich, und im nächsten Augenblick verschwindet er. Und jetzt bin ich fast so schlau wie vorher. Ich habe nur erfahren, dass die Chiffrierscheibe in ihrem Strumpfband ein Geschenk dieses Verrückten war.»

Magdalena gähnte und räkelte sich auf ihrem Bett. Unter ihrem Nachthemd schimmerten die dunklen Knospen ihrer Brüste.

«Sag bloß, dass du eingeschlafen bist, während ich mich unten mit ihm unterhalten habe», fuhr Lili verärgert fort.

«Du hast bei Gideon nichts zu befürchten. Er tut niemandem was.»

«Ach ja?» Lili kreuzte die Arme vor der Brust. «Dasselbe haben sie auch über den tollwütigen Esel im Alten Steinweg gesagt – bevor er einem Jungen aus der Nachbarschaft den Zeigefinger abgebissen hat.»

«Beruhige dich.» Magdalena lächelte träge. «Gideon ist kein Esel, ganz im Gegenteil. Er ist ein sehr gebildeter Mann.»

«Das eine schließt das andere nicht unbedingt aus», murmelte Lili. «Wusstest du, dass er Totenmasken anfertigt? Von Menschen, die die Stadt unter die Guillotine geschickt hat?»

«Ist nicht wahr! Wie aufregend.» Jetzt richtete Magdalena sich sogar auf.

«Aufregung hat bei dieser Sache nichts zu suchen. Für die Masken braucht er eine ruhige Hand, nehme ich an.»

«Deswegen war er also immer so gern bei uns und in dieser komischen Kaschemme, diesem ‹Verbrecherkeller›», sinnierte Magdalena. «Er hat sich die Vorlagen seiner Kunstwerke gern schon mal in lebendigem Zustand angeguckt.»

«Wie auch immer, ich bestätige jetzt den dritten Eintrag auf unserer Liste der Verdächtigen», erklärte Lili entschlossen.

«Ehrlich? Auf welchen Verbrecher hat er dich denn gebracht?»

«Auf sich selbst. Die Chiffrierscheibe, mit der Sibylle tot aufgefunden wurde, ist ein Geschenk von ihm, das macht ihn sehr verdächtig. Außerdem hat er sich mitten in unserem Gespräch wie ein Ertappter davongestohlen.»

«Oh, das tut er manchmal.» Magdalena lächelte sie an. Im Schein der Petroleumlampe wirkte sie sehr glatt und rein. «Das habe ich dir doch schon erklärt. Er kommt und geht, wenn man es am wenigsten erwartet. Aber er würde keiner Frau etwas zuleide tun. Schon gar nicht Sibylle. Die beiden waren einander zugetan.»

«Ich hoffe, du meinst das nicht in dem Sinne, den ich mir gerade vorstelle.» Lili verzog angewidert das Gesicht.

«Dein Pech, wenn du so eine blühende Phantasie hast», lächelte Magdalena. «Die beiden waren nicht miteinander im Bett.»

«Das mag ich mir auch lieber gar nicht vorstellen.»

«Was genau wäre eigentlich so schlimm daran?», fragte Magdalena.

«Das fragst du auch noch? So eine junge Frau und so ein alter Mann!»

Magdalena hob gleichgültig die Schultern. «Gibt Schlimmeres.»

Lili überlegte kurz. Schlimmer als ein nackter Herr Weber? In der Tat. Ein brutaler Thorolf Behnecke fiel ihr ein.

«So kann ich unmöglich wieder schlafen gehen», beschwerte sie sich. «Von diesen Gesprächen bekomme ich Albträume!»

Magdalena klopfte auf ihre Decke. «Dann komm, wir erzählen uns Gute-Nacht-Geschichten.»

«Nein.» Lili wandte sich um. «Ich muss jetzt nachdenken. Das mit deinem Numerologen war vermutlich eine gute Spur. Aber ich glaube, da hängt noch etwas anderes dran.»

Im «Ältesten Hause Hamburgs» war nichts mehr los. Das holde Blondchen hing mit gesenktem Kopf am Tresen, und Wirt Jarchow war nirgendwo zu sehen. Selbst die Sonne wirkte an diesem Tag ermüdet. Gegen die Wolken, die sich am Himmel zusammengebauscht hatten, kam sie einfach nicht an. Das farbige Glas in den Fenstern verdunkelte den Raum.

Christian ließ angewidert die Zeitung sinken. Da hatte der *Generalanzeiger Hamburg-Altona* doch gleich auf seiner ersten Seite einen Artikel abgedruckt, der die Miasma-Theorie erneut verteidigte. Geschrieben ausgerechnet von Dr. phys. Peter Martenberg, seinem ehemaligen Kommilitonen aus Göttingen.

«Du siehst aus, als wolltest du mich umbringen», grinste Peter, als er Minuten später erschien.

Christian schleuderte die Zeitung zu Boden. «Sag nicht, dass dieses Machwerk hier der Grund für unsere Verabredung ist.»

«Natürlich nicht», lächelte Peter. «Ich wollte einfach mal hören, wie es dir geht. Seitdem im Krankenhaus so viel los ist, sieht man sich ja gar nicht mehr.»

«Wie konntest du nur so etwas schreiben!» Christian starrte den Freund wutentbrannt an.

«Ganz einfach.» Peter gab dem holden Blondchen ein Zeichen, es möge herüberkommen, um die Bestellung aufzunehmen. «Ich nahm den alten Federkiel zur Hand, den Vater mir zur bestandenen Promotion geschenkt hat, tauchte ihn in Tinte ...»

«Hör auf, ich meine es verflucht ernst.» Christian schlug mit der Faust auf den Tisch, was die Bedienung irritiert zurückweichen ließ. «Seit Wochen bemühen wir uns darum, die Bevölkerung aufzuklären, um weiteren Infektionen vorzubeugen, und alles, was du dazu beiträgst, ist zu behaupten, es gebe überhaupt keine Ansteckungsgefahr.»

«Gibt es ja auch nicht.» Peter hob den Zeigefinger. «Ich hätte gern von eurem Rindsgeschnetzelten. Kartoffelklöße dazu. Und du, Christian?»

«Wie bitte?» Christian wurde schwindelig vor Wut. «Was hast du da gerade gesagt? Es gibt keine Ansteckungsgefahr?»

«Wir können gleich weiter darüber debattieren», erklärte Peter. «Vorerst will Sinchen wissen, was du essen willst.»

«Mir ist der Appetit vergangen, Peter. Verdammt.» Er schleuderte seine Serviette auf den Holztisch. «Ich werde dich immer schätzen für das, was du damals in Göttingen getan hast. Für mich bist du die Vernunft in Person. Und darum verstehe ich einfach nicht, wie du jetzt so verstockt sein kannst. Die Cholera ist kein Miasma! Wann siehst du das endlich ein?»

«Ach komm, nun hab dich nicht so, Christian. Komm nochmal in zehn Minuten wieder, Sinchen. So lange kümmere ich mich um den Blutdruck meines Freundes hier.»

Er fasste scherzhaft nach Christians Handgelenk, wie um dessen Puls zu fühlen, doch Christian stieß ihn zornig fort. «Wie viel hat dir Hachmann für diesen Artikel bezahlt?»

«Meinst du Senator Hachmann, der Präses des Medizinal-Kollegiums? Dem obliegt es nicht, dem schreibenden Gewerbe Honorare zu zahlen.»

«Ach nein? Auch nicht, wenn dieses Gewerbe», Christian sprach das Wort spöttisch betont aus, «die Meinung des Hamburger Medizinal-Kollegiums wiedergibt?»

«Jetzt hör mir mal zu.» Peter sah plötzlich ernst aus. «Ich gebe ja zu, dass ich dich eben ein bisschen ärgern wollte. Aber dass das Cholera-Vibrio eine giftige Ausdünstung ist, die aus dem ungesunden Boden rund um den Hafen kommt, ist nicht allein die Meinung irgendwelcher Senatoren, sondern auch meine feste Überzeugung, wie die jedes anständigen Wissenschaftlers.»

«Das kann doch wohl nicht angehen!» Christian fasste sich an den Kopf. «Die Cholera ist hochansteckend, alle Welt weiß das. Robert Koch hat es nachgewiesen. Weswegen isolieren wir denn die Cholerakranken? Warum desinfizieren wir ihre Leichen? Warum geben wir die Warnung aus, sich nach dem Kontakt mit Cholerakranken gründlich die Hände zu waschen? Weil die Cholera verdammt nochmal höchst ansteckend ist!»

Das holde Blondchen stand plötzlich neben ihm und räusperte sich. «Ich habe vergessen zu fragen, was die Herren trinken wollen», sagte sie.

«Ich nehme ein schönes kühles Wasser», sagte Christian. «Ihr verkauft doch hier kein Wasser aus der Elbe, nehme ich an?»

Die Holde hob die Schultern. «Das weiß ich nicht, mein Herr.»

«Verflixt, dann nehme ich wohl besser ein Bier.»

«Ich auch», sagte Peter.

«Du hast wohl auch Angst vor dem Elbwasser, was?», neckte Christian. «Und du hast auch allen Grund dazu. Im Elbwasser ist nämlich das Cholera-Vibrio. Und wenn du hundert Mal dagegen anschreibst. Das Cholera-Vibrio ist ansteckend!»

«Ich habe einfach keine Lust auf Wasser», antwortete Peter. «Ich habe jetzt Mittagspause, da will ich mir auch mal was gönnen. Ist hart genug, so ein Tag im Krankenhaus.»

«Mach mir doch nichts vor», versuchte es Christian noch einmal. «In Wahrheit weißt du genau, dass das Cholera-Vibrio ansteckend ist. Du willst es nur nicht zugeben. Dass du kein Wasser trinken magst, ist Beweis genug.»

«Jetzt reicht es mir aber.» Peter beugte sich vor, griff nach seiner Tasche und ließ den Verschluss aufschnappen. Dann zog er ein Glas mit einer trübe schimmernden, geflockten Flüssigkeit hervor. «Siehst du dieses Wasser?», fragte er Christian.

In diesem Moment kam das holde Blondchen an den Tisch geschlichen, mit zwei riesigen, dampfenden Tellern in der Hand. Christian bedankte sich und wandte sich dann wieder Peter zu. «Ich bin allerdings nicht sicher, ob ich es bei meinem Mittagessen haben will.»

«Mich gelüstete es ursprünglich auch nicht danach.» Peter

schüttelte das Glas. «Aber ich bin es langsam leid, dass du mich beschuldigst, korrupt zu sein. Ich sage dir, das Cholera-Vibrio ist nicht ansteckend. Und zum Beweis trinke ich jetzt dieses Glas!»

«Bist du wahnsinnig?» Christian sprang so heftig auf, dass Sinchen, die mit den vollen Biergläsern ankam, zurückwich und über eine Teppichfalte stolperte. Im Fallen versuchte sie, die Gläser noch zu halten, aber es hätte des Gleichgewichtssinns eines Seiltänzers bedurft, damit das gelingen konnte. Schäumend ergoss sich das Bier auf den Boden. Sinchen unterdrückte einen Fluch.

«Was ist das?», schrie Christian.

«Ein Trottel, der eine Kellnerin umrennt», antwortete Peter grinsend.

Christian deutete auf das Glas, das Peter nun geöffnet hatte. «Ich meine: das.»

«Das ist ein Glas mit Cholera-Vibrionen, die morgen ihre Reise nach Berlin antreten sollten, um dort analysiert zu werden. Nur dass sich die Marschrichtung vorerst geändert hat. Jetzt geht es nämlich erst mal durch meinen Magen. Und später, wenn ich pissen muss, aufs Klo.»

«Willst du wohl mit dem Schwachsinn aufhören?», schrie Christian.

«Auf die Plätze ...» Peter wich Christians Händen aus. «... fer-tiiiig ...» Er sprang auf und rannte zum Tresen, hinter dem er sich verschanzte, um sich Christians Zugriff zu erwehren. «Und los!»

Mit diesen letzten Worten kippte er das Glas auf ex hinunter und wischte sich den Mund.

Christian brachte vor Schreck keinen Ton hervor.

«Nicht wirklich lecker, ich muss schon sagen.» Peter schüttelte sich. «Sinchen, bitte bring uns noch ein Bier!»

Lili war todmüde am nächsten Tag. Während sie zunächst mit Carl und Caroline die Besonderheiten der Vergangenheitsbildung durchging und später über den Rechnungsbüchern brütete, nickte sie immer wieder ein. Und darum glaubte sie auch zu träumen, als es an der Tür klingelte und sie die Zigeunerin vom Spielbudenplatz vor sich sah. Obwohl sie nun weder ihre goldenen Kreolen noch bunte Tücher trug, war es doch unverkennbar dieselbe, die ihr aus der Hand gelesen hatte. Zu ihrer Überraschung hielt die Frau einen Affen an der Hand. Doch ihre Verwunderung schien nichts im Vergleich zu dem Schrecken, den die Zigeunerin offensichtlich empfand. Sie riss die Augen auf, als sie Lili erblickte, dann schüttelte sie den Kopf, und schließlich nickte sie.

«Ist Ihnen nicht gut?», fragte Lili. «Kommen Sie doch herein, setzen Sie sich. Meine Mutter wird Ihnen einen Tee bereiten. Brauchen Sie Hilfe? Vielleicht einen Arzt?»

Die Frau winkte ab. Der Affe tat es ihr gleich.

«Warten Sie.» Lili schob einen Stuhl heran. «Setzen Sie sich bitte. Ich hole meinen Vater. Der bedient Sie gleich.»

Sie ging in die Werkstatt zurück, in der der Vater arbeitete. Lili bemerkte, dass seine Hände zitterten, auch war seine Gesichtshaut noch immer leichenblass. Die Krankheit hatte ihm stärker zugesetzt, als er es sich selbst eingestehen wollte, aber das brachte ihn nicht davon ab, seine Arbeit zu tun. Gemeinsam mit Tobias und Magdalena, die ein erstaunliches handwerkliches Geschick an den Tag legte, zimmerte er täglich etwa fünfzehn Särge für die Massengräber, ohne jede Verzierung natürlich und ohne besondere Auswahl des Holzes.

«Vater.» Lili legte ihm sanft eine Hand auf den Arm. «Im Laden sitzt eine Dame, die offensichtlich unter Schock steht. Mein Anblick scheint sie noch mehr zu verschrecken. Gehst du vielleicht einmal zu ihr hin?»

«Das mach ich, Liebes.» Wenn Basilius lächelte, leuchtete

ein Stück seiner alten Kraft und Wärme auf. «Sag Mutter, sie möge ihr einen kräftigen, süßen Tee zubereiten.»

Er musterte sie kurz. «Du siehst sehr abgespannt aus, meine Kleine. Fehlt dir was?»

Sekundenlang befürchtete Lili, sie könnte in Tränen ausbrechen. Das Leben war ihr in den letzten Tagen so schrecklich schwer. Sie hatte das Gefühl, dass sich etwas um sie herum zusammenzog wie ein Netz. Mitunter bekam sie nicht einmal mehr Luft. Dabei hätte es doch genau andersherum sein sollen, sie war schließlich diejenige, die den Mörder ausfindig machen wollte. Der Numerologe, Thorolf Behnecke und sogar Rurik, sie alle flößten ihr Angst ein, ohne dass sie genau hätte sagen können, warum. Vielleicht, weil sie spürte, dass tatsächlich einer von ihnen diese schaurige Tat begangen hatte. Oder gerade, weil sie sich dessen nicht sicher war? Diese Ungewissheit war eine große beängstigende Leere, in die sie fiel und fiel und fiel …

«Lili?» Der Vater nahm sie bei den Schultern. Er sah besorgt aus. «Was ist mit dir?»

«Ich glaube, ich bin bloß müde», sagte Lili.

Der Vater nickte. «Trink auch du einen Tee.»

Es geschah ungefähr eine Viertelstunde später. Der Vater hatte die Frau mitsamt ihrem Affen in den Salon gebeten, und Lili trug ein Tablett mit einer Kanne Tee, einem kleinen Pott Zucker, Sahne und zwei Tassen in der Hand. Sie stellte das Tablett ab, während sie ihren Vater sagen hörte: «Er ist also ganz friedlich eingeschlafen, sagen Sie?»

«Ja», antwortete die Frau, die ihren Blick wieder über Lilis Gesicht und ihre Haare wandern ließ. Lili fragte sich, ob sich die Frau noch daran erinnerte, wie sie ihr aus der Hand gelesen hatte, damals im Sommer, Wochen vor der Epidemie. «Er ist so entschlafen, wie wir es uns alle wünschen.» Sie schlug die Hände vor das Gesicht. «Aber jetzt bin ich ganz allein!»

Erst jetzt bemerkte Lili, dass die Zigeunersprache und der Akzent, dessen sich die Frau damals bedient hatte, bloß schmückendes Beiwerk gewesen waren, ebenso wie die Ohrringe und das Tuch. Sie war so fasziniert von ihrer Entdeckung, dass sie sich auf dem Stuhl, der ihrem Vater am nächsten stand, niederließ. Der kleine Affe, der die Trauer seiner Herrin zu spüren schien, kletterte auf ihren Schoß.

«Mein Mann und ich haben einen Leben lang hart gearbeitet», schluchzte die falsche Zigeunerin. «Und wir haben genug Geld für ein anständiges Begräbnis verdient. Wir sind durch die Lande gezogen und sind überall aufgetreten. Mit dem, was wir gemacht haben, waren wir im Kaiserreich ebenso wie in der k. u. k. Monarchie berühmt.»

Lili schenkte den Tee in die Tassen. Dabei tauschte sie mit dem Vater Blicke. Sie wusste, was der Vater dachte, ohne dass er es ihr sagen musste. Dies war ein Trauerfall, und entsprechend war die Sache ernst, aber dennoch waren sie froh, dass es ein normaler Todesfall und kein Choleratod war.

«Wir waren Gaukler, Tieraussteller und Stimmenimitatoren. Meine Eltern waren Akrobaten. Dieses Talent haben sie meiner Schwester vererbt.» Sie blickte auf und sah dem Vater voll ins Gesicht. Ihr Gesicht war ohne Tränen. Hart sah es auf einmal aus, alle Trauer war daraus verschwunden. «Hat Sie das so an ihr gereizt?»

Der Vater, der gerade seine Tasse zum Mund führen wollte, hielt inne. «Wie bitte? Ich glaube, ich verstehe Sie nicht.»

«Oh, doch. Sie verstehen mich sehr gut. Als ich von einer Reise aus Sachsen zurückkehrte, fand ich meine Schwester, meine wunderschöne, unverheiratete, siebzehnjährige Schwester schwanger in Hamburg. Sie wollte mir nicht sagen, wer der Vater war. Aber ich habe es trotzdem herausgefunden. Leider musste ich meinem Mann, Gott hab ihn selig, versprechen, mich nicht in Monas Angelegenheiten einzumischen. Oh, glauben Sie mir, ich hätte dem Schuft, der Mona geschwängert hat, gerne aufgelauert! Ich hätte ihm gern zwei, drei Worte gesagt. Aber solange Franco gelebt hat, konnte ich ja nichts machen. Aber nun», sie blickte zwischen Lili und dem Vater hin und her, «ist er tot.»

Lili bemerkte, dass der Vater schluckte. Etwas sagte ihr, dass sie hier fehl am Platz war, dass sie fortgehen, ihrer Arbeit nachgehen müsste, dass das, was hier gesagt wurde, nicht für ihre Ohren bestimmt war. Aber sie konnte sich nicht bewegen. Es war, als hätte die Frau sie gebannt.

«Als das kleine Mädchen geboren war, wusste ich, dass der Vater ein Rothaariger war. Und irgendwann hat Mona sich verplappert. Da kannte ich dann auch sein Gewerbe. Bestattungsunternehmer, habe ich damals gedacht. Auch nicht schlechter als das, was wir tun. Und doch.»

Zum ersten Mal seit Monaten fror Lili. Die Kälte kroch ihr von den Fingerspitzen die Arme empor.

«Ihr Mann ist überhaupt nicht gestorben, oder?» Auch Basilius' Stimme klang plötzlich kalt.

«Doch. Aber deswegen bin ich nicht hier.» Sie deutete auf Lili. «Ich bin Ihrer Tochter vor ungefähr zwei Monaten begegnet. Auf dem Spielbudenplatz. Und dann, vor zwei Wochen ... Ja, ich gebe es zu. Er ist nicht sanft entschlafen. Es war ... fürchterlich. Abstoßend. Das Schlimmste, was ich je erlebt habe. Cholera.» Sie schwieg einen Augenblick. «Zwei Wochen. So lange hat es gedauert, bis ich Sie gefunden habe. Aber jetzt bin ich da.»

«Was wollen Sie?», fragte Basilius.

«Ich hatte meine Schwester und meine Eltern aus den Augen verloren.» Sie machte eine Handbewegung, die den Affen aufblicken ließ. «Wegen eines dummen Streits. Als wir beschlossen hatten, zukünftig getrennt aufzutreten, war Sibylle zwölf Jahre alt. Vier Jahre später sind meine Eltern an Tuberkulose gestorben. Und meine Schwester auch.»

Lili spürte, wie ihr Mund plötzlich austrocknete. «Sibylle?», flüsterte sie.

Die Gauklerin blickte sie an. «Monas Tochter. Es war ein Schock, dir zu begegnen. Du siehst genauso aus wie sie.»

23. KAPITEL

Ist etwas passiert?» Elisabeth steckte den Kopf zur Tür herein. «Oh Himmel, Liebchen, du bist ja ganz blass.»

Lili war mit dem Vater in die Küche hinübergegangen. Dort lehnte er am Kohleofen und zitterte am ganzen Leib. Ihre Besucherin hatten sie im Salon zurückgelassen. Lili hatte darauf bestanden, mit ihrem Vater allein zu sprechen. Ihr war schwindelig und kalt.

«Es ist gut, Mutter», sagte sie. «Wir haben eine etwas schwierige Kundin. Sie hat Vater ... beschimpft.»

«Oh Gottchen, soll ich zu ihr hinübergehen und mit ihr reden?»

«Nein, Mutter, bitte tu das nicht.» Lili zuckte zusammen, als sie merkte, dass sie die Worte geschrien hatte. «Geh bitte auf den Markt und hol Zitronen – für den Leichnam, den wir gleich geliefert bekommen.»

Elisabeth rang die Hände. «Aber das Märktchen ist doch geschlossen worden.»

«Dann kauf die Zitronen irgendwo anders, Liebes», sagte der Vater leise. «Bitte tu, was Lili dir sagt.»

Die Mutter blickte verwirrt von einem zur anderen. «Ich verstehe nicht recht ...»

Die vertraute Sprache der Familie kam Lili in den Sinn – Zärtlichkeit. Sie ging auf die Mutter zu und drückte ihr einen Kuss auf die Wange. «Es ist nichts, worum du dich sorgen musst, Mutter», sagte sie.

Elisabeth streichelte ihrer Tochter über die Locken. Dann nahm sie ihren Korb und ging davon.

Nachdem ihre Schritte verklungen waren, fühlte Lili, wie die Kälte erneut in ihr aufstieg. «Sibylle war meine Schwester? Bitte sag, dass das nicht wahr ist, Vater. Die Frau hält uns zum Narren, nicht wahr?»

Basilius blickte sie lange an. Lili bemerkte die tiefen Furchen, die sich durch sein Gesicht zogen, Lachfalten in erster Linie, die sich wie die Strahlen einer Kindersonne von seinen leuchtenden Augen über das ganze Gesicht ausbreiteten. Jetzt, wo der Vater nicht lächelte, sah seine Haut aus wie gemasertes, sehr altes Holz. Und seine Haare waren so grau geworden, dass das Rot fast vollständig daraus verschwunden war. Endlich schüttelte er den Kopf.

«Aber – wie ist das möglich?» Lili suchte in den Augen ihres Vaters nach einer Antwort. So dicht stand sie jetzt vor ihm, dass sie ihm direkt in die Augen sah. Ihr Blick flog von seinem linken zu seinem rechten Auge, und dann wieder zurück.

«Ich ... ich war verzweifelt», hörte sie den Vater endlich sagen. «Damals, nach Roberts Tod. Bitte, sieh mich nicht so an, Lili. Eines Abends bin ich hinausgegangen, zum Spielbudenplatz. Und da habe ich sie gesehen. Eine junge Frau mit einem solch ansteckenden Lachen. Eine Frau, der die Fröhlichkeit aus allen Poren drang. Sie konnte Kunststücke machen.» Jetzt kam doch ein müdes Lächeln in sein Gesicht. «Am lustigsten sah es aus, wenn sie Handstand machte. Sie konnte Handstand auf einem Stock. Ich habe ihre Röcke gesehen, wie sie ihr über den Kopf fielen, es sah bunt aus, so als blühte eine Blume um ihre Beine auf. Es war ... wenn ich mit ihr zusammen war ... dann musste ich nicht mehr an Robert denken. Wir haben uns ungefähr zwei Wochen lang getroffen. Dann war sie plötzlich weg.»

Lauter ungeordnete Gefühle strömten in Lilis Herz. Es war entsetzlich, was der Vater ihr erzählte. Und gleichzeitig hörte es sich wie ein Märchen an. Würde nicht der Vater, sondern ein Fremder ihr diese Geschichte erzählen, würde sie sagen, dieses Märchen klänge schön. Sie schloss die Augen.

«Es kann immer noch sein, dass die Frau uns eine Geschichte auftischt», sagte sie endlich. «Ich habe den Eindruck, dass sie uns erpressen will.»

Der Vater nickte. «Es ist gut möglich, dass sie das will», sagte er. «Aber ich erkenne sie wieder. Sie ist wirklich die Schwester meiner … ich meine, die Schwester von Mona. Die Geschichte stimmt.»

So blass war sein Gesicht mittlerweile geworden, dass sogar die Sommersprossen daraus verschwunden waren. «Ich hätte mir nicht im Traum ausmalen können, dass Mona schwanger von mir war.»

Auf einmal spürte Lili, wie die Wut wieder in ihr aufstieg. So vertraut war ihr dieses Gefühl in den vergangenen Wochen geworden, dass sie sich jetzt bereitwillig hineinfallen ließ. Nur dass sie in diesem Moment nicht genau wusste, auf wen sie eigentlich wütend war. Auf die alte Hexe, die mit ihrem Affen im Salon saß, ihren Tee schlürfte und sich die Hände rieb? Oder doch auf ihren Vater, der sich mit einer Budenzauberin vergnügt hatte, während die Mutter mit ihr und dem kleinen Wilhelm zu Hause saß und um den verstorbenen Robert trauerte? Oder darauf, dass sie eine Halbschwester hatte, die nur zwei Jahre jünger gewesen war, die ihr offenbar wie ein Zwilling geglichen hatte und die sie niemals kennenlernen würde, weil sie nun für immer entschwunden war? Gestorben, hingetreten, heimgegangen. Bestialisch ermordet, in der Blüte ihres Lebens. Mit einem Leben, das sie offenbar dafür verwenden musste, von Männern benutzt zu werden, gegen Geld.

Auf einmal sah sie, wie ihr Vater weinte. Dicke Tränen rollten ihm über das Gesicht. Impulsiv schloss sie ihn in die Arme. Und auf einmal konnte Lili nicht mehr an sich halten. «Wir werden damit fertig, Vater.» Sie weinte jetzt ebenfalls. «Und wir werden denjenigen finden, der Sibylle das angetan hat. Jetzt erst recht.»

Dr. phys. Peter Martenberg starb an einem Montag. Sein Vorgesetzter, Oberarzt Dr. phys. Theodor Rumpf, wunderte sich zunächst über die für seinen Mitarbeiter so gar nicht typische Verspätung bei Dienstantritt. Die Verwunderung wich Ärger, dann Hilflosigkeit, da das Krankenhaus auch an diesem Tag vollkommen überfüllt war. Im Hof hatten sie damit begonnen, behelfsmäßige Baracken einzurichten. Wie eine kleine Stadt zogen sich die Bretterhäuser über das Gelände, nur dass diese Örtlichkeit eine Art Todeszone war, denn noch immer verstarb gut ein Drittel all jener, die mit der Diagnose Cholera asiatica eingeliefert worden waren.

Martenberg senior, eine in Amt und Würden ergraute Kaufmannseminenz, versuchte für seinen Sohn eine reguläre Bestattung durchzusetzen, und tatsächlich wurde ein Pastor gerufen, der die Aussegnung sprechen sollte, aber als Peters Sarg gemeinsam mit all den anderen eingesargten Choleraleichen in das hierfür vorgesehene Massengrab gesenkt werden sollte, wusste schon niemand mehr, wer eigentlich genau in welcher Kiste ruhte, und so sprach der Pastor die Aussegnung für die anderen dreißig Toten einfach mit.

Christian hatte die Nachricht vom Tod seines Freundes stärker schockiert als alles, was er in den vergangenen Wochen erlebt hatte. Peter war sein Retter gewesen damals in Göttingen. Er hatte ihm die entscheidende Summe geliehen. Dank Peter hatte er von der Schatzsuche erfahren und sich vom Glücksspiel lösen können. Immer wieder sah er dessen lachendes Gesicht im «Ältesten Hause Hamburgs» vor sich, und er hörte Peters Worte in seinem Kopf nachhallen: «Du siehst aus, als wolltest du mich umbringen.»

Die Schuldgefühle nagten tief an ihm. Stimmte es am Ende? War seine Wut auf Peter so groß gewesen, dass er ihm Gevatter Tod an den Hals gewünscht hatte? Eines war wohl gewiss: Hätten sie nicht diesen medizinischen Streit ausgetragen, so hätte Peter sicherlich auch keine Veranlassung gesehen, die Vibrionen zu trinken.

Heinrich, sein Zimmer- und Leidensgenosse aus Göttinger Zeiten, stand hilflos daneben, als der Pfarrer das Grab mit Erde bedeckte. «Und Peter hat das Glas mit den Erregern einfach so getrunken?», fragte er zum wiederholten Mal an diesem Tag.

«Als ob es ein Glas Apfelsaft gewesen wäre», bestätigte Christian.

«Die Medizin ist das letzte große Abenteuer unserer Zeit», nickte Heinrich. «Ich meine, wenn man die Dinge mal nicht zählt, die man mit Frauen erleben kann.»

Sosehr sich die Krankenhäuser bevölkerten, so leer sahen inzwischen Hamburgs Straßen aus. Was nicht nur an der fortschreitenden Seuche lag, sondern auch an einem Brauch, der sich fast ebenso epidemisch ausbreitete wie die Cholera. Die Fahrer der Kranken- und Leichentransporte sprachen nämlich zunehmend dem Alkohol zu, vermutlich in der Hoffnung, sich mit dessen Hilfe ihre Gesundheit zu erhalten, und natürlich auch, weil sich der Geruch ihrer Fracht so besser aushalten ließ. Auf diese Weise kam es zu einer deutlichen Häufung von Verkehrsunfällen. Berauschte und orientierungslose Kutscher lenkten ihre verwirrten Pferde gegen Hausmauern und in andere Droschken hinein, sodass auch die Unfallstationen in den Krankenhäusern zu tun bekamen.

Obschon es vonseiten des Senats aus kein Verbot gab, eine Gastwirtschaft zu betreten, traute sich dagegen kaum noch jemand in einen öffentlichen Raum. Das gesellschaftliche Leben kam zum Erliegen, und diejenigen, die nicht starben oder anderen beim Sterben zusahen, waren wie gelähmt.

Im Hause Winterberg verhielt sich die Sache anders. Lili stand mit Magdalena in der Werkstatt, in der auf dem breiten, versiegelten Kieferntisch eine etwa sechzig Jahre alte Dame aufgebahrt lag. Die Mutter saß derweil mit einer Näharbeit im Salon, Carl und Caroline fragten sich oben in ihrem Zimmer gegenseitig Gedichte ab, und der Vater war mit Tobias unterwegs, um die Ware eines neuen Holzhändlers zu prüfen, da der alte an Cholera verstorben war.

«Die Liste der Verdächtigen ist nicht endlos lang», erklärte Lili, während sie die Augen der Dame mit ein wenig Schwarz aus Magdalenas Schminkdöschen betupfte. Das Ergebnis war überraschend wirkungsvoll: die Augen wirkten länger und sehr viel größer. Sie trat ein wenig zurück, um das Ergebnis zu betrachten. Kein Zweifel, die Dame war jetzt sogar hübsch.

Magdalena nahm noch einmal Lilis Notizbuch zur Hand. «Auf Platz eins steht *Mann, in den Sibylle verliebt war*, in Klammern *Engländer* und *Uhrendieb* mit Fragezeichen. Eine gewagte Beschuldigung, Kätzchen, und sehr ungenau obendrein. Platz zwei: *Thorolf Behnecke.*» Sie blickte auf. «Ich weiß, er ist die Pest, und wir alle hassen ihn. Aber ein Mörder, Lili? Überleg doch mal.»

Lili nahm nun den weißen Talg zur Hand, um die Schatten unter den Augen der Dame abzudecken. «Das habe ich bereits getan. Auch wenn es mir nach den Schlägen, die er mir auf meinen Schädel versetzt hat, zunächst etwas schwergefallen ist.»

«Aber dieser Rurik hat doch gesagt, dass er in der betreffenden Nacht mit Behnecke zusammen gewesen ist.»

«Weshalb Rurik nun auf Platz vier gelandet ist.»

Magdalena blickte wieder in das Heft hinunter. «Ist nicht wahr – du hast tatsächlich deinen alten Schwarm im Visier?» Sie blickte auf. «Dies ist nicht zufällig die Rache einer Zurückgewiesenen?»

«Obacht, Magdalena.» Lili versuchte, ein Klümpchen Weiß auf der pergamentenen Haut der Dame zu verreiben. Sie musste jetzt sehr sachte vorgehen, damit die Haut nicht riss. «Du darfst gerade nicht so komplizierte Dinge zu mir sagen, ich habe hier etwas sehr Schwieriges zu tun.»

«Rache?», wiederholte Magdalena. «Rurik? Du?»

«In Ordnung, du musst jetzt aber auch nicht so tun, als wäre ich das etwas zurückgebliebene Kind eines Eingeborenenstamms.»

Magdalena kicherte. «Ob du Rurik sicher zu den Verdächtigen zählen kannst, will ich wissen.»

«Oh, absolut sicher. Er hat versucht, einen Verdächtigen zu decken. Vertrauensfördernd ist das auf keinen Fall.»

«Dass du Gideon Weber auf Platz drei gesetzt hast, verstehe ich ja immer noch nicht so recht.» Magdalena sah zu, wie Lili einen weichen Pinsel in der Dose mit dem Rougepulver senkte und ihn dann mit der Hand abklopfte. «Warum schminkt ihr eigentlich manche Tote und andere nicht?»

«Weil wir es für jeden anders machen. So wie er oder sie es eben will. Schminken ist natürlich auch teurer, das heißt, nicht jeder kann sich das leisten. Im Falle von Frau Robertson hier», sie setzte den Rougepinsel auf ihrer rechten Wange auf und rieb ein bisschen damit herum, «machen wir eigentlich alles, was wir können, weil sie sich alles gewünscht hat, was wir im Angebot haben. Außerdem ist ihr Mann so glücklich darüber, dass ihr Herz einfach nur stehengeblieben und sie nicht an Cholera gestorben ist. Er erfüllt ihr alle ihre letzten Wünsche daher nur zu gern.»

«Aber Lili, Kätzchen, du trägst die Schminke viel zu dick auf.» Magdalena trat an sie heran und blickte ihr über die Schulter. «Dass du sie in eine billige Bordsteinschwalbe verwandelst, will ihr Mann doch sicherlich nicht.»

Lili betrachtete die Tote mit zusammengekniffenen Augen.

In der Tat, mit den schwarzgefärbten Augen und den roten Lippen und Wangen ähnelte die Kaufmannsgattin tatsächlich ein bisschen Teresa. Fehlten nur noch schwarzgefärbte Haare und ein tiefer Ausschnitt. Leise vor sich hin murrend tauchte sie ein Stück Baumwolltuch in Öl und wischte der Toten die Farbe wieder ab.

«Ich kann es noch immer nicht fassen, dass Sibylle deine Schwester war», sagte Magdalena.

Sie hatten die Sache den ganzen gestrigen Tag und die halbe Nacht lang verhandelt. Basilius hatte seiner Frau die Affäre gebeichtet, um gegenüber der falschen Zigeunerin nicht erpressbar zu sein. Und natürlich hatte Lili damit gerechnet, dass ihre Mutter ein resigniertes «ach, Liebchen» seufzen würde, aber stattdessen hatte sie sich mit einer Näharbeit in den Salon zurückgezogen und einfach nichts mehr gesagt. Da saß sie nun seither und beachtete ihren Mann gar nicht.

Lili blickte ratlos auf Frau Robertson hinab. Wohl zum tausendsten Mal an diesem Tag fragte sie sich, was in ihrem Leben anders geworden wäre, hätte sie ihre Schwester kennengelernt. «Wie hat sie eigentlich geredet?», fragte sie unvermittelt und sah Magdalena dabei an.

«Ihre Stimme klang anders als deine», antwortete Magdalena. «Nicht so hell. Eher rau und heiser. Was vielleicht auch daran lag, dass man sich bei Teresa nur Gehör verschaffen kann, indem man mit der Lautstärke eines Marktschreiers spricht.»

«Und du meinst, wir beide hätten uns verstanden? Ich meine jetzt nicht, im lautstarken Sinn.»

«Das habe ich nicht gesagt. Darf ich Frau Robertson bitte mal schminken? Im Schminken war ich immer gut.»

Lili deutete mit der Geste eines Zirkusdirektors, der eine besonders wilde Bande von Tieren präsentiert, auf die verstreut liegenden Tiegel und Döschen. «Bediene dich. Was meinst du damit, das hättest du nicht gesagt? Du meinst also, wir hätten uns nicht gemocht.»

«Auch das habe ich nicht gesagt. Habt ihr auch Grün?»

«Du willst der alten Dame doch wohl nicht die Augendeckel grün malen?», fragte Lili entsetzt. «Damit machst du sie ja noch verruchter als ich.»

Magdalena schnalzte mit der Zunge. «Nicht die Augendeckel. Die roten Äderchen und die Flecken hier will ich abdecken. Grün macht das Rot sozusagen neutral. Die Deerns benutzen diesen Trick, wenn sie Knutschflecken oder Druckstellen haben.» Sie betupfte vorsichtig Frau Robertsons Gesicht, verrieb die Farbe etwas und trug darüber den weißen Talg auf. «Siehst du», sagte sie triumphierend. «Als wäre nix passiert.»

«Stimmt.» Lili hob ironisch eine Braue. «Sie ist ja bloß gestorben. Ansonsten kann sich ihr Mann nicht beschweren.»

«Nun sei nicht so ungeduldig. Ich weiß nicht, ob ihr zwei euch verstanden hättet. Ich jedenfalls mochte – mag – euch beide gleich, ihr seid mir die liebsten Freundinnen, die ich in meinem Leben hatte. Sibylle sah dir unheimlich ähnlich, sie hatte sogar deine Zähne, diese kleine Lücke zwischen den Schneidezähnen, und natürlich exakt dein Haar. Und sie hatte eine ähnliche Figur. Aber sie hat sich anders bewegt. Wie eine Schlange, würde ich sagen. Schließlich ist sie als Akrobatin aufgewachsen, und später musste sie ihren biegsamen Körper auch noch auf andere Weise verwenden. Es kann gut sein, dass sie dich gehasst hätte. Schließlich führst du ein beschütztes Leben. Du musstest niemals deinen Körper verkaufen, dir wurde niemals wehgetan.»

Lili schlug die Augen nieder und ballte die Fäuste. «Was ist dann mit diesem ganzen Eros-und-Thanatos-Gequatsche, das du neulich zum Besten gegeben hast?», fragte sie rüder, als sie es eigentlich wollte. «Von wegen, wir ergänzen uns so kolossal und können gemeinsam ein Halleluja singen, ihr die Liebe und ich der Tod?»

Magdalena schwieg, während sie ganz sachte das Rouge auftrug. So, wie sie mit der Farbe arbeitete, sah es in der Tat natürlich aus. «Vielleicht hab ich mir das schöngeredet», sagte sie schließlich. «Vielleicht wollte ich einfach nur dazugehören.»

«Dazu?», echote Lili.

«Zu dir. Zu deiner Familie. Zur Normalität.»

Lili schnaubte. «Niemand in der Stadt hält uns für normal.»

«Und doch seid ihr es. Und Sibylle hätte ...» Magdalena hielt inne, um Vaseline auf Frau Robertsons Lippen aufzutragen. «Sieh mal, ich würde den Mund nämlich nicht rot schminken. Die Lippen sollen einfach nur geschmeidig wirken. Und ein bisschen schimmern. So.»

«Du warst gerade dabei, etwas zu sagen.» Lili wippte mit dem Fuß. Sie war voller Ungeduld, nicht nur, weil sie erfahren wollte, was Sibylle denn gesagt, getan oder gedacht hätte, sondern auch, weil es noch so viel für Frau Robertsons Begräbnis zu erledigen galt. Zudem musste sie noch ein weiteres Treffen des Feuerbestattungsvereins vorbereiten, weil es jetzt so aussah, als ob sich die Haltung des Senats, was die Verbrennung von Leichen anging, vor dem Hintergrund des Massensterbens änderte. Und dann hatte sie beschlossen, noch einmal zu Behnecke zu gehen und zu versuchen, dort etwas herauszufinden, eine Spur, einen Hinweis, irgendetwas.

Und dann war da ja auch noch Christian. Sie träumte von ihm, dachte an ihn, wollte ihn wiedersehen. Trotz seiner Mutter. Am liebsten sofort.

«Ja, und Luft holen ist dann nicht mehr erlaubt?» Auch Magdalena zeigte erste Anzeichen von Gereiztheit.

«Entschuldige.» Lili gab sich einen Ruck. «Frau Robertson sieht famos aus. Besser denn je. Was wolltest du über Sibylle sagen?»

Magdalena überlegte einen Augenblick, den Rougepinsel in die Luft gereckt. Schließlich seufzte sie. «Ich weiß es nicht mehr, aber ich …»

Die Ladenglocke unterbrach ihren Satz. Wenn dies schon wieder ein Kunde war, dann gestaltete sich dieser Tag zumindest geschäftlich besser, als Lili gedacht hatte. Dabei war es ja schon erfreulich, dass Herr Robertson sich für ihr Angebot entschieden hatte. Denn nach seinem eigenen Bekunden war er bei dem Beratungsgespräch damals vor ihrer Tür von einem kleinen Jungen abgefangen worden, der ihm bedeutend bessere Dienstleistungen bei dem Beerdigungsinstitut Behnecke versprochen hatte. Doch nach einem Besuch bei dem Konkurrenten, den er mit blutunterlaufenen Augen und nicht eben gutriechend in seinem Geschäft angetroffen hatte, war er dann geneigt gewesen, zu Winterbergs zu gehen.

Vielleicht wendete sich das Blatt am Ende ja doch zum Guten, dachte Lili, während sie in den Laden hinüberlief. Vielleicht, wenn all dies hier vorbei war, würden die Menschen wieder zu ihnen kommen und nicht mehr zu Behneckes.

Sie ordnete sich die Locken und strich ihre Schürze glatt. Mit einem freundlichen Lächeln begrüßte sie ihren Besucher, der mit dem Rücken zu ihr stand. Das Lächeln erstarb ihr auf den Lippen, als sie erkannte, wer es war. Sie hatte ihn so lange nicht mehr gesehen, und so viel war seither geschehen, dass ihr Herz doch noch einmal schnell zu klopfen anfing. Nur kurz dauerte die Regung, dann war das Gefühl wieder vorbei. Ja, es stimmte, Rurik Robertson war ein Mann, der sich an dem Schönen und Guten berauschte. Leider ließ er seine Umwelt nur allzu deutlich spüren, dass er diese Vorzüge einzig in sich selber fand.

«Was kann ich für dich tun?», fragte sie kühl.

Rurik griff nach ihren Händen. «Mir zur Begrüßung vielleicht mal einen Kuss geben.» Er hielt ihr seine Wange entgegen. «Ich habe mich nach dir verzehrt.»

«Besten Dank, für geheuchelte Gefühle habe ich keine Verwendung», erklärte Lili und wich zurück.

Rurik runzelte die Brauen. «Nun hab dich doch nicht so.»

«Ich meine es ernst», sagte Lili. «Ich habe dich gebraucht, damals, nachdem mich dein Freund Behnecke überfallen hat. Aber alles, was du getan hast, war, ihn zu decken. Vor der Polizei!»

«Ein kleines Missverständnis.» Rurik lächelte gewinnend. Er sah wie immer glänzend aus. Blütenweißes Hemd, schimmernder Anzug, ein sauberer Hut auf dem Kopf. «Wie wäre es, wenn ich dich jetzt entführen würde? Auf ein schönes Mittagessen oder einen Bootsausflug? Wir könnten auch deine Freundin mitnehmen.»

«Welche Freundin?», fragte Lili. Sie wollte nicht, dass Rurik mitbekam, dass Magdalena jetzt hier wohnte. Am Ende schrieb er noch eine Geschichte darüber, der beste Weg, Teresa zu informieren.

«Na, die hübsche Dunkle, die Tänzerin.»

Lili schüttelte den Kopf. «Ich weiß nicht, wo Magdalena hin ist. Sie ist schon lange wieder fort.»

«Jetzt weiß ich wieder, was ich sagen wollte», rief Magdalena, die in diesem Moment in den Laden kam, den Rougepinsel noch immer in der Hand. «Sibylle hätte sich hier wohlgefühlt. Oh!»

Lili sah, wie Magdalena sich erschrocken unterbrach. Auf Ruriks Zügen breitete sich ein Lächeln aus. «Hallo Magdalena», sagte er. «Schön, dich wieder einmal zu sehen.»

Caroline vergewisserte sich, dass Lili immer noch im Laden stand und mit dieser neuen Gehilfin sprach, die so gut tanzen konnte und so eine hübsche Puppe besaß. Offenbar war Kundschaft gekommen. Sie machte Carl ein Zeichen. «Lili ist vorne beschäftigt», flüsterte sie. «Lass uns durch den Hinterhof gehen.»

Carl lachte und klatschte die Hände zusammen. Nachdem der Doktor von gegenüber regelmäßig zu ihnen gekommen war, hatte Carl viel seltener über Kopfweh geklagt. Auch mit seinem Sprechen wurde es immer besser. Doch in den vergangenen Wochen war der Doktor ausgeblieben. Gleich fingen Carls Schmerzen wieder an. Caroline hatte beobachtet, dass Carls Leiden immer heftiger wurde, je länger er im Haus saß. Wenn sie jedoch mit ihm hinausging, ließen seine Beschwerden ein bisschen nach. Die Schule fehlte ihnen überhaupt nicht. Es war tausend Mal angenehmer, von Lili unterrichtet zu werden, die freundlicher war und so gut erklären konnte, als von dem alten Hansen mit dem cholerischen Pedell.

So leise sie konnten, schlichen sie hinaus. Die Stadt hatte sich verändert, fand Caroline, und es gab eigentlich nur Schlechtes daran. Schlecht war, dass jetzt so viele Droschken und auch ein paar pferdelose Wagen unterwegs waren, die voranstürmten, ohne nach rechts und links zu schauen. Manche Kutscher hingen halb besinnungslos auf ihren Böcken und lenkten in die falsche Richtung, sodass man jetzt noch mehr als früher schauen musste, nicht unter die Räder zu kommen. Schlecht war auch, dass es so schlimm roch auf den Straßen, nach Dingen, die man eigentlich heimlich auf dem Abort erledigte, und nach komischem weißem Staub. Weiter war schlecht, dass so viele Menschen weinten und trauerten, und dass der Vater trotzdem kaum noch jemanden hatte, den er begraben konnte, weil die Menschen, die jetzt in so großen Scharen starben, einfach nur zusammen in ein Loch geworfen wurden, und das ganz unabhängig davon, ob die nächste und endgültige Station der Himmel oder die Hölle war. Außerdem ging Caroline zu Herzen, dass so viele tote Tiere herumlagen. Carl und sie kamen mit dem Bestatten kaum noch hinterher. Sie waren immer noch die Einzigen, die sich um die Ratten, Mäuse und Käfer kümmerten – soweit sie sehen konnten, tat das kein anderes Kind, und die

Erwachsenen schon gar nicht. Die hatten genug mit den Menschen zu tun.

Sie waren kaum an den Hopfenmarkt gelangt, der auch an diesem Tag wieder still und öde dalag, ohne Stände, ohne die Männer und Frauen, die ihre Waren feilboten und dabei lauthals sangen und schimpften und schrien, da sah sie es auch schon. Es war ein Kaninchen, das immer noch auf seinen Pfoten hockte, als wollte es im nächsten Moment loshoppeln, aber als Caroline das Tier sanft berührte, spürte sie, dass es steinhart war. Carl stieß ein kleines Wehklagen aus.

«Ja, das ist wirklich traurig, Carl», sagte Caroline und versuchte, das tote Kaninchen in ihre Schürze zu stopfen. Es passte kaum hinein. «Dieses Kaninchen sieht noch ganz jung aus. Und es ist ganz allein. Aber wir werden ihm ein sehr schönes Begräbnis machen. Dann kann es beruhigt in den Himmel gehen.»

«La la la», machte Carl.

«Natürlich», nickte Caroline, «singen wir auch ein Lied für sie.» Obwohl sie das Kaninchen nicht untersucht hatte, war sie sicher, dass es ein Mädchen war, denn es wirkte so sanft und sein weißes Fell war unendlich weich.

Ein paar Meter weiter entdeckten sie eine tote Ratte. Die Ratte war anders gestorben als das Kaninchen. Sie hatte sich auf den Rücken gelegt, die Beine von sich gestreckt, und dabei war es offenbar passiert. Caroline beugte sich hinunter und nahm die Ratte in die Hand. Ihr Fell war sehr struppig. Aber Caroline liebte alle Geschöpfe Gottes gleich. Sie streichelte die Ratte und ließ sie vorsichtig in ihre Kittelschürze zum Kaninchen gleiten. Die Tiere wogen ziemlich schwer, wie sie jetzt feststellte, als sie sich weiterbewegten. Carl streckte die Hand aus, als er ihren gebückten Gang sah, und sie wusste, dass er ihr die Last abnehmen wollte, aber da er immer noch Kopfschmerzen hatte, hielt Caroline das für keine gute Idee.

Sie wollten gerade in den Großen Burstah einbiegen, als sie

eilige Schritte hörten. Ein Mann, der etwas in der Hand hielt, das Caroline nicht erkennen konnte, ging hinter ihnen. Etwas war merkwürdig an ihm, denn er sah nicht geradeaus, so wie erwachsene Menschen es gewöhnlich taten, sondern er starrte sie, Caroline, unverwandt an. Caroline griff nach Carls Hand. Dieser Mann hier war komisch. Sie mochte ihn nicht. Gerade als sie überlegte, ob sie anfangen sollten zu laufen oder sich irgendwo zu verstecken, hörte sie, wie sich ihnen eine Gruppe von Menschen näherte.

«Da sind ja unsere zwei Totenkinder», hörte Caroline Antons Stimme, und plötzlich stand er ihr gegenüber. Aus den Augenwinkeln bemerkte sie, wie der seltsame Mann fluchend kehrtmachte. Dann sah sie in Antons grinsendes Gesicht. Er trug weder Tornister noch Schiefertafel bei sich, und einen Augenblick lang wunderte sie sich darüber, bis ihr einfiel, dass die anderen ja auch keinen Unterricht mehr hatten, weil die Schulen wegen der Epidemie geschlossen waren. Neben Anton stand Marga und lachte. Das Lachen ging in einen Husten über, bis sich in Margas Brust etwas löste, das nach einem besonders dicken, schleimigen Brocken klang. Marga würgte und spuckte aus.

«Ihr seid das ekelhafteste Gewürm, das unter der Sonne herumkriecht», sagte Anton, der Carl und Caroline musterte. «Hat euch das schon mal jemand gesagt?»

Caroline überlegte, ob sie das Wort Gewürm kannte. Sie war sicher, dass es dieses Buchstabending nicht gab.

Marga kicherte und deutete auf Carolines Schürzentasche, in der sich das Kaninchen wölbte. «Caro ist schwanger», kicherte sie, immer noch hustend. «Seht doch mal.»

Anton tat, als wäre er bass erstaunt. «Dass es jemanden gibt, der so etwas Ekelhaftes wie dich überhaupt berührt.»

Mit einem Aufschrei ballte Carl seine Fäuste, warf sich auf Anton und trommelte auf ihn ein. Doch Anton lachte nur spöttisch und hielt seinen Gegner fest, als wäre er ein Spielzeug. «Los, schlag ihm ins Gesicht», forderte er Marga auf.

«Nein, Marga», sagte Caroline entschlossen. «Das tust du nicht.»

Ihr vernünftiger Ton ließ Marga und Anton innehalten.

«Hä?», machte Marga. «Wieso?»

«Weil er dir nichts getan hat.»

Erneut ließ Anton sein höhnisches Lachen ertönen. «Das ist doch kein Grund. Na gut, dann mach ich's eben selbst.» Und er holte aus, um Carl in den Bauch zu boxen.

Mit einer blitzschnellen Bewegung sprang Caroline nach vorn und brüllte Anton in sein Ohr. Das verblüffte ihren Angreifer so sehr, dass er Carl kurz losließ. Caroline riss Carl nach vorne von Anton weg. «Laufen», keuchte sie. «Los!»

Und sie rannten, was das Zeug hielt. Caroline hielt ihre Schürzentasche dabei fest. Die Geräusche hinter ihnen verrieten ihr, dass ihnen die Verfolger dicht auf den Fersen waren. Sie hatten nur einen winzigen Vorsprung. Aber zumindest kannten sie sich hier aus. Gleich vorne links begann die Admiralitätsstraße, und von dort ging es in das Gängeviertel hinein. Atemlose Herzschläge später waren sie in einem Gang gelandet, in dem die Häuser so dicht beieinanderstanden, dass Caroline betete, ihnen möge niemand entgegenkommen. Ausweichen zu müssen würde unweigerlich zu einer riesigen Verzögerung führen. Aber sie hatten Glück. Hier, wo es sonst vor Betriebsamkeit brodelte, war alles leer. Abgesehen von einem Schwein, das unruhig den Boden beschnüffelte. Caroline griff Carl, der das Schwein streicheln wollte, ein wenig fester und bog mit ihm nach rechts in eine Toreinfahrt ein. Dies war in Wahrheit ein Durchgang, der auf eine Brücke mündete. Das Holz war so morsch, dass es sich unter ihren Schritten bog und knirschte, und Caroline hatte kurz Angst, einzubrechen und in das morastige Fleet darunter zu fallen.

Die Brücke führte direkt in eine Gasse mit hohen, windschiefen Fachwerkhäusern hinein. Hier gackerten Hühner durcheinander, und alles lag voller Pferdeäpfel, sodass der ohnehin lehmige Boden noch rutschiger als sonst war. Am Ende des Ganges wäre Caroline fast gestolpert. Im Modder lag ein Kinderwagen, der wohl gerade umgestoßen worden war, denn eines seiner riesigen verrosteten Vorräder drehte sich noch sinnlos in der Luft. Sie zerrte Carl an dem Ungetüm vorbei in einen Hinterhof, und von dort in einen anderen Gang hinein. Hier blieben sie endlich stehen und lauschten. Von Anton und Marga war nichts mehr zu hören.

«Wir», Caroline konnte kaum sprechen, so stoßweise ging ihr Atem und so rasend schlug ihr Herz, «haben sie abgehängt.»

Carl lachte und schlug ihr anerkennend auf die Schulter. Seine roten Locken waren zerzaust und schweißverklebt, seine Wangen glühten, und er sah glücklich aus.

«Wir hängen alle ab, die wir nicht mögen, oder, Carl?», strahlte Caroline. «Uns kann niemand etwas. Wir besiegen jeden.» Sie lachte und warf sich in die Pose, die sie siegreiche Hafenarbeiter nach überstandenem Faustkampf hatte machen sehen. «Wir sind nämlich kolossal stark.»

Carl lachte auch, und sie schüttelten sich feierlich die Hand. Später, als sie das Kaninchen und die Ratte in ihr Loch gelegt hatten, hielten sie sich wieder fest. «Sie sollen einen schönen Tod haben», sagte Caroline, und Carl nickte dazu.

«Ich habe sie gefunden, Mutter», sagte Rurik. «Sie war genau dort, wo ich es vermutet hatte. Sie zu finden war kinderleicht.»

Teresa saß vor ihrem Toilettenspiegel und kämmte sich die langen, vom Färben ausgedünnten Haare. «Warum hast du dann nicht mir die Suche überlassen? Ich hätte damit Geld verdient.»

«Aber Mutter.» Rurik schüttelte den Kopf. «Es wäre doch mein Geld gewesen, das du bekommen hättest. Ich hatte schließlich die Belohnung auf sie ausgesetzt.»

«Also, wo war sie?» Teresa war nicht an langem Herumreden interessiert.

«Da, wo du sie ursprünglich auch vermutet hast. Bei der Rothaarigen.»

«Bei der Deern, die meiner Sibylle, Gott hab sie selig, so ähnlich sieht? Verfluchte Schlampe! Hat sie mich also angelogen, als sie bei mir war. Ich wusste es.» Teresa erhob sich. Das mütterlich-besorgte Wesen, das sie den Mädchen gegenüber zur Schau stellte, war verflogen, mit Rurik sprach sie Tacheles.

Nicht zum ersten Mal überlegte Rurik, wie er Teresa Robertson beschreiben würde, wenn er eine journalistische Reportage über sie verfassen sollte – was in der deutschen Presse aufgrund von Zensur nicht möglich war. Deutsche Zeitungen ignorierten den Umstand, dass es Bordelle, Zuhälter und Huren gab, vollkommen. Anders als die englische Presse. Blätter wie die *Times* oder das *Strand Magazine*, das auch die Erzählungen von Arthur Conan Doyle abdruckte, würden sich darum reißen, die Geschichte von Teresa, ihren Mädchen, den beiden Bestattern und Lili veröffentlichen zu dürfen.

Aber vermutlich wäre die Geschichte für einen Zeitungsartikel ohnehin verschenkt. Einen Roman müsste er schreiben, im Stil eines englischen Schriftstellers. Einen Kriminalroman. Er beobachtete Teresa, deren erschlaffte Haut so viel Weichheit vortäuschte und die doch die personifizierte Härte war. Er erinnerte sich an eine Zeit, er mochte vielleicht vier oder fünf Jahre alt gewesen sein, da hatte sie ihm Angst gemacht. Vielleicht hatte er damals aber auch nur nicht begriffen, dass sie seine Mutter war. Schließlich war er bei einer Amme vor den Toren Hamburgs aufgewachsen, in einem Dorf namens Langenhorn. Die Amme hatte riesige, milchweiße Brüste gehabt und oft gesungen. Teresa hingegen war wortkarg gewesen wie ein Fisch. Erst nach ein paar Jahren auf dem Internat hatte sie ihn für würdig befunden, ein Gespräch mit ihr zu führen, das über Sätze wie «Ja danke, mir geht es gut, Mutter, und Ihnen?» hinausging.

Ja, er würde eine Geschichte schreiben, in der er Teresa allerdings nur eine kleine Rolle zuweisen würde, denn mehr hatte sie nicht verdient. «Willst du das Mädchen denn immer noch haben?», fragte er, als dächte er die ganze Zeit über nichts anderes nach.

Teresa sah ihn an, als wäre er nicht mehr recht bei Trost. «Natürlich will ich Magdalena wiederhaben. Sie ist mein bestes Pferd im Stall.»

«Freiwillig wird sie aber nicht kommen wollen.»

Teresa schnaubte. «Das ist mir egal.»

24. KAPITEL

Von St. Nikolai hatte es gerade vier Uhr geschlagen. Nicht die Glockenschläge waren es, die Elisabeth weckten, sondern die Schreie, die aus dem Zimmer der Zwillinge drangen. Als Elisabeth in ihr Zimmer stürzte, sah sie, wie Caroline sich in einem heftigen Schwall erbrach. Die Kleine glühte wie ein Kohleofen. Innerhalb der nächsten halben Stunde verlor sie so viel Flüssigkeit, dass sie nicht mehr wie ein Kind aussah, sondern wie ein winziger, verschrumpelter Greis. Ihre Haut schimmerte bläulich, und ihre Nase ragte spitz aus dem eingefallenen Gesicht hervor.

Mittlerweile war auch Lili dazugekommen, um Carl zu beruhigen. Der Junge schrie und trat Lili gegen die Schienbeine. «Ich will Caroline ein Küsschen geben», brüllte er in einem fort. «Caroline, hörst du mich?»

Doch das Mädchen war taub und stumm vor Schmerz.

«Sie stirbt, Basilius», rief Elisabeth verzweifelt, während sie versuchte, Caroline Wasser einzuflößen. Es war das erste Mal in Lilis Leben, dass die Mutter den Vater nicht mit einem Kosenamen bedachte.

Doch Basilius hörte ohnehin nicht, wie seine Frau ihn nannte, denn er schirrte bereits die Pferde an. Minuten später trug er Carolines leblos wirkenden Körper zur Kutsche, um sie ins Krankenhaus zu fahren. Elisabeth stand daneben und weinte.

Der Vater hatte Caroline nach hinten in den Himmelswagen gelegt und kletterte nach vorne auf den Kutschbock. Doch als er losfahren wollte, geschah etwas, das Lili noch lange Schauer über die Haut jagte. Die sonst so beherrschte Mutter riss die Tür des Himmelswagens auf, warf sich auf die kleine Caroline und bedeckte sie mit Küssen. Carl brach in ein Geheul aus. Und dann sah Lili mit Entsetzen, wie der Vater auf dem Kutschbock ebenfalls zu weinen anfing. Im Schein der Gaslaterne glänzte sein Gesicht vor Tränen, die er sich nicht einmal zu verbergen bemühte. In diesem Augenblick überkam Lili eine schreckliche Ahnung. Mit aller Kraft zog sie die Mutter von Carolines starrem Körper fort, schloss die Tür des Himmelswagens, der Vater knallte mit der Peitsche, und die Kutsche rollte an.

Der nächste Morgen brachte eine Überraschung. Der *Generalanzeiger Hamburg-Altona* meldete, dass der Mörder gefunden worden sei, der im Mai und August dieses Jahres zwei Frauen ermordet hätte, deren Gemeinsamkeit darin bestand, dass sie rothaarig gewesen seien. Der Mörder, ein englischer Hehler, dessen Haupttätigkeit darin bestand, Diebesware zwischen England und Deutschland hin- und herzuschieben, sei bereits geständig und befände sich nun in der Fronerei. Über den Prozess und die zweifelsohne bald erfolgende Guillotinierung, so die Ankündigung des Blattes, würden die verehrten Leser demnächst noch mehr erfahren.

Lili, die in dieser Nacht kaum geschlafen hatte, brauchte einige Zeit, um diese Neuigkeit zu verarbeiten. Dann klingelte sie an Christians Tür. Doch bei Buchners war niemand zu Hause, Christian war zweifelsohne schon bei seinen Kranken.

Ihr eigenes Zuhause befand sich in einem Ausnahmezustand. Die Mutter hatte sich entgegen all ihren sonstigen Gewohnheiten wieder hingelegt, Magdalena war mit Tobias unterwegs, um eine neue Fuhre Holz zu holen, und der Vater arbeitete stumm und verbissen in der Werkstatt und war nicht ansprechbar. Carl hatte sich in einen Sarg zurückgezogen, wo er ausgestreckt lag und seine Atmung zu unterdrücken versuchte. Lili nahm ihn kurzerhand hoch, woraufhin der so überzeugend sich tot Stellende in ein heftiges Protestgeschrei ausbrach.

«Wir beide gehen jetzt spazieren», bestimmte sie.

Lili wusste, dass unter Schlafmangel Leidende mitunter Realität mit Traum verwechselten. Und so wunderte sie sich auch nicht darüber, dass sie auf dem Weg ins Commissariat ständig Schritte hinter sich hörte und das Gefühl nicht loswurde, verfolgt zu werden. Gleichzeitig war ihr bewusst, dass ihre Ängste nun vollkommen überflüssig waren. Der auf Rothaarige versessene Perverse war gefasst worden und befand sich sicher hinter Schloss und Riegel. Und Behnecke würde es bei Tageslicht sicherlich nicht wagen, Jagd auf sie zu machen. Dieser Widerling vollbrachte seine Taten offensichtlich nur, wenn er stark alkoholisiert war.

Doch seltsamerweise empfand sie keine Erleichterung. Aus irgendeinem Grund war sie nicht beruhigt. Auf einmal spürte sie, dass sie nicht mehr richtig atmen konnte. Es war, als schnürten sich Eisenringe um ihr Herz. Caroline stand ihr wieder vor Augen, mit ihrem reglosen, glühend heißen Körper. Eine Welle von Panik stieg in ihr auf.

«Was tust du, Lili?», fragte Carl verängstigt.

Lili hielt einen Laternenpfahl umklammert und holte keuchend Luft. «Es geht gleich wieder, Carlchen», sagte sie.

Doch die Verzweiflung wich ihr nicht von der Seele. Etwas Großes, entsetzlich Bedrohendes lag in der Luft, das spürte sie. Lieber Gott, betete sie, lass Caroline nicht sterben. Nicht meine kleine Schwester. Nimm lieber mich.

Als sie endlich das Commissariat erreicht hatten, wusste Lili schon gar nicht mehr, warum sie hierhergekommen war. Sie wollte wohl etwas über den Mörder herausfinden, wissen, ob er

Sibylle tatsächlich gekannt hatte und ob es am Ende der mysteriöse Geliebte war. Der Beamte, bei dem sie vorsprach, musste sie für eine arme Verrückte halten, denn ihr Atem ging schnell und flach, und sie sprach in abgehackten Sätzen. Der Inspector, so die Aussage des Beamten, sei nicht zu sprechen, er ermittle gerade in einem großen Mordprozess.

«Deswegen bin ich ja gekommen», flüsterte Lili, da ihr nun vollends die Stimme versagte. «Ich wollte fragen …»

«Alle Bürger wollen etwas fragen», entgegnete der Beamte. «Aber was wir wissen, haben wir schon der Presse mitgeteilt.»

Auf dem Heimweg verstärkte sich ihre Panik noch weiter. Lili nahm Carl ganz fest an die Hand. «Und dir ist auch wirklich nicht schlecht, und du hast kein Bauchweh?», fragte sie ihn ein ums andere Mal. Sie empfand es wie ein kleines Wunder, dass der Junge, der doch Tag und Nacht mit seiner Schwester zusammen war, keine Krankheitssymptome aufwies.

«Guck mal, eine tote Ratte», entgegnete Carl anstelle einer Antwort. Seitdem Christian sich um ihn kümmerte, hatte das Ausdrucksvermögen des Jungen beträchtlich zugenommen. Lili war ihm unermesslich dankbar dafür.

Christian. Mit einem schmerzlichen Ziehen in der Brust sehnte sie sich auf einmal nach ihm. Wie gern würde sie jetzt seine Nähe spüren, ihn riechen, ansehen, ihm zuhören … Sich von ihm beruhigen und trösten lassen. Sie riss sich zusammen. Christian war nicht da.

«Wollen wir sie bestatten, Lili?»

«Wie bitte?» Lili zuckte zusammen.

«Die Ratte. Ob wir sie bestatten wollen?» Schon streckte Carl die Hände nach dem toten Tier aus.

«Bist du wahnsinnig, Junge. Fass sie nicht an!» Lili brüllte so laut, dass ein Hausmädchen, das einen Korb mit weißer Wäsche am Arm trug, ihre Last erschreckt zu Boden fallen ließ. Die Wäsche fiel zu Boden und bedeckte das tote Tier.

«Es hat ein Bahrtuch», jubelte Carl.

In diesem Moment geschah etwas Seltsames. Lili hörte Schritte und spürte einen Atemzug in ihrem Nacken. Doch als sie sich umdrehen wollte, konnte sie niemanden entdecken. Sie ging zu dem Hausmädchen hinüber, um ihm zu helfen, die Wäsche auszuklopfen und sie erneut säuberlich zu falten. Sie konnte sich die Frage nicht verkneifen. «Haben Sie hier eben einen Mann gesehen?»

«Se ham mich mit Ihr Gerope verjagt!» Die Magd richtete einen anklagenden Blick auf Lili. «So zu ropen, se tüdelt wohl.»

Lili entschuldigte sich rasch und ging weiter. Sie war mit ihren Nerven wirklich am Ende. Lange konnte sie das nicht mehr mitmachen.

Doch es sollte noch schlimmer kommen an diesem Tag. Als Lili etwa eine halbe Stunde später den Cremon erreichte, sah sie schon von weitem die Bestattungskutsche in der Straße stehen. Die Ladentür wurde geöffnet, und Tobias bewegte sich vorsichtig rückwärts zum Ausgang hin. Sekunden später erkannte sie, was er trug: eine in Tücher gehüllte Gestalt auf einer Bahre, an deren Kopfende der Vater ging.

«Aus dem Weg, Lili», sagte er, als er sie erblickte. Seine Augen wirkten eingefallen. «Ich bringe eure Mutter ins Krankenhaus.»

Das war es also, das Fürchterliche. Weshalb Lili nicht mehr atmen konnte, warum sie überall Schatten und dunkle Träume sah. Daher stammten die Vorahnungen. Sie taumelte und wäre um ein Haar gestürzt. «Nicht Mutter», flüsterte sie.

Sie wollte sich auf die Bahre werfen, die Mutter zum Abschied umarmen, doch der Vater hielt sie davon ab. «Tu es nicht, Lili», sagte er. «Zwei Erkrankungen in diesem Haus sind mehr als genug.»

Wie betäubt sah sie zu, wie der Wagen davonfuhr. Sie versuchte, an die letzten Worte zu denken, die sie mit der Mutter gewechselt hatte. Aber sie erinnerte sich nicht mehr.

Fünf Stunden später war der Vater noch immer nicht zurück. Lili befürchtete das Schlimmste, als am späten Nachmittag ein Bote vor der Tür stand und ihr einen Umschlag überreichte. Mit zitternden Händen entfaltete Lili die Notiz darin. Sie erkannte Basilius' krakelige Schrift. «Muss die Toten von Eppendorf nach Ohlsdorf bringen. Schaffe es nicht rechtzeitig zum Treffen des Feuerbestattungsvereins. Hoffe später nachzukommen. Geh bitte erst mal allein.»

Bei Buchners gegenüber brannte jetzt Licht, aber Lili erkannte hinter den geschlossenen Gardinen nur die Silhouette der Mutter. Da die Bestattungskutsche mit Kaspar und Melchior im Einsatz war und Tobias sich mit dem verbliebenen Rappen noch in Ohlsdorf aufhielt, um seine Abendschicht im Grabschaufeln anzutreten, nahm sie ihre silberne Taschenuhr an sich und machte sich gegen sieben Uhr zu Fuß auf den Weg. Carl war sicher in Magdalenas Obhut, und sie hatte der Freundin aufgetragen, augenblicklich einen Krankenwagen zu rufen, sollten sich bei dem Kleinen ebenfalls erste Symptome zeigen.

Der Verein tagte erneut im «Ältesten Hause Hamburgs», und sie brauchte fast eine Stunde dorthin. Sie wusste nicht, ob es an der Aufregung der vergangenen Stunden lag, aber der Gang durch die nächtlichen Straßen flößte ihr mehr Angst ein denn je. Immer wieder glaubte sie, einen Schatten hinter sich zu spüren, und wenn sie Stimmen oder Schritte hörte, krampfte sich ihre Brust zusammen. Aber es war, als würde sie langsam wahnsinnig, denn jedes Mal, wenn sie glaubte, dass sich ihr jemand näherte, und sie sich umdrehte, war niemand zu sehen. Lili dachte an Caroline und die Mutter, und bei der Erinnerung an sie stiegen die Tränen wieder in ihr auf.

Das Treffen des Feuerbestattungsvereins zog wie im Traum an ihr vorbei. Wie durch dichte Schwaden vernahm sie, dass der Durchbruch kurz bevorstünde. Offenbar hatte der Senat endlich signalisiert, den Betrieb des Krematoriums zu genehmigen. Nachdem der Bürgerschaftsabgeordnete mit seinem Bericht geendet hatte, war Lili an der Reihe. Sie stand auf, entschuldigte die Abwesenheit ihres Vaters und präsentierte ihre Bilanz. Als sie die Zahl der Opfer nannte, die bis zum heutigen Tag an der Cholera gestorben waren – siebentausendsiebenhundertundfünf –, hörte sie, wie ein Raunen durch die anwesenden Vereinsmitglieder, Krematisten, Ärzte und Politiker ging. Sie führte die Lage aus Sicht der Bestatter aus, berichtete von den Platzproblemen auf dem Friedhof und der unwürdigen Art und Weise, in welcher die Toten Abfall gleich in die Massengräber entsorgt wurden. Von der mit Giften verseuchten Friedhofserde, in der normale Bestattungen schon jetzt kaum mehr möglich waren. Für ihren Schlussappell an die anwesenden Mitglieder der Bürgerschaft nahm sie noch einmal all ihre Kraft und Konzentration zusammen. «Sie haben die Macht, diese Verhältnisse zu ändern, meine Herren», sagte sie. «Nutzen Sie sie!»

Es war merkwürdig, in einem fremden Haus allein zu sein. Nachdem Magdalena Carl zu Bett gebracht hatte, vergewisserte sie sich noch einmal, dass der Laden vorne abgeschlossen war. Der Totengräber würde nach dem Ende seiner Schicht den Hintereingang benutzen, Lili und ihr Vater hatten einen Schlüssel für den Haupteingang. Neugierig ging sie zurück in die Werkstatt. Lili gegenüber würde sie es niemals zugeben, aber sie hatte immer noch Beklemmungen hier drinnen. Obwohl der Raum längliche und breite Fenster hatte, strömten die Särge und die Regale mit den schwarzen Bahrtüchern etwas Dunkles aus.

Um irgendetwas zu tun zu haben, griff sie nach dem Besen, der an der Wand lehnte. Der Boden war mit dicken Sägespänen bedeckt. Für den Winter waren diese Späne sehr praktisch, damit ließ sich das Feuer in Kamin und Ofen entfachen. Magdalena fegte die Späne in die Kiste, die dafür vorgesehen war. Dann überprüfte sie, ob die Gläser in den Regalen gut verschlossen waren. Lili hatte ihr die unterschiedlichen Flüssigkeiten erklärt. Da war das Kamelienöl, um Eisenwerkzeuge gegen Rost zu schützen, Spiritus, um Leichenflecken zu entfernen. Dann die Kiste mit den kleinen Nägeln, um diverse Dinge an den Toten zu befestigen. Darüber standen die Töpfe mit den Flüssigkeiten und Firnisfarbe, um den Sarg zu streichen. Daneben das gelblich schimmernde Sikkativ, ein Trockenstoff für die Farbe, damit das Öl schneller trocknete. Was konnte sie jetzt tun? Bahrtuch säumen? Tücher wurden momentan eigentlich nicht benötigt, da die Choleratoten vollkommen ohne Zeremonie und Zierrat unter die Erde kamen. Sie beschloss dennoch, eine Näharbeit zu beginnen. Sie ging zu Frau Winterbergs Tischchen, um Nadel und Faden herauszunehmen, als es an der Tür Sturm klingelte. «Ich komm ja schon», murmelte sie. «Meine Güte, ihr weckt ja die Toten auf.»

Es war dunkel draußen, und so erkannte sie die Besucher zunächst nicht, die sich vom Schein der Gaslaterne abgewandt hatten. Eine Hand packte sie, kaum dass sie die Tür geöffnet hatte. Es war Teresa, die in Begleitung von Indianer-Albert und Husaren-Berta gekommen war. «Na bitte», sagte sie und schaute lächelnd zu, wie Magdalena in Indianer-Alberts Pfoten zappelte. «Da haben wir dich ja!»

Lilis Taschenuhr zeigte Viertel vor elf an, als sie aus dem «Ältesten Hause Hamburgs» auf die Straße trat. Als sie um die Ecke gebogen war und dem mächtigen Turm von St. Petri gegenüberstand, zögerte sie. Vielleicht war es ratsam, einen der Herren, die noch drinnen saßen, zu bitten, sie nach Hause zu fahren? Doch dann schalt sie sich einen Feigling und marschierte los.

Bis zur Rathausstraße fühlte sie sich recht munter. Das Treffen war besser gelaufen, als sie gedacht hatte, und sie summte leise vor sich hin. Aber als sie sich nach links in Richtung Süden wandte, kroch die Angst erneut in ihr hoch. Sie meinte, einen fremden Atem hinter sich zu hören, und Thorolf Behneckes Gestank und Keuchen fielen ihr wieder ein. Sie beschleunigte ihren Gang, und in diesem Moment hörte sie es ganz deutlich: Schritte klackten auf dem Pflaster, die nicht ihre eigenen waren. Obwohl ihr das Herz bis zum Hals schlug, wandte sie sich um. Wieder einmal war niemand zu sehen. Doch jetzt hatte sie einen Entschluss gefasst. Bis zum Cremon war es noch ungefähr eine Dreiviertelstunde Fußweg, zurück zur Gastwirtschaft höchstens fünf Minuten. Sie würde zurückgehen und sich an den Ersten Schriftführer oder vielleicht auch an den Zweiten Vorsitzenden mit der Bitte wenden, sie nach Hause zu fahren. Die beiden waren nette, respektable Herren, in deren Kutsche sie sicher aufgehoben war.

Es geschah auf dem Rückweg, in der engen Jacobitwiete, die zum Pferdemarkt führte. Lili nahm nichts als eine Bewegung aus den Augenwinkeln wahr. Sie öffnete den Mund, um zu schreien, brachte jedoch keinen Ton heraus, denn jemand, den sie nicht erkennen konnte, presste ihr ein süßlich riechendes Tuch auf den Mund.

Als sie wieder zu sich kam, fühlte sich ihr Mund wie ausgetrocknet an, und im Schädel pochte ein dumpfer Schmerz. Sie wollte sich aufsetzen, doch als sie den Arm bewegen wollte, verriet ihr ein Druck am rechten Handgelenk, dass sie angekettet war. Ihre Hand steckte knapp einen Meter über dem Erdboden in einem eisernen Ring, der wiederum in eine Kette überging, die ebenfalls an der Wand befestigt war. Viel mehr konnte sie nicht erkennen, da der Raum ohne Fenster war. Nur eine halb abgebrannte Kerze auf dem Boden warf blakende Schatten in den Raum. Lili schluckte. Ihr war übel vor Angst. Dann sah sie an sich hinunter, ihre Kleider waren etwas verdreckt.

Endlich öffnete sich die Tür. Ein Mann trat ein, der seltsam klein und schmächtig aussah und der ihr vage bekannt vorkam, aber vor Panik konnte sie nicht klar denken. Der Mann trug ein schimmerndes Werkzeug in der Hand.

«Erkennst du das?», fragte er und hielt den Gegenstand hoch.

Lili nickte langsam. Es war ein Lochbeitel.

«Sieh es dir genau an.» Der Mann nahm die Kerze hoch, die auf dem Boden stand, und beleuchtete damit den Beitel. Jetzt erkannte Lili, dass er genauso aussah wie der Beitel, mit dem der Vater seine Särge schnitzte. Er hatte sogar einen ganz ähnlichen hölzernen Griff.

«Wer benutzt solch ein Werkzeug?», fragte der Mann, und Lili bemerkte, dass seine Stimme seltsam hoch und fistelig klang. Sie erstarrte.

Der Mann trat auf sie zu und ohrfeigte sie. «Ich habe mit dir gesprochen, du!»

Lili nickte erneut. «Er erinnert mich an ein Werkzeug meines Vaters.»

Der Mann schnalzte mit der Zunge und lachte leise. «Und woran noch?»

Daran, was der Mörder mit Sibylle getan hat, dachte Lili. Sie brachte kein Wort hervor.

Der Mann kam ihr mit seinem Gesicht so nahe, dass sie seinen Atem riechen konnte. Die Kerze hinter ihm beleuchtete seine Haare, und es sah aus, als wäre sein Kopf von einem Heiligenschein umgeben. «Ich höre nichts», sagte er leise.

Ihre Angst würde es nur noch schlimmer machen, das wusste Lili. Dieser Mann, was auch immer er sonst noch von ihr wollte,

wollte sie in Angst aufgelöst sehen. Sie musste sich beherrschen. Unerschrocken wirken. Stark. Ihre Plänkeleien mit Christian fielen ihr ein. Wie sie sich bei ihren nächtlichen Treffen die Bälle zugeworfen hatten, kleine Unverschämtheiten, Frotzeleien.

«Das liegt daran, dass ich nichts sage», erklärte sie fest.

Die Überraschung war unverkennbar. Der Mann wich sogar ein wenig vor ihr zurück.

«Ich habe nämlich fürchterlichen Durst. Außerdem ist meine Lage zum Sprechen sicherlich nicht die angenehmste. Aber das wissen Sie ja.»

Der Mann gluckste leise. «Ich könnte dir ein Glas Wasser anbieten. Elbwasser, wenn du verstehst.»

«Ich glaube nicht, dass es Sie weiterbrächte, mich mit Cholera zu infizieren. Ich würde Ihnen den Raum vollkotzen, und am Ende stecke ich Sie auch noch an.»

Der Mann legte den Kopf schräg, als überlegte er, ob an ihren Worten etwas dran sei. Schließlich nickte er. «Ich bringe dir ein Bier.»

In Gedanken pries Lili die Abende und Nächte in diesem Sommer, in denen sie Bier getrunken hatte. Der Alkohol machte sie schon längst nicht mehr so rasch betrunken wie noch vor einem Jahr.

Die Tür fiel mit einem Krachen zu, als der Mann den Raum verließ. Lili hörte, wie er von außen den Schlüssel im Schloss drehte. Offenbar wollte ihr Peiniger verhindern, dass ein anderer ihr Gefängnis betreten könnte, denn da sie angekettet war, bestand keine Fluchtgefahr. Sie folgerte daraus, dass sie sich in einem Haus befinden musste, in dem noch mehr Menschen lebten, und das gab ihr für die Dauer von ein paar Atemzügen Kraft.

Was auch immer jetzt geschieht, ich werde es überleben, flüsterte Lili sich zu. Die Worte klangen gespenstisch in dieser Zelle und unglaubwürdig obendrein. Sie war angekettet und in der Hand eines offensichtlich Wahnsinnigen. Sie hatte nicht den Hauch einer Chance.

Während sie auf seine Rückkehr wartete, griff sie mit ihrer Linken in die Tasche, auf der Suche nach einem Werkzeug, das sie befreien könnte, einer möglichen Waffe, irgendwas. Doch sie spürte nichts als ihre silberne Taschenuhr darin. Entsetzen durchfuhr sie. Sibylle hatte diese Uhr getragen, als sie getötet wurde. Wie von Sinnen nahm sie die Uhr und schleuderte sie von sich fort. Das Schmuckstück schlitterte über den Boden auf eine Art Tisch zu, der in der Ecke stand und auf dessen Platte sich allerlei Gerät befand. Was genau das für Sachen waren, konnte sie nicht erkennen, denn der Schein der flackernden Kerze reichte nicht so weit. Der Boden war mit hölzernen Bohlen ausgelegt, die den Eindruck eines Flickenteppichs hervorriefen, denn sie bestanden aus drei Teilen und waren unterschiedlich breit.

Sie schloss die Augen und versuchte tief zu atmen. Es war dumm, so abergläubisch zu sein. Als ob es an der Uhr läge, dass Sibylle und sie ... Sie dachte den Satz nicht zu Ende. Ihr Herz raste wie wild. Gleichzeitig geschah etwas Seltsames. Als sie die Augen wieder öffnete, glaubte sie, neben sich selbst zu stehen. Sie sah sich, schier wahnsinnig vor Panik, an einer Wand angekettet, in einem unbekannten Raum, wie sie sich vorstreckte, um nach ihrer Uhr zu greifen. Sie sah sich selbst weinen, weil ihr Arm nicht lang genug war. Und doch fühlte sie sich vollkommen ruhig. Ich muss die ruhige Lili sprechen lassen, wenn er wiederkommt, sagte sie sich. Die freie, die alles nur beobachtet. Nicht die gefangene.

Bald konnte sie hören, wie sich der Schlüssel im Schloss drehte. Die Tür ging auf, und der Mann trat erneut ein. Einen Moment lang blieb er so stehen und betrachtete sie. Dann lächelte er. «Du siehst sehr schön aus», sagte er. «Fast zu schön zum Sterben. Das habe ich auch zu deiner Schwester gesagt.»

Er reichte ihr das Glas Bier. «Nicht zu Caroline, obwohl ich die auch niedlich finde. Zu deiner anderen Schwester. Zu Sibylle. Du weißt doch mittlerweile, dass sie deine Schwester war?»

Lili überließ das Wort der anderen, ruhigeren Lili. «Die Frage ist doch eher: Woher wissen Sie, dass Sibylle meine Schwester war?»

«Sibylle hat es mir gesagt.»

Lili stellte das Glas auf dem Boden ab. «Das glaube ich Ihnen nicht.»

Sofort sprang der Mann auf sie zu und ohrfeigte sie. «Verwende nie wieder dieses Wort!»

Verwunderung mischte sich in Lilis Schrecken. «Welches Wort?», stammelte sie.

«Glauben!», brüllte der Mann, und seine Fistelstimme überschlug sich beinahe. «Sag nie wieder, dass du etwas glaubst oder nicht glaubst! Du bist eine Ketzerin, die gegen Gottes Gebote verstoßen hat. Wenn du glauben sagst, entheiligst du das Wort!» Er trat gegen das Glas, sodass sich sein Inhalt über den Boden ausbreitete. Das Bier durchtränkte Lilis Rock. In diesem Augenblick wusste sie wieder, woher sie ihn kannte. Friedrich Thurgaus Begräbnis, der Pfarrer, der seine dürren Arme in einer viel zu weiten Soutane gen Himmel gereckt hatte, die hohe Stimme, St. Petri. Er war auch beim Treffen des Feuerbestattungsvereins gewesen, hatte neben dem Verwirrspiel aus Violett und Rot gesessen.

«Oh mein Gott», hauchte sie.

Sie hätte es wissen müssen. Der Pfarrer schlug ihr erneut ins Gesicht. «Auch dieses Wort darfst du niemals benutzen», keuchte er.

Er machte ein paar Schritte in Richtung Tisch. Unter seinen Füßen knirschte es. Er bückte sich, um nach dem zertretenen Glas und Silber zu greifen, und schüttelte den Kopf. «Eine Uhr», sagte er. «Nanu.»

Er drehte die Uhr ins Licht und betrachtete sie lange. Dann wandte er sich lächelnd Lili zu. «Dieses Schmuckstück hat doch auch deine Schwester getragen», stellte er fest. «Nicht wahr?»

Ohne eine Antwort abzuwarten, zündete er eine Kerze auf dem Tisch an. Lili verdrehte den Kopf und erkannte, dass der Tisch eine Art Altar darstellte, über dem ein Holzkreuz mit einer nackten Jesusfigur hing. Der Pfarrer legte den Beitel auf eine buntgestickte Decke und wandte sich ihr wieder zu. «Du weißt, dass du eine arme Sünderin bist?»

Lilis Gedanken überschlugen sich. Wie lange beobachtete er sie wohl schon? Und was um Himmels willen hatte er daraus abgeleitet? Sie sah, wie er sich einen schwarzen Umhang umlegte, ähnlich der Soutane, die er damals in der Kirche getragen hatte. Ihr wurde kalt.

«Und du wirst dafür büßen. So wie Sibylle.» Er richtete sich auf und breitete die Arme aus.

Lili wurde schwindelig. Beklommenheit und Verzweiflung schlugen über ihr zusammen, und sie glaubte zu ertrinken. Was meinte er? Sie versuchte, der anderen Lili das Denken zu übertragen, jener Lili, die neben ihr stand. Worin bestand wohl nach seiner Auffassung ihre Sündigkeit? Hatte er sie bei ihren Treffen mit Rurik und Christian beobachtet? «So wie Sibylle», hörte sie den Mann jetzt wieder murmeln. Was meinte er nur damit? Was verband Sibylle und sie in seinen Augen? Ihre Freundschaft zu Magdalena? Hielt er sie am Ende für eine dieser Frauen, die dem eigenen Geschlecht zugeneigt sind, und war deshalb wütend auf sie?

Dann ergriff die ruhige Lili das Wort. «Jeder Verurteilte hat das Recht zu erfahren, wessen er sich schuldig gemacht hat. Sagen Sie mir, Herr Pfarrer, was werfen Sie mir vor?»

Sie hatte diese Worte tatsächlich ohne ein Zittern in der Stimme hervorgebracht. Der Pfarrer starrte sie verblüfft an, als traue er seinen Ohren nicht. Dann trat er ganz dicht auf sie zu und beugte sich vor.

«Ich werfe dir vor, dass du von *ihm* abstammst», sagte er leise. «Von *ihm*, meine Schöne. Der so böse ist.»

Lili versuchte, seinen Blick zu erwidern. Im Schein der flackernden Kerzen bemerkte sie, dass er nicht blinzelte. Sie hoffte, dass er jetzt wieder von ihr zurückwich, denn sie glaubte, dass er ihre Angst riechen konnte. Sie schluckte und versuchte etwas zu sagen. Aber sie brachte keinen Ton mehr hervor.

Er strich ihr mit einem Finger leicht über die Wange. «Eigentlich habe ich mit dir anfangen wollen. Weil dein Vater dich so mag. Aber dann ist mir deine Schwester dazwischengekommen. Danach hätte ich dich doch fast gehabt. Aber du hattest ja diesen Retter, der auf mich geschossen hat, diesen bebrillten Kerl mit dem Arztkoffer. Und danach bist du mir immer wieder entwischt.»

Lili schluckte. Wie von fern spürte sie, dass der Eisenring an ihrem Handgelenk ihre Haut aufscheuerte. Aber sie nahm den Schmerz nicht wahr.

«Einmal», sagte der Pfarrer leise, «hätte ich dich fast gehabt. Aber da ist mir der Bestatter zuvorgekommen. Er hat dich vor meinen Augen davongeschleppt. Ich meine übrigens den anderen Bestatter.» Er stampfte mit dem Fuß auf. «Der, der keine Toten verbrennen wird!», brüllte er.

«Ist es das also?», fragte Lili. Der Wutanfall des kleinen Mannes gab ihr seltsamerweise Kraft. «Sind Sie wütend auf meinen Vater, weil er in Hamburg die Feuerbestattung durchsetzen will?»

Zu ihrem Erstaunen brach der Mann vor ihr in Tränen aus. Und dann ließ er sich auf den Boden fallen, einfach so. «Er wird ihre Seelen vernichten», schluchzte er. «Die Seelen von unschuldigen Menschen. Sie werden niemals zu Gott kommen, weil er sie verbrannt haben wird!»

Genauso plötzlich, wie er mit dem Weinen begonnen hatte, hörte er auch wieder auf. Er sprang auf die Füße, machte einen Satz auf Lili zu und schlug ihr erneut mit aller Kraft ins Gesicht. «Aber ich werde ihn vernichten! Ich werde alles töten, was ihm lieb ist! Wenn du tot bist, kommen die Zwillinge dran. Erst die kleine Caroline, und dann Carl. Danach deine Mutter. Und ganz zum Schluss kommt er dran.»

Er drehte sich auf den Hacken um, dass sein Umhang wehte. «Ich werde jetzt hinausgehen und dich mit deinem Leben abschließen lassen. Ich gebe dir sieben Minuten. Verstehst du? Sieben. Du als Tochter eines Bestatters kennst die Zahl sicher sehr gut.»

Lili erwiderte reglos seinen Blick.

«Das siebte Werk der Barmherzigkeit», lächelte der Pfarrer. «Danach komme ich wieder. Und weißt du was? Ich bringe dir sogar noch etwas mit!»

25. KAPITEL

Lili versuchte, ihre Atmung zu kontrollieren. Sie war jetzt so panisch, dass die beiden Lilis zu einer verschwammen. Zusammen trieben sie in einem Meer aus Angst. Vor ihren Augen schwankte der Raum. Als sie glaubte unterzugehen, tauchten einzelne Gesichter auf. Die Gesichter verbanden sich zu einer Reihe. Christian, Vater, Mutter, Wilhelm, Carl, ja sogar Magdalena zogen in ihrer Erinnerung vorbei, aber ihre Sehnsucht galt in diesem Augenblick vor allem der kleinen Schwester. Sie sah Caroline vor sich, wie sie mit ihrem Lachen und ihren Geschichten das Leben ihres Bruders verschönerte. Sie dachte an ihre Händchen, an die Blumen, die sie malten, an ihre Kränze, Schleifen und Stickereien. Wie sorgfältig sie ihre Puppen kleidete. Sie wusste, dass sie ihren Zwillingsbruder immer verteidigt hatte und immer verteidigen würde. Sie staunte über Carolines Mut. «Bitte, lass sie und Mutter wieder gesund werden», betete sie innerlich, und jetzt schossen ihr die Tränen in die Augen. «Bitte, lass sie mich noch einmal sehen.»

Dann wischte sie sich über das Gesicht. Wieder stand sie neben sich. Und wieder war die andere Lili ruhig. Es muss doch einen Weg geben, hier herauszukommen, flüsterte sie sich zu. Ich kann jetzt noch nicht sterben. Da gibt es noch so viel, was ich erleben möchte. Ich möchte noch einmal eine Reise machen. Vielleicht wieder nach London, vielleicht auch ganz woandershin. Ich würde sogar wieder die Eisenbahn nehmen, auch wenn sie mir immer noch Angst macht. Ich will die Welt kennenlernen. Will Kinder bekommen. Und dann durchfuhr sie der Gedanke, zusammenhanglos: Die Liebe existiert nicht ohne den Tod.

Im Schein der Kerze betrachtete sie erneut ihre stählerne Fessel. Sie bestand aus zwei geschmiedeten Halbringen, an deren jeweiligem Ende ein Loch gefräst worden war. Diese beiden Löcher waren mit einem Schloss verbunden. Und den Schlüssel dazu hatte der Pfarrer. Oder etwa nicht? Wieder suchte sie den Raum ab. Nach dem Schlüssel oder einer losen Diele, irgendeinem Versteck. Aber da war nichts.

Das Geräusch an der Tür ließ ihr das Blut gefrieren. Ein Schlüssel drehte sich, und die Tür sprang auf. «Bist du fertig?», fragte der Pfarrer, aber er schien keine Antwort zu erwarten, denn nun schritt er salbungsvoll in Richtung Altar. Streckte die Hand aus, um etwas daraufzulegen, das Lili nicht erkennen konnte. Griff nach dem Beitel. Und hob ihn langsam, ganz langsam empor.

Der Satz war da, bevor Lili ihn auch nur denken konnte. «Sie haben einmal einen Menschen in den Flammen verloren, nicht wahr?»

Der Pfarrer starrte den Beitel in seiner Rechten an. «Meine Mutter», sagte er schlicht.

«Wie ist das passiert?»

«Das hat dich nicht zu interessieren», kreischte er, und seine Stimme klang dabei wie die einer Frau. «Du bist ein dreckiges, unwürdiges Miststück, und ich habe viele Monate gewartet! Dein Moment ist gekommen!»

«Und Sie denken, dass die Seele Ihrer Mutter nicht in den Himmel gekommen ist, weil ihr Körper verbrannt ist?», fragte Lili gezielt.

«Ich denke es nicht, ich weiß es.» Der Pfarrer schritt aufgeregt im Raum auf und ab. «Ich wollte sie retten, aber alles war voller Feuer. Ganz Hamburg war Feuer. Meine Mutter stand hinter einer Feuerwand. Ich habe sie gesehen, wie sie mich um Hilfe anrief. Ich komme, Mutter, habe ich gesagt. Aber», und er begann zu schluchzen, «ich konnte ja nicht.»

Nein, es war nicht die Stimme einer Frau, mit der der Pfarrer sprach, das erkannte Lili auf einmal. Es war die Stimme eines kleinen Jungen.

«Meine arme, liebe Mutter», jammerte er und setzte sich auf den Boden vor Lili. «Arme, arme, liebe, liebe.» Er legte den Beitel beiseite, schlang die Arme um seinen Oberkörper und begann sich zu wiegen wie in einem Schaukelstuhl. Stille erfüllte auf einmal den Raum. Und dann hob der Pfarrer an zu singen.

«Häschen in der Grube saß da und schlief, saß da und schlief,
armes Häschen bist du krank,
dass du nicht mehr hüpfen kannst?
Häschen hüpf, Häschen hüpf, Häschen hüpf!»

Lili spürte Gänsehaut auf ihren Armen. Ihr Blick wanderte durch den Raum. Hatte er den Schlüssel für den Eisenring irgendwo hingehängt, wo sie ihn vielleicht erreichen konnte? Die zwei Kerzen, die jeweils auf dem Altar und auf dem Fußboden standen, erhellten die Zelle. Es war stickig, und die Luft war feucht. Jetzt bemerkte sie auch, dass an einer Wand Wasser herunterlief. Sie musste in einem Keller gefangen sein. Und dieser Keller führte ganz sicher zur Wohnung des Pfarrers, denn er hatte ihr ja zwischendurch das Bier geholt.

Das Lied war zu Ende, und der Pfarrer stand auf. Er hielt den Beitel in der Hand.

«Du armes, verführtes Wesen», sagte er leise. «Du sollst deine Reise ins Jenseits nicht allein antreten. Darum habe ich dir etwas mitgebracht, das ich dir unter das Strumpfband schieben werde. Hinterher, wenn du tot bist. Genauso wie bei Sibylle. Bei Sibylle habe ich es genauso gemacht.»

«Die Chiffrierscheibe», hauchte Lili. Sie fühlte, wie ihr alles Blut aus den Wangen wich.

«Keine Ahnung, was das war», antwortete der Pfarrer. «Es lag in ihrem Zimmer auf dem Nachttisch. Ich dachte, es würde ihr gefallen.»

Er ging zum Altar hinüber und wandte ihr den Rücken zu. «Ich habe dich oft beobachtet, Lili», sagte er. «Unten, von der Straße aus. Manchmal hast du die Vorhänge nicht geschlossen, sodass ich sehen konnte, was du gerade machtest. Du scheinst gern zu lesen.» Nun wandte er ihr das Gesicht zu. «Bitte sehr.»

Lili erkannte den Ledereinband und die englische Schrift: «The adventures of Sherlock Holmes». «Sie sind bei uns eingebrochen», flüsterte sie.

«Vielleicht passt es auch nicht unter dein Strumpfband.» Der Pfarrer zuckte mit den Schultern und schob die Unterlippe vor. «Vielleicht werde ich es dir in den Strumpfhalter tun. Aber …»

«Beim Großen Brand ist auch meine Großmutter gestorben», sagte Lili schnell. Sie sprach, ohne nachzudenken. «Die Mutter meiner Mutter. Es war furchtbar. Ein brennender Balken ist ihr auf den Kopf gefallen.»

«Der Große Brand», nickte der Pfarrer. «Genau fünfzig Jahre ist das nun her. Nun ja, dein Vater kann dich ja jetzt auch verbrennen, wenn er möchte. Ich werde ihm deine Leiche vor die Tür legen, sodass er sie leicht finden wird.»

«Warum gerade unsere Familie?», flüsterte Lili. «Warum nicht andere Familien aus dem Feuerbestattungsverein?»

«Weil dein Vater den Verein gegründet hat», brüllte der Pfarrer. «Gott hat mir befohlen, seine Familie auszurotten! Damit das Böse wieder erlischt!»

«Wenn unsere Familie tot ist», Lili mühte sich, ihre Stimme so fest wie möglich zu machen, «werden andere das Werk weiterführen. Es bringt also nichts, uns umzubringen. Das wissen Sie doch, nicht wahr?»

«Dann werde ich die anderen eben auch in die Hölle schicken», kreischte er. Und begann zu kichern. «Ins Höllenfeuer. Wohin sie gehören.»

Wieder rannte er durch den Raum. Dann kniete er vor dem Altar nieder und faltete die Hände. «Gott im Himmel, ich bin immer brav gewesen», sagte er. «Das weißt du doch, nicht wahr?»

Irgendjemand schien dem Pfarrer zu antworten, denn nun sprach er weiter. «Dann gib mir, lieber Gott, die Kraft, es auch weiterhin zu sein.»

«Wann haben Sie beschlossen, sich an uns zu rächen?», fragte Lili. Ihr Blick irrte weiter verzweifelt durch den Raum. Wieder fielen ihr nur die unregelmäßig gelegten Holzbohlen auf. Sie versuchte, sich auf das zu konzentrieren, was ihr Halt gab. Christians Gesicht tauchte sehr deutlich vor ihrem inneren Auge auf.

Der Pfarrer drehte sich zu ihr um. Er kniete immer noch. «Seit dem ersten Kongress.»

«Dem ersten Kongress zur Feuerbestattung?» Lili überlegte. Weiterreden, immer nur weiterreden. Solange sie das Gespräch im Fluss hielt, stach er nicht zu. «Meinen Sie den internationalen Kongress im italienischen Florenz? Das war ja noch vor meiner Geburt.»

«Das war 1869», erklärte der Pfarrer sachlich. Seine Stimme klang nun beinahe wieder normal.

«Vor dreiundzwanzig Jahren also», sagte Lili.

«Dreiundzwanzig Jahre, ja. So lange warte ich schon.»

Lili wollte einwenden, dass er wohl kaum dreiundzwanzig Jahre lang darauf gewartet hatte, sie alle umzubringen, damals war der Vater nur ein einfacher Sargschreiner gewesen, nicht einmal Bestatter, geschweige denn Krematist. Da stieg eine andere Erinnerung in ihr auf. Wieder sah sie Christians Gesicht vor sich. Dreiundzwanzig Jahre lang habe Morriss gewartet, hörte sie seine tiefe Stimme. Und sie sah sich selbst, wie sie in seinem Salon auf dem Canapé saß und fragte: ‹Dreiundzwanzig? Ist das nicht eine besondere Zahl? Magdalena, die mit einem Numerologen befreundet ist, hat das heute erwähnt.›

«Aber verstehen Sie denn nicht», rief Lili.

Der Pfarrer wandte sich ihr überrascht zu.

«Wenn Sie wirklich seit dreiundzwanzig Jahren warten, dann handeln Sie nicht im Namen Gottes, sondern im Auftrag seines Widersachers. Dem Antichrist!»

«Nein, nein, nein!» Der Pfarrer wedelte mit den Armen. «Du versuchst, mich zu verwirren. Aber das lasse ich nicht zu!»

«Aber hören Sie doch! Das, was ich Ihnen jetzt sage, ist wichtig. Die Dreiundzwanzig besteht aus zwei Zahlen, der Zwei und der Drei.» Lili setzte sich so aufrecht wie möglich hin. «Zwei geteilt durch drei aber ergibt 0,666.»

«Die Teufelszahl», hauchte der Pfarrer. Einen Augenblick lang sah er so aus, als ob er darüber nachdächte. Doch dann nahm er wieder den Beitel in die Hand. «Ich wollte dich ja schon im vergangenen Jahr töten», schrie er. «Nachdem das Krematorium fertig war! Dann hätte ich nur zweiundzwanzig Jahre gewartet. Also keine Teufelszahl!»

Er sprang auf Lili zu, dass sie zurückzuckte. «Aber du warst ja nicht da», brüllte er. «Du warst in England, bei deinem verdammten Bruder. Jetzt aber kenne ich seine Adresse. Ich weiß, wo er wohnt. Und wenn ich mit euch allen fertig bin», er riss die Hand mit dem Beitel empor, dass der Stoff über seinen dürren Arm rutschte, «dann fahre ich nach England und töte ihn!»

Lili schloss die Augen. Und in diesem Augenblick wusste sie es.

«Drei Mal sechs Bohlen», sagte sie.

«Wie bitte?» Verblüfft ließ der Pfarrer den Beitel sinken.

«Der Fußboden besteht aus drei Mal sechs Holzbohlen», erklärte Lili so besonnen, als erklärte sie einem Zimmermann den Raum. «Sehen Sie doch selbst.»

Der Pfarrer folgte mit Blicken ihrer linken, ausgestreckten Hand. «Sechs, sechs, sechs», flüsterte Lili. «Die Teufelszahl. In diesem Raum beherrscht uns der Teufel. Gott kann nicht zu uns vordringen. Bitte, Herr Pfarrer. Es ist das falsche Jahr und das falsche Zimmer. Helfen Sie uns hier raus.»

Für die Dauer eines Herzschlags sah der Pfarrer so aus, als wollte er sich fügen. Er ließ den Beitel sogar sinken. Doch dann schüttelte er den Kopf. «Es ist zu spät, um noch einmal darüber nachzudenken», sagte er. «Ich werde dir jetzt dein Kleid aufknöpfen. Denn ich steche dir, genau wie Sibylle, mitten ins Herz.»

Mit der Linken griff Lili nach seinem rechten Handgelenk. Aber sie hatte vergessen, dass der Pfarrer noch eine andere Hand zur Verfügung hatte. Und die legte er nun um ihren Hals. Mit dem Daumen drückte er auf ihre Gurgel. Lili wurde schwarz vor Augen. Sie hatte keine Kraft mehr. Sie ließ sein Handgelenk los.

In diesem Augenblick ertönten von draußen laute Stimmen. Der Pfarrer flog herum. Lili erstarrte. Jemand schlug auf die Tür ein, das Holz splitterte. Und herein stürmten drei Männer, die sie nie zuvor gesehen hatte. Einer von ihnen, der sich seinen Kopf in der Art amerikanischer Indianer geschoren hatte, dass nur ein Mittelstreifen Haar übrig war, keuchte: «Ihr müsst uns verstecken! Die Polizei is da!»

Criminal-Inspector Bender wandte sich an seinen Kollegen. «Rohrbeck, bringen Sie Fräulein Winterberg ein Glas Wasser. Und eine Wolldecke. Sie steht unter Schock.»

Lili fror, als wäre es Winter. Sie hockte auf einem Schemel in der Amtsstube der Criminal-Polizei, Abteilung 2a, und zitterte am ganzen Leib. Eiseskälte erfüllte ihren Körper. Sie stieg von ihrem Bauch auf, füllte die Brust aus und reichte bis zu den Armen. Ihr Kopf pochte vor Schmerzen. Sie versuchte zu sprechen, aber ihre Zähne klapperten immerzu. Als der Schreiber mit der Decke kam, flatterten ihr die Hände. Immer wieder fiel die wärmende Wolle zu Boden. Sie bekam sie nicht zu fassen.

«Rohrbeck», sagte der Inspector. «Nun hilf ihr doch mal.»

Da brach Lili in Tränen aus. Sie weinte, wie sie noch nie in ihrem Leben geweint hatte. Sie sackte einfach nach vorn, vergrub den Kopf in den Händen, und ihr Herz verkrampfte sich vor Schmerz.

«Sollen wir die Vernehmung später fortsetzen?», fragte der Inspector leise.

Lili schüttelte den Kopf und richtete sich auf. Sie musste nach Hause. Alles vorbereiten für das Begräbnis. Sie konnte es sich nicht erlauben, schwach zu sein. Sie musste …, oh Gott, sie konnte nicht denken vor Weinen. «Einen Moment noch», sagte sie, immer noch zitternd. «Ich bin gleich so weit.»

Sie schloss die Augen und ließ die letzten Stunden Revue passieren. Das unwahrscheinliche Glück ihrer Befreiung, weil die Polizei in einer angrenzenden Kaschemme, dem «Verbrecherkeller», eine Razzia durchgeführt hatte. Wie sie von einem Beamten durch einen dunklen Kellergang nach draußen auf den Fischmarkt geführt wurde, in einen dämmerblauen Morgen hinein. Und wie sie dann, gerade als sie in die Polizeidroschke steigen wollte, um diese furchtbare Nacht zu Protokoll zu bringen, Christian in seiner Kutsche begegnet war. Christians schneeweißes Gesicht, seine verweinten Augen, Christian, der gerade aus dem Krankenhaus gekommen war. Wieder und wieder hörte sie seine Worte. «Es tut mir so leid, Lili. Caroline ist tot.»

Sie richtete ihren Blick auf Inspector Bender. Aus ihren Augen floss es unaufhörlich weiter. «Meine kleine Schwester ist heute Nacht gestorben», weinte sie. «Cholera.»

Stille breitete sich in der Amtsstube aus, in der ihr Weinen nur noch lauter klang.

«Das tut mir sehr leid für Sie», sagte der Inspector endlich. «Rohrbeck, bitte schreiben Sie: Razzia, 19. September 1892, im ‹Verbrecherkeller› an der Niedernstraße, Ecke Depenau.»

Das ohrenbetäubende Krachen ertönte, und selbst der Inspector zuckte zusammen. «Nicht die Schreibmaschine, Rohrbeck», sagte er. «Nehmen Sie bitte den Füllfederhalter. Kopieren können Sie hinterher. Festgenommene sind Sepp Obermann, Spitzname Totenseppel, wegen Diebstahl, Sachbeschädigung und Hausfriedensbruch in drei nachgewiesenen Fällen, Straßenhändler, zurzeit in einer Desinfektionskolonne tätig, ferner Albert Friedrichsen, Spitzname Indianer-Albert, wegen Kuppelei. Berta Münzauer, Spitzname Husaren-Berta, wegen Verbrechen wider die Sittlichkeit, und Ingeborg irgendwas, Nachname nicht mehr nachvollziehbar, Spitzname Gelbe Hyäne, auch Sittlichkeit. Und jetzt», er blickte zu Lili hinüber, «kommen wir zu unserem größten Fang.»

Lili holte tief Luft. Jetzt. Jetzt würde sie den Namen ihres Peinigers erfahren.

«Wilfried Ewert, Wanderprediger.» Er machte eine Pause und sah zu Rohrbeck hinüber, dessen Feder geradewegs über das Papier zu fliegen schien. «Versuchter Mord.»

Während des darauffolgenden Schweigens, in dem nur das Kratzen der Feder zu hören war, wandte der Inspector sich wieder Lili zu. «Können Sie jetzt Ihre Aussage machen?»

Lili biss die Zähne zusammen. «Ja», sagte sie.

Zwei Stunden später stand Lili wieder auf der Straße, in Begleitung eines netten, jungen Hilfspolizisten, der ihr in die Droschke half. Wie immer ratterten die Krankenwagen über das Pflaster, zwischen ihnen Fuhrkutschen mit Bierfässern, Wasserwagen und Desinfektionskolonnen, deren Besatzungen laut und trunken ihrem nächsten Einsatz zustrebten. Dem Stand der Sonne nach zu urteilen, war es später Vormittag. Auf einmal fiel ihr einer der zahlreichen warmherzigen Trauersprüche ein, die Caroline sich ausgedacht hatte: «Ich werde in euren Herzen weiterleben.» Sie schlug die Hände vors Gesicht und weinte untröstlich.

«Wird Sie Ihre Familie in Empfang nehmen?», fragte der Hilfspolizist, als sie im Cremon angekommen waren.

Lili dachte an den Vater, der jetzt zu Hause auf sie wartete, und an Carl. Sie wusste, dass ihre Familie nie wieder das sein würde, was sie einmal gewesen war. Caroline würde ihr fehlen, solange sie lebte. Sie nickte und stieg aus.

Die Ladentür war verschlossen, und auf ihr Klingeln hin öffnete ihr niemand. Mit zitternden Fingern schloss sie die Tür zur Wohnung auf. «Ist da jemand?», rief sie. Doch da war nur ein großes Schweigen. «Vater, Magdalena, Carl, Tobias?», rief sie erneut. «Seid ihr da?»

Jetzt konnte sie leise Schritte hören, die die Treppe herunterkamen. Unwillkürlich fuhr sie zusammen. Sie schlich in die Küche hinüber zum Ofen und nahm den Schürhaken in die Hand. Die Schritte kamen näher. Und dann sah sie ihn.

«Oh mein Gott, Carlchen!» Lili warf den Schürhaken beiseite. «Hast du mich vielleicht erschreckt. Wo sind die anderen?»

Carl strich sich die roten Locken aus der Stirn. «Vater ist im Krankenhaus. Um nach Mutter und Caroline zu sehen.»

Lili schloss die Augen. Eine Woge der Verzweiflung flutete ihr Herz. Er weiß es noch gar nicht, dachte sie. Er weiß noch nicht, dass Carolinchen tot ist. Meine Güte. Was mache ich jetzt?

«Aber er hat gesagt, dass er um zwölf wieder da sein wird.» Carl streckte seine Hand nach ihr aus. «Bringt er dann Caroline mit? Wie spät ist es denn jetzt? Ich will Caroline sehen.»

Mit der anderen Hand tastete Lili nach ihrer Taschenuhr. Aber nein, die hatte sie ja nicht mehr. Sie lag zerborsten und zertreten in einem Keller, der zu einer Kaschemme namens «Verbrecherkeller» führte. Sie würde sie nie mehr zurückbekommen. Auf einmal konnte sie sich nicht mehr halten. Sie sank einfach auf den Fliesen der Küche zusammen.

«Warum weinst du, Lili?», fragte Carl verängstigt. «Ist dir etwas Schlimmes passiert?»

Lili riss den kleinen Bruder in ihre Arme und presste ihn an sich, so fest es nur ging. «Ich muss dir etwas sagen, Carlchen», weinte sie.

In diesem Moment hörte sie, wie die Bestattungskutsche draußen vorfuhr. Sie erkannte es an Melchiors Schnauben und daran, wie ihr Vater sich schwer vom Kutschbock gleiten ließ. Dann hörte sie seine Stimme, die ihren Namen rief. Sie nahm Carl an die Hand und lief nach vorne in den Laden, wo sie die Tür entriegelte. Da stand der Vater, aschfahl im Gesicht.

«Lili», sagte er, machte einen Schritt auf sie zu und taumelte. «Mutter ist heute Morgen gestorben. Sie hat mich nicht einmal mehr erkannt.»

Lili fühlte, wie ihr alles Blut aus dem Gesicht wich. Und dann geschah noch etwas. Der pferdelose Wagen der Behneckes, das Automobil, tauchte hinter der Bestattungskutsche auf. Chlodwig Behnecke saß am Steuer.

Sie machte die Fahrertür auf, ging um den Wagen herum und öffnete die rückwärtige Tür. «Guten Tag», sagte sie. «Ich habe unterwegs jemanden gefunden, der in den Cremon wollte. Also habe ich ihn hergefahren.»

Herausgerutscht kam ein rothaariges kleines Mädchen, das beim Anblick ihrer Geschwister und ihres Vaters lächelte. Es war bleich und abgemagert und trug nicht seine richtigen Sachen, sondern ein viel zu großes, gestreiftes Krankenhauskleid. Lili brach erneut in Tränen aus. Aber diesmal waren es Tränen der Verwirrung und der Erleichterung. Caroline war wieder da.

26. KAPITEL

«Ich könnte mich an solche Zwerge gewöhnen.» Christian rückte seine Brille zurecht und blickte zu Caroline und Carl hinüber, die sich spielerisch jagten. Beim Laufen hatten sich Carolines Zöpfe gelöst, sodass die Haare Carl ins Gesicht wehten. Carl versuchte die vorübergehende Blindheit dadurch abzuwenden, dass er wild mit den Armen ruderte, worüber er allerdings arg ins Straucheln geriet.

Eine novemberkalte Böe fegte über die Festgäste vor dem frischeröffneten Krematorium. Lili beobachtete, wie die Zwillinge jetzt auf ein Regal mit Urnen aus Porzellan zustoben, die eine preußische Manufaktur aus Altona ausgestellt hatte, wie sie dann kurz vor dem Regal einen Haken schlugen, um in Richtung Friedhof zu rennen. Sie atmete auf. Seit dem Tod ihrer Mutter hatte sie die beiden nicht mehr froh gesehen. Fast zwei Monate lang hatten Carl und Caroline weder mit ihr noch mit sonst jemandem gesprochen. Erst in der letzten Woche hatten die Zwillinge zum ersten Mal wieder gelächelt. Lili hatte sich große Sorgen um sie gemacht.

«Was meinst du, Lili – schenkst du mir eines Tages auch mal so einen?»

«Wenn du lieb bist, darfst du mit den beiden mal spazieren gehen.» Lili drückte ihm einen Kuss auf die Lippen. «Aber besser wäre es noch, du stellst deine eigenen Zwerge her.»

«Hilfst du mir dabei?» Christian zeichnete mit dem Finger die Form ihrer Wangen nach.

Lili lächelte. «Das ist ein sehr unsittliches Angebot, Herr Doktor.»

«Aber?»

«Ich nehme es an.»

Sie bemerkte zwei Männer, die sich unter die Menge mischten, und verzog verächtlich das Gesicht. Der eine war Rurik Robertson, hochaufgerichtet, mit einem selbstgefälligen Lächeln auf den Lippen, der etwas in ein Heft notierte. Der andere war Thorolf Behnecke. Der alte Beerdigungsunternehmer schob sich mit einem Stapel Werbeblätter in der Hand durch die Reihen der Feiernden, um ihnen die Vorzüge der Feuerbestattung anzupreisen, sein neuestes und attraktivstes Angebot. Doch keiner der Anwesenden sah aus, als ob es ihn in nächster Zeit danach gelüstete, zu sterben – dazu waren die meisten von ihnen wohl gerade zu froh.

Der Vater ging zwischen den Grüppchen umher, und die Leute lächelten, wenn sie ihn sahen, und drückten ihm die Hand.

Christian presste Lili fester an sich. «Dieses Mädchen damals im Krankenhaus», begann er leise, «das vor meinen Augen gestorben ist. Ich bin so froh, dass es nicht Caroline war.»

«Die Cholera verändert die Gesichter der Menschen», sagte Lili. «Am Ende sind sie furchtbar eingefallen.»

Christian schüttelte den Kopf. «Die Pfleger müssen Caroline einfach vor die Tür gesetzt haben, als sie gesehen haben, dass es ihr wieder besserging.»

«Mach dir keine Vorwürfe.» Lili kuschelte sich dichter an ihn heran. «Ihr Ärzte wart überfordert, und die Pfleger auch. Wir alle waren überfordert. Aber jetzt ist es ja vorbei.»

In zwölf Wochen waren fast zehntausend Menschen gestorben. Nein, in Wahrheit war es überhaupt nicht vorbei, und solange sie lebte, würde es das nicht sein. Die Seuche hatte ihr Leben verändert, und auch das ihres Vaters. Elisabeth war gestorben, ohne dass der Vater es geschafft hätte, sich mit ihr auszusprechen. Sie war gestorben und hatte ihm nicht verziehen.

Lili betrachtete das mit weißen und roten Ziegelsteinen gemauerte Gebäude mit dem hohen Schornstein, dem in diesem Moment weißer Rauch entwich. Mit der sechseckigen Kuppel, den Zinnen, Erkern und verspielten Portalverdachungen sah das Krematorium wie ein Märchenschloss aus.

Jetzt wurden die Flügeltüren aufgestoßen, und die Trauergäste schritten über die Freitreppe hinab. Als sie sich unter die versammelten Krematisten, Bestatter und Mitglieder des Feuerbestattungsvereins mischten, die auf dem Rasen davor standen, durchfuhr Lili ein seltsames Gefühl. Die einen hatten gerade Abschied genommen, die anderen feierten Neubeginn. War so nicht ihr ganzes Leben gewesen in diesem letzten halben Jahr? Anfang und Ende, Freude und Trauer, Leben und Tod.

Magdalena tauchte neben ihr auf, rotwangig vom Spielen mit den Zwillingen. Sie war so außer Atem, dass sie kaum sprechen konnte.

«Ich möchte das schönste Paar auf dieser zweifellos ergreifenden Festivität ja nur ungern stören», stieß sie hervor. «Aber die Zwillinge und ich, wir haben Hunger. Haben wir der Verbrennung eines Toten jetzt nicht lang genug zugesehen?»

Lili betrachtete die Freundin, und ein Gefühl von Dankbarkeit stieg in ihr auf. Magdalena war die beste und würdigste Nachfolgerin, die sie sich vorstellen konnte, wenn sie nach der Heirat mit Christian die schwankenden Planken eines Schiffes betreten würde. Sie hatten beschlossen, im Anschluss an ihre Hochzeit nach Virginia zu reisen, um den legendären Schatz zu heben, der Christian nun seit so langer Zeit schon Rätsel aufgab. Noch hatte Magdalena zwar ein bisschen Mühe mit der Buchhaltung, aber dafür bewies sie bei allen anderen Tätigkeiten, die bei einem Bestatter anfielen, den richtigen Instinkt. Sie konnte hervorragend Trost spenden, sie war warm und lieb.

Sie behandelte die Toten mit viel Zartgefühl. Und sie war geschickt, wenn es darum ging, Bahrtücher zu säumen oder Motive auf die Totenkleider zu sticken.

Lili wusste, dass Magdalena in jener Septembernacht damals ebenfalls unsägliche Ängste ausgestanden hatte, nachdem sie von Teresa aufgespürt worden war. Hätte die Polizei nicht diese Kuppler festgenommen und vernommen, die Teresa das Mädchen zugeführt hatten, wer weiß, was aus der Freundin geworden wäre. So aber konnte sie ebenfalls befreit werden. Im Anschluss war sie endgültig zu ihnen gezogen.

«Einen Augenblick noch, Magdalena», sagte sie. Ihre Gedanken schweiften zu jenem Tag im September zurück, als sie aus dem Alten Steinweg zurückgekehrt war. Vor das rotwangige Gesicht der Freundin schob sich ein anderes, ein blasses, verängstigtes. Sie dachte an die Erschöpfung, die sich in ihren Zügen eingegraben hatte, an ihre gemeinsamen Tränen. So fest waren sie dabei zusammengewachsen, wie Lili es nicht für möglich gehalten hätte, sie beide, die so gegensätzlich zu sein schienen wie die Liebe und der Tod. Sie wollte Magdalena sagen, wie sehr sie sich darüber freute, dass sie da war. Aber sie wusste nicht, wie.

Eine Gruppe schwarzgewandeter Männer und Frauen zog gemessenen Schrittes an ihnen vorbei. Lili dachte daran, dass sowohl dem netten Herrn, der soeben als erster Hamburger in Hamburg verbrannt worden war, als auch Sibylles Mörder der Tod an einem Dienstag erschienen war, Ersterem in Form einer Lungenentzündung. Das Leben des Predigers hingegen war unter der Guillotine geendet. Magdalena hatte ihr erzählt, dass der Numerologe die Totenmaske angefertigt hatte, als das Blut noch kaum getrocknet war. Abscheu durchfuhr sie, und sie zwang ihre Gedanken zurück in die Gegenwart.

Gleich würde die Sonne untergehen. Der Herbsthimmel war von orangefarbenen und violetten Schleiern überzogen. Die Luft roch köstlich, nach frischgefallenem Regen, nach Pilzen und nassem Holz. Und auf einmal war sie es leid, immer nur zurückzuschauen. Sie wollte in die Zukunft blicken, die so unbekannt vor ihr lag. Bei dem Gedanken daran, dass sie mit Christian irgendwann ein Kind bekommen würde, wurde ihr warm und aufgeregt ums Herz. Angenommen, sie würde noch in diesem Jahr schwanger – was würde dieses Kind wohl tun oder sein, wenn es so alt wäre wie sie? In Gedanken rechnete sie nach. In einundzwanzig Jahren, das wäre 1914. Was für ein fernes, aber zweifellos frohes Jahr!

Auf einmal hatte sie das Gefühl, gleichzeitig weinen und lachen zu müssen. Diese Reise nach Amerika war es, was sie gewollt hatte: zu neuen Ufern aufbrechen. Das Leben mit all seinen Unwägbarkeiten und Freuden erforschen.

«Wollen wir uns heute Abend noch einmal an die Beale-Papiere setzen?», fragte Christian. «Mir ist da noch etwas eingefallen.»

Lili strahlte. «Gerne, Liebling. Wir müssen überhaupt noch über so viele Dinge nachdenken, die uns in Virginia erwarten.» Sie schlang die Arme um ihn. «Ich freue mich so auf die Reise mit dir!»

In diesem Augenblick drang ein markerschütternder Schrei zu ihnen. Lili erkannte einen Kolonialreisenden, komplett mit Tropenhut, Schmetterlingsnetz und Safarikluft, der zu Boden fiel. Das Regal mit den Urnen war umgestürzt, und eine der Urnen hatte den Mann am Kopf getroffen. Christian lief augenblicklich los, und Lili ging ihm hinterher.

Als sie die Unfallstelle erreichte, hatte sich bereits eine Traube von Menschen gebildet. Die Trauergäste und die offiziellen Anwesenden waren außer sich. «Mein Onkel», rief ein junger Mann, als Lili sich der Gruppe näherte. «Er ist tot!»

Lili drängte sich durch die Umstehenden und blickte auf den Mann nieder, der in gekrümmter Haltung auf dem Rasen lag. Der Tropenhut war ihm vom Kopf gefallen, und eine rote

Stelle an seiner Stirn zeigte deutlich, wo die Urne Kontakt mit seinem Kopf aufgenommen hatte. Christian hielt das Handgelenk des alten Mannes und zählte leise die Pulsschläge mit.

«Er war Afrikaforscher», erklärte der Neffe fassungslos. «Er hat ganz Obervolta bereist! Hat als Kind in einem brennenden Haus gestanden! Ist von einem Automobil überfahren, von Dachschindeln erschlagen und durch den Verzehr einer Schlange vergiftet worden! Aber er hat all das überlebt – und nun stirbt er ganz einfach hier, bei der Einweihungsfeier eines Leichenverbrennungsapparats?»

«Lass das Gequatsche und du die Zählerei, du Quacksalber, das hier zeigt uns besser und schneller, was is'!» Thorolf Behnecke schubste Christian einfach beiseite und hielt dem Afrikaforscher einen Spiegel vor die Nase. «Wenn der Spiegel beschlägt, is' Ihr Onkel noch am Leben», erklärte er in Richtung des Neffen. «Wenn er nich' beschlägt», hier lächelte er boshaft, «isses vorbei!»

Zwei bange Sekunden verstrichen, in denen der Neffe die Hände ineinanderkrampfte. Und dann atmete Lili auf. Auf dem Spiegel war ein hauchfeiner Film entstanden. Im nächsten Moment öffnete der Afrikaforscher seine Augen, sah Thorolf Behnecke vor sich sitzen – und zuckte zusammen. Doch sein Erschrecken wandelte sich rasch in Freude. «Bin ich wohl doch nicht im Himmel bei den Engelein», stellte er mit einem Blick auf den Bestatter fest. «Also lebe ich noch!»

«Ja, Sie leben noch, Onkel», seufzte der Neffe. «Sie hören ja überhaupt nicht damit auf.»

Der Afrikaforscher ließ seinen Blick über Lili, Christian, Behnecke, seinen Neffen und Basilius gleiten, der jetzt mit Carl und Caroline an der Hand ebenfalls dazugetreten war. «Das soll auch noch eine Weile so weitergehen, das mit dem Leben», lächelte er. «Ich habe es nämlich sehr, sehr gern.»

© Hergen Schimpf

Petra Oelker

«Petra Oelker hat lustvoll in Hamburgs Vergangenheit gestöbert – ein amüsantes, stimmungsvolles Sittengemälde aus vergangener Zeit ...» Der Spiegel

Tod am Zollhaus
Ein historischer Kriminalroman
rororo 22116

Der Sommer des Kometen
Ein historischer Kriminalroman
rororo 22256

Lorettas letzter Vorhang
Ein historischer Kriminalroman
rororo 22444

Die zerbrochene Uhr
Ein historischer Kriminalroman
rororo 22667

Die ungehorsame Tochter
Ein historischer Kriminalroman
rororo 22668

Die englische Episode
Ein historischer Kriminalroman
rororo 23289

Der Tote im Eiskeller
Ein historischer Kriminalroman
rororo 23869

Mit dem Teufel im Bunde
Ein historischer Kriminalroman
rororo 24200

Das Bild der alten Dame
Kriminalroman. rororo 22865

Der Klosterwald
Roman. rororo 23431

Nebelmond
Roman. rororo 21346

Die Neuberin
Roman. rororo 23740

Tod auf dem Jakobsweg
Roman. rororo 24685

Die kleine Madonna
Roman. rororo 23611

Die Schwestern vom Roten Haus
Ein historischer Kriminalroman

rororo 24611

Weitere Informationen in der Rowohlt Revue *oder unter* www.rororo.de